Val David

novembre 2007

À Cheryl & Jacques –

J'espère que vous aurez
beaucoup de plaisir avec
"vos" oiseaux.

Affectueusement

Daniel Grenier

ENCYCLOPÉDIE
DES
OISEAUX DU MONDE

ENCYCLOPÉDIE DES OISEAUX DU MONDE

Sélection
du Reader's Digest

PARIS - BRUXELLES - MONTRÉAL - ZURICH

ENCYCLOPÉDIE DES OISEAUX DU MONDE
publié par Sélection du Reader's Digest
est l'adaptation française de
IL GRANDE LIBRO DEGLI UCCELLI
publié en langue italienne par Arnoldo Mondadori Editore S.p.A., Milan

L'ouvrage a été réalisé à partir de la série italienne
originale Grande Enciclopedia Illustrata Degli Animali, Uccelli, vol. I, II, III,
édité par Alessandro Minelli et Sandro Ruffo.

Nous remercions tous ceux qui ont contribué à la réalisation de l'adaptation française :

Conseiller de la rédaction : Michel Cuisin
Traduction : Josette Chicheportiche, Fabienne Duvigneau
Secrétariat de rédaction et lecture-correction : Gérard Turpin
Maquette : Michèle Andrault

Équipe de Sélection du Reader's Digest :
Coordination : Paule Meunier
Fabrication : Gilbert Béchard, Jacques Le Maître
Couverture : Dominique Arduré, Françoise Boismal

PREMIÈRE ÉDITION

Édition originale

© 1980 Kodansha-Europa Verlag
© 1990 Édition en un volume : Arnoldo Mondadori Editore S.p.A., Milan, Creazione « Libri Illustrati »

Édition française

© 1991, Sélection du Reader's Digest, S.A., 212, boulevard Saint-Germain, 75007 Paris.

© 1991, Sélection du Reader's Digest, S.A., 12-A, Grand-Place, 1000 Bruxelles.

© 1991, Sélection du Reader's Digest (Canada), Limitée, 215, avenue Redfern, Montréal, Québec H3Z 2V9.

© 1991, Sélection du Reader's Digest, S.A., Räffelstrasse 11, « Gallushof », 8021 Zurich.

ISBN : 2-7098-0361-5

SOMMAIRE

PRÉFACE

Un oiseau se perche sur un haut rocher à pic ou se blottit dans l'épais feuillage d'un arbre majestueux... En dehors de l'ornithologue à l'œil exercé, qui pourrait facilement le repérer dans ce théâtre de verdure aux cent façons ? La silhouette de la petite créature furtive, pourtant juste à un jet de pierre, restera le plus souvent inaccessible au regard inexpérimenté du promeneur, auditeur désappointé du répertoire vocal d'un interprète invisible. Loin (mais parfois si peu) des lisses symétries du monde urbain, abritée dans l'enchevêtrement ombreux de formes, de couleurs et de mouvements, tapie au cœur des trompe-l'œil de son environnement naturel, la vie sauvage nous regarde, elle, tandis que nous passons.

Problème de vie ou de survie chez l'oiseau, voir, bien voir la nature est un art pour l'homme, qui demande de l'apprentissage afin de parvenir à décoder la foule des embûches visuelles qui constituent tant de caches gratuites pour la gent ailée. Mais si le don d'observation peut s'acquérir, encore faut-il se pénétrer de ce que l'on cherche exactement, ou être en mesure de comprendre ce que l'on trouve. Si la longue pratique au grand air est une saine et riche habitude, pourra-t-on se vanter pour autant d'avoir vu, de ses yeux vu, toutes les espèces d'oiseaux représentées dans ce livre ? Qui a déjà été surpris par la brusque accélération du coureur de route ? Qui s'est déjà trouvé témoin ému à la parade nuptiale de l'oiseau jardinier ? Qui s'est initié, dans de sombres grottes vénézuéliennes, aux mœurs du guacharo ? Qui s'est interrogé devant le monticule en décomposition où se chauffe l'œuf du leipoa ocellé ? Pour la courbe grandiose d'un albatros contemplée un beau matin sur l'écran oblique d'une falaise nordique, combien de jacanas n'effleureront que la surface de nos rêves ?

À l'ambition déraisonnable de vouloir saisir l'ensemble du monde avien sur le vif, ce livre propose un généreux compromis. S'il offre des dessins plutôt que des photographies, c'est précisément pour contourner la difficulté que ces dernières, par leur regard objectif, créeraient en répétant trop entièrement l'image perturbante de la réalité. Ainsi cerné, débarrassé des éléments de confusion, l'oiseau se comprend aisément dans son milieu naturel, son identité, ses manières, sa parenté s'affichent clairement, et les textes d'accompagnement apportent au lecteur tout le savoir qui en pourra faire un « honnête homme », nous le souhaitons, au cours de ses enquêtes vivifiantes sur le terrain.

On ne fait pas ce genre d'ouvrage sans se référer aux initiatives passées, sans élire, pour ainsi dire, un saint patron. On aura deviner que l'inspirateur béni se nomme ici John James Audubon, artiste autant que savant, auteur de chefs-d'œuvre illustrés aussi mémorables que *les Oiseaux d'Amérique* (1830). Puisse, à sa manière, l'édition de la présente *Encyclopédie des oiseaux du monde*, au-delà du maintien de cette noble tradition, faire toujours mieux apprécier, dans tous leurs sortilèges, ces faunes emplumées, et contribuer au respect qualitatif et quantitatif de leurs aires et de leur air, si interdépendants des nôtres, afin d'éviter qu'elles ne deviennent, comme certaines hélas déjà, regrets empaillés d'un univers enchanteur.

INTRODUCTION

L'ANATOMIE DES OISEAUX

Les oiseaux sont des vertébrés à sang chaud adaptés au vol. Leurs membres antérieurs ont subi une modification notable pour se transformer en ailes, tandis que leurs membres postérieurs ne servent qu'aux déplacements sur terre ou dans l'eau. Recouvert de plumes, leur squelette est constitué d'os légers, en partie pneumatisés, qui communiquent avec des sacs aériens. Comme les reptiles, les oiseaux sont ovipares et, comme les mammifères, homéothermes, c'est-à-dire que la température de leur corps est constante. Ils forment une classe bien définie et homogène, et, avec les reptiles, appartiennent à la sous-classe des sauropodes.

Le plumage

La structure des plumes. Tous les vertébrés possèdent des structures particulières produites par l'épiderme, tels les écailles, les poils et les plumes. Ces dernières sont, en fait, une production extrêmement spécialisée de l'épiderme de l'oiseau, consistant surtout en kératine. A l'inverse des structures épidermiques des vertébrés à sang froid ou des mammifères, les plumes varient non seulement par leur fonction, mais aussi par leur forme, leur couleur et leur disposition. Elles forment le plumage, spécifique des oiseaux et permettant de les distinguer de tous les autres animaux. Les origines et l'évolution des plumes sont restées un mystère pendant des

siècles, jusqu'à ce que la découverte, relativement récente, des traces fossilisées du premier oiseau, *Archaeopteryx*, vienne éclairer la question. Il s'agissait d'un animal au corps recouvert de plumes et aux membres antérieurs transformés pour permettre de petits vols. A cause du caractère graduel de l'évolution, les scientifiques eurent du mal à accepter l'idée d'un animal doté de traits structuraux totalement nouveaux, d'autant que son squelette prouvait manifestement qu'il descendait des reptiles. Depuis, grâce à de récentes découvertes de fossiles en Afrique du Sud, on sait que certains dinosaures, totalement incapables de voler et sans la moindre trace d'ailes, étaient recouverts de plumes. Leur fonction initiale était certainement de protéger ces créatures sur le point de devenir indépendantes par rapport à leur environnement. Par ailleurs, elles permettaient d'assurer, quoique de façon limitée, la régulation thermique du corps de ces animaux qui allaient devenir des animaux à sang chaud.

Une plume est constituée d'un axe central supportant de part et d'autre des barbes, tournées vers le haut. L'ensemble des barbes situées d'un même côté forme un vexille. La hampe axiale est divisée en deux parties : la base cylindrique creuse, le calamus, et dans son prolongement le rachis, qui, lui, est plein. Vers l'extrémité du calamus se trouvent deux petits trous, les ombilics inférieur et supérieur. Partant de chaque barbe et disposées de manière similaire, se distinguent les barbules, qui sont de deux sortes : les barbules distales, tour-

nées vers le haut, plates et dotées de minuscules projections (barbicelles), elles-mêmes munies de crochets (hamuli), et les barbules proximales, également plates à la base, mais sans crochets. L'enchevêtrement des barbules assure la cohésion des barbes, qui à leur tour constituent un ensemble résistant, très flexible et compact. Le développement initial d'une plume étant similaire à celui d'une écaille de reptile, on pourrait comparer les plumes à des écailles qui auraient subi une modification considérable.

Différents types de plumes. Quoiqu'il existe différentes sortes de plumes, il est assez commode de les regrouper en plumes de contour (pennes) et autres types.

Les plumes de contour déterminent la silhouette d'un oiseau. Elles ont de larges vexilles, « duveteux » à la base, un calamus et un petit rachis. Certaines pennes, notamment celles qui recouvrent les ailes et celles qui forment la queue, servent essentiellement au vol ; les rémiges sont les plumes des ailes et les rectrices celles de la queue. Les plumes de contour ne poussent que sur certaines surfaces bien délimitées, les ptérylies. Les zones de l'épiderme qui en sont dépourvues sont appelées aptéries. Les semi-plumes sont des pennes particulières, munies de vexilles lâches, d'un petit rachis et de barbules sans hamuli. Généralement situées sur les bords des ptérylies, elles forment une couche couverte par la masse des pennes. Il existe toutefois, entre les vraies plumes et les semi-plumes, plusieurs for-

mes intermédiaires, dont les filoplumes, de type et de fonction variés. En apparence identiques aux filoplumes, à l'exception de leur structure, les plumes sétiformes se rencontrent chez certaines espèces, tels le drongo à crinière (*Dicrurus hottentotus*) et le courlis de Tahiti (*Numenius tahitiensis*). Les vibrisses, à la base du bec, près des narines et autour des yeux de nombreuses espèces, sont raides ; la modification qu'elles ont subie fait qu'elles n'ont plus ou presque plus de vexilles.

Un autre type de plume correspond au duvet, qui, chez les oiseaux adultes, est caché sous les pennes. Le duvet ne se limite pas aux ptérylies, il peut être éparpillé sur tout le corps. Selon toute vraisemblance, il sert essentiellement d'isolant thermique. Chez certains oiseaux, le duvet poudreux résulte d'une autre modification subie par les plumes. Constitué d'éléments spéciaux qui ne poussent qu'en certains endroits du corps, il se désagrège en une sorte de poudre que les oiseaux utilisent lors de leur toilette pour nettoyer le reste de leur plumage.

Il semble que les premières plumes aient eu deux rachis, l'un externe, l'autre interne (hyporachis). On en trouve encore la trace chez certaines espèces. L'émeu et le casoar, par exemple, possèdent un rachis et un hyporachis de taille égale, tandis que, chez la plupart des oiseaux, l'hyporachis est très petit, quand il n'est pas totalement inexistant.

Voyons à présent les plumes qui servent au vol. Les rémiges attachées à ce qui correspond, anatomiquement, à la main de l'oiseau sont dites « primaires ». Elles sont en nombre fixe chez les divers groupes. Les espèces aptes au vol ont 9, 10, 11 ou 12 rémiges primaires sur chaque aile. Seuls quelques oiseaux qui ont perdu leur capacité de voler, comme l'autruche et les nandous, possèdent un grand nombre de régimes primaires, mais leur fonction est ornementale.

Les rémiges secondaires sont fixées à la partie du squelette qui correspond au bras. Chez les groupes les plus primitifs, des rémiges carpiennes et leurs tectrices se trouvent entre les rémiges primaires et secondaires, mais au cours de l'évolution elles ont peu à peu disparu. Il arrive fréquemment que certaines rémiges secondaires soient absentes. Chez de nombreuses espèces anciennes, on observe un espace où il manque une rémige secondaire après la quatrième, mais la tectrice correspondante est présente. Au cours de l'évolution, cet espace a été rempli par une vraie aile voilière. La diastataxie (littéralement, « disposition séparée ») décrit ce premier stade, tandis que le second est connu sous le nom d'eutaxie (« bonne disposition »).

L'alula, ou aile bâtarde, est un groupe de pennes courtes mais solides insérées sur le pouce de l'oiseau. Chez certaines espèces, comme les colibris, elles ne sont qu'au nombre de 2, tandis que les coucous et les paons en ont 5 ou 6, les passereaux 3 ou 4, les oiseaux-lyres 5. La longueur des plumes de l'alula est un critère utilisé pour la classification des oiseaux. Chez tous les passereaux et pour la majeure partie des autres ordres, la plume distale est la plus longue. Toutefois, chez les coucous du genre *Tapera*, les deux plumes à l'extrémité distale sont tellement longues qu'on appelle parfois ces oiseaux « coucous à quatre ailes ». L'alula a une importance essentiellement fonctionnelle : elle sert de frein quand l'oiseau s'apprête à se poser. Lorsque les dernières rémiges secondaires sont particulièrement larges, comme chez les canards, certains auteurs parlent de « rémiges tertiaires ». Il est préférable, cependant, d'éviter ce terme, dans la mesure où il prête à confusion.

Il est intéressant de noter que, au cours de l'évolution, les rémiges, probablement à cause de leur efficacité croissante, sont devenues de moins en moins nombreuses. Seules quelques espèces

primitives dotées de très longues ailes, tels les albatros, ont un nombre élevé de rémiges : l'albatros hurleur (*Diomedea exulans*) a 10 rémiges primaires et plus de 32 secondaires ; le condor des Andes (*Vultur gryphus*), 11 rémiges primaires et 25 secondaires. Le nombre minimal de rémiges primaires pour de bons voiliers s'élève à 9, comme chez certaines familles de passereaux d'origine récente (bruants, ictéridés). Les oiseaux terrestres dépourvus d'ailes, tels les ratites et les râles, ont moins de 9 rémiges primaires, mais il s'agit là d'un phénomène de dégénérescence.

A la surface supérieure de l'aile, les rémiges ont leur base recouverte de petites plumes, les couvertures, ou tectrices : tectrices primaires, grandes, moyennes et petites couvertures secondaires, tectrices marginales. Sur la face inférieure de l'aile, il y a également des tectrices, qui ne sont cependant pas aussi

bien développées et dont certains alignements sont même quelquefois incomplets. Les rémiges se chevauchent partiellement, le vexille interne de chaque plume étant couvert par la plume suivante. Cette disposition est de toute

Morphologie d'un oiseau. 1) vertex ; 2) région de l'oreille ; 3) dos ; 4) cercle orbital ; 5) front ; 6) œil ; 7) cire ; 8) lore ; 9) mandibule supérieure ; 10) mandibule inférieure ; 11) menton ; 12) joue ; 13) poitrine ; 14) flancs ; 15) tibia ; 16) talon ; 17) tarse ; 18) premier doigt (postérieur) ; 19) deuxième doigt (interne) ; 20) troisième doigt (médian) ; 21) quatrième doigt (externe) ; 22) sous-caudales ; 23) queue ; 24) rectrices ; 25) sus-caudales ; 26) croupion ; 27) rémiges tertiaires ; 28) rémiges secondaires ; 29) grandes couvertures ; 30) rémiges primaires ; 31) tectrices primaires ; 32) petites couvertures ; 33) collier ; 34) nuque.

Page suivante : changements dans le plumage du lagopède, de l'hiver à l'été.

évidence un moyen efficace de fournir à l'aile cohésion, solidité et élasticité.

Les plumes de la queue, ou rectrices, sont généralement en nombre très constant. La plupart des oiseaux en ont 12, ou 6 paires. Certains n'en ont que 10 : les apodiformes (colibris et martinets), presque tous les coucous, les momots, les toucans, etc. Quelques râles et grèbes en ont 8, et il existe trois espèces de tout petits oiseaux qui n'en ont que 6. L'autruche semble être l'espèce qui possède le plus de rectrices (au moins 50 ou 60), mais leur fonction est purement ornementale. Les rectrices sont également dotées de tectrices sus-caudales et sous-caudales, qui, comme celles des rémiges, protègent la base des plumes.

Etant donné que les plumes avaient essentiellement pour fonction, bien avant qu'elles se modifient pour les besoins du vol, d'isoler le corps de l'oiseau, il n'est guère surprenant que le nombre des plumes de contour varie selon l'environnement, la période de l'année et la taille de l'oiseau. C'est chez le petit rubis de la Caroline (*Archilochus colubris*) que l'on compte le moins de plumes, seulement 940, tandis que le cygne siffleur (*Cygnus columbianus*) détient le record, avec 25 216 plumes. En moyenne, le nombre de plumes de contour oscille entre 1 500 et 3 000 chez les passereaux. Il existe une différence entre les espèces vivant en milieu tropical et celles fréquentant des régions sujettes à des fluctuations de température et à un climat froid. En effet, ce n'est pas tant le nombre de plumes qui assure une plus ou moins grande isolation que l'aptitude à les ébouriffer et, plus particulièrement, l'existence d'un manteau isolant fait de duvet, éparpillé sur tout le corps. La distribution des ptérylies, zones couvertes de plumes de contour, varie en fonction du groupe auquel appartient l'oiseau et, dans une certaine mesure, des rôles que le plumage doit remplir.

L'étude des ptérylies est d'une importance considérable pour la classification ; en règle générale, on les nomme d'après la position morphologique qu'elles occupent. Ainsi, on distingue la ptérylie céphalique, la ptérylie spinale, qui s'étend le long de presque toute la région dorsale de la colonne vertébrale, les ptérylies humérale, fémorale, crurale, les ptérylies alaire et caudale, la ptérylie ventrale, etc.

La mue

Du fait de la structure des plumes, de l'utilisation continue à laquelle elles sont soumises et de la nécessité de les maintenir toujours en bon état, les oiseaux subissent plusieurs mues, c'est-à-dire plusieurs changements de plumes, qui commencent dès l'éclosion, ou peu après, pour se poursuivre jusqu'à l'âge adulte. Ensuite, la mue a lieu au moins une fois par an, deux ou même trois fois chez certaines espèces. Par conséquent, il faut distinguer deux sortes de mue, l'une associée à la croissance, l'autre de remplacement. Presque toutes les espèces ont une mue postnuptiale par an, et certaines ont une seconde mue prénuptiale, qui n'est généralement que partielle. Le lagopède des saules (famille des tétraonidés) subit trois ou quatre mues annuelles.

La majorité des oiseaux migrateurs, qui doivent avoir un plumage en parfaite condition avant de migrer à l'automne, achèvent leur mue postnuptiale avant le départ. Toutefois, il est capital pour certains d'être en pleine possession de leur capacité de vol avant d'entreprendre le grand voyage migratoire, en prévision duquel ils ont besoin d'accumuler une quantité suffisante de graisse pour franchir de longues distances sans se nourrir. En pareil cas, ils attendent d'être arrivés dans leurs quartiers d'hiver pour changer de plumes. Les oiseaux les plus concernés sont ceux qui se nourrissent tout en volant ; dans cette catégorie d'espèces à mue postnuptiale retardée, on compte des groupes qui diffèrent les uns des autres phylogénétiquement, tels les cygnes, les gobe-mouches migrateurs d'Amérique, les guêpiers et les puffins (genre *Puffinus*). Sauf exception, la mue a lieu avant ou après la période de reproduction et en dehors des époques de migration.

D'innombrables études et expériences destinées à établir les facteurs qui contrôlent le mécanisme de la mue ont été menées ; apparemment, ce serait l'importance croissante ou décroissante de la lumière du jour qui, en stimulant l'hypophyse, conditionnerait les activités des autres glandes endocrines, en particulier la thyroïde, responsable surtout de la croissance de certains tissus, notamment de la production de mélanine et autres pigments qui teintent le plumage.

La période à laquelle les différentes espèces acquièrent leur plumage adulte varie considérablement d'un groupe à l'autre. Certains pipits et alouettes ont le plumage adulte dès leur première mue postjuvénile, à la fin de l'été ou au début de l'automne de leur première année, à peine trois mois après leur éclosion. De nombreux passereaux le revêtent lors de la mue prénuptiale, plus ou moins complète, à la fin de l'hiver ou au début du printemps de leur première année, vers huit mois, tandis que pour d'autres il faut attendre quatorze mois après l'éclosion, quand la première mue postnuptiale est terminée. Parmi ces espèces qui ont besoin d'un certain temps pour acquérir leur plumage adulte et qui connaissent plusieurs phases intermédiaires, figurent divers goélands, de taille moyenne ou de grande taille, dont le goéland argenté (*Larus argentatus*), qui arbore son magnifique plumage adulte, gris perle et blanc, lors de son quatrième hiver, à la fin de la mue postnuptiale (d'août à la mi-janvier). Plus le processus est long, plus il y a de variations individuelles. Certains goélands argentés peuvent retarder l'acquisition de leur plumage adulte jusqu'à l'âge de quatre ans, et les grands oiseaux de proie ne le revêtent que bien plus tard, entre cinq et dix ans. Il est à noter cependant que maintes observations relatives aux oiseaux de proie s'appliquent à des oiseaux en captivité, qui vivent dans des conditions (nourriture, vol) très différentes de celles régnant dans la nature.

Certaines espèces possèdent un plumage extrêmement complexe, avec une ornementation variée jouant un rôle important lors des parades nuptiales, pour la défense du territoire et pour tous les autres comportements et attitudes facilitant la communication entre individus de la même espèce. Il existe également de petits oiseaux dont le métabolisme et le cycle de vie sont relativement accélérés. Cela semble être le cas, d'après certains auteurs, du séleucide à douze brins (*Seleucides melanoleucus*), dont les mâles revêtent leur splendide plumage nuptial pour la première fois à l'âge de sept ans.

Les variations de la mue sont apparemment liées à l'adaptation et vont jusqu'à affecter des sous-espèces de la même espèce. Ainsi, l'alouette calandrelle (*Calandrella cinerea*) n'a normale-

ment pas de mue printanière (prénuptiale), mais sa sous-espèce asiatique (*Calandrella cinerea dukhunensis*) change complètement de plumage tous les ans au printemps. Cette différence s'explique par le fait que les vents violents qui soufflent toute l'année dans les déserts où vit la sous-espèce asiatique provoquent une usure rapide de ses plumes. Pareillement, si des oiseaux de la même espèce ont des habitudes différentes, leur mue variera. Les populations de phainopeplas noirs (gobe-mouches soyeux) du désert de Californie subissent une mue plus complète que celles des régions côtières plus froides : se reproduisant plus tard, elles ont besoin de moins de temps pour achever leur mue avant la migration d'automne.

Le processus de la mue est extrêmement régulier ; il affecte différentes zones les unes après les autres, sauf dans le cas des manchots, où les nouvelles plumes apparaissent par plaques. La mue complète commence, en général, par la perte des rémiges primaires des deux ailes et se poursuit par celle des autres primaires, au fur et à mesure que les plumes sont remplacées. Ainsi, la capacité de vol de l'oiseau n'est jamais diminuée. Lorsque la mue des rémiges primaires est à moitié terminée, les rémiges secondaires commencent à tomber, en partant des plumes externes ou internes. Une fois ce changement effectué vient le tour des autres plumes du corps. Les rectrices muent par paires, de manière que la queue continue de fonctionner.

Habituellement, la paire médiane est remplacée en premier, puis le processus observe une direction centrifuge ; mais, chez les toucans, les colious et, surtout, les pics, la mue se déroule en sens inverse (centripète). Il est extrêmement important pour un pic de ne pas rester trop longtemps sans les plumes centrales de sa queue, car, très rigides, elles lui servent de support lorsqu'il grimpe le long d'un arbre.

Il existe, bien sûr, des exceptions, et, quoiqu'elles puissent paraître n'avoir, au premier coup d'œil, qu'une portée adaptative limitée, elles sont d'une importance capitale. De nombreux oiseaux aquatiques, appartenant à des ordres variés, perdent toutes leurs rémiges presque simultanément. C'est le cas, par exemple, des canards, des oies, des cygnes, de certains pingouins et macareux, des foulques noires et des poules d'eau, des grues et de certains râles. Incapables de voler, ces oiseaux sont vulnérables, notamment vis-à-vis des prédateurs. Ce type de mue ne concerne que des espèces qui trouvent refuge sur les lacs, les rivières ou les mares inaccessibles à la majorité des prédateurs ; là, même durant la période où ils sont inactifs, ils sont en sécurité. Nombre de ces oiseaux ont des comportements liés à la mue. Ainsi les oies, qui, après un long voyage, se rassemblent dans des endroits difficiles d'accès pour muer. L'une des adaptations les plus remarquables associées au changement simultané des plumes des ailes, de la queue et du reste du corps se voit chez diverses espèces de calaos (famille des bucérotidés). Les femelles passent toute la période de l'incubation enfermées à l'intérieur de l'arbre où elles ont fait leur nid ; et, là, retirées du monde, elles muent entièrement. Lorsque les petits éclosent, elles sortent de leur prison, vêtues de leur nouveau plumage. Dans ce contexte, il est important de noter que les différences de comportement entre mâles et femelles suffisent souvent à expliquer celles que l'on observe dans leur façon de muer.

Résumons à présent les types de plumage qui se succèdent les uns après les autres, de l'éclosion à l'âge adulte. En premier apparaît le plumage néoptile, absent chez certaines espèces, en particulier celles qui nichent dans les trous d'arbre, et chez certains groupes primitifs, comme les pélicans. Chez d'autres groupes, à la place d'un seul plumage de duvet à l'éclosion, il y en a deux, comme chez les manchots, certains rapaces nocturnes et quelques passereaux primitifs. Du point de vue de l'adaptation, la majorité des oiseaux pourvus d'un manteau de duvet appartiennent aux groupes chez lesquels les jeunes sont très développés à l'éclosion (poussins des gallinacés, par exemple), alors que les jeunes passereaux (et d'autres), qui ont un duvet clairsemé, restent au nid après l'éclosion.

Après la disparition du duvet, à une vitesse variant énormément d'une espèce à l'autre, les oiseaux acquièrent un véritable manteau de plumes, le plumage juvénile, qui demeure pendant une période relativement courte. Les exemples de successions de plumage très rapides ne manquent pas chez quelques passereaux, parmi lesquels le moineau domestique, qui possède déjà un plumage adulte complet avant même que les plumes juvéniles aient eu le temps de se développer. Le plumage suivant, dit juvéno-prénuptial, est le premier qui s'apparente à celui de l'adulte. Dans quelques cas, il est incomplet et il reste des traces du plumage juvénile. Fréquent chez beaucoup d'échassiers et de goélands, il permet d'estimer l'âge de l'oiseau. Chez un certain nombre d'espèces apparaît ensuite le premier plumage nuptial, généralement acquis non pas par la mue, mais par l'abrasion du bord des plumes du plumage précédent. Ainsi, les couleurs vives caractéristiques de ce manteau ont tendance à apparaître initialement à l'extrémité des plumes. Néanmoins, il n'est pas tout à fait correct de parler de plumage nuptial, puisque, dans de nombreux cas, la maturité

sexuelle n'est pas encore atteinte. Finalement se développe le second plumage prénuptial, qui, chez la majorité des oiseaux, diffère très légèrement de celui des adultes dans l'intensité de certains tons.

Si, au fur et à mesure que l'oiseau grandit, tous les mécanismes associés aux fonctions du plumage sont acquis, la maturation d'autres éléments du comportement ne s'accomplit pas nécessairement de façon simultanée. Des recherches récentes ont montré que chez plusieurs espèces vivant en colonies, et chez lesquelles le plumage ne présente généralement pas de différence notable entre mâle et femelle, certains individus sont déjà suffisamment mûrs pour s'accoupler, bâtir un nid, pondre, couver les œufs, etc., alors qu'ils sont encore revêtus du plumage juvénile. La signification adaptative de ce phénomène est particulièrement intéressante. En fait, le plumage d'adulte indique normalement à un partenaire que l'oiseau est physiologiquement capable de se reproduire, tandis que le plumage juvénile dénote à la fois immaturité et inexpérience. En cas de nécessité cependant, il est capital pour une espèce de pouvoir recruter des oiseaux, certes inexpérimentés du point de vue du comportement, mais tout à fait à même de se reproduire grâce à la maturation complète des gonades.

Le plumage d'éclipse est caractéristique des canards mâles de l'hémisphère Nord. Après la période de reproduction, ils se rassemblent souvent en groupe, abandonnant les œufs et les poussins aux soins des femelles. Vers le milieu de l'été, ils perdent toutes leurs rémiges en même temps. Les couleurs vives qui permettent de distinguer les canards mâles de nombreuses espèces représenteraient — quand ils sont temporairement incapables de voler — un énorme handicap, car ils ne pourraient s'enfuir à temps et seraient donc aisément repérés par les prédateurs. Pour surmonter ce désavantage, les mâles subissent une mue qui entraîne un changement extraordinaire de leur apparence, puisque le plumage qu'ils acquièrent alors est presque identique à celui des femelles, donc extrêmement homochrome. Il ne diffère juste que par le miroir de l'aile et quelques autres petits détails permettant aux diverses espèces d'être identifiées.

Le squelette

Le squelette des oiseaux montre qu'ils sont adaptés à la fois au vol et à la marche. En effet, les membres antérieurs (ailes) ont subi des modifications considérables au cours de l'évolution, pour devenir très différents des membres postérieurs. Le corps est habituellement court et robuste, le crâne compact et petit, et le cou (chez de nombreuses espèces) long et flexible. En règle générale, les os longs sont creux, remplis d'air (os pneumatisés).

Le squelette des oiseaux ressemble fortement à celui des reptiles, en particulier les archosauriens, qui comprennent les anciens ptérosauriens et dinosaures et les crocodiles.

Les vertèbres. Le nombre des vertèbres oscille entre 39 (petits passereaux) et 63 au maximum (cygnes). Celui des cervicales varie, selon les différents groupes, entre 8 et 25 (maximum chez les espèces à long cou). Chaque vertèbre pivote sur la suivante au moyen d'une articulation en forme de selle permettant des mouvements. Les vertèbres thoraciques sont en partie soudées. Leur nombre peut aller de 5 à 10, et chez de nombreuses espèces, comme les galliformes et les falconiformes, elles ont fusionné. Les lombaires et les sacrées ont également fusionné, pour former le synsacrum. Les 4 à 9 caudales, ou vertèbres de la queue, ont elles aussi fusionné, pour former le pygostyle.

Les côtes. Chaque côte comprend deux parties, l'une dorsale ou vertébrale, l'autre ventrale ou sternale, cette dernière étant en contact avec le sternum. Comme chez certains reptiles (le tuatara, par exemple), la plupart des oiseaux ont une excroissance, l'apophyse uncinée, soudée sur la partie vertébrale des côtes. Ces apophyses se chevauchent pour former une cage relativement rigide.

La ceinture scapulaire, qui relie les membres antérieurs au squelette, est constituée de l'omoplate, de la clavicule et de la coracoïde. Ce dernier os est articulé avec le sternum. L'omoplate est un os plat, falciforme, en contact étroit avec la cage thoracique. Le bas de la clavicule est souvent soudé, pour former une fourchette ; chez certains perroquets et hiboux, les clavicules sont reliées par du cartilage. La forme du sternum varie d'une espèce à l'autre, mais il est toujours pourvu, sauf chez les ratites, d'une crête, le bréchet. Les muscles pectoraux sont attachés sur le bréchet, qui est particulièrement atrophié chez les espèces peu adaptées au vol, comme le kakapo.

Les membres antérieurs, ou ailes, d'un oiseau sont principalement formés par les os du bras et de l'avant-bras, tandis que chez les autres vertébrés volants, comme les chauves-souris, ils sont formés par les os de la main.

Le bras est constitué d'un grand os, l'humérus, dont la partie proximale est aplatie et pourvue de deux parties articulaires, la radiale (à l'arrière) et l'ulnaire (à l'avant). La longueur de cet os varie en fonction de la capacité de vol. Chez les oiseaux rapides, comme les martinets et les colibris, l'avant-bras et la main sont plus longs que l'humérus ; mais c'est l'inverse chez les oiseaux planeurs comme l'albatros. L'avant-bras comprend l'ulna (cubitus) et le radius. Le premier, le plus fort, a sur la surface des projections où les rémiges secondaires sont fixées.

L'index et le médius des oiseaux adultes ont disparu, quoiqu'il en apparaisse des vestiges chez l'embryon. La majorité des espèces vivantes ont perdu les serres des doigts de leurs membres antérieurs ; toutefois, chez les ratites et certaines espèces, comme le vautour à tête rouge (*Cathartes aura*), on remarque des serres à un ou deux doigts. Les petits de l'hoazin possèdent des serres à leurs deux premiers doigts, qu'ils utilisent pour effectuer de courts déplacements autour du nid. Chez les adultes, ces griffes ont disparu.

La ceinture pelvienne est constituée de trois os : l'ilion, l'ischion et le pubis, qui ont fusionné et sont reliés au synsacrum, ce qui leur donne l'apparence d'un seul os. Chez la plupart des oiseaux, ni l'ilion ni l'ischion ne sont soudés à l'avant ; la cavité pelvienne n'est donc pas complètement entourée d'os. Cette caractéristique est évidemment associée à la taille relativement grande des œufs. L'autruche et les nandous constituent des exceptions à cette règle. Les trois os forment la cavité acétabulaire, dans laquelle est logée la tête du fémur.

Les pattes ont été modifiées pour faciliter la locomotion bipède. Elles sont constituées du fémur (os de la cuisse), du tibia et du péroné. Le fémur est habituellement plus court que le tibiotarse. Celui-ci est formé de la fusion distale du tibia et des os tarsiens ; quant au péroné, il est plutôt petit, mince et mesure les deux tiers de la longueur du tibia. Le péroné et le tibia s'articulent avec le fémur (genou).

Les pieds des oiseaux, éléments importants pour la classification, sont hautement spécialisés. Les os tarsiens ont fusionné. La plupart des espèces ont 4 doigts. Le premier est court et dirigé vers l'arrière. Les deuxième, troisième et quatrième ont respectivement 3, 4 et 5 phalanges, tandis que le premier n'en a que 2.

Les premier et quatrième doigts des perroquets et des pics sont tournés vers l'arrière. Ceux des pélicans et du martinet noir sont tournés vers l'avant. Les ratites n'ont pas de gros orteil et l'autruche n'a que 2 doigts (le troisième et le quatrième).

Le crâne des oiseaux possède de nombreuses caractéristiques des reptiles, comme un condyle occipital unique et un os carré mobile qui s'articule avec la mandibule. La cavité crânienne est formée par les os pariétaux, frontaux et occipitaux. Chez l'oiseau adulte, les divers os du crâne ont fusionné de telle manière que l'on ne peut plus les distinguer. A l'avant se trouvent deux grandes cavités séparées par une cloison perforée. Les cavités orbitales, où sont logés les yeux, sont très importantes.

On remarque chez les oiseaux une séparation incomplète des cavités nasale et buccale, tandis que chez les mammifères elles sont totalement séparées. Le palais joue un rôle important pour la classification. On en distingue plusieurs types (paléognathe, desmognathe, etc.).

L'appareil circulatoire

Les oiseaux sont des animaux à sang chaud dotés d'un appareil circulatoire double complet. En effet, même s'ils descendent des reptiles, leur sang circule plus efficacement que celui des mammifères : comme leur cœur, plus gros, bat à un rythme plus rapide, une plus grande quantité de sang est pompée en un même laps de temps. Cela a certainement un rapport avec l'importante quantité d'énergie nécessaire au vol. En général, plus l'oiseau est petit, plus la taille du cœur augmente proportionnellement à celle du corps. Ainsi, le poids du cœur d'un colibri représente environ 2 % de celui de son corps.

Situé dans la partie centrale de la cage thoracique, au-dessous des poumons, le cœur est séparé de la cavité viscérale par une cloison oblique et est entouré d'un sac péricardique.

Le sang reflue vers l'atrium droit par les veines caves supérieure et inférieure. Chez les vertébrés inférieurs, les deux veines caves se rejoignent en un sinus veineux, mais chez les oiseaux les veines entrent directement dans l'oreillette. Chez l'autruche, le sinus veineux existe toujours, tandis que chez les gallinacés sauvages et domestiques il n'en reste que des traces. Le sang arrivant dans l'atrium droit gagne, par les valvules atrio-ventriculaires, le ventricule droit, et, de là, il est envoyé aux poumons. Ces derniers sont pourvus de trois valvules semi-lunaires qui l'empêchent de refluer ; deux artères pulmonaires conduisent le sang qui fournit l'oxygène aux poumons. Le sang oxygéné passe ensuite des poumons à l'atrium gauche et, de là, à travers la valvule bicuspide, au ventricule gauche. Puis il gagne la crosse de l'aorte.

Certains éléments du sang des oiseaux et de celui des reptiles se ressemblent : ainsi, les globules rouges sont ovales et possèdent un noyau.

L'appareil digestif

Les principales caractéristiques de l'appareil digestif de l'oiseau sont l'existence d'un bec corné, l'absence de dents, la division de l'estomac en au moins deux sections et, chez certaines espèces, la présence d'un jabot, formé par un élargissement de l'œsophage. La forme du bec est extrêmement variable, en fonction de la nature de la nourriture. La langue témoigne de variations similaires : elle est très longue chez les pics, tubulaire ou subtubulaire (adaptée à aspirer le nectar des fleurs) chez les colibris ; chez les manchots, l'arrière est pourvu de crochets pour attraper la nourriture, etc. Elle est couverte d'un épithélium corné, particulièrement épais à l'avant, et, à l'exception de celle des perroquets, dénuée de muscles internes.

L'œsophage est un long tube reliant la cavité buccale à l'estomac. En général, il peut se dilater et contenir une grande quantité d'aliments. Parfois, sa partie médiane s'évase pour former une poche spéciale, le jabot, qui peut avoir d'autres fonctions que celle de réservoir. Ainsi, chez les tourterelles et les pigeons, il produit un aliment pour les jeunes, et, chez de nombreux granivores, outre cette fonction, il prépare la digestion. Ses dimensions varient selon le type de nourriture. Quand il sert de réservoir, il peut prendre des formes variées : chez les cormorans, il est oblong ; chez les vautours, il est plus large ; chez les pigeons et les gallinacés, il comprend une double poche.

L'estomac est composé de deux parties, l'une glandulaire, l'autre musculaire.

La nourriture passe de l'œsophage dans la partie glandulaire de l'estomac ; on remarque un isthme entre cette dernière et la partie musculaire, ou gésier. Celui-ci, quoique considéré comme un organe servant surtout à broyer les aliments, a plusieurs fonctions. Chez les granivores, il est utilisé pour le stockage, les particules de nourriture restant à l'intérieur jusqu'à ce qu'elles soient dissoutes par les enzymes gastriques. C'est là que se déroulent les étapes protéolytiques préliminaires. Toutefois, comme nous l'avons dit, le gésier joue un rôle important dans l'émiettement mécanique des aliments. Chez maintes espèces, la présence de graviers avalés par l'oiseau améliore le broyage des aliments. Le gésier sert également à filtrer les parties indigestes, notamment les plumes, les poils, les os, les écailles, les enveloppes dures des graines, les morceaux de chitine, etc.

La forme du gésier est adaptée à chaque type de régime. Ainsi, chez les espèces qui digèrent des aliments facilement attaquables par les enzymes et les acides gastriques, l'estomac a la forme d'une poche allongée. C'est le cas des oies, des rapaces nocturnes, des pélicans, etc. Chez les espèces se nourrissant de fruits et de nectar de fleurs (perroquets, dicées, tangaras, etc.), le gésier est très petit et c'est la partie glandulaire qui stocke la nourriture. Les dicées (genre *Dicaeum*) fournissent un exemple extrême d'adaptation au régime. Ces frugivores possèdent un diverticule entre l'estomac et l'intestin. Ils se nourrissent de baies et d'arthropodes. Les baies vont directement de l'estomac glandulaire à l'intestin, tandis que les arthropodes passent dans la partie musculaire de l'estomac pour y subir un broyage et la digestion chimique.

L'estomac musculaire type, comme celui des granivores, est doté de muscles épais. Grâce à leur langue puissante, ces oiseaux peuvent se débarrasser du tégument qui recouvre les graines et n'avaler que l'amande, ce qui limite le broyage dans le gésier.

L'intestin. La digestion chimique et l'absorption des substances nutritives ont lieu dans l'intestin. Comme dans le corps humain, il y a un intestin grêle et un gros intestin. Le premier commence avec le duodénum, qui comporte une « anse » à l'endroit où débouche le pancréas. Il présente une forme qui est nettement adaptée au régime de l'oiseau : long chez les herbivores, court chez les carnivores, les insectivores et les frugivores.

La paroi interne (muqueuse) de l'intestin grêle est constituée d'une couche de cellules épithéliales en forme de cube, avec des noyaux ronds ou ovales. Les villosités, qui accroissent sa surface d'absorption, varient d'une espèce à l'autre, bien qu'elles ne semblent pas être associées au régime.

Le gros intestin va des cæcums au cloaque. Il n'est pas aussi long que l'intestin grêle (entre 3 et 10 % de la longueur totale), et plus court chez les granivores que chez les frugivores. Bien que les fonctions du gros intestin soient encore mal connues, il semble que son rôle principal soit lié à l'absorption de l'eau récupérée dans la nourriture.

Les deux cæcums situés à la jonction de l'intestin grêle et du gros intestin ont différentes formes selon les groupes. Certaines espèces, comme les perroquets, en sont démunies ; d'autres, tels les martins-pêcheurs, ne les développent qu'à l'âge adulte. Ils sont absents ou rudimentaires chez les colibris, les rapaces diurnes, les pics, la huppe fasciée, et, en gros, chez les insectivores. Ils ne sont pas non plus très développés chez les granivores. En revanche, les cæcums sont très longs chez les herbivores, les frugivores et les oiseaux qui se nourrissent de mollusques (échassiers et goélands).

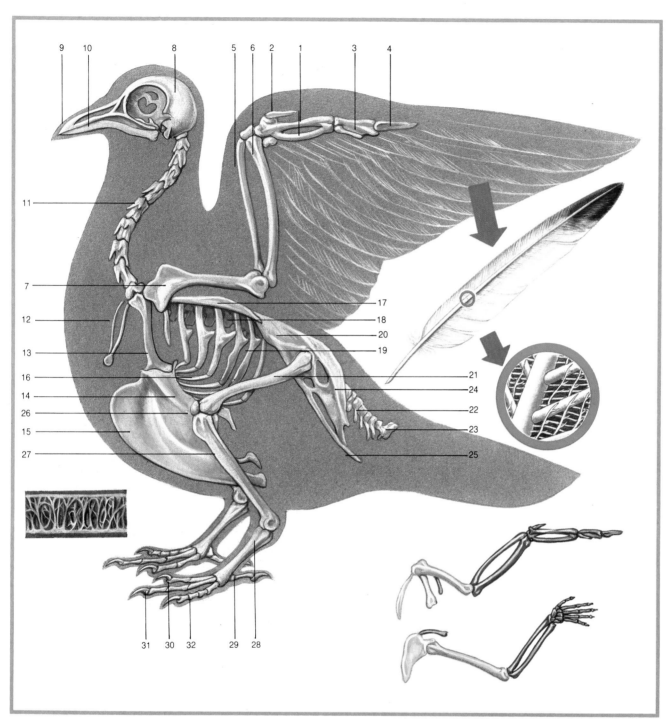

surface pariétale, tandis que le contour de l'estomac glandulaire et musculaire apparaît sur la surface du lobe gauche et ceux du duodénum et du pancréas sur le lobe droit. La rate est reliée à la partie centrale de la surface du foie. Le sang arrive au foie par la veine cave qui traverse le haut du lobe droit.

Les veines hépatiques et la veine cave ont leurs entrées et leurs sorties respectives au même point. Les deux veines hépatiques pariétales et les deux artères entrent au niveau de la fosse transversale au centre de la surface viscérale ; les deux canaux biliaires partent de la même fosse. Ces canaux, un pour chaque lobe, conduisent au duodénum. Le canal de gauche communique directement avec l'intestin, mais le canal de droite peut dévier pour se jeter dans la vésicule biliaire ou s'évaser pour former cet organe. La vésicule biliaire sert à concentrer la bile, qui neutralise l'acidité du chyme et émulsionne les graisses. Chez certains groupes d'oiseaux, elle est absente.

Le pancréas est une glande qui a deux fonctions, endocrine et exocrine : il produit, d'une part, deux hormones, l'insuline et le glucagon, et, d'autre part, le suc pancréatique. Les dimensions du pancréas dépendent du régime de l'oiseau : chez les insectivores, il est relativement grand ; chez les carnivores, petit. Le suc pancréatique joue un rôle important dans la neutralisation du chyme ; grâce à la présence des enzymes digestifs, il contribue au processus de décomposition moléculaire dans l'intestin grêle.

L'appareil excréteur

Les reins, situés dans la région pelvienne, représentent approximativement 1% du poids du corps. Ils sont constitués de trois lobes (crânial, médian et caudal).

Localisé sur la surface ventrale, l'uretère reçoit les principaux canaux de chaque lobe. Le sang veineux arrive aux reins par la région caudale et l'intestin au moyen du système de la veine porte. Le sang artériel est transporté aux reins par l'artère rénale. Les reins reposent contre le sacrum et l'ilion. Plats, ils sont dotés d'uretères qui conduisent directement au cloaque. Chez les oiseaux, contrairement aux mammifères, le néphron, unité fonctionnelle du rein, a une anse

Le foie est un organe volumineux et bilobé ; le lobe droit est le plus gros. Sa principale fonction digestive est de produire la bile, et d'accumuler de la graisse et du glycogène. Il intervient aussi dans le métabolisme intermédiaire (synthèse des protéines et du glycogène, production d'acide urique). Pendant le développement de l'embryon, il sert à constituer le sang. Chez les insectivores et les piscivores, il est de taille imposante. Anatomiquement, la surface interne, protégée par la cavité abdominale, est irrégulière et de forme convexe.

Squelette d'un oiseau. 1) métacarpien ; 2) premier doigt ; 3) deuxième doigt ; 4) troisième doigt ; 5) radius ; 6) ulna ; 7) humérus ; 8) boîte crânienne ; 9) mandibule supérieure ; 10) mandibule inférieure ; 11) vertèbres cervicales ; 12) fourchette ; 13) coracoïde ; 14) sternum ; 15) bréchet ; 16) os sternocostal ; 17) omoplate ; 18) vertèbres thoraciques ; 19) côtes ; 20) ilion ; 21) fémur ; 22) vertèbres caudales ; 23) pygostyle ; 24) ischion ; 25) pubis ; 26) rotule ; 27) tibia ; 28) os métatarsiens ; 29) premier doigt de la patte ; 30) deuxième doigt ; 31) troisième doigt ; 32) quatrième doigt.

A gauche : section d'un os pneumatisé ; *A droite, en haut :* plume avec agrandissement du rachis ; noter les barbes parallèles de part et d'autre et les barbules, reliées par des crochets. *A droite, en bas :* squelette d'une aile d'oiseau comparée à celui d'un bras humain ; les os équivalents sont représentés de la même couleur.

Une profonde scissure sépare les deux lobes. Le haut du foie va jusqu'aux poumons. Les organes qui l'entourent apparaissent en relief sur sa surface. Ainsi, le cœur est visible en haut de la

de Henle très courte, ce qui est dû au fait que leurs reins absorbent plus d'eau.

Les glandes du sel, situées principalement dans la région nasale, existent chez les espèces marines et côtières. Elles produisent une sécrétion contenant une forte concentration de chlorure de sodium. Bien que leur forme et leur disposition soient variables, elles ont toutes des traits communs. A l'étape embryonnaire, elles sortent d'un repli de l'épithélium nasal et peuvent posséder une double série de canaux des deux côtés, qui se rejoignent en un canal commun pénétrant la cavité nasale. Ces glandes sont formées de lobes tubulaires entourés d'une épaisse couche de tissu. Chaque lobe possède un canal central conduisant à celui de la glande. La sécrétion est produite dans des tubules disposés en cercles tout autour du canal central. Ces glandes sécrètent essentiellement du sodium et une petite quantité d'autres sels.

L'appareil respiratoire

Les oiseaux possèdent un appareil respiratoire assez compliqué, très différent de celui des autres vertébrés, et surtout des mammifères. Aussi bien anatomiquement que physiologiquement, des lacunes persistent encore à propos de son fonctionnement, malgré toutes les recherches qui ont été menées. L'appareil respiratoire est constitué de deux poumons relativement petits et de sacs aériens volumineux, pauvres en vaisseaux sanguins. Ces sacs aériens peuvent, en fait, pénétrer jusque dans les os. Tout le système respiratoire occupe de 5 à 20 % du volume du corps. La section supérieure comprend deux narines conduisant aux chambres nasales, elles-mêmes divisées en trois parties (cornet).

A travers les choanes, l'air passe des chambres nasales dans la cavité buccale. De là, il va jusqu'à la trachée, via la glotte, fermée par des cartilages laryngiens. Le larynx (à l'inverse de celui des mammifères) ne constitue pas l'organe vocal. L'air passe ensuite à travers la trachée (qui est circulaire en coupe transversale parce qu'elle est formée d'anneaux cartilagineux complets) et arrive dans les bronches.

A la bifurcation de la trachée se trouve la syrinx, le véritable organe

vocal des oiseaux. Formée par une expansion trachéo-bronchique, elle est dotée d'une ou deux membranes qui vibrent au passage de l'air. Les muscles permettant à ces membranes de vibrer sont de deux sortes : extrinsèques, partant du sternum et insérés dans la trachée ; et intrinsèques, originaires de la trachée et des bronches où ils sont insérés. Ces muscles varient en nombre et en position d'un groupe à l'autre ; ils servent donc de critère pour la classification.

Les bronches, soutenues par des anneaux cartilagineux, sont reliées aux deux poumons.

Les poumons, petits et peu extensibles, sont situés à l'arrière du thorax et protégés par les côtes. De taille égale, les deux poumons des oiseaux contiennent proportionnellement un volume d'air moins important que ceux des mammifères. Les bronches ne se ramifiant pas comme chez ces derniers, la bronche

Anatomie d'un oiseau, avec les organes internes. 1) œsophage ; 2) muscles cervicaux ; 3) trachée ; 4) jabot ; 5) muscles de la main ; 6) muscles tenseurs, extenseurs et fléchisseurs ; 7) muscles pectoraux ; 8) biceps ; 9) poumons ; 10) triceps ; 11) foie ; 12) sacs aériens thoraciques et abdominaux ; 13) intestin grêle ; 14) muscle sternotrachéen ; 15) cœur ; 16) gésier ; 17) duodénum ; 18) pancréas ; 19) cloaque.
En bas, à gauche : schéma de l'appareil génital femelle. 1) follicules dans l'ovaire gauche ; 2) pavillon ; 3) oviducte gauche ; 4) utérus ; 5) vagin ; 6) cloaque ; 7) oviducte droit (atrophié chez tous les oiseaux, sauf exceptions).
En bas, à droite : schéma du cœur et des principaux vaisseaux sanguins (le sang veineux a été figuré plus foncé). 1) carotide ; 2) artère pulmonaire ; 3) veine pulmonaire ; 4) aorte. Les oiseaux n'ont pas d'arc aortique gauche (couleur neutre sur le dessin).

principale, après avoir pénétré le poumon, continue comme une mésobronche sur toute sa longueur et débouche dans le sac aérien abdominal. Reliées par de petits canaux, les parabronches, les bronches secondaires sortent de la mésobronche. De chaque mésobronche, enfin, partent les capillaires aériens qui se raccordent aux parabronches.

Les sacs aériens varient en nombre (12 chez les échassiers, les goélands, les hérons, 6 ou 7 chez les passereaux) et représentent près de 80 % du volume des poumons. Il existe diverses sortes de sacs aériens, selon leur position et leur taille. On remarque ainsi deux petits sacs aériens cervicaux entre la dixième vertèbre et le bord antérieur des poumons ; un seul sac interclaviculaire entre la trachée, l'œsophage et les sacs cervicaux, dont la partie antérieure borde le cœur ; deux sacs thoraciques antérieurs s'étendant de la base des poumons au bord du sternum ; deux sacs thoraciques

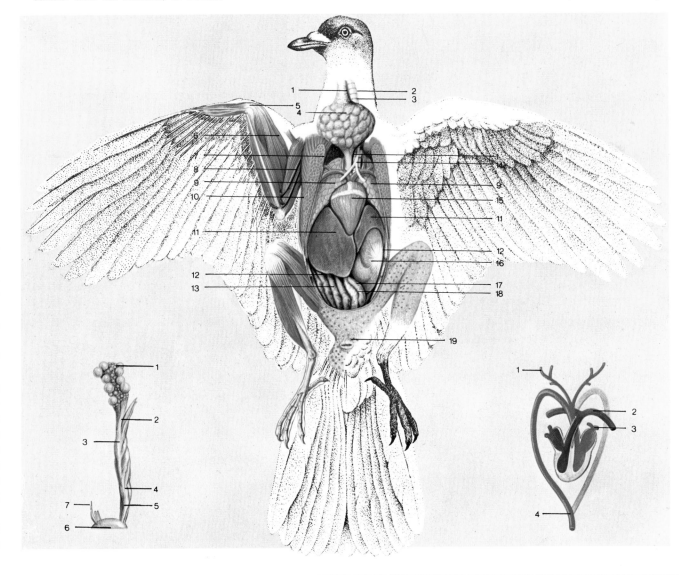

postérieurs asymétriques (le gauche plus gros que le droit) reliés à la partie arrière des poumons ; et, enfin, deux grands sacs abdominaux, celui de gauche étant le plus important, occupant l'espace entre les viscères.

Habituellement reliés aux bronches primaires et secondaires, les sacs aériens communiquent indirectement avec les bronches secondaires et tertiaires. Ils ont aussi des diverticules qui pénètrent dans certains os. En général, les os des grands oiseaux et des puissants voiliers ont tendance à être pneumatisés. C'est une adaptation qui joue manifestement un rôle dans le vol, même si certains détails concernant la vraie fonction de ce phénomène demeurent douteux. Notons, par exemple, qu'elle devait exister chez certains animaux terrestres comme les dinosaures.

Le système musculaire

Les oiseaux possèdent un système musculaire très développé, en particulier à l'avant du corps ; il leur permet de battre des ailes à un rythme variable. La rigidité des régions thoracique et lombaire les aide à accomplir ces mouvements. Le corps d'un oiseau contient environ 175 muscles différents, classés en groupes distincts selon leur situation : muscles de la tête, des mandibules, des yeux, de la trachée, de la syrinx, etc.

Les muscles responsables du battement des ailes sont insérés sur le sternum en suivant le bréchet. On compte : le grand pectoral (sur le sternum et les arêtes humérales), servant à abaisser les ailes ; le petit pectoral, inséré sur la coracoïde et l'humérus, qui aide le grand pectoral ; et le muscle antagoniste, qui soulève les ailes, connu sous le nom de supracoracoïdal, ou moyen pectoral, inséré sur l'avant du sternum, avec un tendon distal traversant l'articulation de l'omoplate, de la coracoïde et de la clavicule, et qui est inséré sur l'arrière de l'humérus.

Les muscles des pattes sont également spécialisés ; ils permettent à l'oiseau de marcher, parfois très vite, et lui fournissent l'impulsion nécessaire au premier bond avant l'envol. Ces muscles lui permettent aussi de se poser, ou de nager, selon l'espèce. Les divers muscles des pattes forment un triangle, la base se situant dans la région pelvienne, le sommet dans le genou (là où le fémur s'articule avec le tibiotarse).

Les taxinomistes classent les muscles en quatre groupes : les trachéaux, les mandibulaires, les muscles des ailes et ceux des pattes.

Le cerveau

Le cerveau des oiseaux est caractérisé par deux énormes hémisphères cérébraux et un rhombencéphale assez grand. Il est protégé par une mince boîte crânienne et, à cause de la grande taille des globes oculaires, il a basculé vers le haut et en arrière.

A l'inverse des mammifères, les oiseaux possèdent un corps strié très développé ; cependant, le cortex est petit et dénué de circonvolutions. Cela joue certainement un rôle dans le comportement stéréotypé des oiseaux. Le cortex, par exemple, n'est pas en contact direct avec la moelle épinière, comme chez les mammifères, au moyen de faisceaux pyramidaux.

Le rhombencéphale est bien développé. Il contrôle l'activité réflexe des muscles striés et est donc responsable de la tonicité des muscles et de la posture du corps. Les lobes optiques mésencéphaliques sont particulièrement grands, comme l'induisent la taille des globes oculaires et l'excellente capacité visuelle des oiseaux. Les bulbes olfactifs sont plutôt petits, et, à cet égard, les oiseaux diffèrent des vertébrés primitifs, dont le télencéphale est principalement constitué de ces bulbes.

Les organes sensoriels

En dehors de la sensibilité globale de récepteurs dispersés dans tout le corps,

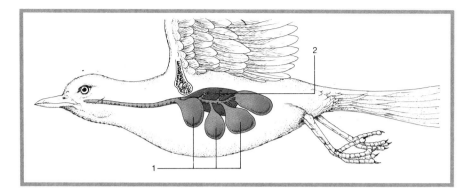

Ci-contre : chaque espèce d'oiseau vole selon son propre style, que l'on distingue généralement par la fréquence des battements d'ailes. En revanche, tous les oiseaux ont des traits anatomiques communs, tels les sacs aériens (1) associées aux poumons (2).

En bas : exemples d'adaptation visuelle impliquant, pour la plupart des oiseaux, une vision binoculaire caractérisée par une zone particulière où les deux champs visuels se superposent. A) Grâce à la position de ses yeux, le pinson a une vision binoculaire antérieure et un large champ latéral qui lui permet de déceler les prédateurs. B) Etant donné qu'elle trouve ses aliments en sondant la vase avec son bec, la bécasse a une zone binoculaire antérieure plutôt faible ; en revanche, par la position de ses yeux, loin à l'arrière de la tête, elle a une ample vision circulaire, avec des champs visuels se superposant à l'avant et à l'arrière. C) Le faucon a deux fovéas dans la rétine. Quand les deux foyers centraux se chevauchent, il peut apprécier exactement la distance, ce qui est capital pour foncer sur la proie. Grâce aux points latéraux, il a une vision précise sur le côté. D) Le hibou a le champ visuel le plus large de tous les oiseaux, mais, n'ayant pas de fovéa centrale, c'est avec son ouïe très fine qu'il apprécie les distances. Il peut faire pivoter sa tête de 270° pour regarder de côté ou par-dessus son épaule.

les principaux organes des sens, plus ou moins développés, sont ceux de l'odorat, de la vue, de l'ouïe et du goût.

L'odorat. L'organe de l'odorat se trouve dans les cavités nasales et est innervé par le nerf olfactif. Il n'est pas très grand et sa fonction exacte est encore méconnue. Des études ont montré que certaines espèces (vautour à tête rouge, kiwis, pétrels, albatros, puffins) s'en servent pour trouver leurs aliments, mais chez la majorité des oiseaux il n'est qu'un organe rudimentaire.

La vue. A l'inverse de l'odorat, la vue des oiseaux est excellente, ce qui n'est guère surprenant quand on sait que les deux globes oculaires peuvent peser plus que le cerveau entier. Leurs yeux n'étant pas très mobiles, les oiseaux compensent cette fixité par la mobilité de leur cou. L'œil est généralement en forme de cloche, ce qui réduit son volume sans affecter la capacité visuelle.

La place des yeux diffère énormément d'un groupe à l'autre. Leur disposition de chaque côté de la tête permet à l'oiseau d'avoir un vaste champ visuel, même si sa vision binoculaire est réduite. Dans certains groupes, comme les

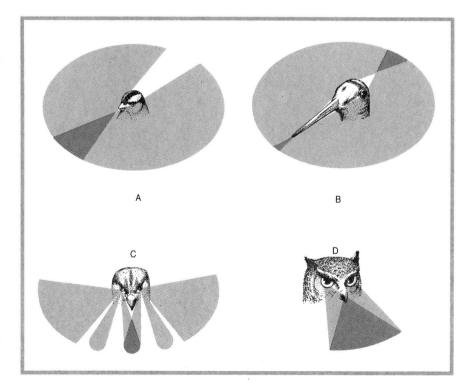

A   B

C   D

rapaces nocturnes, les yeux sont sur le devant de la tête, ce qui améliore la vision binoculaire, essentielle pour repérer les proies.

La bécasse donne l'un des meilleurs exemples d'adaptation des yeux, surtout en ce qui concerne la quête de nourriture. Placés très haut, ils lui permettent de regarder presque en tous sens quand elle est à la recherche d'aliments et qu'elle sonde la terre avec son long bec.

Dotée d'un très grand nombre de cellules en cônes et en bâtonnets, la rétine des oiseaux possède plus de cellules nerveuses que l'œil humain. Certaines parties, les aréas, en ont tellement qu'elle s'en trouve plus épaissie. D'autres zones, les fovéas, où la vision est la plus nette, sont plus minces et ne possèdent que des cônes. Les chasseurs, tels les rapaces diurnes, ont deux fovéas dans chaque œil. Par ailleurs, l'œil des oiseaux est caractérisé par un peigne, structure contenant de nombreux vaisseaux sanguins. Sa fonction semble être de nourrir la rétine, mais il peut aussi accroître la sensibilité ou compenser les changements de pression dus au mécanisme d'accommodation. Les yeux sont innervés par le second nerf crânien, qui conduit au chiasma optique.

L'ouïe. La structure de l'organe acoustique des oiseaux ressemble à celle des mammifères et autres vertébrés supérieurs. Il comprend trois parties : l'oreille externe, l'oreille moyenne et l'oreille interne. L'oreille externe, terminée par la membrane tympanique, n'a pas de pavillon, mais la disposition des plumes autour de son ouverture fournit un bon substitut pour la transmission des sons à l'intérieur. L'oreille moyenne, qui commence à la membrane tympanique, possède un os spécial, la columelle, et communique avec le pharynx au moyen de la trompe d'Eustache. La columelle transforme les vibrations acoustiques en énergie mécanique, transmise au labyrinthe de l'oreille interne. Ce dernier transforme à son tour les vibrations mécaniques en impulsions nerveuses, mais, à l'inverse du limaçon des mammifères, le labyrinthe des oiseaux n'est pas spiralé. L'oreille interne comprend trois canaux semi-circulaires responsable de l'équilibre. Elle est innervée par le huitième nerf crânien (acoustique), qui amplifie les fonctions d'audition et d'équilibre.

Le goût. Ce sens ne semble guère développé et l'on ne sait toujours pas quel rôle il joue dans la sélection des aliments ; manifestement, il n'est pas aussi important que chez les mammifères. Situés à l'arrière de la langue, les récepteurs gustatifs sont éparpillés dans toute la région buccale. Ils comprennent des bourgeons gustatifs, innervés par les septième, neuvième et dixième nerfs crâniens. Les bourgeons gustatifs ne forment pas de papilles, contrairement à ce qui se passe chez les mammifères.

LA REPRODUCTION

La théorie darwinienne (sélection naturelle en faveur des plus adaptés et des plus forts dans la « lutte pour la vie ») a été partiellement revue au cours de ces dernières années. De nos jours, les experts tendent à penser que, au sein d'une même espèce, les plus favorisés ne sont pas obligatoirement les plus forts, mais ceux qui se reproduisent le plus, disséminant leur patrimoine génétique de façon plus efficace. L'époque de la reproduction est, par conséquent, le point central dans la vie de n'importe quel organisme. A cet égard, parmi les vertébrés supérieurs, on a étudié les oiseaux plus que les autres espèces, et leur comportement reproducteur présente des particularités extrêmement intéressantes.

Chez les oiseaux, l'éveil de l'instinct reproducteur dépend de facteurs du milieu. Dans les régions tempérées, le facteur le plus important est sans doute la durée de plus en plus longue de l'éclairement au fur et à mesure que l'hiver approche de sa fin : c'est, pour les oiseaux, le signe que la saison de la reproduction approche. En vertu d'un jeu interne complexe d'influences hormonales, la réponse à ce photopériodisme se manifeste par l'accroissement des gonades chez le mâle et la femelle ; ces glandes deviennent deux cents à trois cents fois plus volumineuses que pendant la période d'inactivité hivernale. En outre, le comportement change lui aussi. L'abondance de la nourriture et des matériaux nécessaires à la construction des nids est un autre facteur important. Chez les espèces des régions équatoriales, d'autres éléments entrent, bien sûr, en jeu et règlent le niveau des diverses hormones sexuelles dans le sang pour stimuler l'instinct reproducteur.

Dans les régions tempérées, la saison de la reproduction est plus ou moins définie : certains oiseaux font une seule ponte, alors que d'autres, surtout les espèces petites et moyennes, en font deux ou trois.

Parmi les nombreux facteurs qui déterminent le nombre des pontes figurent la quantité d'aliments disponible, la pression des prédateurs, l'espérance de vie, la concurrence entre individus d'une même espèce, etc. Dans certaines zones tropicales, l'uniformité des conditions climatiques explique pourquoi beaucoup d'oiseaux n'ont pas de saison de reproduction bien définie : la nidification peut avoir lieu pendant toute l'année. En général, chaque espèce a tendance à suivre son propre rythme annuel. Il existe, néanmoins, quelques exceptions, comme dans le cas de la sterne fuligineuse (*Sterna fuscata*) : son cycle annuel comprend dix mois lunaires, et cette espèce peut se reproduire parfois deux fois par an.

L'âge de la maturité sexuelle varie énormément. Chez les passereaux, les canards, les oies, les cygnes, les colombes, les pigeons et certains hiboux, le premier accouplement a lieu vers un an ; chez les sénégalis, quatre mois seulement après l'éclosion. D'autres espèces, en particulier les oiseaux de proie, n'atteignent pas leur maturité sexuelle avant quatre ou cinq ans, et l'albatros royal (*Diomedea epomophora*) ne s'accouple pour la première fois qu'à huit ans. En raison de la lenteur de leur reproduction, ces espèces sont très vulnérables et doivent être protégées, surtout quand leurs effectifs sont faibles.

Le territoire

L'un des traits les plus caractéristiques du comportement reproducteur des oiseaux est la défense d'un territoire, par le mâle ou par les deux partenaires. Il peut s'agir de l'endroit où les deux oiseaux construisent leur nid, se nourrissent ou accomplissent les activités se rapportant à l'accouplement, ou d'une zone relativement grande où se trouve le nid. Dans ce cas, les deux oiseaux vont chercher leurs aliments ailleurs et ne manifestent aucune agressivité tant que le nid n'est pas occupé.

Chez les espèces coloniales, le couple ne défend que le nid et ses environs immédiats. Chez certaines espèces, les

mâles paradent de manière quelquefois très complexe, sur un espace appelé « arène », où ils défendent un minuscule territoire. L'instinct territorial peut également se manifester par la simple défense des œufs, des petits nouvellement éclos, ou même de la compagne, comme dans le cas du roselin noir, qui suit la femelle chaque fois qu'elle quitte le nid pour s'alimenter.

L'avantage associé à un tel comportement est manifeste. En effet, la défense du territoire garantit au couple l'isolement, donc la possibilité de se reproduire sans être dérangé par les autres individus de l'espèce. Elle évite également la surexploitation des ressources alimentaires : ainsi, les petits sont correctement alimentés sans souffrir de la concurrence exercée par les congénères.

Les parades nuptiales

La période des parades nuptiales peut durer de quelques heures à plusieurs mois. Ce terme s'applique à tous les comportements conduisant à la formation des couples et aboutissant à la copulation. Ce domaine de l'activité des oiseaux a soulevé maintes controverses et il est difficile d'en faire une classification précise ; toutefois, il est évident que les parades nuptiales, surtout quand elles durent longtemps, servent à stimuler chez l'oiseau de sexe opposé les processus physiologiques liés à la reproduction, et à supprimer les tendances agressives manifestes à cette époque, principalement chez les mâles des espèces au comportement territorial accusé. Les différentes attitudes adoptées durant les parades nuptiales sont typiques pour chaque espèce. Le rituel entier est d'une importance considérable avant la copulation et permet à chaque oiseau de s'assurer que son partenaire potentiel appartient bien à son espèce. Cela réduit considérablement les risques de croisement.

De nombreuses espèces ont un dimorphisme sexuel marqué : le plumage du mâle est plus coloré que celui de la femelle, généralement terne. En outre, le plumage du mâle peut être reconnaissable à l'existence de plumes ornementales, comme chez les veuves d'Afrique (famille des plocéidés) et les célèbres oiseaux de paradis de Nouvelle-Guinée. Chez tous ces oiseaux, les parties colorées, du moins les parties visibles, sont exhibées de diverses manières par le mâle et jouent un rôle d'une importance fondamentale durant les parades nuptiales. Quoique les prédateurs puissent repérer très facilement leurs couleurs criardes, ces ornements permettent aux partenaires de s'accoupler et donc de se reproduire.

Parmi les espèces où les deux sexes sont semblables, les parades nuptiales sont fondées sur des émissions acoustiques, souvent accompagnées de postures caractéristiques. Ces dernières sont prises par le mâle ou par les deux oiseaux ; chez certaines espèces, il s'agit d'évolutions aériennes spectaculaires, notamment chez les rapaces diurnes (piqués, etc.). Les parades des deux partenaires sont particulièrement typiques des fous et des grèbes. L'offrande d'objets divers ou d'aliments de la part du mâle à sa compagne fait souvent partie du rituel des parades nuptiales. Chez certaines espèces de hérons, il peut s'agir d'une branche, d'une brindille, de touffes d'algue ou simplement d'une proie. Ce rituel peut avoir lieu à différents stades du cycle de reproduction, durant les parades nuptiales, l'incubation, ou même quand les petits sont dans le nid. Dans tous les cas, l'attitude de la femelle lorsqu'elle reçoit l'offrande ressemble à celle des petits quand ils réclament à manger. Le mâle peut tout simplement placer l'aliment dans le bec de la femelle, ou encore le régurgiter dans le bec de sa compagne ou à terre en face d'elle.

Beaucoup d'oiseaux de proie accomplissent des acrobaties aériennes au cours desquelles le mâle lâche une proie que la femelle rattrape avant qu'elle ne touche terre. Par un tel comportement, il semble que le mâle cherche à prouver son habileté à trouver de la nourriture ; la femelle sait ainsi que, lorsque ses petits seront éclos, ils ne manqueront de rien. Une fois les petits élevés, cette forme de parade ne sert plus qu'à intensifier les liens du couple, qui diffèrent considérablement en nature et en durée. Ainsi, chez les tétras, le mâle et la femelle ne se retrouvent que pour copuler, souvent au milieu d'immenses arènes où plusieurs mâles paradent en même temps ; en pareil cas, seule la femelle s'occupe de la ponte et des soins qui suivent l'éclosion des œufs. Il existe d'autres comportements intermédiaires. Certains couples ne restent ensemble

que le temps d'une couvée, d'autres pendant toute la saison de reproduction. Dans plusieurs cas, les liens qui se tissent dans le couple sont, pour autant que l'on puisse en juger, permanents, comme chez les cygnes, les oies, nombre de membres de la famille des corvidés, mais aussi chez quelques petites espèces ; ces liens sont brisés à la mort de l'un des partenaires. Il existe de nombreux exemples de polygamie (colibris, bruants), où un seul mâle féconde plusieurs femelles. La polyandrie existe aussi : une femelle s'accouple avec plusieurs mâles (phalaropes).

Émeu

Oie d'Égypte

Chouette chevêche

Tinamou

Poule

Pintade

Goéland

Caille des blés

Perdrix grise

Œufs de diverses espèces. Cette sélection illustre l'énorme variété de tailles, couleurs et formes qu'offre la nature dans ce domaine.

Parfois, comme chez les ansériformes et certains ratites, il y a un organe copulateur caractéristique. L'accouplement se fait sur terre, dans l'eau, dans un arbre ou même, chez le martinet noir, en l'air. Généralement, ce comportement sexuel, qui commence pendant la construction du nid, cesse dès la ponte des œufs. Néanmoins, il est assez fréquent d'observer des espèces dont l'activité copulatrice commence deux mois environ avant la ponte ou continue durant toute la période de soins parentaux. En pareil cas, ces activités servent à renforcer les liens du couple.

Le nid

Une fois le couple formé, le travail le plus important, pour l'un des partenaires ou pour les deux, est de chercher un endroit où pondre, puis de commencer à bâtir le nid. Les solutions architecturales à ce problème sont infiniment variées et offrent aux ornithologues l'occasion d'étudier l'un des aspects les plus intéressants du comportement des oiseaux, l'accent étant surtout mis sur l'éthologie et l'évolution.

Selon l'environnement, les nids se trouvent dans des endroits variés : arbres, buissons, grottes, immeubles, sur la terre ou au milieu des rochers, flottant sur l'eau ou accrochés à une branche, dans le creux d'un cactus, dans un monticule de termite ou une boîte aux lettres, etc. Tout aussi fascinantes sont l'ingéniosité et l'imagination dont font preuve les oiseaux recourant à toutes sortes de matériaux pour construire leur nid : de grandes branches ou des pierres, des lichens ou des toiles d'araignée, des peaux de serpent ou des feuilles, des plumes arrachées de la poitrine des femelles, ou même de la salive...

Les dimensions des nids sont également très variables : de quelques centimètres de diamètre, dans le cas de certains colibris, à 3 m de haut, parfois, comme chez le pygargue à tête blanche. (*Haliaeetus leucocephalus*). Cependant, de nombreuses espèces ne bâtissent pas de nid et se contentent de déposer leurs œufs dans des trous du sol ou sur un rocher, comme certains rapaces et certains membres de la famille des alcidés. La gygis blanche (*Gygis alba*), sterne des régions tropicales, dépose son unique œuf en équilibre sur une branche horizontale.

L'huîtrier-pie (*Haematopus ostralegus*) semble vivre en promiscuité au début de la saison de reproduction, dans la mesure où l'accouplement a lieu tout à fait par hasard.

Tous ces rituels se terminent par la copulation, qui dans la majorité des cas consiste en un simple contact des deux cloaques. Le mâle se cale sur le dos de la femelle, qui bat souvent des ailes.

La construction du nid occupe souvent les deux sexes. Cependant, chez de nombreuses espèces, la femelle se charge de tout le travail d'assemblage, tandis que le mâle collecte le matériel nécessaire ; chez d'autres espèces, les oiseaux se partagent le travail équitablement. Parmi certains tisserins d'Afrique, seul le mâle est responsable de la collecte des matériaux et de la construction du nid. La majorité des passereaux achèvent leur nid en moins de deux semaines, mais des structures plus grandes ou plus complexes, comme le nid du fournier roux (*Furnarius rufus*) ou de l'ombrette (*Scopus umbretta*), peuvent exiger plusieurs mois.

En général, les espèces des régions septentrionales, qui doivent s'adapter à la relative brièveté de la saison de reproduction, ont tendance à bâtir leur nid plus rapidement que celles des zones tropicales. Pour la même raison, nombre des premières utilisent le même nid plusieurs années de suite, le réparant et le renouvelant de temps en temps. Les oiseaux employant de grandes quantités de salive dans la construction de leur nid peuvent être occupés pendant un temps assez long, car ils dépendent de la productivité de leurs glandes salivaires. Ainsi, on a vérifié que les salanganes des grottes tropicales (genre *Collocalia*) ont besoin de trente à quarante jours pour bâtir leur nid.

La ponte

La femelle pond généralement immédiatement après que le nid est fini. Une fois détaché de l'ovaire, l'ovule, entouré d'albumen, passe dans l'oviducte, où il est fécondé. Dans l'oviducte, l'œuf double de volume en absorbant de l'eau, et sa coquille calcaire se forme dans la partie inférieure de ce conduit. Il faut vingt-quatre heures à l'œuf pour traverser l'oviducte.

La taille, la forme et la couleur d'un œuf varient beaucoup selon l'espèce. En fonction de la taille du bassin, l'œuf peut être allongé, globuleux ou ovale, comme chez les chouettes. Les dimensions diffèrent énormément par rapport au poids du corps, quoique de petits oiseaux pondent des œufs proportionnellement grands. Les pigments, déposés dans la partie finale de l'oviducte, peuvent être distribués de manière uniforme ou en petites taches quand l'œuf

est immobile, ou bien en bandes ou en raies quand il bouge. Les espèces qui pondent dans un trou ou dans un nid fermé ont généralement des œufs blancs, tandis que les autres pondent souvent des œufs de couleurs variées.

Les pétrels, pingouins et macareux pondent un seul œuf, tandis que certains grands rapaces en pondent deux. Dans le cas des grands aigles, seul le premier des deux petits survit, le deuxième mourant souvent de faim, ou étant tué par l'aîné. Cette perte représente en fait une méthode efficace de contrôle de la population. Généralement, chez les oiseaux de proie, le premier-né est plus nourri tout simplement parce que, étant plus gros, il est plus remuant. Si les aliments ne sont pas en quantité suffisante pour les deux petits, l'un des deux est éliminé avant qu'il puisse voler, ce qui assure un meilleur développement à celui qui survit, en évitant une concurrence nuisible.

Certains canards et gallinacés, bien plus prolifiques, pondent de dix à vingt œufs. Alors que, chez les espèces les

A gauche : coupe transversale d'un œuf. 1) albumen ; 2) membrane vitelline ; 3) coquille ; 4) jaune ; 5) membrane coquillière ; 6) chambre à air. A droite : œuf avec embryon de 6 jours. Au cours du développement de l'embryon, le jaune, réserve de nourriture, est lentement consommé jusqu'à sa totale disparition.

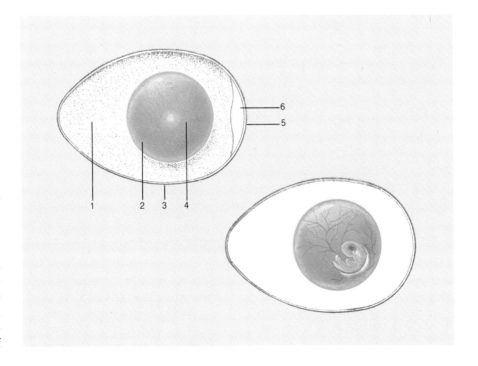

moins prolifiques, le nombre d'œufs d'une couvée a tendance à être constant, des fluctuations ont souvent lieu, conséquence de l'environnement et de facteurs physiologiques. Le nombre d'œufs peut en fait varier selon la quantité de nourriture trouvée dans le voisinage (comme c'est le cas chez certains oiseaux de proie), ou même selon la latitude : en effet, les populations les plus nordiques ont tendance à pondre plus d'œufs que les populations équivalentes vivant dans le Sud. Les œufs sont pondus à intervalles réguliers, de vingt-quatre heures (chez les passereaux) à dix à douze jours (chez les mégapodes).

L'incubation

L'incubation apporte aux œufs la chaleur qui leur est nécessaire. Les femelles (et quelquefois les mâles) de toutes les espèces, à l'exception des manchots et de certains pélécaniformes, ont des zones de peau dénudée, les plaques incubatrices, qui se développent sur la face ventrale du corps. Ces zones sont caractérisées par un épaississement du réseau des vaisseaux capillaires et une perte temporaire des plumes, de telle sorte que la chaleur du corps peut se transmettre plus efficacement à la surface de l'œuf. En outre, la température du corps s'accroît au cours de l'incubation. La durée de celle-ci varie d'une famille à l'autre. Chez les petits oiseaux, les œufs éclosent après onze à treize

jours, tandis que, dans le cas de l'albatros royal, quatre-vingts jours s'écoulent avant que l'œuf éclose. Les espèces parasites tel le coucou gris d'Europe évitent cette perte d'énergie en déposant leurs œufs dans le nid d'autres espèces. Souvent la coloration de leurs œufs ne permet pas de les distinguer de ceux de l'hôte.

Une autre méthode pour faire éclore les œufs sans les couver directement est celle adoptée par les mégapodes d'Australasie. Ces espèces déposent leurs œufs dans un monticule de débris végétaux et de terre. La chaleur générée par le pourrissement graduel des feuilles permet d'incuber les œufs ; après neuf semaines, les poussins éclosent, tout à fait capables de trouver leur propre nourriture. Pendant l'incubation, le mâle contrôle la température à l'intérieur du monticule et s'assure qu'elle ne varie pas. C'est la seule forme de soins visible chez ces parents, car les petits et les adultes ne vivent pas ensemble.

Au cours de l'incubation, les œufs sont couvés pendant un laps de temps variable, avec des intervalles où ils ne sont pas recouverts. Cela entraîne des variations de température, mais ne constitue pas un réel danger pour le développement de l'embryon. Chez les petits passereaux, les adultes couvent en général de vingt à trente minutes à chaque fois, puis abandonnent leur nid pendant six à huit minutes. Chez les espèces où les deux sexes se partagent l'incubation, le nid est rarement abandonné, ou alors pendant un temps très bref. Les oiseaux de proie et autres grandes espèces restent dans le nid plus longtemps. L'albatros royal peut couver pendant dix à quatorze jours sans interruption. Chez certaines espèces, le mâle apporte souvent de la nourriture à sa compagne, mais, dans le cas du manchot empereur (*Aptenodytes forsteri*), le mâle reste immobile pendant soixante-quatre jours, couvant un unique œuf dans une poche abdominale spéciale, tandis que la femelle est au large à la recherche de nourriture. La femelle des calaos ne quitte pas son nid : une fois les œufs pondus, le mâle rétrécit l'entrée du nid situé dans un trou d'arbre, avec de la boue et d'autres matériaux. La femelle se trouve donc dans l'impossibilité de sortir, et ce jusqu'à la fin de l'incubation, voire plus longtemps ; elle est nourrie par son compagnon.

Les jeunes oiseaux

L'ouverture de la coquille au moment de l'éclosion est facilitée par la présence, à l'extrémité de la mandibule supérieure du jeune oiseau, d'une saillie cornée, le diamant, qui disparaît très rapidement. Les ornithologues divisent généralement les jeunes oiseaux en poussins nidifuges et oisillons nidicoles. Les premiers sont recouverts de duvet et sont prêts en quelques heures à quitter le nid. Les seconds, rarement recouverts de duvet, sont incapables de se déplacer et ont souvent les yeux fermés. Ils passent un temps variable dans le nid, durant lequel leurs parents les nourrissent et les protègent du froid ou de la chaleur. La croissance a tendance à être rapide chez les insectivores ; les oisillons, nourris jusqu'à quarante-cinq fois par heure, abandonnent le nid vers le dixième ou douzième jour. En revanche, le petit de l'albatros royal attend huit mois environ.

De nombreux dangers peuvent survenir à n'importe quel stade du cycle reproducteur et empêcher les petits d'éclore. Entre autres prédateurs, figurent des oiseaux, des mammifères, des reptiles et quelquefois des araignées, qui se nourrissent d'œufs ou d'oisillons est qui peuvent tuer l'un des adultes. Dans ce dernier cas, l'adulte qui survit essaie d'élever les petits, mais souvent sans succès. Des facteurs variés (conditions climatiques hostiles, présence d'êtres humains) peuvent également affecter la couvée. Chez les espèces qui construisent leur nid à l'air libre, le taux de mortalité des petits atteint 60 %, ce qui permet à la population de rester constante, alors que les espèces qui pondent dans des nids fermés ont un taux de survie variant entre 60 % et 90 %. Certains parents continuent de s'occuper de leurs petits même après qu'ils ont appris à voler ; durant cette période, ces derniers acquièrent les comportements qui leur permettront de se maintenir en vie, d'atteindre la maturité sexuelle et finalement de propager l'espèce.

LE COMPORTEMENT

Sans le travail des ornithologues, l'éthologie, science du comportement des espèces animales dans leur milieu naturel, ne serait pas aussi avancée. Certains aspects du comportement des oiseaux peuvent servir de critères pour d'autres

animaux, mais ce n'est pas toujours le cas. Les ouvrages sur la question regorgent de tant d'observations, d'expériences et de théories que la discussion reste indubitablement ouverte.

Le comportement est la façon de vivre de l'oiseau ; il est conditionné par le milieu dans lequel il se trouve. Plus précisément, il s'agit de l'expression de processus coordonnés incluant tous les actes permettant à un animal de se maintenir en vie dans son environnement (Hemlen, 1955).

Pour comprendre comment les oiseaux et les autres animaux se comportent, la connaissance de leurs organes sensoriels est capitale. Les oiseaux ont une meilleure vue que les autres vertébrés. Leurs yeux ont une mobilité limi-

Divers types de nids. A) nid de tisserin accroché à une branche ; B) nid de canard ; C) nid de rapace diurne ; D) nid typique de flamant rose, fait de boue ; E) nid d'hirondelle

tée, sauf chez les manchots, les cormorans, les pélicans, les goélands, les calaos ; les rapaces nocturnes, eux, ont les yeux immobiles. L'acuité de leur vision s'explique par le nombre de cellules visuelles de la rétine, plus important que chez les autres vertébrés. Les yeux étant plus ou moins fixes, le cou a tendance à être extrêmement mobile. L'extraordinaire capacité visuelle des oiseaux influe sur leurs habitudes alimentaires ; les rapaces diurnes, qui

repèrent leurs victimes de très loin, en sont un très bon exemple. Par ailleurs, les oiseaux possèdent une vision binoculaire, particulièrement étendue chez les rapaces.

Le sens le plus perfectionné, après la vision, est sans nul doute l'ouïe ; en conséquence, les organes auditifs sont très développés, notamment l'oreille moyenne et l'oreille interne. Le sens de l'équilibre, étroitement lié anatomiquement à l'appareil auditif, est également remarquable ; il est indispensable aux oiseaux, qui doivent se maintenir dans un élément aussi peu dense que l'air. Leur ouïe est parfois plus fine que celle de l'homme. Certains d'entre eux peuvent percevoir des fréquences plus élevées que l'homme jeune.

Les oiseaux vivent dans un monde de sons, de formes et de couleurs. L'analogie qui existe entre le développement de leurs sens et celui des nôtres explique pourquoi il nous est plus facile de comprendre leur comportement que celui d'autres animaux.

L'odorat est l'un des sens les moins développés ; toutefois, il est faux de dire que les oiseaux ne peuvent détecter les odeurs. En effet, la taille des bulbes olfactifs du cerveau varie énormément, et certaines espèces, comme les kiwis, ont un très bon odorat.

Le goût, comme l'odorat, permet de percevoir les caractéristiques chimiques de substances particulières. Les oiseaux possèdent très peu de fibres nerveuses associées au goût ; il semble que les perroquets soient les espèces dotées du plus grand nombre de bourgeons gustatifs (environ 400), situés principalement sur le palais, le pharynx et la partie inférieure de l'épiglotte, alors que chez les mammifères ils sont concentrés sur la langue.

Le toucher est un sens relativement bien développé chez les oiseaux, qui sont pourvus de divers corpuscules tactiles. Ces récepteurs se trouvent non seulement sur le bec, mais aussi dans la cavité buccale, le cloaque et sur la peau, particulièrement dans les ptérylies.

Par ailleurs, d'autres terminaisons sensorielles permettent à l'oiseau de répondre aux conditions complexes de son environnement : en particulier les terminaisons nerveuses neuromusculaires et neurotendineuses, ainsi que les fibres sensitives qui réagissent à la douleur et à la température.

Les autres sens mystérieux attribués aux oiseaux sont probablement le fruit de l'imagination humaine ; cependant, font peut être exception certains récepteurs magnétiques qui expliqueraient les facultés d'orientation de quelques oiseaux. Cette question est encore mal connue.

Dans sa vie de tous les jours, l'oiseau a recours à un éventail de comportements fixes pour accomplir ce qu'il a à faire. Ces actes qui se rapportent à des activités liées à la survie et à la reproduction ne peuvent être appris, dans la mesure où, lorsqu'il est question de vie ou de mort, l'oiseau n'a généralement pas assez de temps pour atteindre le résultat désiré. Des modèles innés assurent les communications entre individus d'une même espèce ; il peut s'agir de postures ou d'attitudes de menace, de défense, de soumission, d'invitation sexuelle, de séduction, etc. Pour chaque objectif, l'oiseau utilise des traits particuliers, comme la coloration et la forme de son plumage, qui servent de signal et sont reconnus comme tels par les autres. Toutefois, un stimulus est nécessaire, par exemple sous la forme d'un autre membre de l'espèce.

Une grande partie du comportement des oiseaux est issue de situations et stimuli relativement simples. Dans son étude du comportement territorial du rouge-gorge, David Lack a observé que, si l'on introduit un rouge-gorge empaillé sur le territoire d'un rouge-gorge vivant, ce dernier adopte des postures menaçantes ; cependant, si l'oiseau empaillé a un plumage juvénile (sans tache rouge sur la poitrine et la gorge), le propriétaire du territoire l'ignore. La vue d'une touffe de plumes rouges provoquant une réaction de menace, on peut en conclure que la couleur est le signal qui déclenche la réponse.

Une explication similaire, que l'on doit à l'étude de Tinbergen et Perdeck, s'applique à la réponse du jeune goéland argenté réclamant de la nourriture. Diverses expériences ont montré que, à la vue de la marque rouge sur la mandibule inférieure des adultes de son espèce, le petit se met aussitôt à donner des coups de bec et à chercher à manger. La forme de la tête et la coloration d'autres parties du corps de l'oiseau n'ont pas la même fonction de signal. Une réponse analogue peut être obtenue par d'autres stimuli sensoriels. Prenons l'exemple du chant du pinson à gorge blanche (*Zonotrichia albicollis*), petit passereau d'Amérique, qui consiste en une série de notes émises dans un ordre précis. Si l'on altère artificiellement le type et la séquence des notes, les mâles défendant leur territoire pendant la saison de reproduction réagissent différemment, voire pas du tout. Par conséquent, pour provoquer une réaction appropriée, le chant doit être composé de notes pures, et les notes et les intervalles doivent avoir une durée déterminée. Au vu de ces exemples, on peut conclure que la réaction automatique de l'oiseau face à une excitation est due à sa capacité de sélection.

En vertu de ces mécanismes, chaque espèce a des structures associées à la forme, au chant ou aux attitudes. En d'autres termes, les stimuli-signaux constituent un moyen d'identification sûr au sein des espèces. Néanmoins, un stimulus particulier n'entraîne pas toujours une réponse identique Si la situation extérieure est demeurée constante, la réaction altérée peut être due à des changements internes chez l'animal. Par convention, les modifications temporaires et réversibles des conditions internes de l'animal sont appelées « motivations » ; toutefois, comme l'a fait remarquer Hinde, les modifications durant plus d'une seconde ou celles ayant lieu dans les organes sensoriels ne doivent pas être incluses dans cette catégorie. Les facteurs responsables de ces réponses sont variés. Outre les stimuli, les hormones jouent un rôle important dans le comportement des oiseaux. Certaines activités caractérisées par un rythme quotidien précis sont également gouvernées par des facteurs internes. C'est le cas du comportement extrêmement intéressant des passereaux, qui houspillent un rapace nocturne quand ils le découvrent dans la journée.

A l'évidence, certains facteurs du milieu peuvent provoquer plus d'un type de comportement. Quand, par exemple, doivent être satisfaits les besoins contradictoires de la quête de nourriture et du départ avec le reste d'une troupe. Ou bien (et c'est particulièrement caractéristique durant la saison de reproduction), quand un individu est appelé à répondre au stimulus d'un partenaire, qu'il s'agisse d'une agression, d'une invite sexuelle ou d'un passage en vol. Etant donné qu'il est souvent impossible d'adopter plus d'un type de comportement à la fois, il arrive que les oiseaux se retrouvent face à une situation de conflit. Toutes les réponses peuvent être inhibées, sauf une : par exemple, l'apparition d'un prédateur ailé incitera de nombreux passereaux à chercher refuge et annihilera tout autre type de comportement.

Il existe aussi beaucoup d'exemples de comportements adoptés en alternance : engagé dans un combat contre un rival, l'oiseau, poussé à attaquer et à fuir simultanément, manifeste ces deux tendances à tour de rôle. Ou bien une situation de conflit aboutit à des gestes d'intention : l'oiseau peut accomplir une série de gestes incomplets exprimant alternativement deux intentions, ou deux besoins opposés. Il peut également adopter un comportement de compromis : la réponse donnée apparaît comme le résultat de la combinaison de deux tendances incompatibles. Lorsqu'un oiseau affamé hésite à s'approcher de la nourriture parce qu'il a peur, il agite la queue, mouvement exprimant, d'une part, la faim et le désir de s'approcher de l'aliment, et, d'autre part, la peur et le désir de s'éloigner, l'envol, quelles que soient les contingences, entraînant un mouvement de la queue. L'oiseau peut encore adopter une position exprimant clairement les deux besoins simultanément. Beaucoup de postures de menace et de séduction sont de ce type.

Les ornithologues appellent « activité réorientée » une forme particulière de comportement. Il s'agit du cas où le mouvement déclenché par un besoin conflictuel est dirigé vers un objet différent de celui qui l'a suscité. La mouette rieuse mâle (*Larus ridibundus*), par exemple, qui voit une femelle venir dans son territoire affichera une attitude de menace à l'égard des autres mâles, même si c'est la femelle qui, au départ, a éveillé son agressivité.

Les situations de conflit provoquent aussi diverses réponses automatiques, comme la défécation, le hérissement des plumes, etc. Parfois, un oiseau, poussé par deux ou plusieurs besoins conflictuels, se comporte de manière apparemment insensée : une mésange en plein vol s'arrêtera brusquement pour donner un coup de bec dans un tronc d'arbre ; un canard se mettra tout à coup à lisser les plumes de ses ailes pendant la parade nuptiale. Ces actes sont des activités de substitution, destinées à relâcher la tension qui monte à l'intérieur de l'animal et qu'il ne peut, pour une raison ou pour une autre, exprimer correctement (à ce propos, l'analogie avec l'homme est évidente).

Des actes tout aussi étranges peuvent survenir lors de situations apparemment non conflictuelles.

L'explication de ce type de comportement reste très difficile. La seule certitude, fondée sur des recherches minutieuses, est que, dans des circonstances particulières, l'activité de substitution libère une certaine quantité d'énergie contenue.

On peut également considérer tous les types de comportement (construction du nid, activité sexuelle, habitudes alimentaires, etc.) comme fonctionnels. En général, une réponse comportementale à des stimuli précis permet à l'animal de faire face à une succession d'autres stimuli, et c'est en y répondant correctement qu'il exprimera ses intentions dans des comportements complexes.

Toutefois, les oiseaux, comme d'autres animaux, peuvent modifier leur comportement à la lumière de l'expérience acquise. En d'autres termes, ils sont capables d'apprendre, et l'on peut dire par conséquent que tous leurs actes ne découlent pas de l'instinct. L'apprentissage est donc le processus qui se manifeste dans les changements du comportement individuel résultant d'une adaptation à l'expérience.

On applique le terme d'accoutumance à une activité du système nerveux central par laquelle des réponses innées à des stimuli relativement simples, en particulier ceux de grande valeur potentielle comme les signaux de danger, deviennent plus faibles si ces stimuli n'entraînent pas pendant un certain temps de conséquences désagréables : l'animal apprend à ne pas répondre à des stimuli insignifiants, c'est-à-dire qui ne conduisent pas à une situation dangereuse. Il s'agit, d'après Thorpe, de la forme d'apprentissage la plus simple et la plus élémentaire. Il est évident qu'une accoutumance excessive serait désastreuse pour une espèce. Un jeune oiseau élevé artificiellement ou dans la nature par ses propres parents doit apprendre, par exemple, qu'un papillon n'est pas une source de danger. Un autre cas typique d'accoutumance nous est donné par ces oiseaux qui, une fois qu'ils ont compris que les coups de fusil ne les menaçaient pas, ne les redoutent plus.

Le conditionnement (introduction d'un stimulus supplémentaire ou de substitution dans un ensemble de stimuli et de réponses préexistants) est un autre type d'apprentissage. Les réflexes conditionnés sont extrêmement utiles à l'étude expérimentale du comportement ; malheureusement, on ne sait pas quel rôle ils jouent dans la nature. Apprendre par tâtonnements est une procédure par laquelle, dans une situation complexe, une réponse est choisie parmi plusieurs possibles. Les activités alimentaires fournissent des exemples typiques de ce phénomène. Les oisillons doivent apprendre quelle sorte d'aliment peut être ou non mangée, et ils doivent l'apprendre rapidement pour ne pas mourir de faim.

La forme la plus complète d'apprentissage est celle où une réponse appropriée est choisie dans une situation problématique qui, à l'inverse de la procédure par tâtonnements, doit être résolue

Konrad Lorenz (*à gauche*) et Niko Tinbergen (*à droite*) ont longuement étudié le comportement des animaux. Avec Karl von Frisch, ils ont obtenu le prix Nobel en 1973. On parle souvent de Lorenz comme du « père de l'éthologie ». Ses travaux, qui ont suscité maintes querelles au sein du monde scientifique et ailleurs, présentaient sous un jour nouveau la différence entre l'inné et l'acquis. On lui doit l'introduction du concept d'« imprégnation », processus d'apprentissage lors d'une brève période sensible, juste après la naissance ou l'éclosion ; ce processus engendre une série de réponses comportementales de longue durée. Ce concept abandonne la division traditionnelle entre l'inné et l'acquis. Tinbergen a participé aux premières grandes recherches en éthologie.

dans un laps de temps très court et sans hésiter. Selon Thorpe, la perception des relations temporelles et spatiales est une faculté innée à tous les animaux. Sur cette base, on peut dire que l'intuition est simplement la perception de ces relations et leur utilisation correcte. Bien entendu, l'interprétation du comportement intuitif et du raisonnement, même sous sa forme la plus simple, est un problème extrêmement délicat, mais il est évident que, dans certaines situations, beaucoup d'espèces d'oiseaux font preuve, certes à un niveau élémentaire, d'une capacité à raisonner.

L'imprégnation est un type particulier d'apprentissage. Assez répandue parmi les animaux, elle a été surtout étudiée chez les oiseaux. On peut la définir comme la formation rapide d'associations entre des stimuli stables et des réponses faites dans les tout premiers moments de la vie, au cours de la période « sensible ». Lorenz a illustré ce phénomène avec des oisons, nés dans un incubateur artificiel, qui acceptaient pour « mère » la personne s'occupant d'eux et se trouvent être aussi le premier objet à bouger dans leur entourage. De nombreuses expériences ont montré que ce type d'apprentissage est intégré dans les premières heures de la vie, qu'il est presque irréversible et qu'il conditionne les activités de l'animal à l'âge adulte. En fait, les oisons de Lorenz considéraient celui-ci comme un membre de leur espèce et, ultérieurement, dirigèrent maintes activités vers lui, y compris celles du domaine sexuel. De nos jours, l'irréversibilité de l'imprégnation est mise en doute, et il a été démontré que les oiseaux qui identifient la personne qui les a élevés comme leur vrai partenaire reviennent peu à peu à une situation normale, se libérant de cet attachement pour entretenir une relation directe avec des individus de leur propre espèce.

L'étude objective du comportement animal est une science relativement nouvelle. Par ailleurs, les théories modernes ont été constamment remises en question, à mesure que l'information s'est précisée et que de nouveaux aspects du sujet, surtout en ce qui concerne la physiologie du système nerveux, qui conditionne les types de comportement, ont été mieux connus. Il est probable que l'on renoncera de plus en plus à distinguer l'instinct du comportement

appris, puisque l'on sait que, dans certains cas, l'absence d'une réponse motrice à un moment donné peut tout simplement être due, non pas à un manque d'expérience, mais à la relation complexe entre les nerfs, les muscles et les structures du corps. Il existe une distinction manifeste, dans le monde des oiseaux, entre les poussins nidifuges et les oisillons nidicoles, dont le degré de développement à l'éclosion est très différent. Cependant, de nombreux types de comportement sophistiqués, tels ceux relatifs à la construction de nids compliqués ou à la formation de chants particulièrement élaborés, sont issus d'une combinaison de réactions instinctives et d'habitudes acquises par l'expérience.

LA MIGRATION

La migration, activité commune à divers groupes d'animaux dans le monde entier, est un sujet fascinant pour les biologistes et d'une importance considérable. Par ailleurs, elle est particulièrement spectaculaire chez les oiseaux.

On peut considérer la migration comme un moyen grâce auquel certaines espèces parviennent à s'adapter à l'environnement. Mais, avant de l'examiner de plus près, essayons d'en donner une définition plus précise, qui nous aidera à la distinguer d'autres phénomènes lui ressemblant à certains égards. La vraie migration implique un déplacement régulier d'animaux qui, à différentes époques de l'année, accomplissent des aller et retour entre les régions où ils vivent habituellement. Dans le cas des oiseaux, l'une de ces régions est l'aire de reproduction, l'autre l'aire la mieux adaptée à leur vie en dehors de la saison de reproduction et connue sous le nom de quartier d'hiver, même si, du point de vue du calendrier, le séjour peut dépasser l'hiver proprement dit.

Les recherches modernes dans ce domaine sont fondées sur plusieurs sources principales : les données concernant la distribution de certaines espèces, et de beaucoup de sous-espèces, à différents moments de l'année, les dates d'arrivée, de départ et les déplacements à l'intérieur de zones précises ; l'observa-

Les oiseaux migrateurs voyagent souvent en troupe. Alors que le vol des petites espèces semble désordonné, les grands oiseaux volent en formations plus régulières. Sont représentés ici (*de gauche à droite*) un vol d'oies sauvages, une formation en ligne de vanneaux et une formation en V de canards. L'arrivée de migrateurs peut transformer brusquement le paysage, comme l'illustre cette photo de flamants roses.

tion directe de la « migration visible », c'est-à-dire d'oiseaux qui apparaissent en nombre inhabituel sur des caps, des péninsules ou de petites îles ; l'observation la nuit, au télescope ou sur écran radar, d'oiseaux attirés par les lumières des phares ou des bateaux-feux ; le baguage, qui permet la reconnaissance des oiseaux et la vérification de leur point de départ ; des expériences dans des conditions très contrôlées, en particulier pour clarifier des phénomènes comme l'agitation des oiseaux avant la migration et leur capacité à s'orienter.

Selon les ornithologues, beaucoup d'espèces, représentant tous les ordres et toutes les familles, sont dans une certaine mesure migratrices. Si la migration est chose commune parmi les oiseaux se reproduisant aux latitudes élevées, elle n'est pas du tout inhabituelle chez les espèces tropicales.

Le type de migration varie énormément, tant en portée et en précision qu'en régularité. Il existe ainsi des variations très marquées au sein d'une même espèce, voire à l'intérieur d'une même population. Essayons d'en donner les principales.

1. Migrations à faible distance : les oiseaux se déplacent entre la zone de reproduction située dans l'arrière-pays et une bande de terre le long de la côte, où ils passent l'hiver. Ou bien ils prennent leur envol dans une direction précise sur quelques centaines de kilomètres seulement, durant lesquels ils ne traversent aucune étendue de mer. Quelle que soit la durée du voyage ou la distance parcourue, de tels déplacements sont relativement limités (à l'intérieur d'un même pays ou d'un même continent).

2. Déplacements verticaux : il s'agit là de migrations locales entre plaines et montagnes. Si de nombreuses espèces nichant dans les montagnes descendent dans les vallées pour l'hiver, l'inverse est également vrai : ainsi, dans la région de la mer Morte, certaines espèces se reproduisant à environ 270 mètres au-dessus du niveau de la mer s'installent, l'hiver, sur les collines, où le climat est meilleur.

3. Migrations à grande distance : il s'agit de voyages de plusieurs milliers de kilomètres. De nombreuses espèces quittent leur aire de reproduction du nord de l'Europe pour passer l'hiver le long des côtes africaines de la Méditerra-

née ou au sud du Sahara. D'autres parcourent des distances aussi longues sans changer de latitude ; ainsi, certaines espèces migrent de l'intérieur de l'Europe continentale vers les côtes atlantiques. Les corbeaux freux (*Corvus frugilegus*), par exemple, quittent les plaines russes pour passer l'hiver le long des côtes atlantiques françaises.

4. Migrations transéquatoriales : les oiseaux ne se contentent pas de traverser un continent, ils passent l'équateur pour atteindre les zones tempérées de l'autre hémisphère, où l'« hivernage » a lieu pendant l'été local, c'est-à-dire pendant la saison de reproduction des espèces locales. Ainsi, des espèces qui se reproduisent en Europe passent l'hiver en Afrique du Sud, d'autres voyagent de l'Amérique du Nord vers l'Amérique du Sud et d'autres encore quittent l'Asie du Nord pour l'Australie. Il s'agit, dans tous ces cas, de migrations sur plusieurs milliers de kilomètres. Les sternes arctiques (*Sterna arctica*), qui passent de l'Arctique (latitude 82º N) à l'Antarctique (latitude 74º S), représentent l'un des exemples les plus spectaculaires de migration transéquatoriale. Par la voie la plus directe, le voyage ne fait pas moins de 14 000 kilomètres.

Si des espèces de l'hémisphère Sud migrent vers le Nord, jusqu'aux tropiques, il n'y a pas d'oiseaux terrestres nichant dans le Sud qui viennent hiverner dans les zones tempérées du Nord. Cela s'explique probablement par la distribution des masses continentales.

L'hémisphère Sud ne comporte pas d'importante masse de terre — mis à part l'Antarctique — à des latitudes équivalant à celles d'où sont originaires les migrateurs de l'hémisphère Nord. C'est seulement chez certains oiseaux de mer, en particulier les procellariiformes (pétrels, albatros et puffins), que l'on trouve des espèces de l'hémisphère Sud qui « hivernent » dans l'hémisphère Nord durant l'été local. Par ailleurs, certains migrateurs font, outre un voyage transéquatorial, un voyage transocéanique. Le puffin des Anglais (*Puffinus puffinus*) va de son aire de reproduction dans les îles Britanniques jusqu'aux côtes d'Amérique du Sud. Quant au courlis de Tahiti, après avoir niché dans la toundra de l'Alaska, il traverse les vastes étendues du Pacifique, passe l'équateur et s'installe à Tahiti et dans d'autres îles pour l'hiver.

Afin d'éviter toute confusion et de comprendre comment le phénomène de la migration a évolué sous diverses pressions, considérons brièvement d'autres exemples de déplacements.

5. Dispersion : certains types de voyages annuels ne peuvent être qualifiés de migrations. Ils concernent des individus qui s'éparpillent au fur et à mesure qu'ils s'éloignent du centre de l'aire de distribution de l'espèce. Par ailleurs, ces déplacements ne se font pas tous dans une seule direction. Certaines espèces, dont les oiseaux marins, se dispersent en dehors de la saison de reproduction sur de vastes espaces. Bien qu'une telle dispersion ne soit pas seulement due au hasard, il semble qu'elle soit dénuée de règle fixe. Elle a souvent tendance à être saisonnière et à varier en fonction de la quantité de nourriture que la direction et la force des courants marins mettent à la disposition des oiseaux.

6. Certains oiseaux sont partiellement migrateurs, par exemple les vanneaux des îles Britanniques (*Vanellus vanellus*), les rouges-gorges (*Erithacus rubecula*) d'Europe centrale et les grives musiciennes (*Turdus philomelos*). Chez ces espèces, toujours à l'intérieur d'une même aire, certains oiseaux migrent, d'autres non. On ne sait pas toujours de façon sûre si ce sont les jeunes qui migrent, excepté dans le cas du fou de Bassan (*Sula bassana*) et du fou austral, où seuls les jeunes entreprennent ces voyages réguliers qui les éloignent des zones de reproduction.

7. Déplacements prémigratoires : chez certaines espèces de migrateurs, les jeunes de l'année ont souvent tendance à se disperser ou même à mener une vie nomade durant l'intervalle entre la fin de la saison de reproduction et le début de la période de migration proprement dite. Ils se déplacent dans diverses directions, souvent même à l'opposé de celle qui sera adoptée au moment de la vraie migration. Ces déplacements n'ont rien à voir avec les vraies migrations et sont probablement dus à de tout autres raisons.

8. Certaines espèces, surtout celles des zones tempérées du Nord, se déplacent en hiver, lors des longues périodes de mauvais temps. Ne se produisant pas à date fixe, ces voyages n'ont rien à voir avec les migrations. Un autre type d'activité, lié aux conditions climatiques, est

appelé « rétromigration » : au cours de leur retour vers le Nord, au printemps, certaines espèces interrompent leur voyage ou font même demi-tour si le mauvais temps persiste. Il existe aussi ce qu'on nomme des « irruptions » ou « invasions », c'est-à-dire des déplacements irréguliers que l'on observe occasionnellement, et qui caractérisent certaines espèces granivores (bec-croisé des sapins, casse-noix).

Les périodes et voies de migration

A l'évidence, les oiseaux évitent de migrer pendant les saisons où les conditions climatiques sont très mauvaises. Dans les zones tempérées, les espèces nicheuses partent à l'automne et reviennent au printemps. Dans les zones tropicales, les migrations coïncident avec les saisons sèches et la saison des pluies. En général, et surtout dans le cas de migrateurs au long cours, la date de départ et la durée du voyage ont tendance à être relativement constantes d'une année sur l'autre.

La migration étant un comportement d'adaptation aux variations saisonnières, les conditions climatiques exercent une influence directe sur elle, soit en conditionnant le début de l'exode, soit en affectant les oiseaux migrants au cours de leur voyage. La réduction de la durée du jour et la baisse générale de la température à l'automne déterminent en partie et favorisent le départ des oiseaux. Au printemps, c'est le contraire qui se produit. Pendant le voyage, tout ce qui nuit à leur progression (orages, coups de vent, périodes de pluie prolongées) a souvent un effet désastreux sur les populations migratrices.

Les migrations à grande distance impliquent souvent un changement de latitude. La direction générale a tendance à être nord-sud, et vice versa. Néanmoins, les conditions climatiques et le relief sont des facteurs extrêmement importants qui peuvent entraîner des écarts par rapport à la migration type. La vallée du Pô, dans le nord de l'Italie, est ainsi régulièrement traversée par des vols d'est en ouest, et inversement. Si l'on prend tous ces faits en compte, on est en droit de parler de voies de migration, qui peuvent être d'étroits couloirs ou de larges bandes de terre. En bref, tout laisse à penser que les migrateurs possèdent une capacité

innée à voler dans une direction précise. Les oiseaux utilisent certainement des éléments topographiques comme points de référence, repères ou guides. Le contour d'une côte détermine également la direction du vol des espèces qui préfèrent rester près de la terre plutôt que de s'aventurer en pleine mer. Les vents forts, la pluie, la neige obligent les oiseaux à s'écarter de leur trajectoire, ce qui explique pourquoi certaines espèces colonisent de nouvelles régions.

Bien qu'il arrive que des oiseaux se perdent du fait de mauvaises conditions climatiques, en général, les bandes de migrateurs sont capables de corriger leur erreur, du moins dans la journée. La nuit, quand les repères ne sont guère visibles, ils ont plus de mal à rejoindre leur route. Surtout si la force des vents, qui les poussent de côté, vient perturber leur vol. Les déviations peuvent aussi avoir lieu le jour si les nuages, la brume ou le brouillard masquent les repères au sol.

Les itinéraires varient en fonction des saisons : beaucoup d'espèces suivent une route l'automne pour en emprunter une autre, totalement différente, au printemps. Ainsi la sarcelle d'été (*Anas querquedula*) et la fauvette passerinette (*Sylvia cantillans*) : si, l'hiver, on aperçoit souvent la fauvette dans la vallée du Nil, en route pour ses quartiers d'hiver en Ethiopie et au Kenya, au printemps, elle est à peu près absente de toute la région du Nil, son itinéraire de retour se situant bien plus à l'est.

L'« abmigration » est, selon Landsborough Thompson, ce phénomène d'entraînement que l'on observe chez certaines espèces, et surtout chez les anatidés, qui, restés l'hiver dans la région où ils ont vu le jour, prennent leur essor au printemps pour aller se reproduire ailleurs parce qu'ils s'accouplent avec des oiseaux migrateurs (la formation du couple étant, chez les anatidés, plus importante que la migration).

Les modalités des migrations

Certaines espèces migrent de jour, d'autres de nuit, d'autres encore de jour ou de nuit en fonction des circonstances. Les migrateurs de jour sont de toutes les tailles. La majorité des petits passereaux migrent la nuit, en faisant de plus ou moins longues étapes, probablement pour éviter les prédateurs et pour accumuler le maximum d'énergie en se nourrissant le jour. Beaucoup de migrateurs ont tendance à se rassembler en bandes, quelquefois très importantes, et ce même quand il s'agit d'espèces d'ordinaire peu grégaires. Néanmoins, d'autres conservent leurs habitudes solitaires durant la migration.

Une distinction s'opère parfois entre les différentes classes d'âge. Les jeunes peuvent voyager sans les adultes, partant soit les premiers, soit les derniers. Le fait qu'ils ont la capacité innée de s'envoler vers leurs quartiers d'hiver sans expérience a donné lieu à bien des spéculations.

A quelle hauteur les oiseaux volent-ils lorsqu'il migrent ?

Depuis l'utilisation des radars pour suivre les troupes de nombreuses espèces, les informations à ce sujet sont beaucoup plus précises. Souvent, la hauteur est inférieure à 700 mètres, mais des passereaux peuvent voler à plus de 3 000 mètres. L'un des exemples d'oiseaux volant à haute altitude est l'oie à tête barrée (*Anser indicus*), et l'on a enregistré des vols migratoires au-dessus de l'Himalaya à une altitude de plus de 10 000 mètres.

La vitesse de vol pendant la migration varie considérablement d'une espèce à l'autre, de 35 ou 40 kilomètres par heure à 90 ou 100 kilomètres par heure dans le cas de certaines oies. La plupart des migrations se font par étapes, mais certains oiseaux traversent la Méditerranée et d'autres mers, le Sahara, le golfe du Mexique et l'Himalaya d'une seule traite, étant donné qu'ils ne peuvent survivre en haute mer ni dans des régions où les conditions climatiques sont très mauvaises.

Les oiseaux consomment une énorme quantité d'énergie au cours de leur vol migratoire (une partie de celle-ci étant stockée sous forme de graisse accumulée sous la peau) ; c'est pourquoi ils interrompent leur voyage régulièrement pour refaire leurs forces. Ils volent, en gros, de six à huit heures par jour et passent le reste du temps à se nourrir et à se reposer. La migration d'automne semble être moins pressée que celle du printemps. En effet, les espèces vivant dans les zones tempérées du Nord ont tendance à quitter leur aire de reproduction avant que le climat se détériore. Par conséquent, les vols vers le sud ont lieu quand le temps est plutôt favorable.

Pendant le retour, au printemps, les oiseaux ont hâte de retrouver leur aire de reproduction.

Les ornithologues s'intéressent non seulement à la vitesse de vol et à la durée totale du voyage, mais aussi à la vitesse à laquelle une espèce progresse vers le nord quand elle revient.

Ainsi, pendant la migration de printemps, les plaines, où les conditions climatiques sont déjà bonnes, sont les premières occupées ; les oiseaux ne gagnent les montagnes, où l'arrivée du printemps est retardée, que bien plus tard.

D'un point de vue physiologique, on a constaté que le début de la migration est très souvent précédé par une période d'intense agitation psychomotrice, indiquant, même chez des oiseaux captifs, qu'il est temps de migrer. C'est le cas chez l'hirondelle de cheminée (*Hirundo rustica*), par exemple. Cette agitation est une caractéristique extrêmement révélatrice de la migration. Elle a été mesurée quantitativement, et on s'est rendu compte qu'elle était influencée, dans une certaine mesure, par l'action des hormones.

La signification de la migration

La migration est un trait important de la vie de beaucoup d'animaux. C'est un phénomène remarquable puisqu'il a lieu tous les ans à la même époque. Ses implications biologiques sont sans nul doute d'un grand intérêt. Un comportement de cette nature, nécessitant une telle dépense d'énergie et menaçant à ce point la vie des individus, doit sûrement avoir une valeur générale qui compense les divers désavantages. De ce point de vue, c'est une contribution positive à la survie de l'espèce. Mais mettre en avant son utilité ne suffit pas. La question est de savoir pourquoi elle existe, et le propos des ornithologues est d'examiner ses causes probables et les différentes manières dont elle se déroule.

Sur le plan de la valeur et de l'utilité adaptives, la migration permet aux oiseaux d'exploiter toutes les occasions que l'environnement leur offre et dont ils seraient privés autrement. L'aire de reproduction fournit, on le sait, les meilleures conditions pour se reproduire (quantité d'endroits où bâtir le nid, aliments en abondance pour les parents et les petits), et plus on va vers le nord, plus ces conditions sont bonnes, car au

Les grands pingouins (*Pinguinus impennis*) vécurent dans l'Atlantique septentrional jusqu'en 1844, année officielle de leur extinction. Ils furent découverts en 1534 par l'explorateur français Jacques Cartier. C'est à partir de cette époque qu'on commença à les tuer sans discrimination, pour récupérer leur chair, leur plumage, et parfois même leur graisse, utilisée comme combustible.

printemps et au début de l'été, les jours sont plus longs. Aux autres saisons, cependant, ces mêmes zones n'offrent plus les mêmes possibilités. Dans un sens, l'effet du climat est indirect, le mauvais temps empêchant les oiseaux de trouver suffisamment à manger. Qu'ils nichent à une époque précise de l'année est la preuve qu'ils s'adaptent aux circonstances pour se procurer leur nourriture ; la migration est également une preuve de cette faculté d'adaptation. Par conséquent, il est impossible d'envisager le cycle de vie annuel d'un oiseau comme une alternance ente la reproduction et l'« hivernage », coïncidant avec les changements de saisons, et de considérer la migration comme une adaptation secondaire.

Quant aux causes de la migration, il est évident que les animaux ne décident pas consciemment de partir tous au même moment. Les oiseaux prennent souvent leur envol avant que les conditions climatiques des zones de reproduction se détériorent. En ce qui concerne les migrateurs à longue distance, ils sont tellement réguliers dans leurs activités qu'il est difficile de croire que leur départ et leur arrivée dépendent de facteurs aussi irréguliers que le temps. Il semble donc que l'instinct migratoire soit inné et les spécialistes doivent en chercher à la fois les causes générales (pourquoi les oiseaux se comportent ainsi) et les causes immédiates (le stimulus qui déclenche le départ chaque année). L'origine de cet instinct est sans nul doute associée à l'évolution de chaque espèce, à l'histoire de sa distribution et des modifications à long terme des conditions géographiques et climatiques auxquelles elle a été soumise.

Nous ne discuterons pas en détail ici des nombreuses théories qui ont été avancées. Qu'il nous suffise de dire que le phénomène migratoire s'est mis en place de manière relativement indépendante chez les différentes espèces et qu'il s'agit d'un processus qui continue de se modifier, puisque dans certains cas on a noté un affaiblissement du besoin de migrer, notamment lorsque les motivations immédiates déclenchant l'instinct migratoire sont absentes. Cela est vrai de ces oiseaux sédentaires qui, dans la mesure où l'action de l'homme fait qu'ils trouvent autant d'aliments en hiver qu'au printemps, ne quittent pas leur aire de reproduction.

Toutefois, d'autres espèces continuent d'entreprendre leurs voyages traditionnels, qui, s'ils avaient un sens avant que l'espèce acquière sa distribution géographique actuelle, n'en ont plus aujourd'hui. Ainsi le traquet motteux du Groenland (*Oenanthe leucorhoa*), qui vole de la partie américaine de l'Arctique, via l'Islande, les îles Britanniques et les côtes ouest de l'Europe, pour hiverner en Afrique, au sud du Sahara, ou une sous-espèce du pouillot boréal, qui niche en Alaska et qui, au lieu d'aller à l'automne vers l'Amérique du Sud comme la plupart des oiseaux se reproduisant dans cette région, traverse le détroit de Béring et passe l'hiver en Asie du Sud, révélant par là même que sa distribution était à l'origine asiatique. Quant au stimulus immédiat qui déclenche la migration deux fois par an, il semble qu'il soit composé de deux éléments distincts : les facteurs internes, ou endogènes, qui préparent les oiseaux au voyage, et les facteurs externes, ou exogènes, qui interfèrent avec ces mécanismes.

LES OISEAUX ET LA CONSERVATION DE LA NATURE

On peut affirmer aujourd'hui, de manière objective, qu'il n'y a guère d'habitat naturel qui n'ait pas été, directement ou indirectement, affecté par l'homme. En effet, celui-ci a détruit de maintes façons son héritage naturel. Il a progressivement appauvri le sol et la végétation (d'une importance fondamentale pour fournir l'oxygène, indispensable à la vie sur Terre), pollué l'atmosphère, l'eau, le sol et le sous-sol, et exterminé des espèces, notamment par la chasse.

L'écologiste Duncan Poore (U.I.C.N., 1978) a répertorié les principaux effets et interactions de l'activité humaine sur les espèces vivantes : extinction directe des espèces et des génotypes ; prédation directe ; compétition avec d'autres espèces pour la nourriture et l'espace vital ; création, délibérée ou accidentelle, de nouvelles variétés de plantes et d'animaux (en croisant des espèces indigènes et des espèces introduites) ; création de pressions sélectives qui ont favorisé le développement de nouveaux types ; destruction, modification ou création d'habitats ;

interférence avec les modes de dispersion des espèces, due à la création ou au retrait, intentionnel ou accidentel, de barrières et à l'introduction délibérée d'espèces dans une aire particulière.

En ce qui concerne les oiseaux, de nombreuses espèces ont été affectées par l'action nuisible et destructrice de l'homme. L'ornithologue Paul Géroudet (W.W.F., 1969) a répertorié 7 critères pour mesurer la situation des espèces les plus en danger d'extinction : 1. réduction et changement de l'aire de reproduction au cours des dernières décennies ; 2. effectifs d'une population et leur évolution ; 3. sensibilité écologique et éthologique (en particulier, dépendance à l'égard d'un environnement particulier ou d'un type d'aliment, besoin de compagnie et de sécurité, facultés d'adaptation) ; 4. taux naturels de reproduction et de mortalité ; 5. dangers directs (chasse ou autre activité, utilisation de pesticides, etc.) ; 6. dangers indirects (changement ou destruction du milieu et des ressources alimentaires) ; 7. possibilité d'assurer une protection efficace, donc d'améliorer la situation.

L'Union internationale pour la conservation de la nature et de ses ressources (U.I.C.N.) est la plus grande organisation mondiale dans le domaine de la protection de l'environnement ; elle publie des « Livres rouges » fournissant des listes détaillées, constamment remises à jour, de toutes les espèces menacées d'extinction.

Les espèces et sous-espèces mentionnées dans ces « Livres rouges » sont classées en 5 catégories, selon leur situation : 1. espèces en danger : menacées d'extinction et dont la survie dépend de la suppression des causes de disparition ; 2. espèces vulnérables : pourraient facilement entrer dans la catégorie des espèces en danger si les facteurs négatifs continuaient d'agir dans un avenir proche ; 3. espèces rares : populations mondiales petites ou limitées, qui ne sont pas en danger actuellement, mais qui risquent de l'être ; 4. espèces non menacées : appartenant autrefois à l'une ou à l'autre des catégories précédentes, elles sont aujourd'hui relativement sauves grâce aux mesures de protection et à l'élimination des facteurs qui menaçaient leur survie ; 5. espèces en situa-

La poule des prairies (*Tympanuchus cupido*) comprend plusieurs sous-espèces qui habitent les prairies de l'Amérique du Nord. La sous-espèce *T.c. cupido* s'est éteinte en 1932 ; d'autres, encore en vie, sont protégées, car menacées d'extinction.

tion indéterminée : appartiennent probablement à l'une des trois premières catégories, mais le manque d'informations à leur sujet ne permet pas de déterminer leur statut.

Nombre d'espèces d'oiseaux ont disparu à jamais. L'æpyornis (*Aepyornis maximus*), de l'ordre des æpyornithiformes (aujourd'hui éteint), est certainement l'oiseau le plus gros qui ait jamais vécu sur Terre. Avec son long cou, ses petites ailes atrophiées, il ressemblait à l'autruche, mesurait environ 3,50 m et pesait 500 kg. Ses œufs atteignaient 30 cm de long. On en a trouvé des ossements à Madagascar seulement, et le Muséum d'histoire naturelle de Paris en possède un squelette complet. L'espèce s'est probablement éteinte durant la seconde moitié du XVIIe siècle.

Le moa (*Dinornis maximus*), le plus grand représentant de l'ordre des dinornithiformes (également éteint, une chasse sans pitié ayant conduit à son extinction), mesurait jusqu'à 3 m de haut et pesait environ 250 kg. On a trouvé des ossements de cette espèce en Nouvelle-Zélande uniquement. Incapable de voler, le moa ressemblait lui aussi à l'autruche.

Le grand pingouin (*Pinguinus impennis*), de la famille des alcidés, s'est éteint en 1884, les deux derniers spécimens ayant été tués à Eldley Island, au large de la côte sud-ouest de l'Islande. Il mesurait 80 cm et vivait sur les îles et les côtes de l'Atlantique Nord. L'activité de l'homme fut également fatale au dodo (*Raphus cucullatus*), membre de l'ordre des pigeons (columbiformes), qui atteignait 75 cm de haut et habitait l'île Maurice, dans l'océan Indien. La chasse, l'introduction d'animaux domestiques sur l'île et la détérioration de l'environnement due à l'action humaine eurent raison du dodo, dont le dernier représentant s'éteignit en 1681. Aujourd'hui, il n'en existe même pas un seul spécimen empaillé (l'université d'Oxford en posséda un jusqu'en 1775). Plus aucune trace ne témoigne de cette espèce, sauf des illustrations...

OISEAUX FOSSILES

Il y a environ 150 millions d'années, à la période jurassique de l'ère mésozoïque, la Bavière était en grande partie couverte de marais entourés de forêts, dont les arbres étaient assez primitifs. Ces forêts grouillaient de toute une variété de reptiles, très semblables aux lézards. Agiles grimpeurs, courant lestement le long des branches, ils se nourrissaient de reptiles plus petits ou, vraisemblablement, d'insectes.

Parmi toutes ces créatures écailleuses, un animal se montrait plus adroit et plus rapide. Il possédait déjà des ailes aux plumes complètement formées, ressemblant en tous points à celles des oiseaux actuels, et un plumage couvrait son corps. La fermeté de ses pattes postérieures lui permettait de se percher en s'agrippant aux branchages. Mais il différait des oiseaux d'aujourd'hui essentiellement par sa longue queue osseuse de lézard, sa tête sans plumes, ses mâchoires portant une puissante dentition et non pas un bec. Cette étrange créature n'était guère plus grosse qu'une pie, et, malgré des muscles pectoraux peu développés, pouvait « voler » de branche en branche, franchissant même de plus grandes distances au-dessus des marais. On donna à cette espèce le nom d'*Archaeopteryx lithographica*.

C'est au Muséum d'histoire naturelle de Londres que sont exposés les restes fossilisés de ce premier oiseau, découverts en 1861 dans une grotte de calcaire lithographique près de Solnhofen, en Bavière. Les éléments de son squelette montrent une affinité de structure avec certains thécodontes, tel *Euparkeria*, que l'on range dans une famille distincte au sein du vaste ensemble des reptiliens mésozoïques, les ancêtres des dinosaures. En fait, si des empreintes de plumage n'avaient été observées, aucun anatomiste ou spécialiste de l'évolution n'aurait osé classer *Archaeopteryx* parmi les oiseaux. Mais, des ailes emplumées étant l'attribut essentiel de la classe des oiseaux, *Archaeopteryx* pouvait légitimement figurer parmi eux.

La découverte de ce fossile (et de deux autres trouvés en 1877 et 1956) souleva un problème fondamental : déterminer avec exactitude les différents stades de l'évolution entre les reptiles et les oiseaux. Car, malgré sa longue queue osseuse, son crâne typique de reptile, sa

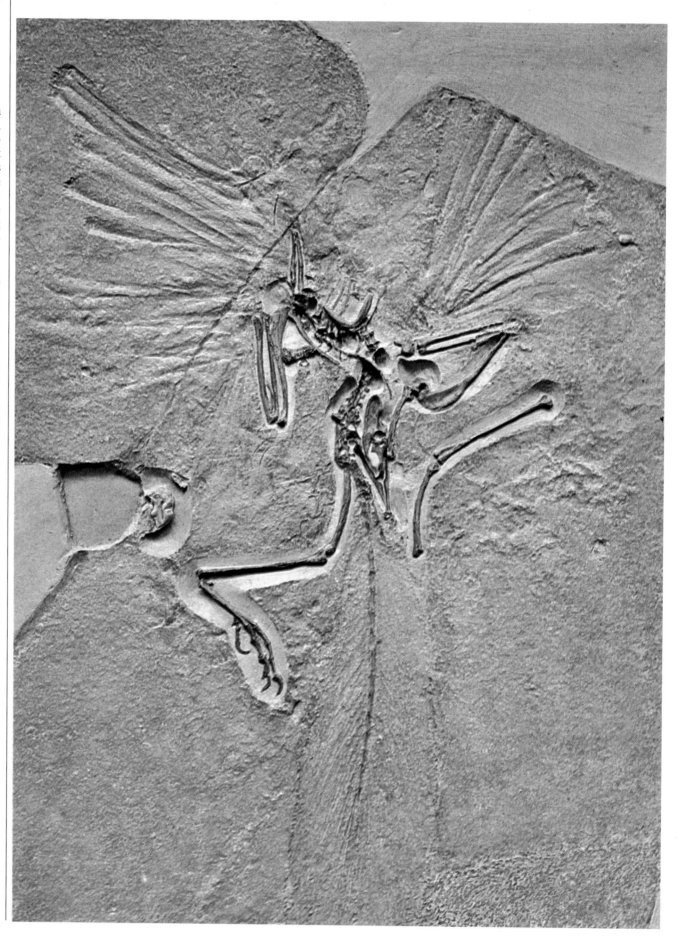

dentition, l'absence de bréchet, etc., de nombreux autres détails, telle la possession de plumes et d'ailes, permettent de considérer *Archaeopteryx* comme un oiseau déjà hautement évolué. Les scientifiques tenaient à mettre au jour des éléments de nature plus primitive pour justifier l'apparition d'un plumage et, surtout, d'ailes.

Les hypothétiques ancêtres des oiseaux, formant le lien avec les reptiles, étaient encore récemment le produit de l'imagination des chercheurs. Certains allèrent jusqu'à reconstituer une créature imaginaire, nommée *Proavis*, qu'ils proposèrent comme étant la forme ancestrale. Mais, depuis une dizaine d'années, les ornithologues ont pu comprendre l'évolution des plumes grâce à la découverte de fossiles en Afrique du Sud, dans la région du Karroo. Ces fouilles ont révélé aux paléontologues les restes d'un petit dinosaure d'environ 4 m de long (queue comprise), au corps entièrement couvert de plumes, mais sans la moindre trace d'ailes. On le nomma *Syntarsus*. Ainsi, certains reptiles portaient déjà un plumage avant que se développe leur aptitude à voler. Cela confirma l'idée, depuis longtemps évoquée, que, après être devenus homéothermes (c'est-à-dire à sang chaud), ces animaux acquirent des plumes au cours de leur évolution. Bénéficiant de cette isolation, ils purent maintenir la température de leur corps à un niveau constant, indépendant des conditions de l'environnement.

Le chaînon manquant entre les reptiles et les oiseaux est à présent établi : ces derniers sont les descendants directs de certaines espèces de dinosaures. Pour cette raison, et malgré l'extinction des espèces les plus typiques, due à d'autres pressions de la sélection naturelle, on peut affirmer que les dinosaures n'ont pas totalement disparu : ils ont pour descendance directe les oiseaux actuels.

Le plus ancien fossile d'oiseau est *Archaeopteryx lithographica*, dont on retrouva en 1861 la forme générale et certaines parties incrustées dans du calcaire à Solnhofen, en Bavière (photo page ci-contre). Cette insolite créature à plumes, qui pouvait déjà franchir de courtes distances en volant, avait une longue queue de lézard et une très solide dentition. Chacune de ses ailes portait trois griffes acérées qui lui permettaient de s'agripper fermement. *Archaeopteryx* vivait il y a 150 millions d'années, en Bavière, dans d'épaisses forêts, entourées de vastes régions marécageuses. Le premier oiseau passait la majeure partie de son temps perché, ne se déplaçant que pour s'alimenter et échapper aux prédateurs.

La découverte, en Afrique du Sud, des restes d'un petit dinosaure dont le corps était entièrement couvert de plumes établit de toute évidence que les oiseaux descendent directement de certaines espèces de dinosaures. Ces animaux possédaient sans doute un plumage avant même de pouvoir voler.

RATITES ET
TINAMIFORMES

L'appellation ratite s'applique en général aux oiseaux possédant un sternum plat, dépourvu de bréchet, par opposition aux carinates, qui possèdent cet appendice. Le bréchet est l'os sur lequel viennent s'insérer les muscles pectoraux. Il donne aux oiseaux la faculté de voler activement. Ainsi, les ratites sont par définition des oiseaux coureurs. Il faut noter cependant qu'il existe d'autres espèces d'oiseaux inaptes au vol et possédant un sternum comparable qui ne sont habituellement pas rangés parmi les ratites.

Les relations entre les différents ordres suscitent un problème qui est toujours d'actualité. Selon certains auteurs, à cause de la forme archaïque de leur palais, les ratites auraient une origine commune dans l'évolution et constitueraient un groupe primitif descendant directement de formes ancestrales incapables de voler. Par conséquent, on devrait considérer que les ratites sont plus primitifs que les autres espèces d'oiseaux.

Cependant, plusieurs constatations invalident cette théorie. Il est indéniable que les ratites sont les descendants d'oiseaux capables de voler qui, pour s'adapter à leur environnement et à leurs conditions de vie, sont progressivement devenus des coureurs.

Les ornithologues sont arrivés aux mêmes conclusions grâce à des considérations zoogéographiques. Au jurassique, quand *Archaeopteryx* vivait en Europe, il n'y avait déjà plus aucun accès à la Nouvelle-Zélande par la terre. Les ancêtres des kiwis et des moas n'ont donc pu atteindre les côtes de cet archipel qu'en volant. Le même raisonnement s'applique au cas des æpyornis de Madagascar.

En comparant les différents ratites, on en est venu à penser qu'ils devaient représenter une succession de formes dégénérées. L'autruche, les nandous, l'émeu et les casoars ont des ailes, qui, malgré leur taille réduite, sont tout à fait reconnaissables. Ils les utilisent d'ailleurs comme une sorte de voile lorsqu'ils courent avec le vent. Celles du kiwi sont extrêmement petites et peu utiles, alors que les moas et æpyornis, espèces aujourd'hui éteintes, n'en avaient pas du tout.

▼ Les ratites sont des oiseaux coureurs dont la principale caractéristique est l'absence de bréchet. Leur sternum, contrairement à celui des autres oiseaux, est plat. Sur l'illustration ci-dessous, où sont comparés les squelettes de l'autruche (en haut) et du pigeon (en bas), cette importante particularité anatomique est représentée en rouge.

L'absence de pouce est le principal élément distinctif du tinamou huppé (*Eudromia elegans*). Tous les membres de l'ordre des tinamiformes présentent une faible aptitude au vol ; certaines espèces n'y ont recours qu'en tout dernier ressort. Par maladresse, ces oiseaux terminent d'ailleurs souvent leurs envolées en heurtant un obstacle naturel. ▶

Kiwi
(Apteryx australis)

Nandou
(Rhea americana)

◀▼ Quelques ratites actuels : le nandou (ordre des rhéiformes), le casoar et l'émeu (ordre des casuariiformes), le kiwi (ordre des aptérygiformes).

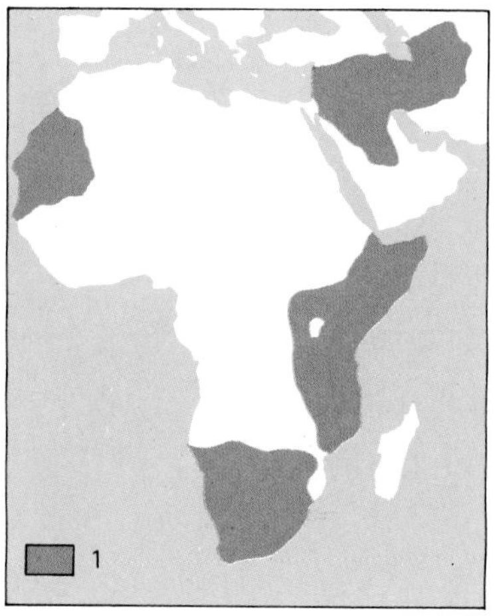

Emeu
(Dromaius novaehollandiae)

Casoar
(Casuarius casuarius)

◀ C'est au pléistocène qu'apparut l'autruche (ordre des struthioniformes) encore vivante. On la trouvait alors à peu près dans toute l'Afrique, aussi bien qu'en Asie Mineure et en Palestine. Décimée par l'homme pour des raisons commerciales, ou simplement dans un but sportif, elle n'occupe plus aujourd'hui que des régions limitées à l'est et à l'ouest du continent africain, et certaines zones de la pointe sud.
1) Autruche (*Struthio camelus*).

Les vastes espaces des pampas, les llanos et autres types de prairies d'Amérique du Sud hébergent un groupe d'oiseaux en apparence très proches des gallinacés. Ils ont suscité l'intérêt des zoologistes du fait qu'ils présentent certains caractères voisins de ceux des ratites alors qu'il s'agit de carinates et qu'ils possèdent des muscles pectoraux assez puissants pour les rendre aptes à voler, au moins sur de courtes distances.

La taille des diverses espèces de tinamous — de la famille des tinamidés — varie de celle d'une caille à celle d'une poule. On ne relève aucune différence de plumage entre les sexes, mais les femelles sont sensiblement plus grosses que les mâles. Leur bec mince et courbé les distingue des gallinacés domestiques et sauvages. Leur tête, plutôt petite, termine un cou toujours mince et en position étirée. La forme compacte et ronde de leur corps découle de l'absence virtuelle de queue, qui se résume à quelques plumes courtes et duveteuses. Par leur structure, que l'on ne peut manquer d'associer à l'aptitude à la course, leurs pattes diffèrent également de celles des gallinacés. Tous les tinamous sont en effet des coureurs rapides, préférant fuir le danger en filant à travers la végétation plutôt que de chercher à s'envoler.

Le plumage des tinamous est terne et les camoufle. Par contre, leurs œufs ont des couleurs éclatantes et sont si brillants qu'ils semblent vernis. Le mâle assure seul la couvaison. Habituellement solitaires, certaines espèces de ces oiseaux peuvent malgré tout vivre en groupes familiaux, excepté pendant la saison de reproduction.

Leur régime de base est végétarien, mais les petits, en particulier, ne refusent pas les aliments d'origine animale. Simple creux dans le sol couvert de débris de plantes, le nid est une nouvelle preuve de l'affinité existant entre les tinamous et les vrais ratites.

Reconstitutions de l'apparence extérieure et du squelette de quelques espèces éteintes. Géants parmi les oiseaux, *Dinornis* et *Aepyornis* mesuraient respectivement 3,30 m et 3 m de haut, et leur palais était de type paléognathe. L'activité humaine causa leur disparition, il y a moins de trois siècles. *Diatryma* atteignait une hauteur supérieure à 2 m et vivait en Europe et en Amérique du Nord à l'éocène. C'était un oiseau archaïque possédant un palais néognathe.

Moa
(*Dinornis maximus*)

Aepyornis

Diatryma

AUTRUCHE

Struthio camelus

Ordre Struthioniformes
Famille Struthionidae
Taille Hauteur 2,50 m ; longueur 1,80 m
Poids 135 kg
Distribution Afrique centrale, orientale et méridionale
Œufs 10 à 25
Petits Nidifuges

L'autruche est un oiseau exceptionnellement bien adapté pour vivre dans les milieux ouverts, dans lesquels abondent les prédateurs.

Sa tête, petite et dénudée, porte de grands yeux proéminents, que de longs cils protègent contre les tourbillons de poussière et de sable. Son cou très long, dépassant la hauteur d'un taillis d'acacias, fonctionne comme un périscope et lui permet de surveiller les alentours. Ses ailes, bien que ne lui servant pas à voler, sont composées de rémiges primaires. Ces longues plumes, qui n'ont guère d'autre rôle que l'ornementation, représentent sans doute un vestige ancestral.

Le plumage du mâle est assez contrasté : le corps et la base du cou sont noirs ; les nombreuses plumes de la queue et les rémiges primaires, blanches. Plutôt homochrome avec le milieu ambiant, le coloris de la femelle reste discret, car son plumage est uniformément brun.

Lorsqu'elles se nourrissent, les autruches sont généralement rassemblées en groupes épars plus ou moins nombreux, tandis qu'un individu monte la garde, surveillant les moindres signes de danger et alertant le groupe par des sons gutturaux.

Le régime des autruches se compose essentiellement de feuilles et de pousses de plantes diverses, mais elles mangent également des petits mammifères, des lézards débusqués dans les buissons et, surtout, des insectes, larves ou adultes, de différentes espèces d'orthoptères.

La rapidité de cet oiseau coureur est la clé de sa survie. Dotée d'une incroyable résistance physique, l'autruche peut maintenir sa vitesse de pointe sur plusieurs kilomètres, ce qui n'est pas à la portée de ses prédateurs. Avec leurs longues foulées d'une ampleur de 3 m, les adultes atteignent 70 km/h. Les ailes jouent alors un rôle important,

▲ Les ancêtres des autruches, vers l'éocène, étaient des oiseaux coureurs de taille plus réduite, vivant en Asie, qui évoluèrent, au cours du pliocène, vers des formes géantes ; ils étaient présents jusqu'en Mongolie, d'une part, et à l'extrémité méridionale de l'Afrique, d'autre part. L'autruche est le seul grand oiseau africain adapté à la savane, où la vitesse est la clé de la survie, tant pour les prédateurs que pour leurs proies. Son long cou est une adaptation remarquable, qui lui permet de mieux surveiller les alentours et de détecter les grands prédateurs, lions ou guépards, auxquels elle est capable d'échapper grâce à sa course très rapide.

puisqu'elles assurent l'équilibre. Quand la course s'accélère, elles se déploient et suivent les mouvements du cou, surtout lors de brusques changements de direction.

Les autruches sont des oiseaux assez sociables, qui vivent la majeure partie de l'année en groupes plus ou moins importants. Habituellement polygame, le mâle s'accouple avec plusieurs femelles. Poursuivant l'une d'elles pour la séparer du groupe, il déploie ensuite ses ailes en les agitant. Puis le couple s'éloigne à la recherche d'un lieu isolé parmi les broussailles.

Dans le même temps qu'il courtise et féconde toutes les femelles de son harem, le mâle choisit l'emplacement du nid. La préférence va aux terrains sablonneux, dans lesquels il est plus facile de creuser le trou rond où les œufs seront déposés. Le mâle décide seul du site et tapisse le trou qu'il a creusé avec des matériaux souples. Le nid une fois construit, les femelles viennent y pondre. Lorsqu'elles ont terminé, la femelle dominante chasse les autres et reste seule avec le mâle, qui assure l'incubation avec son aide.

La couvaison dure de 39 à 42 jours. Les œufs — au nombre de 10 à 25 — éclosent à intervalles irréguliers. L'éclosion de la totalité d'entre eux s'étend généralement sur deux jours, car la femelle, les déplaçant dans des trous annexes qu'elle creuse autour du nid, les éloigne plus ou moins de la chaleur de son corps. Le développement des embryons se trouve ainsi ralenti en fin de croissance, en fonction de l'ordre dans lequel ils sont positionnés.

Le bris de la coquille par le poussin dure parfois plus d'une journée. Il quitte le nid, couvert d'un plumage grossier et rêche, deux ou trois jours après et s'élance derrière ses parents pour apprendre à se nourrir et à reconnaître ses ennemis. Au moindre danger, il se tapit contre le sol. Malgré la vigilance des parents, la mortalité chez les poussins est assez considérable.

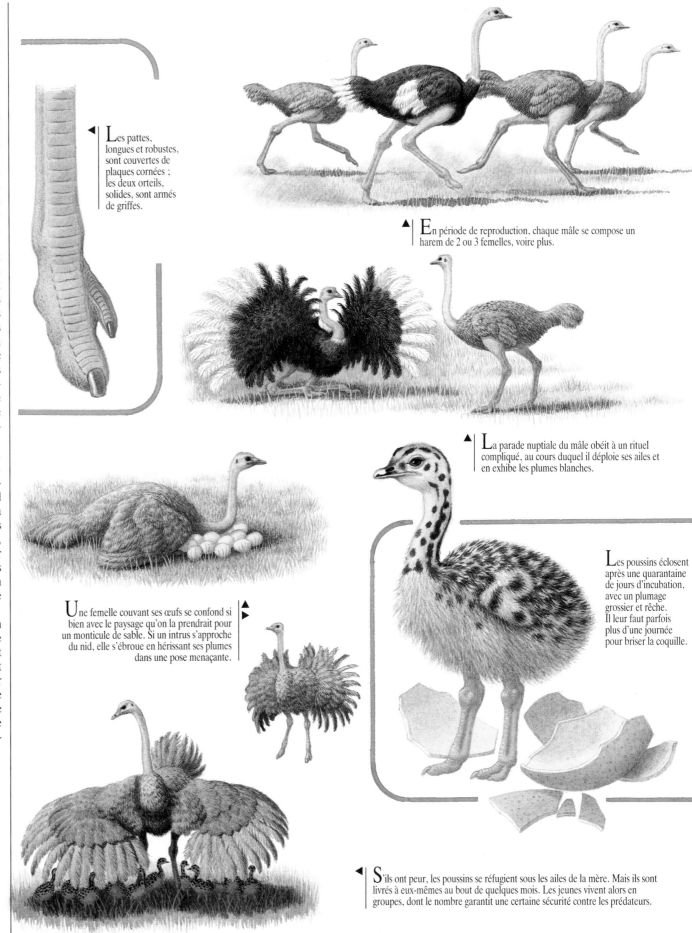

Les pattes, longues et robustes, sont couvertes de plaques cornées ; les deux orteils, solides, sont armés de griffes.

En période de reproduction, chaque mâle se compose un harem de 2 ou 3 femelles, voire plus.

La parade nuptiale du mâle obéit à un rituel compliqué, au cours duquel il déploie ses ailes et en exhibe les plumes blanches.

Les poussins éclosent après une quarantaine de jours d'incubation, avec un plumage grossier et rêche. Il leur faut parfois plus d'une journée pour briser la coquille.

Une femelle couvant ses œufs se confond si bien avec le paysage qu'on la prendrait pour un monticule de sable. Si un intrus s'approche du nid, elle s'ébroue en hérissant ses plumes dans une pose menaçante.

S'ils ont peur, les poussins se réfugient sous les ailes de la mère. Mais ils sont livrés à eux-mêmes au bout de quelques mois. Les jeunes vivent alors en groupes, dont le nombre garantit une certaine sécurité contre les prédateurs.

NANDOU

Rhea americana

Ordre Rhéiformes
Famille Rheidae
Taille Hauteur 1,70 m ; longueur 1,30 m
Poids 25 kg
Distribution Amérique du Sud
Œufs 15 à 20
Petits Nidifuges

Bien que moins puissant que l'autruche, le nandou a un corps robuste, au plumage uniformément brun, à l'exception des pattes, nues. Les ailes sont plus développées que chez les autres ratites et lui servent de balancier lorsqu'il court. Les pattes sont puissantes, comme chez tous les oiseaux coureurs, et couvertes d'une série de plaques cornées. Souvent, le nandou s'arrête brusquement dans sa course et se jette par terre, à la manière des autruches, allongeant le cou à la surface du sol.

Dans les vastes plaines sèches des pampas, les nandous se nourrissent de baies *(Empetrum)*, de fruits cultivés, de pousses et de feuilles de plantes légumineuses et de graminées, ainsi que d'insectes et de lézards.

Les nandous vivent habituellement en bandes stables en dehors de la période de reproduction, mais les vieux mâles, plus grands que les femelles, demeurent généralement solitaires. A l'approche du printemps, quand les jours rallongent et que la température monte, les mâles deviennent territoriaux, s'affrontant, souvent très violemment, échangeant des coups de bec et de patte. Lorsqu'ils ont conquis un territoire, ils entreprennent leur cour. Un mâle peut, en quelques jours, réunir un harem composé de 15 à 20 femelles regroupées sur son territoire. Puis, ayant choisi un endroit sablonneux dissimulé par des arbres, il creuse un trou, qu'il borde d'herbes et de feuilles. Il s'accouple alors avec les femelles, qui pondent ensuite leurs œufs dans le nid principal, ou dans d'autres trous que le mâle a creusés. Dès que le nid est plein d'œufs, il assure leur incubation pendant 35 jours et reste sur le nid 48 heures supplémentaires après l'éclosion. La croissance des poussins est rapide puisqu'ils atteignent en deux mois le tiers du poids des adultes.

▲ Bien que d'allure moins impressionnante, le nandou joue, dans les plaines sud-américaines, le même rôle que l'autruche dans les savanes africaines. Avec elle il partage un ancêtre commun, la diversification de ces deux groupes s'étant produite après l'ouverture de l'océan Atlantique.

▼ L'incubation est assurée par le mâle, qui éconduit les femelles dès que le nid est plein. Il reste deux jours sur le nid après l'éclosion. Les poussins grandissent vite et deviennent rapidement indépendants.

▲ Le nandou de Darwin *(Pterocnemia pennata)* est une espèce plus petite, qui se distingue aussi de *Rhea americana* par les écailles cornées de ses pattes.

◀ Distribution des nandous sud-américains : 1) *Pterocnemia pennata* ; 2) *Rhea americana*.

ÉMEU

Dromaius novaehollandiae

Ordre Casuariiformes
Famille Dromaiidae
Taille Hauteur 2 m ; longueur 1,88 m
Poids 55 kg
Distribution Australie
Œufs 5 à 10
Petits Nidifuges

Haut de 2 m, avec un long cou emplumé, l'émeu est, après l'autruche d'Afrique, le plus gros ratite vivant. Ses pattes, comme celles de tous les oiseaux coureurs, possèdent une forte musculature, et ses pieds comptent trois orteils — à la différence de l'autruche, qui en a deux. Son épais plumage est uniformément brun. L'extrémité supérieure du cou et une partie de la tête sont nues et de couleur bleue. On remarque également ses grands yeux rougeâtres et la large base de son bec.

Par nature végétariens, les émeus ont un régime très varié. Ils se nourrissent principalement de fleurs, de fruits et de graines, mais aussi de chenilles et d'orthoptères. A l'approche de la saison sèche et froide, ils se rassemblent en troupeaux et quittent les régions du centre et de l'est de l'Australie pour entamer un voyage, long de 400 à 500 km, en direction du sud, où les pluies, alors fréquentes, leur garantissent une nourriture abondante. L'été, quand les pluies reviennent sur les plaines centrales, les oiseaux migrent dans l'autre sens, preuve que le cycle des pluies est seul responsable de ces déplacements réguliers.

Contrairement à l'autruche, typiquement polygame, l'émeu vit en couples. A partir de novembre, mâle et femelle s'associent, cherchant leur nourriture et se déplaçant ensemble ; grâce à leur remarquable acuité visuelle, ils ont la possibilité de garder le contact lorsqu'ils se trouvent à des centaines de mètres l'un de l'autre. L'accouplement a lieu à partir d'avril, après une parade nuptiale courte et sommaire.

La femelle prépare le nid, simple creux à même le sol tapissé de matériaux souples. La ponte, de 5 à 10 gros œufs vert foncé, est déposée entre avril et mai, et c'est en règle générale le mâle qui assure la couvaison.

Haut de 2 m, l'émeu est le plus gros ratite vivant après l'autruche. C'est dans les plaines arides d'Australie qu'il se reproduit, mais, suivant son naturel nomade, il se déplace en troupeaux à travers le continent, selon le rythme alterné des saisons sèches et pluvieuses.

L'émeu est une espèce monogame. La femelle pond des œufs vert foncé dans un creux à même le sol, et la couvaison est ensuite sous la responsabilité exclusive du mâle.

Les poussins éclosent deux mois après, couverts d'un duvet rayé. Ils sont très vite capables de se débrouiller seuls.

Les objets brillants attirent la curiosité de l'émeu.

Avec l'expansion de la colonisation, le nomadisme des émeus les a amenés à rencontrer de plus en plus fréquemment la civilisation. Face à la dévastation des récoltes et à l'envahissement des pâturages de leur bétail, les fermiers ont mené une guerre d'extermination contre ces oiseaux, allant jusqu'à utiliser des mitrailleuses. Heureusement, cette stratégie est aujourd'hui abandonnée, et la population des émeus semble stabilisée.

CASOAR

Casuarius casuarius

Ordre Casuariiformes
Famille Casuariidae
Taille Hauteur 1 m ; longueur 1,60 m
Poids 60 kg
Distribution Australie du Nord-Est et Nouvelle-Guinée
Œufs 3 à 6
Petits Nidifuges

Les casoars sont de grands oiseaux coureurs particulièrement adaptés à la forêt dense qui recouvre encore la majorité de la Nouvelle-Guinée. Il en existe trois espèces distinctes, dont deux se rencontrent exclusivement en Nouvelle-Guinée, la troisième, le casoar commun ou casoar australien, se rencontrant également dans la péninsule du Cap-York, au nord-est de l'Australie.

Bien qu'il mesure 1 m au niveau du bassin, le casoar donne l'impression d'être particulièrement trapu. Le corps, allongé comme celui de l'émeu, est porté par deux pattes courtes et massives. Les pieds, larges et puissants, sont pourvus de trois doigts, l'interne étant plus court mais prolongé d'une forte griffe rectiligne qui constitue une arme redoutable. Le plumage est particulièrement épais, de couleur noire, lustré, avec des reflets bleutés.

Comme les autruches, il étend ses moignons d'ailes quand il court, s'en servant tant pour maintenir l'équilibre que pour se frayer un passage dans la végétation. Son plumage dru et épais lui assure une bonne protection et lui évite de nombreuses blessures, car, en courant, le casoar se heurte très fréquemment aux branches.

Il semblerait que les casoars soient des oiseaux monogames. En dehors de la période de reproduction, ils demeurent le plus souvent solitaires. Les couples se forment avant le mois d'août. La femelle pond entre 3 et 6 œufs vert sombre dans une petite dépression creusée dans le sol. Le nid est tapissé de plantes. La couvaison est assurée par le mâle. A l'éclosion, les poussins, nidifuges, sont couverts d'un plumage rayé.

Le corps des casoars est particulièrement trapu, soutenu par des pattes massives, couvertes de plaques cornées. Les pieds sont larges.

L'un des caractères morphologiques les plus surprenants des casoars est la présence d'un casque corné au-dessus de leur tête. D'une espèce à l'autre, la forme et les dimensions de ce casque sont variables. Son rôle est bien précis : lorsque le casoar court, pouvant atteindre des vitesses voisines de 50 km/h, il étend le cou parallèlement au sol et se sert du casque pour écarter la végétation, évitant ainsi de nombreuses blessures. Les casoars sont des oiseaux particulièrement bien armés : leurs pattes sont dotées d'une griffe longue (12 cm) et puissante ; l'animal est capable de sauter en l'air et de blesser mortellement son adversaire d'un seul coup de patte.

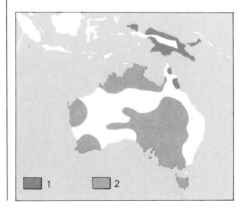

1) Les casoars vivent dans la forêt dense qui recouvre encore la majorité du territoire néo-guinéen. Le casoar unicaronculé *(Casuarius unappendiculatus)* et le casoar de Bennett *(Casuarius bennetti)* ne se rencontrent qu'en Nouvelle-Guinée et sur l'île voisine de Nouvelle-Bretagne, tandis que l'espèce *Casuarius casuarius* habite également le Nord-Est australien, dans la péninsule du Cap-York. Les casoars n'ont pas d'ennemi à part l'homme. Les indigènes les chassent pour leur viande, mais n'ont jamais constitué une réelle menace pour eux. En revanche, la destruction de leur habitat constitue un risque majeur.
2) L'émeu a colonisé les plaines désertiques du continent australien. Il a été abondamment chassé. Au début du XXᵉ siècle, des régiments entiers furent chargés de la destruction des casoars et des émeus dans le nord du continent.

KIWI

Apteryx australis

Ordre Aptérygiformes
Famille Aptérygidae
Taille Longueur 35 à 55 cm
Poids 3 kg
Distribution Nouvelle-Zélande
Œufs 1 à 3
Petits Nidicoles au bout de 3-4 jours

Les forêts denses et luxuriantes de Nouvelle-Zélande abritent les kiwis, étranges oiseaux incapables de voler tant leurs ailes sont réduites à de pauvres moignons, qui portent malgré tout 13 rémiges. Leur plumage est d'une consistance particulière, semblable à une chevelure grossière. Cet oiseau est totalement dépourvu de queue. Les pattes sont courtes mais robustes, de couleur brune, et partiellement recouvertes d'écailles cornées. Le bec est singulier, long et légèrement incurvé vers le bas ; la partie supérieure, un peu plus longue que l'inférieure, porte les narines à son extrémité.

Le kiwi est un oiseau nocturne très actif, s'abritant la journée dans des ravins sombres et sous les broussailles. La tête baissée, il fouille la litière végétale avec son bec, à la recherche d'insectes et d'autres invertébrés. Il plonge son bec dans le sol en quête de vers, de myriapodes, de larves, les déterrant et les avalant promptement. Il semblerait que le kiwi utilise son ouïe, particulièrement développée comme en témoigne le grand orifice auditif, pour repérer ses proies. Se déplaçant entre les fougères arborescentes et les troncs en décomposition, il attrape également des araignées, des escargots et de nombreux orthoptères. Pendant les mois les plus secs, le kiwi n'hésite pas à devenir végétarien.

Le kiwi serait monogame ; lorsque le couple est formé, le mâle construit au sol un nid rudimentaire. Les œufs, d'un blanc lumineux, sont anormalement grands pour la taille de la femelle, pouvant peser jusqu'à 25 % du poids de l'adulte selon l'espèce. L'incubation, qui dure de 74 à 84 jours, est généralement assurée par le mâle, qui ne quitte le nid que pour chercher sa nourriture. A l'éclosion, le duvet des poussins est uniformément brun, comme celui des adultes.

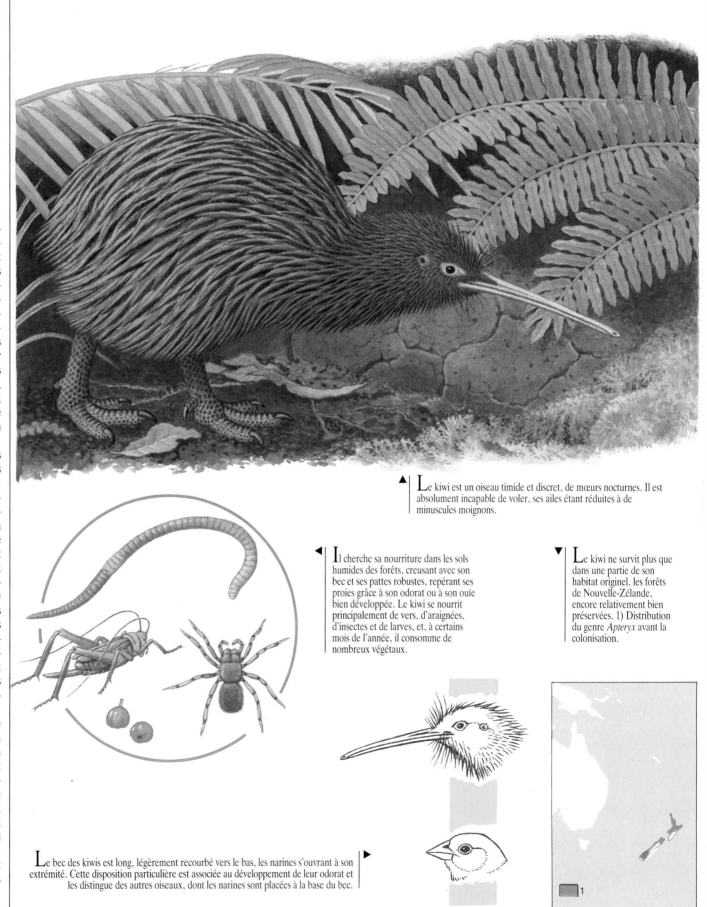

Le kiwi est un oiseau timide et discret, de mœurs nocturnes. Il est absolument incapable de voler, ses ailes étant réduites à de minuscules moignons.

Il cherche sa nourriture dans les sols humides des forêts, creusant avec son bec et ses pattes robustes, repérant ses proies grâce à son odorat ou à son ouïe bien développée. Le kiwi se nourrit principalement de vers, d'araignées, d'insectes et de larves, et, à certains mois de l'année, il consomme de nombreux végétaux.

Le kiwi ne survit plus que dans une partie de son habitat originel, les forêts de Nouvelle-Zélande, encore relativement bien préservées. 1) Distribution du genre *Apteryx* avant la colonisation.

Le bec des kiwis est long, légèrement recourbé vers le bas, les narines s'ouvrant à son extrémité. Cette disposition particulière est associée au développement de leur odorat et les distingue des autres oiseaux, dont les narines sont placées à la base du bec.

MANCHOT ROYAL

Aptenodytes patagonica

Ordre Sphénisciformes
Famille Spheniscidae
Taille Longueur 95 cm environ
Poids 15 kg
Distribution Zones antarctique et sub-antarctique
Œufs 1
Petits Nidicoles

Inaptes au vol, les manchots sont des oiseaux marins dont le corps est parfaitement adapté à la vie aquatique : aucun autre membre de la famille des oiseaux n'est mieux à même de mener une existence océanique. Ce sont des animaux typiques de l'hémisphère Sud.

En se propulsant avec ses nageoires (ailes) et en utilisant ses pattes et sa queue comme gouvernail, le manchot atteint des vitesses étonnantes dans l'eau. Sa nage ressemble assez à celle du dauphin ; comme lui, il franchit des distances considérables et peut sauter au-dessus de la surface. Les manchots nagent à la vitesse de 40 km/h et sautent à une hauteur d'environ 1 m, ce qui leur permet de se propulser d'un bond sur la terre ferme ou sur la banquise. Aptes à la marche, ces oiseaux, dont la taille varie entre 0,30 et 1,20 m, n'hésitent pas à se lancer en glissade sur le ventre quand ils se déplacent à travers neige et glace. Ils se dirigent alors avec leurs nageoires et leurs pattes. Toutes les espèces se nourrissent de poissons, de mollusques et de crustacés.

Remarquables par leur nature grégaire, les manchots communiquent au moyen de cris puissants et stridents ; ils émettent aussi des grognements, grondements, braiments propres aux différentes espèces. En période de reproduction, certaines colonies peuvent rassembler plus de 1 million d'individus.

La famille des manchots est exclusivement localisée dans l'hémisphère Sud, où ils jouent le même rôle écologique que les alcidés dans l'hémisphère Nord. Les fossiles, datant du tertiaire, découverts dans les régions antarctique et subantarctique ne laissent aucun doute sur leur origine. Notons que ces limites ne sont pas valables pour toutes les espèces. Il y a des sites de reproduction

Groupe de manchots royaux (*Aptenodytes patagonica*) avec leurs poussins. L'œuf unique repose à l'abri sous un repli de l'abdomen, en équilibre sur les pieds de l'un des parents. Ceux-ci, avec une adresse extraordinaire, se passent l'œuf l'un à l'autre sans jamais lui faire toucher le sol. Cependant, tous les poussins ne survivent pas aux rigueurs de l'hiver ni à l'inévitable rareté de la nourriture à cette saison.

Au printemps et en été, la nourriture abonde dans l'océan Arctique, et les manchots adultes trouvent alors facilement de quoi manger pour eux-mêmes et leurs petits.

tout au long des courants marins froids qui remontent jusqu'à la Nouvelle-Zélande, l'Australie, l'Afrique du Sud et la côte ouest de l'Amérique du Sud. Une espèce se reproduit même sur l'archipel des Galapagos. En dehors de la période de reproduction, les manchots passent la plupart de leur temps en haute mer, parcourant de longues distances.

Une particularité intéressante du manchot royal *(Aptenodytes patagonica)*, espèce de grande taille comme le manchot empereur, est que l'environnement dans lequel il vit nuit à la croissance des petits. Les poussins, relativement gros à l'éclosion, doivent affronter l'extrême rigueur du climat et la rareté de la nourriture pendant huit ou neuf mois de l'année. Les petits éclos des œufs pondus au début de l'été demeurent dans la colonie jusqu'au printemps suivant.

La couvaison, qui dure 54 jours, et l'élevage de la progéniture incombent aux deux parents. La croissance est très rapide, et les premiers-nés, éclos en novembre, parviennent à la taille adulte à la fin de l'automne. Les poussins éclos tardivement atteindront les trois quarts de leur poids définitif au début de l'hiver, et ne grossiront plus avant le printemps suivant. En avril et mai, les conditions climatiques se détériorant, la ponte et la couvaison cessent. En fait, pendant tout l'hiver, à cause du manque presque total de nourriture, les poussins ne sont alimentés que toutes les deux ou trois semaines.

La perte de poids qui en découle est rapide, causant la mort des poussins les moins développés. Seuls ceux qui ont des réserves de graisse suffisantes survivent à ces mois de famine. En octobre-novembre, les poussins les plus gros ont déjà perdu la moitié de leur poids d'automne. Avec le retour du printemps et l'abondance du plancton, les manchots adultes peuvent recommencer à pêcher poissons de surface et céphalopodes en quantité pour nourrir copieusement leurs petits.

Gorfou macaroni
(Eudyptes chrysolophus)

Manchot de Magellan
(Spheniscus magellanicus)

Manchot du Cap
(Spheniscus demersus)

Manchot papou
(Pygoscelis papua)

Manchot de Humboldt
(Spheniscus humboldti)

Manchot à jugulaire
(Pygoscelis antarctica)

Manchot royal
(Aptenodytes patagonica)

Manchot empereur
(Aptenodytes forsteri)

Manchot des Galapagos
(Spheniscus mendiculus)

Petit manchot bleu
(Eudyptula minor)

L'ordre des sphénisciformes ne comprend qu'une famille, les sphéniscidés, que l'on subdivise en 6 genres. Toutes les espèces de manchots se rencontrent dans l'hémisphère Sud, mais c'est dans les régions polaires et subpolaires, à partir de 50º de latitude, que se situent les colonies les plus importantes. Cinq espèces seulement, sur les 18 connues actuellement, résident dans les zones tropicales et subtropicales (comme les îles Galapagos). Les sites de reproduction des autres espèces se trouvent sur les côtes ou dans les terres de l'Antarctique, dans les innombrables archipels de l'océan Antarctique, et jusqu'à la Nouvelle-Zélande et l'archipel Tristan da Cunha.

Manchot du Cap *(Spheniscus demersus)*

Manchot de Humboldt *(Spheniscus humboldti)*

Manchot royal *(Aptenodytes patagonica)*

Manchot de Magellan *(Spheniscus magellanicus)*

Manchot Adélie *(Pygoscelis adeliae)*

Petit manchot bleu *(Eudyptula minor)*

Manchot empereur *(Aptenodytes forsteri)*

Manchot papou *(Pygoscelis papua)*

Manchot des Galapagos *(Spheniscus mendiculus)*

Gorfou macaroni *(Eudyptes chrysolophus)*

Manchot à jugulaire *(Pygoscelis antarctica)*

MANCHOT ADÉLIE

Pygoscelis adeliae

Ordre Sphénisciformes
Famille Spheniscidae
Taille Longueur 70 cm
Poids 5 kg
Distribution Côtes de l'extrême sud du continent antarctique et îles environnantes
Œufs Habituellement 2, blanc verdâtre
Petits Nidicoles

Très répandu sur les côtes de l'extrême sud de l'Antarctique et sur les îles environnantes, le manchot Adélie est une espèce fort connue. De taille moyenne (environ 70 cm), il porte un plumage uniformément blanc sur la gorge et l'abdomen, noir sur la tête et sur toute la longueur du dos.

Les colonies de manchots Adélie se confinent aux zones rocheuses et aux rivages plats ou peu pentus. Les rassemblements commencent fin octobre, début du printemps austral. Les manchots émergent de l'océan en petits groupes, et les derniers arrivants s'installent à la périphérie du site, où la colonie se presse en foule : en quelques jours, ils sont des milliers, s'affairant autour de l'emplacement choisi pour construire le nid, rudimentaire. Les couples de manchots reviennent chaque année sur ce même emplacement. C'est en général le mâle qui reprend possession du territoire et commence à édifier le nid, avant même l'arrivée de sa partenaire.

Le mâle appelle la femelle en se dressant dans une posture caractéristique. Le bec en l'air, il se frappe lentement les flancs avec les ailes, en lançant une succession de sons gutturaux, suivis d'un grand cri. L'accouplement se produit peu après l'arrivée de la femelle dans la colonie, alors que le nid n'est pas encore achevé. L'acte sexuel joue un véritable rôle social, qui unit le couple reproducteur.

Quelques jours après, un premier œuf est pondu, le second, en général plus petit, n'apparaissant que trois ou quatre jours plus tard. Les années exceptionnellement défavorables, il arrive que la femelle ne ponde qu'un œuf.

Pendant les trois semaines qui s'écoulent entre le retour à la colonie et la fin

Les manchots Adélie vivent en grand nombre sur les côtes sud de l'Antarctique et sur les îles environnantes. Leurs colonies sont importantes et installées sur des sites plats et caillouteux en bordure de mer, où ils reviennent chaque année construire leurs nids et se reproduire.

Il existe diverses théories pour expliquer les relations des manchots avec les autres ordres aviens. Ces oiseaux ont des affinités avec les procellariiformes (albatros, pétrels, puffins, etc.), mais pourraient provenir d'un groupe particulier de charadriiformes, comme les pingouins, pour lesquels ce fait a été établi.

Albatros

Manchots

Puffins

de la ponte, aucun oiseau ne repart s'alimenter en mer. Les femelles, que leurs tâches reproductrices ont affaiblies, quittent alors le site en masse. C'est en mer qu'elles trouveront pour se restaurer le krill — crustacés planctoniques foisonnant dans ces eaux —, qui est aussi la nourriture principale des baleines. De longues files de manchots Adélie partent en se dandinant vers le bord de la banquise, se lançant parfois dans d'adroites glissades sur le ventre. Désormais, les femelles, qui ont dépassé les étapes critiques du cycle de reproduction, peuvent recommencer à s'alimenter.

Mais un autre péril est à craindre : le léopard de mer *(Hydrurga leptonyx)*. Ce phoque est un redoutable chasseur, dont les manchots Adélie sont la proie attitrée : d'après les relevés d'observation, on sait qu'une dizaine de léopards de mer peuvent en tuer jusqu'à 15 000 au cours d'une saison. Les manchots, pour échapper à leurs prédateurs, nagent en groupes nombreux afin de ne pas être surpris dans une position isolée.

Quand les femelles reviennent à la colonie, après 10 ou 12 jours en mer, les mâles quittent à leur tour les nids, mettant ainsi un terme à un jeûne long de plus d'un mois.

La couvaison dure de 34 à 36 jours. A l'approche de l'éclosion, les parents se relaient fréquemment pour veiller sur les œufs et être prêts à alimenter les jeunes dès leur apparition. Le bris de la coquille pouvant prendre de 24 à 48 heures, les poussins sont souvent amenés à se passer de nourriture pendant deux ou trois jours. A l'éclosion, les petits sont couverts d'un duvet uniforme de couleur variable. Sans qu'il s'agisse d'une distinction sexuelle, on trouve dans une même couvée des coloris allant du gris argenté au marron foncé. Le duvet initial est remplacé après une dizaine de jours par une autre couche plus épaisse. Il faut ensuite attendre environ trois semaines pour voir cette seconde livrée laisser la place au véritable plumage.

▲| Les manchots nagent sur de longues distances, bondissant parfois à la manière des dauphins.

▲| Les manchots parcourent des dizaines de kilomètres à la poursuite de leur nourriture : bancs de krill, céphalopodes et crustacés.

Principaux stades du cycle de reproduction. 1) A la fin octobre, les manchots sortent de l'océan en petits groupes. 2) N'hésitant pas à glisser sur le ventre, ils rejoignent le site où la colonie se rassemble chaque année. 3) Le nid est reconstruit sur le même emplacement, et défendu contre les intrus. 4) L'édification du nid a commencé ; le mâle appelle les femelles et fait sa cour. 5) C'est le mâle qui apporte les pierres servant à bâtir le nid. 6) La couvaison est d'abord à la charge du mâle. 7) Les poussins récemment éclos reçoivent la nourriture à demi digérée et régurgitée par les parents. 8) Les poussins, bientôt livrés à eux-mêmes, se rassemblent en petits groupes appelés « crèches ».

MANCHOT EMPEREUR

Aptenodytes forsteri

Ordre Sphenisciformes
Famille Spheniscidae
Taille Longueur 1,15 m environ
Poids 30 kg environ
Distribution Continent antarctique
Œufs 1
Petits Nidicoles

Les côtes du vaste continent antarctique abritent le manchot empereur, la plus grande espèce de son ordre ; il s'y reproduit en colonies gigantesques. Sa taille représente une adaptation à la rigueur climatique de son environnement. En effet, plus le corps est volumineux, plus la surface exposée est proportionnellement petite, et, la chaleur corporelle étant perdue par cette surface, un gros animal est plus avantagé pour maintenir sa température.

La spécificité du plumage joue aussi un rôle essentiel dans la régulation thermique. Le corps du manchot empereur est entièrement couvert d'un plumage très dense. Émergeant d'une couche de duvet qui garnit directement la peau comme un isolant, les plumes sont implantées à raison de 4 environ par centimètre carré. Les ailes sont très courtes, comparées au reste du corps, et les pattes, entièrement emplumées, se terminent par de petits pieds. La coloration du plumage est à peu près la même que chez tous les manchots : le dos, les ailes, la tête et la gorge sont d'un noir brillant, tandis que l'abdomen est blanc, nuancé de jaune. Les poussins, quant à eux, naissent avec un duvet épais de couleur claire.

Le manchot empereur se nourrit principalement d'animaux marins, et notamment de calmars qui fréquentent les eaux profondes. Il pourchasse ses proies à la nage, surgissant à la surface, à la manière des dauphins, lorsqu'il a besoin de respirer.

Le cycle de reproduction est déterminé par la nourriture, plus ou moins abondante et facile à se procurer selon la saison et la région fréquentée. La sélection naturelle a programmé la période de reproduction de telle façon qu'elle commence quand les conditions climatiques se dégradent et finit au

▲ Le manchot empereur, la plus grande espèce actuelle de sphénisciformes, est particulièrement bien adapté aux conditions rigoureuses de l'hiver austral. Les individus s'assemblent en colonies importantes : celle de l'île Coulman, par exemple, compte environ 25 000 couples.

L'œuf est couvé dans un repli de peau situé sous l'abdomen, et porté sur les pieds, sans jamais toucher la glace.

◀ L'incubation est entièrement assurée par les mâles. A l'éclosion, ceux-ci seront restés près de 4 mois sans se nourrir.

moment où la nourriture est à nouveau disponible. Ainsi, les poussins peuvent s'alimenter, malgré leur inexpérience, dès qu'ils quittent la colonie.

Les manchots rejoignent le site de reproduction par petits groupes, dont le nombre augmente progressivement à mesure que l'on approche du lieu où se rassemble la colonie. Le trajet qui les sépare de la mer, largement recouvert de glace, nécessite un effort particulier, d'autant plus important que la distance à parcourir est parfois très grande. Apparemment, le manchot empereur, tout comme le manchot Adélie, revient chaque année au même site. La célèbre colonie de l'île Coulman, qui regroupe près de 50 000 individus, n'est pas un cas unique.

Extrêmement bien adapté à la rigueur et à l'hostilité de son environnement, l'empereur ne construit pas de nid, mais couve l'œuf, posé sur ses pieds, sous un repli de peau abdominal. Ainsi protégé du sol gelé, l'embryon se développe grâce à la chaleur que lui fournit cet abri parental. Six à douze heures après la ponte, la femelle confie l'œuf au mâle, qui le dépose sur ses pieds dans les mêmes conditions.

Le mâle se charge alors de la couvaison, et doit prolonger son jeûne en conséquence. La femelle ayant quitté la colonie, il affronte seul le plus dur de l'hiver austral (vents de tempête et températures atteignant plusieurs dizaines de degrés au-dessous du zéro) pour couver l'œuf. Pour traverser ce stade critique, l'instinct conduit les mâles à se serrer les uns contre les autres ; ils forment ainsi un rempart contre les vents violents et créent un microclimat aussi favorable que possible en limitant les pertes de chaleur corporelle.

Les femelles ne reviennent sur le site que lorsque les œufs sont sur le point d'éclore, ce qui leur permet de donner une nourriture fraîche aux poussins dès l'éclosion.

Coïncidant avec la saison où la nourriture abonde, le cycle de reproduction des manchots empereurs facilite la survie des poussins. 1) Premier contact avec la mer pour les jeunes manchots. 2-3) La colonie se disperse. 4-5) Rassemblement de la colonie, suivi de l'accouplement et de la ponte. 6-7) Les mâles couvent les œufs ; les femelles partent en mer pour se restaurer. 8) Éclosion des œufs et retour des femelles. 9-12) Les femelles s'occupent des poussins ; les mâles partent en mer à leur tour.

Peu après la ponte, le mâle récupère l'œuf, qu'il couvera pendant que la femelle, ayant quitté la colonie, s'alimente en mer.

Il arrive que le poussin éclose avant que la mère ne rapporte de la nourriture fraîche. Dans ce cas, le mâle l'alimente avec un liquide spécial à base de nourriture en partie digérée.

Le père et la mère nourrissent le poussin avec du poisson régurgité.

L'épais duvet gris clair des jeunes n'est pas luisant comme le plumage des adultes, mais opaque et laineux. Les petits peuvent ainsi absorber beaucoup de chaleur, ce qui est vital, car leur corps n'assure pas encore son autorégulation thermique. À l'âge de 1 mois environ, ils quittent le repli abdominal qui a permis la couvaison et vivent en groupes jusqu'à l'été. Puis, leur plumage étant complètement développé, ils abandonnent la sécurité de la colonie pour s'aventurer en haute mer, livrés à eux-mêmes.

Aptes à plonger jusqu'à 60 m de profondeur et à rester sous l'eau une quinzaine de minutes, les manchots empereurs chassent plutôt sur les hauts-fonds, où se trouvent les bancs de céphalopodes.

PLONGEON CATMARIN

Gavia stellata

Ordre Gaviiformes
Famille Gaviidae
Taille Longueur 56 à 65 cm
Envergure 1 à 1,10 m
Poids 1,3 à 2 kg
Distribution Europe, Asie et Amérique du Nord, Groenland
Œufs Habituellement 2, d'un brun verdâtre ou olivâtre, tacheté de brun
Petits Nidifuges

Les oiseaux aquatiques qui forment l'ordre des gaviiformes n'ont de lien avec aucun autre goupe avien actuel. Le genre *Gavia* comprend 5 espèces fossiles et 4 espèces vivantes, qui sont : le plongeon imbrin *(Gavia immer),* le plongeon à bec blanc *(G. adamsii),* le plongeon arctique *(G. arctica)* et le plongeon catmarin *(G. stellata).*

Le plongeon imbrin vit en Amérique du Nord, en Islande, sur l'île aux Ours, l'île Jan Mayen et au Groenland. On trouve le plongeon à bec blanc sur le continent américain — de l'Alaska à la péninsule de Boothia —, dans la presqu'île de Kola, l'île Kolgouïev, en Nouvelle-Zemble et en Sibérie, de l'île Vaïgatch à la mer des Tchouktches. On distingue 3 sous-espèces chez le plongeon arctique : *Gavia arctica arctica,* en Europe et à l'est du fleuve Lena ; *G. a. viridigularis,* en Asie du Nord-Est ; *G. a. pacifica,* en Amérique du Nord et en bordure de la mer de Sibérie, depuis les fleuves Indighirka et Kolyma jusqu'au fleuve Anadyr. En hiver, on le trouve sur les côtes de l'océan Arctique et du Pacifique Nord, ainsi qu'au bord du lac Baïkal et des mers Noire et Caspienne, qui sont à l'intérieur des terres. Quant au plongeon catmarin, il occupe les mêmes régions que le plongeon arctique, plus le Groenland.

En période de reproduction, le catmarin est facilement identifiable à sa gorge rousse et à l'absence de noir sur le corps. Le dessus de la tête est gris cendré et rayé. Le dos, marron foncé, est pointillé de blanc. Les joues, le cou, le menton et la gorge sont gris foncé, avec, au centre de la gorge, une tache rousse caractéristique. La nuque, l'arrière du cou et le début des flancs appa-

Plongeon pourchassant une épinoche. Cet oiseau aquatique est un prodigieux nageur.

L'alimentation de base des plongeons comprend essentiellement des poissons : gobies, anguilles, jeunes saumons, lamproies, etc.

Grâce à ses pattes palmées, le plongeon est un nageur vif et endurant.

Plongeon arctique au repos, sur terre et sur l'eau.

raissent finement rayés blanc sur sombre. Le dessus du dos et des ailes est gris-noir, délicatement pointillé de blanc. Après la mue, ces pointillés très apparents s'estompent. Le dessous du corps est blanc. Le plumage hivernal devient gris-brun sur les ailes et le dessus du corps, chaque plume portant deux marques blanches.

Le plongeon catmarin est un parfait exemple d'adaptation au milieu aquatique. En matière de nage et, surtout, de plongeon, aucun oiseau, à l'exception du manchot, ne peut rivaliser avec lui. Il atteint en moyenne de 6 à 10 m de profondeur, parfois 30 m, un plongeon ayant même été capturé dans un filet de pêche à 70 m de profondeur.

Sa forme hydrodynamique n'est pas le seul atout de ce maître des eaux. Il est aussi capable de modifier son poids en expirant l'air. De plus, le plongeon a une grande résistance aux effets toxiques du dioxyde de carbone, car son sang est à même de constituer des réserves d'oxygène. Un plongeon peut ainsi nager 500 à 800 m sous l'eau sans aucune difficulté, se dirigeant avec ses ailes et se propulsant à l'aide de ses pieds palmés.

Au retour de leur migration, au début du printemps, les plongeons commencent à bâtir leurs nids sur les îlots ou les berges herbues des lacs et des étangs nordiques. Vivant en couples, ils surveillent jalousement leur territoire et en chassent les intrus.

La ponte comprend habituellement 2 œufs, et l'incubation, assurée par le mâle et la femelle tour à tour, dure de 24 à 29 jours. Sous la protection des parents, les poussins quittent le nid peu de temps après l'éclosion.

Le régime d'un plongeon se compose principalement de poissons (jeunes saumons, lamproies, etc.), mais aussi de mollusques, de crustacés, d'insectes aquatiques et de batraciens.

A gauche : plongeon arctique. A droite : plongeon imbrin, en plumage d'été. En hiver, les plongeons perdent leurs couleurs contrastées et les dessins du plumage nuptial ; ils deviennent gris sur le dessus, avec, sur le dos et le cou, des zones plus ou moins foncées.

▼| Au décollage, le plongeon utilise ses pattes en courant sur la surface de l'eau.

◄ En cas de danger, l'oiseau s'immerge presque entièrement ; seul le sommet de sa tête dépasse hors de l'eau.

▼| Plongeon arctique se reposant sur l'eau.

▲| Le nid se trouve d'ordinaire sur un îlot, ou sur une berge, à proximité de l'eau.

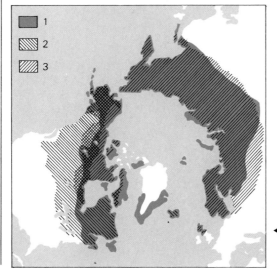

1
2
3

▲| Pendant les premiers jours après l'éclosion, les parents promènent les poussins sur leur dos.

◄| Aires de répartition des plongeons : 1) plongeon imbrin (G. immer) ; 2) plongeon catmarin (G. stellata) ; 3) plongeon arctique (G. arctica).

GRÈBE HUPPÉ

Podiceps cristatus

Ordre Podicipédiformes
Famille Podicipedidae
Taille Longueur 40 à 55 cm
Envergure 1,80 à 2 m
Poids 0,7 à 1,2 kg
Distribution Europe, Asie, Afrique, Australie, Tasmanie et Nouvelle-Zélande
Mode de vie Plus ou moins grégaire, par couples ou en colonies au printemps et en hiver
Œufs 3 ou 4, parfois 5 ou 6, de forme ovale
Petits Nidifuges

L'ordre des podicipédiformes groupe des oiseaux aquatiques de structure primitive, répandus dans le monde entier. Aucun lien n'a été établi avec d'autres espèces vivantes, ni avec un autre ordre éteint. On compte aujourd'hui 20 espèces, réparties dans 4 genres : *Aechmophorus, Centropelma, Podiceps* et *Podilymbus*.

Il existe seulement 1 espèce dans les genres *Aechmophorus* et *Centropelma*, respectivement : le grèbe de l'Ouest *(Aechmophorus occidentalis)*, qui vit dans l'ouest de l'Amérique du Nord, et le grèbe du lac Titicaca *(Centropelma micropterum)*, qui est inapte au vol et localisé en Bolivie, sur le lac dont il porte le nom.

Le genre *Podilymbus* comprend 2 espèces, exclusivement américaines : le grèbe à bec bigarré *(P. podiceps)* et le grèbe géant *(P. gigas)*. On trouve le premier dans toute l'Amérique, de l'Argentine à la Colombie britannique, et le second est une espèce endémique du lac Atitlan, au Guatemala.

Le genre *Podiceps* a une distribution cosmopolite. Parmi les petites espèces de ce groupe, on distingue : le grèbe minime *(P. dominicus)*, en Amérique tropicale ; le grèbe castagneux *(P. ruficollis)*, qui habite en Europe ; le grèbe d'Australie *(P. novaehollandiae)*, qu'on trouve en Australasie ; 2 espèces vivant à Madagascar, le grèbe de Delacour *(P. rufolavatus)* et le grèbe de Pelzeln *(P. pelzelnii)* ; le grèbe chenu *(P. poliocephalus)*, natif d'Australie ; et le grèbe de Nouvelle-Zélande *(P. rufopectus)*.

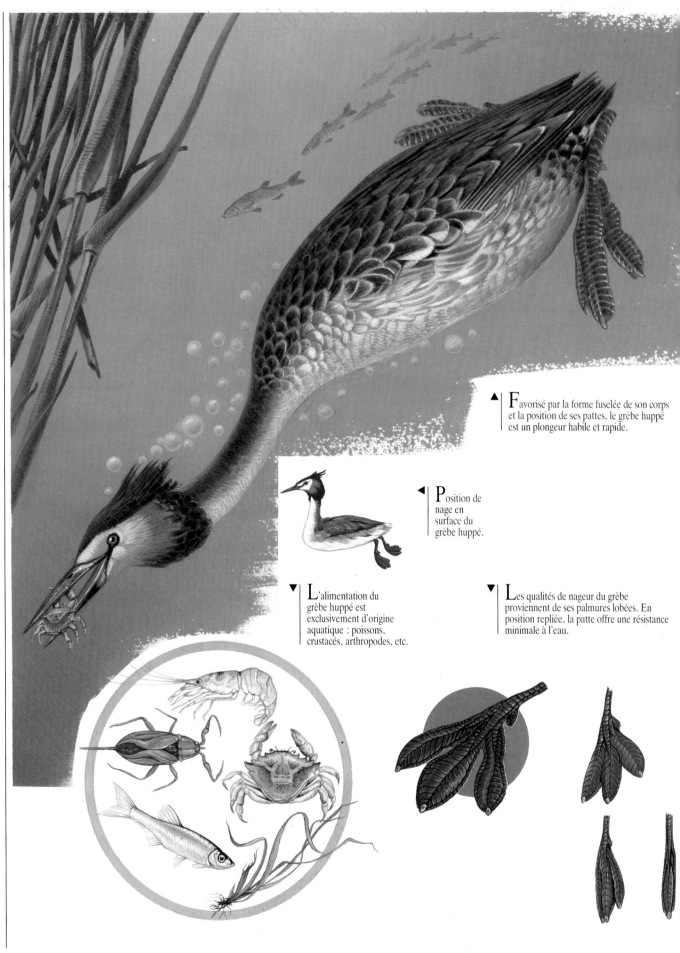

▲ **F**avorisé par la forme fuselée de son corps et la position de ses pattes, le grèbe huppé est un plongeur habile et rapide.

◄ **P**osition de nage en surface du grèbe huppé.

▼ **L**'alimentation du grèbe huppé est exclusivement d'origine aquatique : poissons, crustacés, arthropodes, etc.

▼ **L**es qualités de nageur du grèbe proviennent de ses palmures lobées. En position repliée, la patte offre une résistance minimale à l'eau.

Les grèbes à proprement parler sont représentés par 5 espèces sud-américaines : le petit grèbe doré *(P. chilensis)*, le grand grèbe *(P. major)*, le grèbe argenté *(P. occipitalis)*, le grèbe de Rolland *(P. rolland)* et le grèbe de la Puna *(P. taczanowskii)* ; 3 espèces d'Amérique du Nord et d'Eurasie : le grèbe esclavon *(P. auritus)*, le grèbe jougris *(P. grisegena)*, le grèbe à cou noir *(P. nigricollis)* ; 1 espèce particulière aux lacs andins de Colombie, le grèbe de Colombie *(P. andinus)* ; et le grèbe huppé *(P. cristatus)*.

Le grèbe huppé est le plus gros des podicipédidés vivant en Europe. Dans la nature, il est facilement identifiable en été par sa taille, sa collerette noire (chez les oiseaux adultes), son long bec et son cou mince. Le dessus du corps est noirâtre, les plumes portant une frange marron foncé. La tête est noire, marquée d'une ligne blanche au-dessus des yeux ; les lores, le menton et la face sont blancs, les joues rousses, avec de longues plumes qui forment une collerette marron bordée de noir. La femelle est identique, mais de taille moindre. Cette espèce, avec ses diverses sous-espèces, est répandue en Europe, Asie, Afrique, Australie, Tasmanie et Nouvelle-Zélande.

Essentiellement aquatique, le grèbe huppé s'aventure rarement sur la terre ferme, sauf pour construire son nid et couver ses œufs, ou simplement pour se reposer et se sécher.

Cet oiseau, expert du plongeon et de la nage, se révèle aussi un voilier puissant, prenant son envol en courant sur l'eau. Il vole le cou tendu, la tête légèrement plus basse que le corps, les pattes allongées. Il nage avec le corps à demi immergé, le cou dressé. Grâce à sa forme fuselée, le grèbe huppé plonge jusqu'à 20 m de profondeur, mais il descend rarement à plus de 7 m dans les eaux stagnantes qu'il fréquente.

Pour la nidification, ce grèbe choisit une étendue d'eaux calmes — lac ou étang — bordée de végétation. Il construit un nid flottant qu'il dissimule parmi les joncs et les roseaux. La femelle pond normalement 3 ou 4 œufs, parfois 5 ou 6. Le rituel compliqué qui précède l'accouplement renforce l'union des deux partenaires.

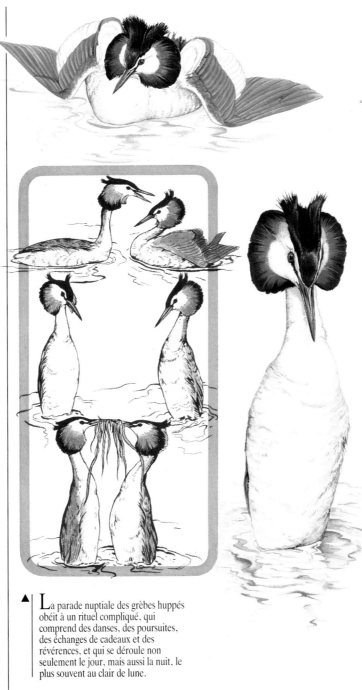

▲ La parade nuptiale des grèbes huppés obéit à un rituel compliqué, qui comprend des danses, des poursuites, des échanges de cadeaux et des révérences, et qui se déroule non seulement le jour, mais aussi la nuit, le plus souvent au clair de lune.

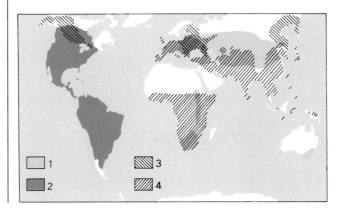

▲ Mâle et femelle édifient ensemble le nid, sorte d'îlot flottant, parfois ancré à la végétation.

▲ De haut en bas : grèbe à bec bigarré *(Podilymbus podiceps)*, grèbe castagneux *(Podiceps ruficollis)* et grèbe jougris *(P. grisegena)*.

◄ Aires de répartition des 4 espèces illustrées sur ces pages : 1) grèbe huppé ; 2) grèbe à bec bigarré ; 3) grèbe jougris ; 4) grèbe castagneux.

1
2
3
4

PROCELLA-RIIFORMES

L'ordre des procellariiformes se compose d'oiseaux marins caractérisés par leur bec, qui est constitué de plaques cornées, visiblement juxtaposées, se terminant en forme de crochet, et dont la mandibule supérieure porte deux narines tubulaires — d'où l'ancienne appellation de ce groupe : tubinares. Le rôle des glandes nasales, qui sécrètent une solution fortement salée, consiste à éliminer l'excès de sel dans le sang. Les narines tubulaires évitent que cette solution saline ne s'écoule dans les yeux et empêchent l'entrée des embruns. Les tubes se terminent par des fosses nasales, ou cavités olfactives, dont le rôle demeure obscur ; cependant, cet appareil doit intervenir pour évaluer les variations de la vitesse du vent à la surface de la mer.

Les procellariiformes sont répartis entre 4 familles : les pélécanoïdidés, les hydrobatidés, les diomédéidés et les procellariidés, répandus sur tous les océans, en particulier ceux de l'hémisphère Sud. C'est l'abondance de la nourriture et la qualité des sites de reproduction qui déterminent leur distribution — parfois limitée à des zones très restreintes pour certaines espèces. En effet, la quantité de plancton et de poisson que l'on trouve dans les mers dépend de nombreux facteurs : température de l'eau, courants, salinité, etc.

De nature grégaire, les procellariiformes demeurent fidèles à leur site de reproduction. La femelle pond un œuf unique, qui pèse de 6 à 10 % de son propre poids chez les espèces les plus grosses, et de 10 à 25 % chez les plus petites. Le nid se trouve dans une crevasse, contre une falaise, à l'intérieur d'un terrier, que l'oiseau adopte ou creuse lui-même, ou encore dans un cratère d'îlot volcanique.

Ces oiseaux sont les meilleurs voiliers du monde, car ils effectuent de formidables migrations transocéaniques. Il est prouvé qu'ils suivent à cette occasion des trajets bien définis. Deux fois par an, le pétrel océanite *(Oceanites oceanicus)* parcourt 12 000 km, ce qui est pourtant modeste comparé aux performances des albatros, dont on a de tout temps décrit le vol en termes légendaires. Entre deux cycles de reproduction, ces oiseaux, portés par les alizés, peu-

Albatros à pieds noirs
(Diomedea nigripes)

Albatros de Steller
(Diomedea albatrus)

Les pétrels plongeurs sont des procellariiformes atypiques. Ces oiseaux ne sont pas de bons voiliers, mais leurs courtes ailes, utilisées comme des rames, sont très efficaces dans l'eau. Les alcidés de l'hémisphère Nord ont une apparence assez similaire.

Pétrel cul-blanc
(Oceanodroma leucorhoa)

Fulmar
(Fulmarus glacialis)

Damier du Cap
(Daption capensis)

▲ L'albatros à pieds noirs est répandu dans le Pacifique Nord. L'albatros de Steller est une espèce en voie de disparition, avec seulement 60 couples recensés au Japon, sur les îles Torishima et Isa, où ils se reproduisent. Il y a deux espèces de fulmar, chacune vivant dans un hémisphère. Le damier du Cap, très répandu dans l'hémisphère Sud, migre en parcourant d'immenses distances. Le pétrel cul-blanc représente une population de plusieurs millions d'individus, vivant en Amérique du Nord.

◄ Distribution de quelques procellariiformes : 1) fulmar *(Fulmarus glacialis)* ; 2) albatros de Steller *(Diomedea albatrus)* ; 3) pétrel plongeur *(Pelecanoides urinatrix)*.

vent faire deux fois le tour du globe. On a ainsi récupéré deux albatros hurleurs *(Diomedea exulans)* bagués à 10 000 et 13 000 km de leur point de départ. Leur sens de l'orientation est aussi exceptionnel. Un puffin des Anglais *(Puffinus puffinus)*, bagué au pays de Galles, fut transporté par avion à Boston, dans le Massachusetts, où on le relâcha. Le voyage de retour, long de 5 000 km, ne lui prit que 12 jours. Un autre puffin des Anglais, relâché à Venise, mit 14 jours pour revenir à sa colonie, sans doute parce qu'il avait emprunté le chemin de la Méditerranée.

Parmi les procellariiformes, les pétrels plongeurs (pélécanoïdidés) sont les plus atypiques et les plus primitifs. Leurs courtes ailes, peu efficaces pour voler, sont utilisées comme des nageoires et en font d'excellents plongeurs. En apparence, ils ressemblent aux manchots, avec leur long sternum et leur position debout, mais leur petit bec porte des narines tubulaires caractéristiques. Ces tubes, courts et incurvés vers le haut, sont séparés par une cloison. La distribution des 4 espèces connues comprend l'océan Antarctique.

Les hydrobatidés, ou pétrels tempête, les plus petits procellariiformes, ont un type de vol particulier. Lorsqu'ils virevoltent au ras des vagues, la pire tempête ne les intimide pas. Mais, s'ils s'aventurent en altitude, leur corps trop léger est à la merci des bourrasques. Ces oiseaux peuvent aussi voleter sur place en battant rapidement des ailes. La technique de vol varie en fonction de l'espèce. Le pétrel cul-blanc *(Oceanodroma leucorhoa)*, par exemple, se déplace en zigzags, modifiant très fréquemment sa vitesse et sa direction, tandis que le pétrel tempête *(Hydrobates pelagicus)* voltige au jugé, comme une chauve-souris.

Pétrel tempête
(Hydrobates pelagicus)

▶ Les pétrels tempête, caractérisés par des narines tubulaires, sont plus petits que les puffins. On en connaît 2 espèces principales dans chaque hémisphère, identifiables par leur technique de pêche, assez proche de celle des puffins. Ces oiseaux volent au ras des flots, dans le sillage des navires, et se nourrissent de plancton.

Pétrel océanite
(Oceanites oceanicus)

▲ Comme chez les puffins, le poussin accumule des réserves de graisse, jusqu'à atteindre une fois et demie la taille d'un adulte.

▲ Avec ses pattes, le pétrel équilibre son vol et capture de petits poissons. Son aspect particulier quand il voltige, en laissant pendre ses pattes comme s'il marchait sur l'eau, lui a valu jadis le surnom d'« oiseau de saint Pierre », en anglais *Saint Peter's bird*, d'où le diminutif de pétrel.

◀ On trouve le pétrel tempête (1) dans l'Atlantique et en Méditerranée occidentale, alors que le pétrel océanite (2) peuple par millions les océans, principalement dans l'hémisphère Sud.

1
2

ALBATROS HURLEUR

Diomedea exulans

Ordre Procellariiformes
Famille Diomedeidae
Taille Longueur 0,70 à 1,20 m
Poids 6 à 8 kg
Distribution Hémisphère Sud et Pacifique Nord
Mode de vie Grégaire, pélagique, migrateur transocéanique
Nidification Au sol
Période de reproduction Automne-hiver, ou printemps-été
Œufs 1
Petits Nidicoles
Maturité sexuelle 6 à 10 ans
Longévité 40 ans environ

Membres de la famille des diomédéidés, les albatros sont les plus grands oiseaux capables de voler. Chez eux, le bec est constitué de plaques cornées, avec, sur la mandibule supérieure, de courtes narines tubulaires qui s'ouvrent de part et d'autre de la plaque centrale. Leurs ailes, longues et étroites, ont une coloration particulière, mais celle-ci ne permet pas toujours de distinguer les jeunes des adultes.

Les albatros se rencontrent dans tous les océans du monde : 9 espèces vivent dans l'hémisphère Sud, 3 dans le Pacifique Nord et 1 sous les tropiques. Ce sont des voiliers d'exception, qui migrent sur de très grandes distances. A titre d'exemple, l'albatros de Laysan, qui niche aux îles Hawaii, traverse le Pacifique à chaque migration, allant parfois jusqu'au Kamtchatka ou en Nouvelle-Zélande. Pendant les 12 ou 13 mois séparant les cycles de reproduction, l'albatros hurleur, répandu dans les mers du Sud, vagabonde au loin et vient parfois jusqu'en Méditerranée et en Europe du Nord.

La haute mer est l'habitat naturel de ces grands voiliers, qui s'aventurent pourtant sur la terre ferme pour nicher, soit sur de petites îles, soit dans des endroits isolés des côtes. Les facultés d'orientation qu'ils déploient pour traverser les océans et revenir à leur site originel sont stupéfiantes.

Le vol d'aucune autre espèce n'égale celui de cet oiseau, qui reste des heures en l'air, sans battre des ailes, car il

▼ Les albatros sont les plus grands procellariiformes connus. *Diomedea exulans*, illustré ci-dessous (adulte à gauche et jeune à droite), est le plus grand de tous les oiseaux de mer. Trois espèces d'albatros vivent dans l'hémisphère Nord, dix dans l'hémisphère Sud. Ils se laissent transporter par les forts courants aériens océaniques, remuant à peine leurs ailes. En vol, les albatros ont le bec pointé vers le bas, écumant inlassablement les océans.

▼ Le bec de l'albatros, composé de plaques cornées, est très robuste. Les narines s'ouvrent de part et d'autre du bec, par deux petits tubes, sur la plaque centrale.

profite des moindres courants aériens se créant à la surface des eaux. En allant vent debout (face au vent), il gagne de la hauteur du fait que la vitesse du vent est diminuée par la friction sur les vagues. Planant ensuite un peu plus haut, là où le vent est plus fort, il redescend, se préparant à remonter de nouveau sur son élan quand il atteindra les couches d'air inférieures, immobiles. Ce type de vol en zigzag, avec des variantes mineures, peut durer des heures. Dans les fortes rafales, l'albatros pique vers la mer, les ailes à demi repliées ; par calme plat, il préfère se poser en surface, gardant les ailes légèrement ouvertes sur le dos.

Le régime des albatros est à base de mollusques céphalopodes (principalement des calmars), qu'ils capturent à la surface de l'eau, en vol ou quand ils sont posés. Poissons, tuniciers et crustacés (surtout des crevettes) forment aussi une part de leur alimentation.

Les albatros, qui nichent en colonies, édifient des nids en terre et en boue, qu'ils disposent à même le sol ou dans des trous creusés avec leur bec. Les ornithologues ont bien observé les cérémonies nuptiales de ces oiseaux. Le mâle commence la parade en battant des ailes devant la femelle, qui prend une posture de soumission, et les deux oiseaux entrechoquent doucement leurs becs. L'engagement étant accepté, les deux partenaires déploient leurs ailes, tendent le cou et lancent de grands cris stridents. Tickell, qui a étudié de près ce rituel, estime que ce comportement correspond à la rencontre de deux partenaires qui ne se sont jamais accouplés. Des signaux sonores et visuels apaisent la femelle.

Les albatros hurleurs reviennent régulièrement sur les mêmes sites de reproduction. La femelle pond un seul œuf, blanc, ou strié de roux à sa plus grosse extrémité. Les parents se relaient pour couver ce gros œuf pendant 60 à 80 jours.

L'homme a été le seul véritable ennemi de l'albatros. Ainsi, au XVIIIᵉ siècle, les marins naufragés qui se réfugiaient sur des îlots où nichaient ces oiseaux ont détruit des populations entières, en se nourrissant des œufs et des poussins. Les albatros, qui se reproduisent généralement sur des îles isolées, ne sont plus menacés aujourd'hui.

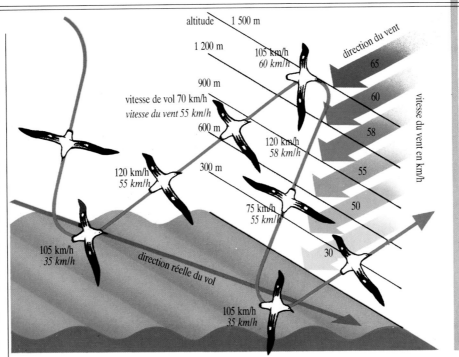

altitude 1 500 m

1 200 m

105 km/h
60 km/h

direction du vent

65

900 m

vitesse de vol 70 km/h
vitesse du vent 55 km/h

60

600 m

58

120 km/h
58 km/h

vitesse du vent en km/h

120 km/h
55 km/h

300 m

55

75 km/h
55 km/h

50

105 km/h
35 km/h

direction réelle du vol

30

105 km/h
35 km/h

Les vents de surface profitent à l'albatros, comme l'explique le schéma : en descente, l'oiseau prend de la vitesse jusqu'à atteindre l'air immobile au ras de l'eau ; puis, comme s'il ricochait, il remonte pour trouver le vent qui l'avait propulsé. Les alizés favorisent les longs vols migratoires. Les ailes servent de gouvernail pour changer de direction.

▼ Parade nuptiale de l'albatros hurleur : le mâle ouvre ses ailes et claque du bec, puis les deux partenaires étendent leurs ailes en poussant de grands cris.

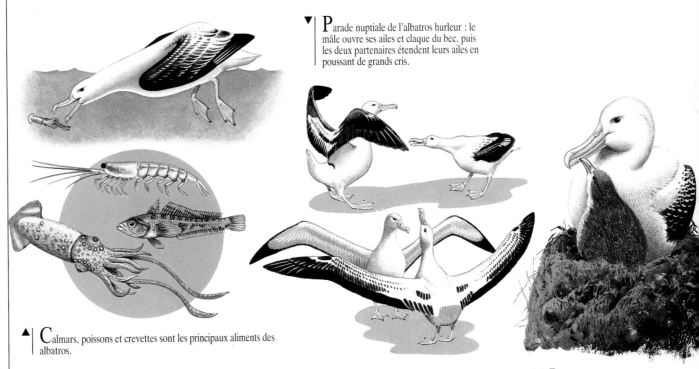

▲ Calmars, poissons et crevettes sont les principaux aliments des albatros.

▲ Le poussin demande de la nourriture à ses parents en tapant sur leur bec.

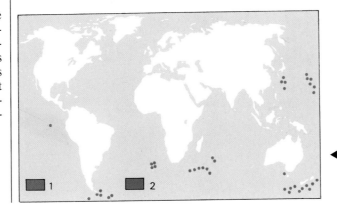

1
2

◄ Voiliers d'exception, les albatros traversent tous les océans au cours de leurs migrations. Hormis une espèce tropicale, on les trouve dans l'hémisphère Sud et le Pacifique Nord. 1) Distribution de la famille des diomédéidés. 2) Distribution spécifique de l'albatros hurleur (Diomedea exulans).

PROCELLARIIDÉS

Les membres de la famille des procella-riidés sont caractérisés par la forme de leur bec, légèrement recourbé et qui porte sur la mandibule supérieure un tube double en prolongement des nari-nes. Selon les espèces, la longueur du corps varie de 25 à 90 cm, le poids allant de 0,1 à 4 kg.

Les 59 espèces de puffins se répartis-sent en 4 sous-familles : fulmarinés, pachyptilinés, ptérodrominés et procel-lariinés, différenciés par leur morpholo-gie et leur alimentation. La taille des fulmarinés varie de 35 à 90 cm. Ils possèdent un bec épais, une grosse tête, une mandibule inférieure puissante et une queue courte. Les pachyptilinés (prions) sont petits (entre 25 et 28 cm), d'un gris cendré, avec un motif noir en forme de W sur les ailes et le dos, comme en portent les jeunes mouettes tridactyles *(Rissa tridactyla)* ; le bec est large et garni de lamelles filtrant la nourriture. On compte 27 espèces de ptérodrominés, réparties en 2 genres, mesurant de 25 à 45 cm, et identifiables à leur bec court, puissant et acéré. De taille moyenne (28 à 55 cm), les procel-lariinés ont un bec mince portant des narines tubulaires obliques, tournées vers le haut.

Les procellariidés se rencontrent dans le monde entier. Les fulmarinés vivent dans l'hémisphère Sud, hormis le fulmar *(Fulmarus glacialis)*, présent dans l'Atlantique, le Pacifique Nord et les mers arctiques limitrophes. On notera le vol typique du fulmar, très actif, avec des piqués et de brusques changements de direction pour lesquels ses pattes font office de gouvernail. Il y a 2 formes ou phases de fulmar, claire et foncée, très répandues en Europe du Nord. On constate, sans l'expliquer, la prédomi-nance de la forme foncée au Spitzberg (95 %), et sa rareté partout ailleurs, comme en Irlande (1 %).

Les fulmars géants du genre *Macro-nectes* font approximativement 2 m d'en-vergure. Ces oiseaux, répandus dans les zones antarctique et subantarctique, nichent en Nouvelle-Zélande et sur d'autres petites îles. L'espèce *M. halli* est plus nordique que *M. giganteus*, mais l'une et l'autre cohabitent en paix sur l'île Macquarie, car la première pond en août et la seconde en octobre. Ajoutons que *M. giganteus* a un mode de vie plus colonial. On ne peut différencier les

Puffin des Anglais
(Puffinus puffinus)

▲ L'observation des procellariidés est difficile, car, vivant en haute mer, ils ne viennent à terre que pour se reproduire. Ces oiseaux de taille moyenne volent dans les courants d'air océaniques, ne battant des ailes que pour prendre de l'altitude.

▼ Comme celui des autres procellariiformes, le bec du puffin porte des narines tubulaires qui rejettent le sel filtré de l'eau de mer bue par l'oiseau. L'odorat du puffin est si développé qu'il peut retrouver son nid malgré une obscurité totale.

deux espèces que par la coloration du bec, car leurs plumages sont similaires, à quelques nuances près.

En dehors de la saison de reproduction, les procellariidés vivent en haute mer. Ils bravent les pires tempêtes, volent inlassablement au ras des flots, ou décrivent de larges cercles en vol plané, profitant des moindres courants d'air ascensionnels. Ces oiseaux peuvent rester très longtemps sans dormir. Crustacés, mollusques (calmars, principalement), poissons, plancton, qu'ils capturent parfois en plongeant, composent leur régime. Ils suivent volontiers le sillage des bateaux de pêche pour récupérer les débris organiques rejetés à la mer par les marins.

Leur vol au ras des vagues est facilement reconnaissable. Excepté les quelques espèces qui édifient un nid à terre, ces oiseaux déposent leur œuf unique dans des terriers ou des cavités rocheuses. Cet œuf est blanc et d'une grosseur disproportionnée par rapport au corps de l'adulte. L'incubation dure de 40 à 60 jours, selon l'espèce. Les parents couvent l'œuf à tour de rôle, chacun restant seul pendant 2 à 12 jours. Les petits portent successivement deux sortes de duvet, brunâtre et grisâtre. Ils prennent directement dans le bec des parents les aliments, un mélange régurgité de poissons et d'autres animaux marins. En cas de danger (sur certains îlots, les poussins sont la proie des rats), ils peuvent cracher une sécrétion gastrique huileuse jusqu'à une distance de 1 m.

Les procellariidés traversent les immensités marines en effectuant des périples migratoires remarquables, pour toujours revenir sur leur terre d'origine. Les auteurs anciens, tels Pline, Virgile, Ovide, avaient appelé *Avis diomedea* des oiseaux des îles Tremiti, dans la mer Adriatique, dont les cris nocturnes rappellent ceux d'un tout jeune enfant. Ce nom venait d'une légende selon laquelle ces oiseaux étaient les âmes réincarnées des compagnons de Diomède, condamnées à errer éternellement sur les océans.

Longues et étroites, les ailes du puffin le gênent pour décoller, s'il ne se perche pas d'abord, par exemple sur un tronc d'arbre.

Il se nourrit de petits poissons de surface, de calmars et de crevettes.

Le puffin à bec grêle parcourt environ 30 000 km pendant sa migration. Il part du sud de l'Australie (1), gagne le nord du Pacifique, puis retourne vers le sud, suivant un trajet en forme de 8.

Puffin à bec grêle
(Puffinus tenuirostris)

juin
mai
juillet
août
septembre
octobre
avril
aire de reproduction
1

Les poussins atteignent le double de la taille des adultes pendant leur croissance. Mais toute la graisse disparaît quand le plumage commence à pousser.

Plusieurs procellariidés en vol : au centre, puffin d'Audubon *(Puffinus l'herminieri)* ; à gauche, puffin leucomède *(Calonectris leucomelas)* ; à droite, puffin fuligineux *(Puffinus griseus)* ; en bas, pétrel de Juan Fernandez *(Pterodroma externa)*. En encadré, dans le même ordre, détail du bec de ces espèces.

Le puffin des Anglais, qui niche en Méditerranée et dans l'Atlantique, migre sur d'immenses distances (1).

1

PÉLÉCANIFORMES

L'ordre des pélécaniformes groupe des oiseaux dont chaque patte est pourvue de quatre doigts palmés. La peau forme parfois des sacs dilatables, comme chez les frégates. Le bec est long et robuste. La mandibule supérieure se compose de plaques cornées dont les jointures sont visibles. Ces oiseaux ont des narines closes, une langue atrophiée, et certains portent une poche extensible sous le bec. Leurs ailes sont longues, et très larges, chez certaines espèces. Les œufs, en forme d'ellipse, ont une couleur uniforme, blanche ou verdâtre, et une coquille crayeuse.

Cet ordre — dont l'ancêtre, *Elopteryx*, vivait au crétacé, il y a 70 à 135 millions d'années — est divisé en 6 familles : anhingidés (2 espèces), sulidés (9 espèces), frégatidés (5 espèces), phaéthontidés (3 espèces), pélécanidés (8 espèces) et phalacrocoracidés (29 espèces).

Les anhingidés se distinguent par leur long cou flexible constitué de 20 vertèbres, qui leur vaut le surnom d'« oiseaux-serpents ». La structure des muscles insérés sur les huitième et neuvième vertèbres permet au cou de se détendre comme un ressort, le long bec, étroit et effilé, harponnant les poissons. Un petit stylet osseux se trouve à l'arrière du crâne. Le corps, élancé, mesure environ 1 m de long. Ces oiseaux fréquentent les eaux douces ou saumâtres des zones tropicales et subtropicales, en Amérique, en Australie, en Nouvelle-Zélande, en Afrique, au sud du Sahara, et dans le Sud-Est asiatique.

Les sulidés (ou fous) sont de gros oiseaux mesurant de 0,70 à 1 m et pesant de 1,5 à 3,5 kg. Leurs ailes pointues facilitent le vol plané, et leur queue cunéiforme compte de 12 à 18 rectrices. Leurs narines closes les obligent à garder le bec ouvert pour respirer. Les surfaces de peau nue autour du bec et les palmures ont une couleur vive (bleu, rouge, etc.). Les sacs aériens, reliés aux poumons, sont dilatables. Le plumage est blanc ou brun foncé.

Les fous peuvent plonger d'une hauteur de 10 à 15 m pour capturer des poissons, chutant à près de 1 m par seconde. Les espèces tropicales chassent différemment, plongeant à l'oblique dans l'eau. Leur régime est à base de poissons et de céphalopodes. La nidification se fait en colonies. La femelle

▲ Les cormorans nagent en remuant leurs pattes sur les côtés du corps, alors que les autres oiseaux aquatiques, tels les plongeons, les agitent sous le corps.

▼ Nombre de régions tropicales et tempérées abritent des pélicans. Ils vivent sur des plans d'eau douce ou saumâtre, sauf le pélican brun, qui est un oiseau typiquement marin. 1) Pélican brun *(Pelecanus occidentalis)* ; 2) pélican blanc *(P. onocrotalus)* ; 3) pélican à lunettes *(P. conspicillatus)* ; 4) pélican blanc d'Amérique *(P. erythrorhynchos)*.

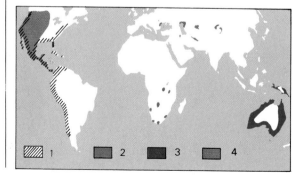

▼ Les pélécaniformes ont des palmures complètes (doigt arrière compris), contrairement aux autres oiseaux aquatiques. Ils poursuivent leurs proies sous l'eau, en se laissant tomber en plein vol ou en plongeant pendant qu'ils nagent. *Elopteryx*, un oiseau qui vivait au crétacé, il y a 70 à 135 millions d'années, est à l'origine de cet ordre, subdivisé en 6 familles : pélécanidés (pélicans), phalacrocoracidés (cormorans), anhingidés (anhingas), frégatidés (frégates), phaéthontidés (phaétons) et sulidés (fous).

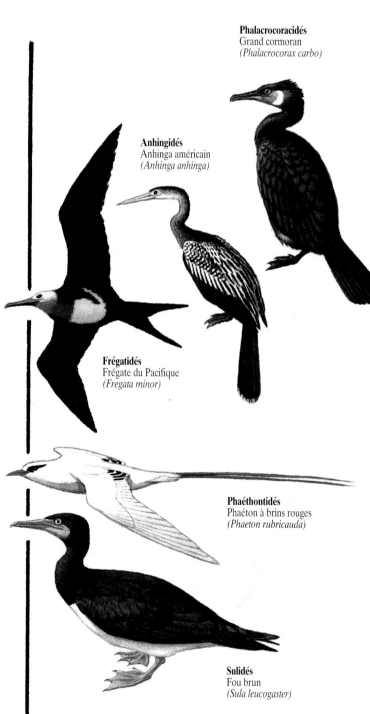

Phalacrocoracidés
Grand cormoran
(Phalacrocorax carbo)

Anhingidés
Anhinga américain
(Anhinga anhinga)

Frégatidés
Frégate du Pacifique
(Fregata minor)

Phaéthontidés
Phaéton à brins rouges
(Phaeton rubricauda)

Sulidés
Fou brun
(Sula leucogaster)

pond 1 ou 2 œufs de couleur bleu pâle, avec une coquille recouverte de calcaire blanc, et les deux parents se partagent l'incubation.

Les frégates, de la famille des frégatidés, sont les meilleurs voiliers parmi les pélécaniformes. Leurs narines sont petites, et leur long bec puissant, incurvé, se termine par un fort crochet. Mesurant de 0,75 à 1,10 m et pesant 1,5 kg, ce sont de gros oiseaux, aux muscles pectoraux très développés, puisqu'ils représentent la moitié du poids total du corps. La peau est largement dégarnie sous la gorge, la tête a une forme étirée, les ailes sont très longues (elles atteignent plus de 2 m d'envergure), tout comme la queue, formée de 12 rectrices. Les tarses sont courts, les palmures, incomplètes, se rétrécissent à la base ; les orteils portent de longues serres courbées. Le plumage est noir, ou noir et blanc. Les femelles sont plus grosses que les mâles. Excellents voiliers, les frégates fréquentent les eaux chaudes des mers tropicales, où la température est de 25 °C au minimum.

Avec 2,40 m d'envergure, la frégate superbe *(Fregata magnificens)* est la plus grande des 5 espèces de frégatidés. Ces oiseaux vivent en haute mer, là où abondent les poissons volants, leur proie favorite, qu'ils chassent tôt le matin, en surface. Ils forcent d'autres oiseaux à leur abandonner leurs proies, ou bien se nourrissent des poussins de sternes ou d'autres oiseaux marins. Leur rayon d'action n'excède pas la distance qu'elles peuvent couvrir en une journée.

Les phaétons ont la réputation de ne jamais quitter les mers tropicales et d'être des voiliers exceptionnels, infatigables. Ils plongent dans l'eau, les ailes refermées, pour chasser des poissons volants, des céphalopodes et des crustacés. Ensuite, ils se posent en surface pour les avaler. Ils chassent souvent par paires.

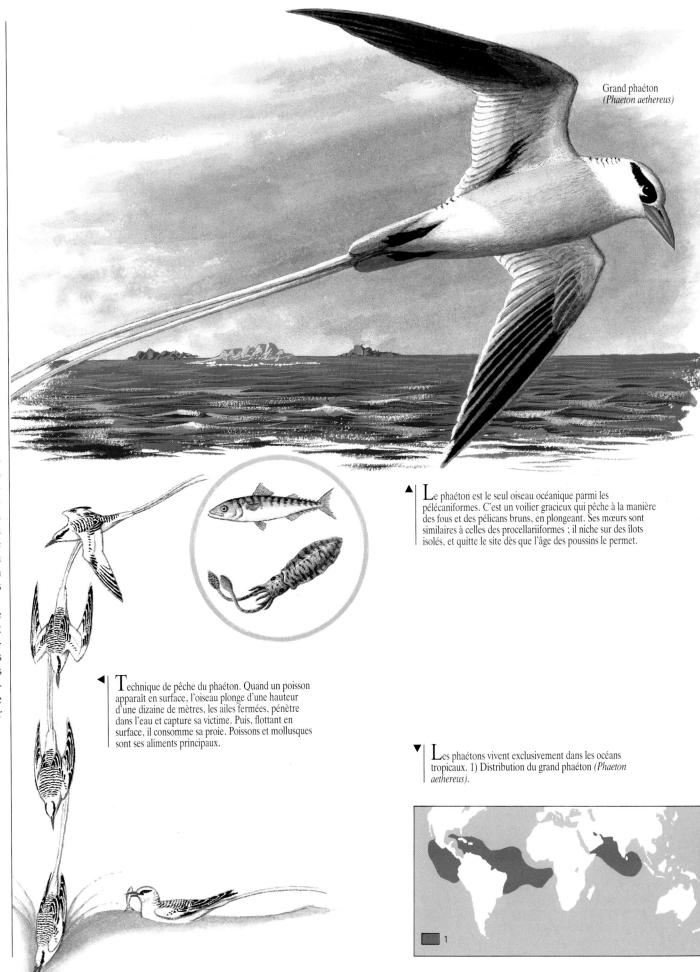

Grand phaéton
(Phaeton aethereus)

▲ Le phaéton est le seul oiseau océanique parmi les pélécaniformes. C'est un voilier gracieux qui pêche à la manière des fous et des pélicans bruns, en plongeant. Ses mœurs sont similaires à celles des procellariiformes ; il niche sur des îlots isolés, et quitte le site dès que l'âge des poussins le permet.

◄ Technique de pêche du phaéton. Quand un poisson apparaît en surface, l'oiseau plonge d'une hauteur d'une dizaine de mètres, les ailes fermées, pénètre dans l'eau et capture sa victime. Puis, flottant en surface, il consomme sa proie. Poissons et mollusques sont ses aliments principaux.

▼ Les phaétons vivent exclusivement dans les océans tropicaux. 1) Distribution du grand phaéton *(Phaeton aethereus)*.

1

PÉLICAN BLANC

Pelecanus onocrotalus

Ordre Pélécaniformes
Famille Pelecanidae
Taille Longueur 1,10 à 1,80 m
Poids 7 à 14 kg
Distribution Europe, Asie, Afrique, Amérique et Australie
Mode de vie Grégaire, migrateur
Nidification Dans les arbres ou à terre
Période de reproduction Printemps et été
Incubation 30 à 42 jours
Œufs 2 ou 3
Petits Nidicoles
Maturité sexuelle 3 à 4 ans

Les pélicans sont de grands oiseaux fréquentant les eaux douces et saumâtres. Leurs ailes longues et larges, avec près de 3 m d'envergure, en font d'excellents planeurs. Leur très grand bec porte un petit crochet au bout de la mandibule supérieure. Une volumineuse poche extensible, d'une capacité de 13 litres, se trouve sous le bec et donne à ces oiseaux une silhouette typique. Cette poche est utilisée comme un filet pour capturer et transporter les poissons. Le plumage est blanc, brun ou grisâtre chez les adultes, avec des teintes plus foncées chez les jeunes.

Les pélicans vivent dans les régions tropicales et tempérées, où on les trouve localement en grand nombre. Il y a 5 espèces européennes et 3 américaines. Le pélican brun *(Pelecanus occidentalis)* est un oiseau marin, ce qui le distingue des autres espèces. Le pélican thage *(P. thagus)* lui ressemble beaucoup. La pollution des régions lacustres et côtières a joué un rôle considérable dans la raréfaction des pélicans.

Leur régime est avant tout à base de poissons, mais ils se nourrissent aussi de crustacés, de vers et de déchets organiques. On distingue deux types de pélicans, d'après leur technique de pêche. Les pélicans blancs pêchent en surface, tandis que les pélicans bruns et thages pêchent en plongeant. Les premiers se placent en demi-cercle et frappent l'eau avec leurs ailes pour rabattre les poissons vers un même point de haut-fond, où ils se trouvent piégés. Les pélicans blancs peuvent ensuite facilement les

Pélican blanc *(Pelecanus onocrotalus)*

▲ Les pélicans sont parmi les plus grands de tous les oiseaux aquati Ils sont célèbres pour la poche de peau qui pend sous leur bec et dont ils se servent comme filet pour pêcher.
Il existe des pélicans blancs et des pélicans bruns.
Si les poissons constituent la nourriture principale de tous, les pélicans blancs les pêchent depuis la surface, tandis que les brun plongent pour les capturer.

Les quatre doigts sont palmés. ▶

collecter dans leur poche extensible. Les pélicans bruns et thages se singularisent en employant une technique bien différente. Ils survolent leur zone de pêche par petits groupes espacés, à la recherche d'un banc de poissons, en particulier les anchois. Dès qu'un banc est localisé, ils exécutent une suite de plongeons spectaculaires, parfois d'une hauteur de 20 m, comme font les fous, qui sont apparentés aux pélicans.

Grâce à leurs ailes immenses, les pélicans planent avec une élégance remarquable, rappelant les oiseaux de proie ou les cigognes, mais leur aspect est plutôt pataud quand ils marchent ou prennent leur envol sur l'eau. Ainsi, lorsqu'ils veulent décoller, ils doivent pousser sur leurs pattes à plusieurs reprises avant de prendre assez d'élan pour gagner de la hauteur. Les pélicans sont d'excellents nageurs grâce aux sacs aériens situés sous la peau, qui leur assurent une bonne flottaison. Ces oiseaux sont réputés pour leurs migrations, et les ornithologues ont observé d'immenses rassemblements de jeunes spécimens et d'adultes loin des sites de reproduction, généralement en automne et au début du printemps, mais aussi en été.

A la saison des amours, les pélicans construisent un nid avec des roseaux, des brindilles et des débris végétaux. La femelle pond 2 ou 3 œufs à coquille recouverte de calcaire blanchâtre, nuancée de bleu ou de jaune ; elle occupe le nid avant la ponte, et la durée de l'incubation varie entre 30 et 42 jours. Les poussins sont nus à l'éclosion et nidicoles ; ils restent au nid pendant 85 à 105 jours. Les parents ingèrent les proies et les réduisent dans leur jabot à une bouillie consistante, qu'ils régurgitent dans leur poche, où les poussins viennent plonger la tête pour se nourrir. En raison du volume de la poche, la becquée est une opération délicate pour les très jeunes.

L'homme connaît les pélicans depuis longtemps. Ces oiseaux à la silhouette si particulière lui ont peut-être inspiré ses premières techniques de pêche.

▼ Les pélicans ne se rencontrent en Europe qu'au printemps et en été. Ils migrent sur de grandes distances, en profitant des courants d'air chaud.

▲ Pour pêcher, les pélicans blancs se placent en demi-cercle et frappent l'eau avec leurs ailes pour rabattre leurs proies vers un même point, où ils les capturent ensuite facilement. Des cormorans et des mouettes se joignent souvent à ces pêches.

◄ La tête du pélican blanc prend une teinte rose pâle en période de reproduction, et le bout du bec devient rougeâtre. Le nid, constitué de brindilles et de petit bois amoncelés, est placé dans un arbre ou sur le sol, dissimulé dans une couche de roseaux.

▼ Nourrissage du poussin.

◄ Technique de pêche du pélican brun (Pelecanus occidentalis). Quand il repère une proie dans l'eau, il plonge, les ailes fermées, le cou tendu comme une flèche.

▼ A gauche, le pélican frisé, qui porte un toupet sur la nuque. Au centre, le pélican blanc américain. À droite, le pélican australien pendant la période de reproduction.

▲ Silhouette en vol.

57

GRAND CORMORAN

Phalacrocorax carbo

Ordre Pélécaniformes
Famille Phalacrocoracidae
Taille Longueur 48 à 92 cm
Poids 0,7 à 3,5 kg
Distribution Monde entier, sauf régions polaires
Mode de vie En colonies ; quelques espèces migratrices
Nidification Dans les arbres et les rochers
Période de reproduction Printemps-été, ou hiver-printemps
Incubation 27 à 30 jours
Œufs 2 à 4
Petits Nidicoles
Maturité sexuelle 3 ans

Les cormorans sont caractérisés par la présence d'un stylet osseux situé derrière l'occiput. Un groupe de muscles s'y attachent et servent à contracter le cou afin de saisir fermement les proies. Le cou est long, les ailes sont assez petites et arrondies ; le bec, cylindrique à la base, est terminé par un fort crochet. Les os peu pneumatisés et le poids relativement élevé de ces oiseaux expliquent qu'ils enfoncent beaucoup dans l'eau quand ils nagent. Ils ne possèdent pas de glande uropygienne, dont la sécrétion imperméabilise le plumage. Cela les oblige à se percher plusieurs heures par jour, les ailes ouvertes, pour se sécher après avoir plongé.

Il existe 29 espèces de cormorans, avec une grande variété de tailles et de poids. Le plumage est en général sombre, mais les espèces australes peuvent avoir le dessous du corps blanc.

Les cormorans vivent dans le monde entier, à l'exception des régions polaires. On trouve 8 espèces en Amérique, 11 en Europe, Asie et Afrique, 6 en Australie, et 4 sur presque l'ensemble du globe. Ce sont aussi de remarquables oiseaux migrateurs. Le baguage a permis de suivre complètement leurs déplacements, la récupération des bagues se faisant souvent sur les victimes de la chasse.

Les cormorans acquièrent leur plumage adulte après un an, mais ils ne sont pas capables de se reproduire avant leur troisième année. Le lieu d'édifica-

Grand cormoran
(*Phalacrocorax carbo*)

▲ Les cormorans, qui appartiennent à l'ordre des pélécaniformes, sont de vrais spécialistes de la pêche. Ils capturent leurs proies en nageant sous l'eau, parfois jusqu'à une profondeur de 10 m, exceptionnellement jusqu'à 30 m. Leur poids est assez élevé, ce qui facilite la nage sous l'eau. On trouve deux espèces de cormoran en Europe de l'Ouest, le grand cormoran et le cormoran huppé.

▼ Grand cormoran (à gauche) et cormoran huppé en vol.

Cormoran huppé (*Phalacrocorax aristotelis*)

tion du nid est choisi par le mâle, qui essaie d'attirer la femelle par une parade nuptiale consistant à élever et abaisser les ailes de façon répétée et à replier les rémiges primaires sous les plumes secondaires et tertiaires. Les matériaux de construction du nid (branches, algues, débris végétaux) sont rassemblés par le mâle et la femelle. Veillant à ne jamais laisser le nid inoccupé, les parents couvent les œufs (au nombre de 2 à 4) tour à tour durant 27 à 30 jours. Pendant la première semaine, les poussins sont nus et pépient, le bec grand ouvert pour réclamer leur nourriture. En grandissant, ils abandonnent les pépiements pour pointer leur bec vers la gorge des parents en battant des ailes ; ce comportement déclenche la régurgitation des aliments à demi digérés dont les petits se nourrissent.

Toutes les espèces consomment principalement des poissons, mais leur régime alimentaire comprend aussi céphalopodes, crustacés et amphibiens. Leur plumage n'étant pas imperméable, ces oiseaux peuvent glisser silencieusement dans l'eau, comme les anhingas. En plus du temps passé à faire sécher leurs plumes à l'air, ils consacrent plusieurs heures à se nettoyer, et s'entraident souvent dans cette tâche. Ils pêchent en général à heures fixes et se perchent durant le reste du temps, en groupes, ou seuls, dans les arbres ou sur les rochers, en situation exposée. Leur nage est particulière, car seules leurs pattes bougent, l'une après l'autre, de chaque côté du corps, la queue servant de gouvernail. Ils se reposent pour digérer, mais, en cas de danger, ils sont forcés de vomir pour pouvoir prendre leur envol.

Accusés de détruire beaucoup de poissons, les cormorans sont encore souvent victimes de chasses organisées. En vérité, ces oiseaux s'attaquent surtout aux poissons de petite taille, malingres ou peu intéressants pour l'homme. Ils participent ainsi à la sélection naturelle. En Afrique et en Asie (en particulier au Japon), les hommes ont utilisé les cormorans pour pêcher. On dressait les oiseaux à revenir au gîte, puis on les lâchait, munis d'un collier en cuivre ou en chanvre qui les empêchait d'avaler leurs prises.

▲| Les cormorans nagent avec le corps assez immergé, à cause de leur poids ; ils bougent leurs pattes de chaque côté.

▲| Ils capturent les poissons habituellement à 3 m de profondeur, et peuvent rester sous l'eau pendant une minute.

Cormoran de Gaimard
(Phalacrocorax gaimardi)

▲| Les cormorans forment d'immenses colonies. Au Pérou, on exporte leurs excréments sous le nom de guano, un engrais de haute qualité.

▲| Se percher, les ailes ouvertes, est un comportement typique des cormorans, qui a aussi une raison pratique. Ils gardent ainsi une distance entre eux tout en faisant sécher leurs plumes au soleil.

Cormoran aptère
(Nannopterum harrisi)

Cormoran de Temminck
(Phalacrocorax capillatus)

▲| Les parents nourrissent leurs petits avec des aliments à demi digérés qu'ils régurgitent.

▲| Ils prennent leur repas sur l'eau.

▲| L'abondance de la nourriture a rendu complètement inutiles les ailes du cormoran aptère vivant aux Galapagos. En fait, elles sont atrophiées.

	1
	2		4
	3		5

◄| On trouve des cormorans dans le monde entier, à l'exception des régions polaires : 1) cormoran huppé *(Phalacrocorax aristotelis)* ; 2) cormoran aptère *(Nannopterum harrisi)* ; 3) cormoran de Gaimard *(P. gaimardi)* ; 4) grand cormoran *(P. carbo)*, qui est l'espèce la plus abondante ; 5) cormoran de Temminck *(P. capillatus)*.

ANHINGA AMÉRICAIN

Anhinga anhinga

Ordre Pélécaniformes
Famille Anhingidae
Taille Longueur 90 cm
Répartition Amérique tropicale
Mode de vie Aquatique ; en bandes pendant la saison de reproduction
Nidification Dans les arbres, parfois à terre
Œufs 2 à 5
Petits Nidicoles

Il existe 4 espèces d'anhingas, oiseaux aquatiques habitant les zones tropicales et subtropicales du monde entier : l'anhinga américain *(Anhinga anhinga)*, l'anhinga d'Afrique *(A. rufa)* et 2 espèces en Asie et Australasie.

L'anhinga se distingue par sa forme allongée, son bec effilé et son cou très long et flexible — d'où son surnom d'oiseau-serpent — qui comprend 20 vertèbres ; la huitième et la vingtième vertèbre possèdent une excroissance osseuse sur laquelle s'insèrent de puissants muscles qui permettent au cou de se plier en forme de S et de se relâcher comme un ressort. Les pattes sont entièrement palmées, ce qui facilite les déplacements dans l'eau.

L'anhinga américain est largement répandu dans la partie sud des États-Unis, mais il se rencontre aussi de l'Amérique centrale au nord de l'Argentine. Il habite dans les lacs et les marais ainsi que dans les estuaires envahis par les mangroves. Il se nourrit de poissons et d'autres animaux aquatiques (crustacés, mollusques et insectes).

Pendant leur parade nuptiale, le mâle et la femelle se font face, queue relevée, tête reposée sur le cou, bec en bas tenant une brindille. Le mâle cherche ensuite de petites branches et brindilles pour le nid, que la femelle dispose en plate-forme. Les œufs, d'un bleu-vert pâle, sont couvés par les deux parents pendant 25 à 28 jours. Les petits sont nourris de poisson partiellement digéré puis régurgité.

▲ Les anhingas sont capables de chasser tout l'air de leur plumage, ce qui leur permet de s'immerger complètement et de se déplacer silencieusement sous l'eau. Leurs proies consistent en poissons, crustacés, grenouilles, salamandres, insectes aquatiques et larves.

◄ Ces oiseaux passent plusieurs heures par jour posés sur un perchoir surplombant l'eau, pour faire sécher leur plumage ; cette attitude, ailes étendues, est également typique des cormorans.

▲ Ce dessin montre la parfaite technique de pêche des anhingas. Le cou en forme de S est projeté en avant, et le bec embroche le poisson, qui est ensuite lancé en l'air pour être avalé à la réception, la tête la première.

◄ Les anhingas habitent les régions tropicales, équatoriales et subtropicales. Certains auteurs estiment qu'il n'y a que deux espèces : 1) *Anhinga anhinga,* du Nouveau Monde ; 2) *Anhinga rufa,* de l'Ancien Monde.

1
2

FOU BRUN

Sula leucogaster

Ordre Pélécaniformes
Famille Sulidae
Taille Longueur 64 à 74 cm
Distribution Océans Atlantique, Pacifique et Indien
Mode de vie Grégaire, marin
Œufs 1 ou 2, parfois 3
Nidification Au sol
Petits Nidicoles

Les fous sont des oiseaux de haute mer qui n'abordent la terre que pour se reproduire. Leur corps est fuselé, les ailes, longues et fines. Le bec a la forme d'un long cône aux bords dentelés, légèrement courbé à l'extrémité.

Ces oiseaux pratiquent le vol battu et l'interrompent de temps à autre pour planer plus ou moins longuement. Ils se nourrissent de poissons et d'autres animaux marins, qu'ils capturent sous l'eau en plongeant de hauteurs impressionnantes.

Le plumage du fou brun a des teintes bien tranchées. La tête et le haut du corps sont marron foncé, le dessous est blanc, les pattes sont jaunes ; le bec tire vers le bleu, et la peau nue de la face varie du jaune au mauve. Les jeunes sont uniformément bruns. L'envergure d'un adulte atteint 1,50 m.

Très répandu dans les régions tropicales et subtropicales des océans Atlantique, Pacifique et Indien, le fou brun ne s'éloigne guère des côtes rocheuses ou des récifs de corail où il niche. Il passe la plupart de son temps en mer, où il alterne les longues glissades planées et les courtes périodes de vol ordinaire. Lorsqu'il a repéré un banc de poissons, le fou brun reste un instant à le survoler, puis il pique droit, les ailes fermées, se propulsant sous l'eau avec ses ailes et ses pattes. Il émerge peu après, tenant sa proie. Lorsqu'il poursuit des poissons volants, son vol donne lieu à d'étonnantes figures acrobatiques.

Le cycle de reproduction du fou brun n'est pas strictement annuel. Lié à la nourriture disponible à proximité du site de nidification, il dure souvent 8 mois. On trouve les nids sur des rivages rocheux. Les colonies sont de moyenne importance, et chaque couple reproducteur s'attribue un petit territoire. La parade nuptiale, assez élaborée, rappelle celle des albatros.

Technique de pêche du fou de Bassan. L'oiseau plonge sous l'eau et ramène sa proie en surface. Dans les régions tropicales, ses principales victimes sont les poissons volants et les céphalopodes pélagiques.

Le fou brun niche sur des îlots rocheux. Il utilise les grandes palmures de ses pattes, irriguées par de nombreux vaisseaux sanguins, pour couver ses œufs. L'absence de plaques incubatrices sur le ventre l'oblige à recourir à cette méthode.

Au cours de leur parade nuptiale, les fous à pieds rouges se font face, le bec pointé en l'air, la queue en éventail, les ailes dressées sur le dos, et se balancent d'une patte sur l'autre. Il est essentiel qu'ils exhibent les parties nues, qui sont brillamment colorées (bec, face et pattes).

Les membres de la famille des sulidés se rencontrent dans toutes les mers chaudes et tempérées. La carte montre la distribution de deux espèces : 1) fou brun *(Sula leucogaster)* ; 2) fou à pieds rouges *(S. sula)*.

FRÉGATE SUPERBE

Fregata magnificens

Ordre Pélécaniformes
Famille Fregatidae
Taille Longueur 1 à 1,15 m de la tête à la queue
Envergure 2,30 m environ
Poids 1,5 kg environ
Distribution Galapagos, Antilles et îles du Cap-Vert
Mode de vie Grégaire
Nidification Dans les arbres ou dans les buissons, parfois sur les rochers
Œufs 1
Petits Nidicoles

Parmi les pélécaniformes, les frégates sont les meilleurs voiliers. Leurs muscles pectoraux et leurs plumes représentent la moitié de leur poids total. Leur remarquable vol plané est facilité par leurs ailes longues et étroites, au bout pointu. Le mâle a le plumage noir irisé, avec des reflets bleu métal ; il porte à la gorge une poche dénudée et râpeuse, de couleur orange terne, sauf en période de reproduction, où elle enfle et devient rouge vif. La femelle, plus grosse, porte une livrée moins spectaculaire, d'un noir de suie teinté de gris et sans reflets bleus. La gorge, dénuée de poche, est marquée d'une large tache blanche.

La frégate superbe habite les zones tropicales de l'océan Pacifique oriental et de l'Atlantique. Sa silhouette en vol, élégante et peu commune, impressionne au premier regard. Sa grâce et sa rapidité sont sans égales. L'oiseau s'élève dans les airs, puis « glisse » dans le ciel pendant des heures, avec, de temps à autre, un paresseux battement de ses grandes ailes. On l'identifie immédiatement, planant dans le vent sans le moindre effort, infatigable et l'œil aux aguets, scrutant la surface de l'océan. Cette prodigieuse endurance s'accompagne d'un sens de l'orientation exceptionnellement précis, ce qui est indispensable en haute mer, où le soleil et les étoiles sont les seuls points de repère.

La frégate superbe est connue pour son parasitisme alimentaire, et, parce que son vol est puissant, elle parvient à obtenir une large part de sa nourriture en poursuivant d'autres oiseaux, tels les mouettes, les cormorans, les pélicans et,

▲
◄ La frégate superbe, comme les autres espèces appartenant à la même famille, est un excellent voilier. Le plumage des mâles (montrés ici en vol) est d'un noir brillant avec des reflets bleus ; la gorge est ornée d'une poche écarlate de peau nue. La teinte de la femelle (perchée, sur le dessin) est plus terne, avec une plage blanchâtre sur la poitrine. Cette espèce passe presque tout son temps l'air, se déplaçant lentement et maladroitement sur le sol ; pour cette raison, elle se tient en général perchée, souvent assez haut, dans les arbres ou sur les rochers et falaises, d'où elle peut s'envoler facilement.

▲ En raison du mode de vie de la frégate superbe, ses pattes se sont adaptées, perdant la plus grande partie de leur palmure, caractéristique des autres pélécaniformes. La faiblesse de la nage et de la marche est compensée par le développement de griffes préhensiles, fort utiles pour saisir les branches et s'agripper aux rochers.

▲ La nourriture est essentiellement composée de petits animaux marins, en particulier de poissons volants, de seiches, de petites tortues et de méduses.

surtout, les fous, qu'elle harcèle jusqu'à ce qu'ils régurgitent le poisson qu'ils viennent d'avaler ; la frégate pique alors sur la proie pour l'attraper au vol. Son plumage n'étant pas gras et donc peu imperméable, il est vite détrempé. C'est pourquoi cet oiseau ne pêche qu'en surface, ne plongeant jamais plus que son bec dans l'eau.

Cette espèce a tendance à faire son nid à n'importe quel moment de l'année, avec des branchages secs récoltés avec le bec, au sol, ou pris aux nids d'autres oiseaux. L'édification se fait sur le rivage ou à proximité, en général dans les arbres ou dans les buissons bas, mais aussi sur les falaises ou à flanc de coteau. L'oiseau choisit un site où il peut facilement se poser et s'envoler. Les colonies sont situées aux environs de celles d'autres oiseaux marins, fous, cormorans, pélicans, sternes, mouettes, etc., que la frégate a coutume de parasiter.

Avant l'accouplement, les mâles se livrent à une parade nuptiale spectaculaire. Ils se blottissent sur les nids pendant que les femelles tournoient au-dessus du site où les jeunes seront élevés. Quand un mâle aperçoit une partenaire possible, il déploie ses ailes, tremble et émet des cris d'excitation ; en même temps, il agite la tête de façon rythmée de droite et de gauche, le cou renversé en arrière pour mettre en valeur son énorme poche écarlate, si tendue et gonflée d'air qu'elle semble sur le point d'éclater. Cette poche est un signal visuel servant à la fois à attirer la femelle et à marquer le territoire de chaque individu. Après ce rite nuptial, d'une durée variable, les oiseaux s'accouplent, et la femelle pondra un unique œuf blanc, d'environ 100 g. Les deux parents collaborent aussi bien pendant les 40 à 50 jours d'incubation que pour élever le petit.

Comme beaucoup d'animaux sociables, les frégates peuvent être apprivoisées. Cette aptitude, ajoutée à la précision de leur sens de l'orientation, a amené les populations indigènes à utiliser les frégates comme des pigeons voyageurs. Ainsi, dans les régions tropicales, ces espèces ont servi à transmettre des messages d'une île à l'autre.

▼ La frégate superbe vole souvent sa nourriture dans le bec d'autres oiseaux. La victime poursuivie est forcée de régurgiter sa proie et de la lâcher. La frégate récupère alors le poisson au vol.

▼ La frégate chasse aussi directement, par exemple des poissons volants, qu'elle capture par leur nageoire dorsale pointant en surface, ou des bébés tortues quand ils rejoignent la mer juste après l'éclosion.

Pour la parade nuptiale, le mâle frégate arbore la grande poche nue et rouge de sa gorge. Gonflée d'air, elle sert à attirer la femelle vers le site de nidification choisi et à manifester l'occupation du territoire. Au repos et hors de la période de reproduction, cette poche se rétracte et devient orange terne.

▼ Le nid est construit avec des branchages et du bois mort récupérés sur le sol ou volés aux nids d'autres oiseaux.

◄ Les 5 espèces similaires qui composent la famille des frégatidés vivent sur des îles des latitudes tropicales. 1) La frégate superbe *(Fregata magnificens)* niche dans le Pacifique oriental (îles Galapagos et îlots environnants) et dans l'Atlantique (Antilles, îles du Cap-Vert). 2) La frégate aigle de mer *(F. aquila)* est endémique de l'île de l'Ascension, dans l'Atlantique austral ; on n'en compte que 2 000 à 3 000 individus. 3) La frégate d'Andrews *(F. andrewsi)* niche sur l'archipel de l'île Christmas, dans l'océan Indien. 4) La frégate ariel *(F. ariel)* vit sur quelques îles de l'Atlantique (Trinidad), de l'océan Indien (îles Aldabra), du Pacifique Sud et Est. 5) La frégate du Pacifique *(F. minor)* est présente dans l'Atlantique (Trinidad), dans l'océan Indien (îles Aldabra et Seychelles) et dans le Pacifique (Galapagos, Hawaii).

1
2
3
4
5

CICONIIFORMES

Les ciconiiformes se distinguent avant tout par leurs longues pattes faites pour marcher dans les eaux peu profondes. Contrebalançant les pattes et le bec, qui, étant de grande taille et en général pointu, est parfaitement adapté à la capture de proies vivantes, telles que poissons et insectes aquatiques, le cou allongé leur permet d'atteindre la nourriture au niveau du sol.

La taille et la forme varient d'une espèce à l'autre, traduisant les modes d'adaptation aux différents environnements et les divers modes de vie ; les becs, en particulier, prennent parfois les formes les plus étranges, comme chez le bec-en-sabot ou la spatule. Le plumage est blanc, gris ou noir, et renvoie des reflets métallisés ; les parties nues, comme les pattes, le cou et le bec corné, sont rouges ou jaune clair. Ces oiseaux sont de taille moyenne ou grande ; le marabout indien, par exemple, pèse 6 à 7 kg. Quand elles volent, les vraies cigognes gardent leurs longues pattes étendues derrière elles dans le prolongement du cou, ce qui, avec leurs ailes de grande taille, donne une forme de croix à leur silhouette. Les hérons, eux, tiennent le cou replié et la tête placée entre les épaules.

Les ciconiiformes se rencontrent sur tous les continents, sauf dans les régions arctique et antarctique, la majorité des espèces étant répandues en Afrique et en Asie tropicale.

Ces oiseaux vivent avant tout dans les zones d'eaux peu profondes telles que les marais et les bords des lacs et des fleuves, leur répartition dépendant de l'existence de ce type d'environnement ; mais quelques espèces, comme la cigogne blanche, habitent souvent dans les steppes et les prés cultivés, tandis que l'ibis chauve préfère les habitats arides et désertiques. Les espèces de ciconiiformes qui vivent sous les plus hautes latitudes sont migratrices et partent vers l'équateur en hiver.

Les ciconiiformes nichent en groupes ou en colonies de tailles variables, qui peuvent compter jusqu'à quelques milliers de couples. Les nids sont situés dans les arbres, dans la végétation des marais ou, plus rarement, sur les rebords des rochers (ibis chauve). Le nid typique est un grand tas de branches ou de roseaux entrelacés dont la forme rappelle un peu une coupe.

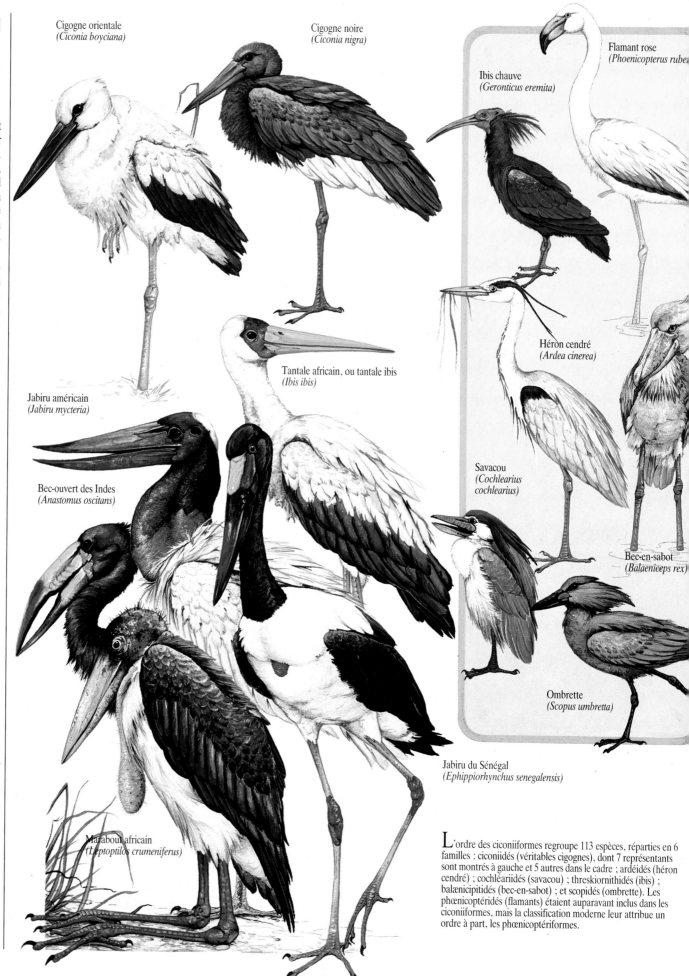

Cigogne orientale
(*Ciconia boyciana*)

Cigogne noire
(*Ciconia nigra*)

Ibis chauve
(*Geronticus eremita*)

Flamant rose
(*Phoenicopterus rube*)

Jabiru américain
(*Jabiru mycteria*)

Tantale africain, ou tantale ibis
(*Ibis ibis*)

Héron cendré
(*Ardea cinerea*)

Bec-ouvert des Indes
(*Anastomus oscitans*)

Savacou
(*Cochlearius cochlearius*)

Bec-en-sabot
(*Balaeniceps rex*)

Ombrette
(*Scopus umbretta*)

Jabiru du Sénégal
(*Ephippiorhynchus senegalensis*)

Marabout africain
(*Leptoptilos crumeniferus*)

L'ordre des ciconiiformes regroupe 113 espèces, réparties en 6 familles : ciconiidés (véritables cigognes), dont 7 représentants sont montrés à gauche et 5 autres dans le cadre ; ardéidés (héron cendré) ; cochléariidés (savacou) ; threskiornithidés (ibis) ; balænicipitidés (bec-en-sabot) ; et scopidés (ombrette). Les phœnicoptéridés (flamants) étaient auparavant inclus dans les ciconiiformes, mais la classification moderne leur attribue un ordre à part, les phœnicoptériformes.

MARABOUT AFRICAIN

Leptoptilos crumeniferus

Ordre Ciconiiformes
Famille Ciconiidae
Taille Longueur 1,20 m
Envergure 2,40 m
Poids 6,5 kg
Œufs 2 ou 3

Le marabout africain est un oiseau d'aspect étrange. La tête est d'une grosseur disproportionnée ; le bec, conique et large à la base, mesure près de 30 cm ; le corps, robuste, repose sur de longues pattes puissantes. La tête, aux petits yeux jaunes, le cou et la poche qui pend sous la gorge sont nus et rouges. La poche, dont la fonction est mal connue, ne sert pas à conserver de la nourriture, car elle est reliée au système respiratoire. Le plumage est bicolore, avec le dessus noir et le dessous blanc. Les plumes situées de chaque côté du cou et sous la queue sont d'un blanc de neige. Le marabout prend souvent une posture de repos, au sol ou perché au faîte d'un arbre, la tête rentrée entre les épaules, le bec pointé obliquement vers le bas.

Cet oiseau a un envol généralement lent et laborieux, mais il peut atteindre de hautes altitudes, en profitant des courants d'air chaud ascendants, d'un vol gracieux et sans effort apparent, les ailes grandes ouvertes. Le marabout indien *(Leptoptilos dubius)* est plus grand (1,50 m) que l'espèce africaine.

On trouve des marabouts dans toute l'Afrique, au sud du Sahara ; de mœurs identiques, le marabout indien et une autre espèce très similaire résident en Asie du Sud. Grâce à son régime très varié, le marabout s'adapte à de nombreux types d'habitat.

La nidification coïncide avec l'approche de la saison des pluies. Le niveau des eaux doit être bas dans les mares et les étangs, où les parents pêchent les amphibiens et les insectes qui servent à nourrir les jeunes. Ainsi, la ponte a lieu habituellement à la fin de la saison sèche, pour faciliter la croissance des petits au début de la saison des pluies.

Le marabout africain *(Leptoptilos crumeniferus)* se nourrit souvent de carcasses de gros animaux, dont il déchiquette les chairs avec son long bec massif. Comme les vautours, les milans et les corbeaux, les marabouts jouent un rôle important de nécrophages, en débarrassant la nature des charognes et autres déchets organiques. L'illustration montre aussi la silhouette en vol du marabout ; l'angle formé par le bec et les pattes et le contraste du plumage noir et blanc sont typiques.

Le marabout indien *(L. dubius)* se distingue de son parent africain par une bande blanche en travers des ailes. Il est aussi plus grand, mais adopte la même posture digne et « militaire » qui inspira le nom de marabout (d'un mot arabe signifiant « moine-soldat »).

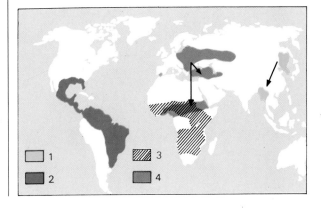

Distribution de quelques ciconiiformes. 1) La cigogne blanche orientale *(Ciconia boyciana)* niche en Asie, dans les bassins des fleuves Amour et Oussouri ; elle hiverne plus au sud. 2) Le jabiru *(Jabiru mycteria)* vit en Amérique, du Mexique et de la Floride à la région de Buenos Aires, en Argentine. 3) Le marabout africain *(Leptoptilos crumeniferus)* est largement répandu au sud du Sahara. 4) La cigogne noire *(Ciconia nigra)* niche en Asie centrale, dans l'est de l'Europe et dans certaines parties de l'Espagne ; elle migre en Inde, en Chine et en Afrique avant l'hiver.

CIGOGNE BLANCHE

Ciconia ciconia

Ordre Ciconiiformes
Famille Ciconiidae
Taille Longueur 1 à 1,30 m
Envergure 1,90 à 2,10 m
Poids 2,5 à 4 kg
Distribution Europe, Asie et nord-ouest de l'Afrique
Mode de vie Grégaire dans ses quartiers d'hiver après la migration ; en couple pendant la saison de reproduction
Nidification En haut d'arbres, de poteaux, de pylônes de forme adéquate ; bâtiments de toutes sortes ; ruines
Œufs 2 à 4
Petits Nidicoles

La cigogne blanche est un oiseau de taille importante, que l'on distingue facilement des autres grands échassiers d'Europe grâce au coloris de son plumage adulte. Celui-ci est blanc, hormis les longues scapulaires, les couvertures alaires primaires et secondaires, et les rémiges primaires et secondaires, qui sont d'un noir luisant. Le bec, les pattes et les pieds sont rouges, les parties nues autour du bec noires, les côtés du menton rouges. L'iris de l'œil est gris. Mâle et femelle sont identiques.

La cigogne blanche est un oiseau élégant, à la démarche noble et mesurée. De même, son vol majestueux est une merveille de grâce et d'harmonie, surtout lors des planés et des glissades haut dans le ciel, ou de l'évolution en spirale qui permet à l'oiseau de gagner ou de perdre de l'altitude. Au repos, la cigogne ne s'appuie souvent que sur une patte, le cou rentré dans les épaules et le bec pointé vers le sol.

Les cigognes atteignent des hauteurs considérables en planant, grâce aux courants d'air chaud ascendants, après avoir donné au départ quelques coups d'ailes lents et comptés. Des observateurs en avion ont attesté leur présence, au-dessus de leurs régions de reproduction ou de leurs quartiers d'hiver, jusqu'à 4 500 m d'altitude.

Deux sous-espèces représentent la cigogne blanche. La forme nominale niche en Afrique du Nord-Ouest (Tunisie, Algérie, Maroc), en Europe (Portugal, ouest et centre de l'Espagne, est et ouest de la France, Pays-Bas, Allema-

▲ Un couple de cigognes blanches et son nid. Cette espèce niche aussi bien dans les arbres que sur les toits ou sur des supports aménagés à son intention. En Europe centrale et de l'Est, dans certains villages, presque tous les toits sont préparés pour recevoir un nid de cigogne. Il en est ainsi depuis le Moyen Age, où cet oiseau était considéré comme un porte-bonheur et traité avec respect. Les cigognes nichent aussi dans des ruines ou sur des poteaux télégraphiques *(page suivante, en bas à droite)*. Le nid est une construction massive, pouvant dépasser 1 m de haut, faite de branchages grossièrement entrelacés ; l'intérieur est tapissé de plumes, de mousse, d'herbe et de duvet.

gne, Danemark, sud de la Suède, Pologne, Tchécoslovaquie, Autriche, Hongrie, Roumanie, péninsule des Balkans), en Asie occidentale et dans certaines régions du Proche-Orient (nord d'Israël, ouest de l'Iran, Irak).

Utilisant les courants d'air chaud pour couvrir de longues distances en planant, cet oiseau migre selon des trajets où cette condition météorologique particulière se retrouve. A partir des zones de reproduction, les cigognes suivent deux directions, vers l'est et vers l'ouest. La ligne de démarcation entre ces deux routes se définit assez nettement, de l'Autriche (la rivière Lech) aux Pays-Bas. Cette ligne imaginaire divise les cigognes en deux groupes : le premier niche au sud-ouest, le second au nord-est.

La cigogne blanche niche en général sur les toits. Ainsi, en Europe centrale et orientale, on trouve de nombreux villages où des faîtes de maisons accueillent un couple d'oiseaux. L'origine de cet accommodement pittoresque et bienveillant remonte au Moyen Age, lorsque la croyance populaire accordait aux cigognes un pouvoir bénéfique. Leur nourriture provient des plaines humides et herbeuses, propices aux inondations, et des régions marécageuses, de rizières ou d'étangs, souvent proches des zones habitées.

La nidification commence à la fin mars et se poursuit jusqu'à la fin avril. Les cigognes reviennent individuellement de leurs quartiers d'hiver (alors qu'au départ vers le sud elles volent séparément ou en groupes), et il est de règle que les mâles arrivent les premiers, se réinstallant sur le nid construit l'année précédente. Celui-ci, souvent haut de plus de 1 m, est fait de branchages et de brindilles grossièrement entrelacés, tapissé de plumes, de mousse, de duvet, d'herbe, etc. C'est le mâle qui se charge d'apporter ces matériaux, la femelle les mettant en place.

Chaque nid abrite de 2 à 4 œufs blancs, que les parents couvent (la femelle probablement la nuit) pendant 33-34 jours. Les nouveau-nés sont alimentés au nid pendant 53 à 55 jours avec de la nourriture régurgitée. Par la suite, ils apprennent à se suffire à eux-mêmes. Ils se lancent pour leur premier vol à l'âge de quelques semaines.

De nombreux pays d'Europe ont instauré des mesures pour protéger cette espèce, dont les effectifs ont fortement diminué dans certaines régions.

▲ La cigogne blanche passe habituellement l'hiver dans les savanes d'Afrique tropicale, au sud du Sahara.

▲ Zones de nidification (1), routes de migration et quartiers d'hiver (2) de la cigogne blanche.

▼ Les adultes apportent de la nourriture aux jeunes et leur apprennent à la recueillir au fond du nid.

T rois postures au sol de la cigogne blanche.

L e régime de la cigogne blanche se compose de divers petits animaux : insectes, crustacés, amphibiens, reptiles, poissons et petits mammifères.

▲ D ivers nids de la cigogne blanche.

IBIS SACRÉ

Threskiornis aethiopica

Ordre Ciconiiformes
Famille Threskiornithidae
Taille Longueur 65 à 75 cm
Distribution Afrique et golfe Persique
Mode de vie Grégaire
Nidification Dans les arbres, parfois au sol
Œufs 2 à 4
Petits Nidicoles

L'ibis sacré a une envergure de près de 1,20 m. Son plumage est blanc, mais la tête, le cou, le long bec courbé vers le bas, les plumes scapulaires et le bout des ailes sont noirs. Cette espèce vit en Afrique tropicale et équatoriale, et aussi en Irak. Dans l'Antiquité, cet oiseau résidait au bord du Nil égyptien, et les hiéroglyphes le représentent symbolisant le dieu Thot. Son habitat est lacustre, marécageux, ou borde des rivières au débit lent dont les rives boueuses sont couvertes de roseaux et de papyrus.

Habituellement grégaires, les ibis sacrés se groupent pour chercher leur nourriture, s'aventurant à travers les plaines bourbeuses et les berges sablonneuses des zones humides. Mais ils fréquentent aussi les terres cultivées et les plaines sèches. Leur régime est à base d'insectes (en particulier des criquets), de crustacés et de mollusques, mais aussi de grenouilles, de reptiles, de poissons et d'œufs d'oiseaux.

Vivant en colonies, les ibis sacrés édifient leurs nids dans les grands arbres, en particulier les acacias, mais aussi au sol ou parmi les rochers et les papyrus. La femelle bâtit la plate-forme avec des branchages, des joncs et des feuilles, dont le mâle assure la collecte. Les œufs sont blancs, tachetés de roux et striés de bleu ; l'époque de la ponte varie selon la région et le climat. Les femelles choisissent un site sur le territoire d'un mâle, puis les couples se forment. Pendant la parade nuptiale, mâle et femelle se font face, agitant leur tête de haut en bas, imbriquant leurs becs, s'interrompant pour lisser leurs plumes.

Les parents couvent à tour de rôle, par intervalles de 24 heures, pendant 28 jours. La migration, qui commence après la nidification, est régulière dans les régions les plus nordiques, et conditionnée par la raréfaction de la nourriture pendant la saison sèche.

▲ Les ibis sacrés sont des oiseaux élégants, au plumage blanc et noir, qui se nourrissent de petites créatures qu'ils harponnent avec leur long bec courbé. Se déplaçant en rangs à travers les plaines, les savanes et sur les rives sablonneuses des rivières, ils capturent insectes, vers, mollusques, crustacés, amphibiens et petits reptiles. De mœurs grégaires, ils s'associent souvent à d'autres oiseaux dont le régime est similaire (marabouts, cigognes, hérons) et passent aussi la nuit en leur compagnie.

◄ L'ibis japonais vit dans des régions tempérées et subtropicales. Au XIXᵉ siècle, à la suite de modifications de son habitat et d'une chasse intensive, ses effectifs diminuèrent dramatiquement. C'est un bel oiseau au plumage blanc rosé. À l'approche de la période de reproduction, la base des plumes couvrant la tête et le dos exsude une sécrétion grise. L'ibis blanc est la seule autre espèce chez laquelle on a observé ce phénomène.

L'ibis chauve *(Geronticus eremita)* arbore un superbe plumage noir aux reflets verts et mauves. Il partage avec l'ibis japonais le triste privilège de figurer parmi les oiseaux les plus rares du monde. Jusqu'en 1600, cette espèce nichait en Autriche et en Suisse, et sans doute aussi en Italie. Mais une chasse sans merci, aussi bien contre les adultes que les jeunes, visant à fournir un mets délicat aux tables des princes et des nobles, entraîna l'extinction de la population européenne de l'espèce. On ne trouve plus aujourd'hui que quelques colonies dans l'Atlas marocain, et le groupe isolé du sud de la Turquie a cessé d'exister.

Malgré la différence de couleur de leur plumage, on considéra longtemps l'ibis rouge *(Eudocimus ruber)* et l'ibis blanc *(E. albus)* comme une seule et même espèce. On trouve le premier en Amérique du Sud (3 000 couples recensés au Venezuela) et le second essentiellement en Amérique centrale. Leurs colonies nichent sur les palétuviers, les saules et les cactées dans des régions de marais. Chaque couple de ces espèces assez silencieuses s'attribue un petit territoire environnant le nid.

Exclusivement africain, l'ibis hagedash *(Hagedashia hagedash)* est d'un gris brunâtre, avec une bande blanche sur les joues. Il niche dans les savanes les plus humides, les forêts-galeries, les bois où s'entrecroisent des cours d'eau, et jusqu'à 2 000 m d'altitude. Sa nourriture provient des terres cultivées et des berges des rivières. Chaque couple vit isolé et construit son nid avec des branchages dans un arbre à proximité de l'eau.

L'ibis falcinelle *(Plegadis falcinellus)* est l'espèce la plus répandue (toutefois, sa distribution reste fragmentaire et irrégulière). Il préfère les eaux courantes, où il pêche des insectes aquatiques et leurs larves, de petits crustacés et mollusques, des poissons et des sangsues.

Les collines boisées constituent l'habitat privilégié de l'ibis japonais *(Nipponia nippon)*. Il trouve sa nourriture dans les rizières, les marais et les ruisseaux. Le nid, plat, fait de brindilles entrelacées, est placé dans un arbre. Décimé au XIXᵉ siècle, c'est un oiseau migrateur qui niche dans le Nord et hiverne sous des latitudes plus clémentes.

▲▼ L'ibis blanc d'Amérique centrale pêche en eau peu profonde. La femelle construit le nid en plate-forme dans un arbre en assemblant grossièrement les matériaux que le mâle lui apporte.

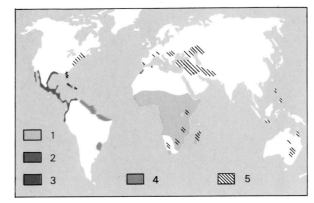

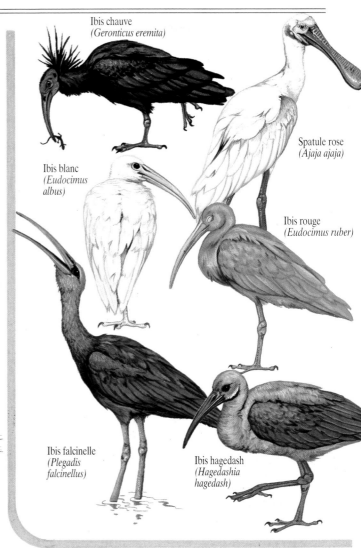

Ibis chauve *(Geronticus eremita)*

Spatule rose *(Ajaja ajaja)*

Ibis blanc *(Eudocimus albus)*

Ibis rouge *(Eudocimus ruber)*

Ibis falcinelle *(Plegadis falcinellus)*

Ibis hagedash *(Hagedashia hagedash)*

▲ La famille des threskiornithidés présente une grande variété de formes.

◄ Les ibis sont typiques des régions tropicales, subtropicales et tempérées chaudes, en particulier les zones humides. Plusieurs espèces migrent en couvrant d'immenses distances de leur site de reproduction à leurs quartiers d'hiver. 1) Ibis sacré *(Threskiornis aethiopica)* ; 2) ibis chauve *(Geronticus eremita)* ; 3) ibis blanc *(Eudocimus albus)* ; 4) ibis rouge *(Eudocimus ruber)* ; 5) ibis falcinelle *(Plegadis falcinellus)*.

Ibis japonais *(Nipponia nippon)*

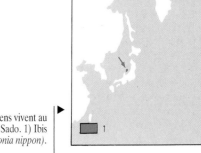

Les six derniers spécimens vivent au Japon, sur l'île de Sado. 1) Ibis japonais *(Nipponia nippon)*.

SPATULE ROSE

Ajaja ajaja

Ordre Ciconiiformes
Famille Threskiornithidae
Taille Longueur 68 à 80 cm
Distribution Amérique du Sud, Amérique centrale
Mode de vie Aquatique ; en bandes
Nidification Dans les arbres
Œufs 1 à 4, d'habitude 2 ou 3
Petits Nidicoles

Le plumage de la spatule rose adulte est rose, avec des ailes aux teintes écarlates. Le cou est blanc, les pattes rouges, et les plumes de la queue varient du jaune à l'orange. La peau nue de la tête et le large bec avec son bout plat sont gris-vert. Cependant, le jeune oiseau a un plumage entièrement blanc, tandis que le bec et la tête, toute couverte de plumes, sont jaunâtres.

Cette espèce, la seule spatule d'Amérique, habite quelques zones du sud des États-Unis (Texas, Floride et Louisiane), en Amérique centrale et du Sud. Jadis nombreuse, la population des spatules roses a été décimée en raison de leurs belles plumes très recherchées pour le commerce. On les trouve dans les régions écartées des marécages, entourées par une concentration dense de plantes aquatiques, et dans les forêts de mangroves près du littoral.

Les nids sont construits en colonies, souvent en compagnie d'autres oiseaux aquatiques tels qu'ibis, hérons et aigrettes, et comprennent des branches entassées et des tiges de plantes doublées de feuilles et d'herbe souple. La femelle pond de 1 à 4 œufs blancs, tachetés de brun. Ils sont couvés par les deux parents pendant 23 ou 24 jours.

Les jeunes sont prêts à voler après 40 jours. Une espèce apparentée, la spatule blanche *(Platalea leucorodia)*, a le plumage blanc teinté d'ocre sur la poitrine, une touffe de plumes sur la tête et le bec noir avec le bout jaune. Un peu plus grande que la spatule rose, cette espèce vit en Europe du Sud et en Europe de l'Est, en Asie et dans quelques régions d'Afrique. En période de nidification, les colonies sont installées dans des massifs de roseaux très denses, entourés d'eau profonde qui les protège des mammifères prédateurs.

Spatule rose
(Ajaja ajaja)

▲ Les spatules roses vivent sur les terrains marécageux, ainsi que dans les étangs et les lacs riches en végétation aquatique et en buissons enracinés directement dans l'eau, particulièrement dans les zones isolées, où elles se sentent en sécurité et où elles se sont réfugiées en raison de la chasse intensive qui les a décimées. C'est seulement grâce à la National Audubon Society of America qu'a pu être mis fin à la capture de ces oiseaux pour leur plumage et que des réserves ont été créées pour eux et les autres oiseaux des marécages.

Spatule blanche
(Platalea leucorodia)

▶ La spatule blanche, un peu plus grande que la spatule rose, est de silhouette plus svelte et gracieuse, et est parée d'une couronne de plumes. Elle vit dans l'Ancien Monde, où on la trouve en Europe, en Asie et en Afrique.

▲ Les deux espèces se nourrissent de toutes sortes de petits animaux aquatiques, tels que crustacés, insectes et larves, mollusques, amphibiens et petits poissons. Outre ce régime alimentaire à base d'animaux, elles se nourrissent de plantes aquatiques et de graines.

SAVACOU HUPPÉ

Cochlearius cochlearius

Ordre Ciconiiformes
Famille Cochleariidae
Taille Longueur 45 à 50 cm
Distribution Amérique du Sud et centrale
Mode de vie Solitaire
Nidification Dans les arbres
Œufs 2 à 4
Petits Nidicoles

Le savacou huppé se distingue par son corps trapu, ses pattes plutôt courtes et son plumage gris ardoise nuancé de roux sur les flancs, le dessous du corps étant plus pâle. Sa tête, qui porte une longue huppe tombant le long du cou, se caractérise surtout par un bec large et plat, mesurant environ 8 cm de long et 5 cm de large, et terminé par un crochet. A cause de l'ampleur du bec, la peau fixée à la base des mandibules est extensible, et celle de la gorge forme, en s'étirant, une poche profonde et pendante.

Cet oiseau vit dans les régions tropicales et équatoriales d'Amérique, du Mexique au nord de l'Argentine. Les berges des cours d'eau peu rapides, les étangs cernés de végétation, les marais et les mangroves forment son habitat. Le savacou huppé est surtout actif le soir et la nuit, pêchant, en eau peu profonde, de petits invertébrés qu'il attrape facilement grâce à son gros bec. Il l'utilise aussi pour racler la vase, prenant ainsi en abondance vers, crustacés, mollusques, insectes et larves.

Le nid, fait de branches sèches, est placé sur des buissons ou de petits arbres, en particulier des palétuviers. Les nids sont en général isolés les uns des autres, ou parfois regroupés pour former de petites colonies. Chaque femelle pond de 2 à 4 œufs blancs. Les parents se relaient pour couver et élever les oisillons, nidicoles.

Savacou huppé
(Cochlearius cochlearius)

D'aspect étrange, le savacou huppé, dont on connaît peu la biologie, ressemble aux bihoreaux. Il vit en couples isolés dans les marais d'Amérique du Sud et centrale. Le nid de branchages repose sur un tronc émergeant de l'eau. Cet oiseau se nourrit de petits animaux capturés dans l'eau, tels que crustacés, insectes et vers annélides.

▲ Avec son large bec, la spatule blanche filtre l'eau pour se nourrir, l'agitant de façon rythmée d'un côté et de l'autre.

▲ La spatule blanche niche sur le sol, parmi des fourrés de roseaux. Mâle et femelle partagent l'incubation. Menacé par un prédateur dans cette position, l'oiseau prend une posture agressive, étendu sur le sol, les ailes à demi ouvertes et les plumes dressées sur la tête, poussant des sifflements hostiles. Entouré d'eaux profondes, le nid est en général à l'abri des prédateurs, mais exposé au mauvais temps.

1

2

3

◄ 1) Savacou huppé *(Cochlearius cochlearius)* ; 2) spatule blanche *(Platalea leucorodia)* ; 3) spatule rose *(Ajaja ajaja)*.

ARDÉIDÉS

La plupart des 64 espèces composant la famille des ardéidés sont de taille moyenne, sveltes, avec de longues pattes, un cou flexible et un bec pointu. Mais les milieux aquatiques sont si divers, des marais aux rivières ou lacs, que, tout en gardant la structure corporelle commune à tous les membres de cette famille, beaucoup d'espèces diffèrent considérablement en corpulence et en taille ; de même, leur comportement permet de tirer le meilleur profit de leur habitat. En général, les ardéidés sont actifs dans la journée, mais quelques espèces, tels les bihoreaux, chassent la nuit. En Amérique, le petit butor mesure 30 cm et ne pèse que 50 à 80 g, alors que le héron goliath d'Afrique atteint 1,50 m de long, avec un poids de quelque 3 kg.

Les deux sexes sont très semblables, ne se distinguant que par leur comportement pendant la période de reproduction. Les jeunes ne portent pas de plumes ornementales et arborent des couleurs moins éclatantes que les adultes. Certaines espèces sont entièrement blanches (ce qui n'est le cas que de très peu d'oiseaux dans le monde), et quelques-unes sont toutes noires. Les autres possèdent un plumage de diverses nuances, mais toujours dans une palette de blanc, de gris, de noir et de brun-roux ; quelques-unes sont brunes, tachetées de blanc. Les deux sous-familles des ardéidés se caractérisent principalement par leur coloris : les hérons (ardéinés), aigrettes et bihoreaux inclus, ont des teintes plus ou moins vives, alors que les butors (botaurinés), bruns ou noirs, se confondent avec leur environnement.

Les ardéidés se déplacent avec facilité dans l'eau, soutenus par leurs longs doigts sur le fond limoneux. Ils savent nager, mais s'aventurent rarement dans les eaux vraiment profondes. Leur vol est lent, puissant et majestueux, avec de longs et larges battements d'ailes. Dans les airs, leur cou est replié en forme de S, la tête est cachée entre les épaules et les pattes sont tendues en arrière.

A cause de leur étroite dépendance à l'égard de l'eau, le nombre de hérons occupant une région donnée sera proportionné à la nature et à l'étendue des lacs, marais et rivières. Certaines espèces sont cosmopolites (présentes sur tous les continents), tels le bihoreau gris, le héron garde-bœufs et la grande aigrette.

Aigrette garzette
(*Egretta garzetta*)

Héron garde-bœufs
(*Ardeola ibis*)

Aigrette roussâtre
(*Egretta rufescens*)

Héron à ventre bl
(*Egretta tricolor*)

Héron goliath
(*Ardea goliath*)

Héron pourpré
(*Ardea purpurea*)

Grande aigrette
(*Egretta alba*)

Blongios nain
(*Ixobrychus minutus*)

Bih
du J.
(*Go
gois*

Petit butor
(*Ixobrychus exilis*)

Butor étoilé
(*Botaurus stellaris*)

Bihoreau gris
(*Nycticorax nycticorax*)

Aigrette ardoisée
(*Egretta ardesiaca*)

La majorité des espèces migrent vers les régions équatoriales à la saison froide, mais celles qui habitent déjà sous les latitudes chaudes, comme le héron goliath d'Afrique, se bornent à de courts voyages dans les zones où l'eau abonde en poissons.

Leur alimentation se compose de créatures aquatiques, poissons, grenouilles et têtards, insectes adultes et larves, petits mammifères, vers et crustacés. Malgré leurs régimes souvent similaires, plusieurs espèces de hérons peuvent s'alimenter dans un même lac ou étang sans se concurrencer, car la dimension des proies capturées, la profondeur de l'eau et le moment de la pêche diffèrent pour chacune.

A l'exception des butors, qui vivent en solitaires, les autres ardéidés sont plus ou moins grégaires, se rassemblant pour se percher la nuit et pour se reproduire en colonies (connues sous le nom de « héronnières »), qui peuvent compter des milliers de nids, appartenant à diverses espèces de hérons ou à d'autres espèces d'oiseaux aquatiques, spatules, ibis ou cigognes. Parfois très proches les uns des autres, les nids sont situés sur des arbres, des buissons, ou des fourrés de roseaux dans les zones marécageuses. Les mâles accomplissent une parade nuptiale en début de saison de reproduction pour attirer les femelles. Ils exhibent leurs plumes ornementales, la tête dressée, les ailes repliées, les plumes du cou et du dos hérissées. Chaque espèce possède son propre rituel nuptial, ce qui évite les confusions. Ainsi, malgré la présence de milliers de mâles d'espèces diverses, les femelles ne s'accouplent qu'avec des mâles de leur espèce, puisque des couples hybrides seraient stériles. Les couples, qui ne restent ensemble que pour une seule saison de reproduction, se partagent à égalité la tâche de couver et d'élever la nichée.

Les oisillons éclosent sans plumes ; ils ne deviennent indépendants qu'à l'âge de 40 ou 60 jours, selon la taille de l'espèce. Leur croissance rapide exige une nourriture abondante, que les parents vont parfois chercher à des dizaines de kilomètres de la colonie, sur des sites de pêche favorables.

▲ Le héron garde-bœufs doit son nom à son habitude de suivre les troupeaux ; il se nourrit des insectes que ces animaux font fuir à leur passage.

▲ La technique de chasse utilisée par certains hérons, par exemple l'aigrette roussâtre, consiste à localiser la proie, puis à l'effrayer en portant l'ombre des ailes déployées au-dessus de l'eau.

▲ Le butor vit dans les roselières, et, pour tromper les prédateurs, adopte une posture dans laquelle le bec pointe vers le ciel, les raies du cou se confondant avec la végétation.

▲ Le bihoreau gris chasse, la nuit, des grenouilles, des têtards, des poissons et des insectes, qui sont attirés par les mouvements du bec dans l'eau et le déplacement des pattes.

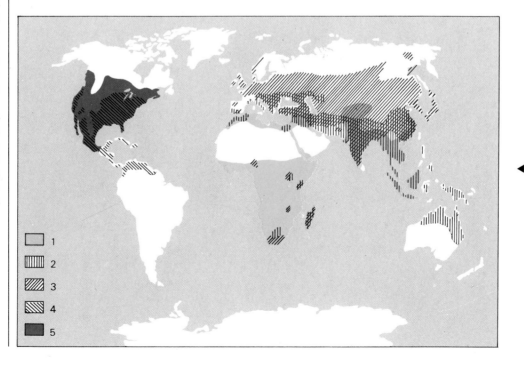

☐ 1
▥ 2
▨ 3
▧ 4
■ 5

◄ La famille des ardéidés comprend des espèces de taille et de couleur variées, où prédominent le blanc, le gris, le noir et le roux ; mais toutes ont la même structure, avec un cou et des pattes très longs. On trouve ces oiseaux sur tous les continents, sauf l'Antarctique, mais toujours à proximité de zones humides, et en nombre proportionné à l'abondance de la nourriture. 1) Héron garde-bœufs (Ardeola ibis), avant sa récente expansion en Amérique ;
2) aigrette garzette (Egretta garzetta) ;
3) héron cendré (Ardea cinerea) ;
4) crabier vert (Butorides virescens) ;
5) grand héron (Ardea herodias).

HÉRON CENDRÉ

Ardea cinerea

Ordre Ciconiiformes
Famille Ardeidae
Taille Longueur 1 m environ
Envergure 1,75 à 1,90 m
Poids 1,2 à 2 kg
Œufs 4 ou 5
Longévité à l'état sauvage 25 ans

Le héron cendré est une des plus grandes espèces de la famille des ardéidés, et ses longues pattes lui donnent une fière démarche. Il pêche en eau peu profonde, la capture des poissons et autres proies étant facilitée par son long cou flexible. Sa silhouette caractéristique, aux formes fuselées, lui confère une élégance que relèvent son allure calme et digne, et le sobre coloris de son plumage, blanc, gris et noir.

Le blanc du cou se mêle au gris du dos, avec, en contraste, deux bandes noires de part et d'autre de la tête, et des marques noires le long du cou. En vol, les ailes montrent des plumes bleu-noir, partiellement cachées sous les couvertures alaires en position de repos. C'est en période de reproduction que le plumage est le plus beau, quand se développent les longues plumes blanches ornementales, qui retombent sur le cou et le dos. A l'époque des parades nuptiales, les pattes et le bec se teintent en rose orangé, alors que leur coloris ordinaire est jaunâtre. Mâles et femelles, aux yeux d'un jaune luisant, sont d'apparence semblable, mais les jeunes sont grisâtres pendant la première année. Le vol direct et imposant du héron cendré est lent (40 km/h environ), avec de profonds battements d'ailes à un rythme continu et mesuré.

On trouve le héron cendré en Europe, en Asie, en Afrique (de 60° de latitude nord jusqu'à l'extrême sud de ce continent, et de l'Espagne au Japon). Il niche de préférence à proximité de l'eau ou dans des marécages, à l'écart de la présence humaine et de la curiosité des prédateurs. Cependant, s'il n'est pas dérangé, il ira jusqu'à construire son nid dans un parc, près d'un château, ou même dans le centre d'une ville. Le nid est édifié généralement sur un arbre, parfois un buisson, jusqu'à 30 m au-dessus du sol ou de l'eau. Le héron cendré, qui est l'espèce la plus arboricole parmi les ardéidés, préfère les grands arbres.

Le héron cendré *(Ardea cinerea)* vit à proximité des eaux douces ou saumâtres. Il fréquente les marais côtiers ou situés à l'intérieur des terres, les cours d'eau dont le débit est lent, les deltas, les lacs, les rizières, les étangs, mais aussi les champs.

Les hérons cendrés sont en partie migrateurs. Nombre de ces oiseaux quittent leur site de reproduction pour des latitudes plus chaudes entre septembre et février, alors que d'autres demeurent sédentaires. Comme beaucoup d'espèces de cette famille, les hérons cendrés se rassemblent pour passer la nuit à l'emplacement des colonies (héronnières) et se dispersent le jour pour rechercher leur nourriture. Généralement, pendant la période de reproduction, les héronnières s'agrandissent, leur population variant de quelques couples à plusieurs milliers d'individus.

Sous les latitudes moyennes de l'hémisphère Nord, la saison de reproduction commence en février-mars. Les mâles, arborant les plumes ornementales typiques de leur plumage nuptial, prennent alors possession d'enfourchures ou d'anciens nids dans la héronnière. Ils attirent ensuite les femelles par des comportements instinctifs et stéréotypés, caractéristiques du rituel nuptial. Le couple est formé quand la femelle ayant répondu à ces signaux est acceptée par le mâle. En quelques jours, le nid est édifié ou reconstruit. Le mâle se charge d'apporter les branchages, qui sont grossièrement entrelacés par la femelle pour former une sorte de grande coupe. Chaque oiseau signale son retour au nid en hérissant les plumes du cou et de la tête et en poussant une suite de cris gutturaux.

Mâle et femelle collaborent à la couvaison et à la surveillance des petits pendant les premières semaines. Les jeunes éclosent nus, et les parents sont obligés de les protéger des prédateurs et de les tenir à l'abri de la pluie et du soleil. Ils se relaient aussi pour les alimenter. Les jeunes grandissent vite et sont capables, à 3 semaines, d'accéder aux branches les plus proches. Pour leur procurer leur nourriture, les parents effectuent chaque jour plusieurs voyages, à une distance plus ou moins grande (parfois à plusieurs kilomètres de la colonie).

▼ Phases de la capture d'un poisson (durée : une demi-seconde). Si celui-ci est gros, l'avaler demande plusieurs minutes au héron, et de nombreux sursauts et mouvements de torsion de la tête et du cou.

▲ Les héronnières sont des colonies de reproduction comprenant de nombreux nids. Au début de la saison de reproduction, chaque mâle prend position sur un ancien nid, où il accomplira son rituel nuptial.

◄ Mâle et femelle se livrent à une cérémonie d'accueil chaque fois qu'ils se retrouvent.

Le régime se compose de petits animaux aquatiques ou vivant à proximité de l'eau. Certaines de ces proies sont très rapides, et seule l'extension soudaine du cou et du bec effilé permet de les capturer. ►

▼ Parmi les nombreuses espèces de hérons, celles qui ont de longues pattes pêchent dans les eaux peu profondes. Les mouvements des pattes, qui effraient les proies, sont aussi un élément de la technique de pêche.

▲ La parade du mâle consiste à agiter le cou de bas en haut tout en hérissant les plumes de la gorge.

Crabier vert

Héron à ventre blanc

Aigrette neigeuse

Aigrette roussâtre

Grand héron

OMBRETTE

Scopus umbretta

Ordre Ciconiiformes
Famille Scopidae
Taille Longueur 50 cm environ
Envergure 1 m environ
Distribution Afrique au sud du Sahara, Madagascar et sud-ouest de la péninsule d'Arabie
Mode de vie Solitaire, en couples ou en groupes familiaux pendant de courtes périodes
Nidification Dans les arbres
Œufs 3 à 6
Petits Nidicoles

La tête de l'ombrette, ornée d'une huppe très épaisse et pourvue d'un bec long et droit, a une forme caractéristique. Les deux sexes sont identiques. Le plumage est uniformément brun, teinté de reflets bronze et or. On trouve cet oiseau dans toute l'Afrique, au sud du Sahara, à Madagascar et dans le sud-ouest de l'Arabie. Il vit en milieu aquatique, près des lacs, des étangs et des rivières où l'eau est peu profonde et la végétation (joncs, roseaux, etc.) touffue, et aussi sur des berges boisées, car de grands arbres sont indispensables à la nidification.

L'ombrette est un oiseau solitaire qui profite de la densité de la végétation à proximité des marais, des lacs et des rivières pour se dissimuler pendant le jour. Elle est essentiellement active en soirée et la nuit, avançant à pas lents dans l'eau peu profonde, fouillant la vase pour capturer des petits poissons, des amphibiens, des crustacés, des larves, des mollusques et des vers. Comme beaucoup de ciconiiformes, l'ombrette se sert de son bec pour harponner ses proies.

Cet oiseau particulièrement silencieux pousse des cris singuliers et très bruyants en période de reproduction. Les couples se courtisent en effectuant des vols nuptiaux, véritables acrobaties aériennes. Leur fidélité réciproque est à toute épreuve, et les couples sont constitués pour toute la vie. La reproduction a lieu de juillet à janvier en Afrique du Sud ; elle coïncide avec la saison des pluies.

La femelle pond de 3 à 6 œufs blancs, bientôt assombris par la saleté. Les parents assurent la couvaison tour à tour pendant une trentaine de jours, et élèvent ensemble la nichée.

L'ombrette, dont les yeux, le bec et les pattes sont noirs, a un plumage brun teinté de bronze et d'or. Les pattes et le bec sont plutôt longs, comme chez beaucoup de ciconiiformes. Les plumes forment sur la nuque une grosse huppe tombant en arrière, tout à fait typique.

Son régime se compose principalement de poissons, d'amphibiens et de crustacés, pêchés sur des hauts-fonds.

Le nid volumineux, mesurant plus de 2 m de diamètre, est tout à fait caractéristique. Cette construction, placée à la fourche d'un grand arbre, attire facilement le regard. C'est une sphère creuse qui communique avec l'extérieur par une petite ouverture latérale. Fait de paille, de branches mortes et de feuilles assemblées avec de la boue, ce nid est très solide.

La manœuvre de l'ombrette pour pénétrer dans son nid est assez singulière. L'oiseau vole vers l'entrée sans ralentir, rabattant ses ailes au dernier moment et fusant à l'intérieur en un éclair.

BEC-EN-SABOT

Balaeniceps rex

Ordre Ciconiiformes
Famille Balaenicipitidae
Taille Longueur 1,20 m ; ailes 70 cm ; queue 25 cm ; pattes 24,5 cm ; bec 19 cm.
Distribution Afrique orientale et centrale
Nidification Au sol
Œufs 1 à 3, habituellement 2
Petits Nidicoles

Le bec-en-sabot, ou baléniceps, est un oiseau bleu-gris, porteur d'une petite huppe à l'arrière du crâne. Son énorme bec est jaune rosâtre, tacheté et/ou strié de bleu-gris ; les bords des mandibules sont tranchants, et celle du dessus, en forme de carène, se termine par un crochet. L'œil a une couleur ambre ou bleu-gris, les pattes sont gris plomb. La femelle est plus petite que le mâle, mais semblable d'aspect.

Le bec-en-sabot fréquente les marais d'eau douce envahis par les herbes, les roseaux et les papyrus. Il s'aventure rarement sur la terre ferme, et se perche sur des îlots de végétation flottants, des termitières désertées ou, parfois, dans les arbres. Très agile grâce à ses longs doigts, il enjambe à pas lents les plantes submergées ou à fleur d'eau, s'enfonçant jusqu'à la hauteur de l'articulation tibio-tarsienne, ou même plus profondément. C'est un oiseau diurne et solitaire, qui ne chasse qu'exceptionnellement la nuit, à la lueur des feux de pêcheurs. Les poissons sont ses proies favorites, en particulier les dipneustes, mais il chasse aussi amphibiens, serpents et autres reptiles des marais.

Dans les zones où il y a des inondations saisonnières, la période de nidification coïncide avec la décrue. Ainsi, cet oiseau niche toujours dans des lieux où la nourriture abonde. Les nids sont isolés, jamais groupés en colonie. Mâle et femelle participent à leur édification, sur une plate-forme en eau profonde, ou sur une termitière temporairement immergée, le même nid étant réutilisé chaque année. La femelle pond de 1 à 3 (habituellement 2) œufs blancs, à intervalles de 4 ou 5 jours. Les parents couvent tour à tour pendant une trentaine de jours.

Ci-dessous, à droite : un comportement anciennement attribué au bec-en-sabot. S'il est exact que les dipneustes (ces poissons, qui appartiennent à la sous-classe des dipnoi et ressemblent aux anguilles, creusent des terriers dans la vase, où ils s'abritent quand les étangs sont à sec, utilisant leur sac ventral comme un poumon adapté à la respiration atmosphérique) sont parmi les proies préférées du bec-en-sabot, rien ne prouve qu'il les capture en grattant le sol. En fait, il ne chasse ces poissons que pendant leur période de vie active.

Pour prendre son envol, le bec-en-sabot bat lourdement des ailes, bondit et s'élance en profitant d'un courant ascendant qui lui permet de planer sans effort.

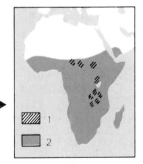

1) Répartition du bec-en-sabot *(Balaeniceps rex)*.
2) Répartition de l'ombrette *(Scopus umbretta)*.

La répartition du bec-en-sabot étant très sporadique, le drainage intensif des marais, les activités agricoles irrationnelles et l'extension des pâturages sont une réelle menace pour cet oiseau. Selon une estimation, il y aurait 10 000 baléniceps, mais ce nombre reste très approximatif, surtout pour ce qui concerne les régions du Nord. Il n'y a cependant aucun doute que cette espèce, aux conditions d'habitat très particulières, est aujourd'hui moins répandue que beaucoup d'autres ciconiiformes d'Afrique.

FLAMANTS

Ordre Phœnicoptériformes
Famille Phoenicopteridae
Taille Le flamant nain d'Afrique et le flamant de James sont les espèces les plus petites, avec une longueur et une envergure de 0,95 à 1 m. Le flamant rose est le plus grand, pouvant atteindre une longueur totale de 2 m et une envergure de 1,90 m.
Poids 1,6 kg environ chez le flamant nain, jusqu'à 4,5 kg et plus chez les flamants roses mâles
Incubation 27 à 31 jours.
Œufs 1, exceptionnellement 2
Maturité sexuelle 2 à 3 ans
Longévité 27 ans pour un sujet vivant en liberté (Camargue) et jusqu'à 50 ans en captivité (zoo de Bâle)

Les flamants sont parmi les oiseaux les plus spectaculaires, particulièrement en vol : cou et pattes étendus en prolongement, leurs ailes lançant des éclats rouge et noir à chaque battement, ils s'appellent en cacardant comme des oies. Toutes les espèces de flamants montrent la même préférence pour les eaux peu profondes, saumâtres ou salées, situées du niveau de la mer jusqu'à près de 4 000 m d'altitude. Dans l'Ancien Monde surtout, les lagunes salées, où le niveau de l'eau ne varie pas beaucoup, représentent leur habitat le plus typique.

Le flamant rose des Caraïbes *(Phoenicopterus ruber ruber)* a un plumage rougeâtre, relativement sombre à l'âge adulte. La base du bec est jaune, et les pattes, d'un rose grisâtre, sont foncées au niveau des articulations. On le trouve dans les Caraïbes, jusqu'au Venezuela, au nord du Mexique et au Surinam.

Le flamant rose *(Phoenicopterus ruber roseus* ou *Ph. antiquorum)* est une des sous-espèces de l'espèce précédente, dont le coloris est plus pâle et la répartition toute différente. Son plumage est blanc rosé, la teinte étant plus prononcée sur le cou et la tête. Les pattes et les doigts sont entièrement roses. Le bec est rose à la base et noir à l'extrémité. On le trouve dans l'Ancien Monde, mais uniquement autour du Bassin méditerranéen en Europe.

Le flamant du Chili *(Phoenicopterus chilensis* ou *Ph. ruber chilensis)*, qui est sensiblement plus petit que le précédent, à un plumage rose orangé. L'extrémité du bec est plus noire, mais, surtout, les pattes sont grisâtres, les doigts et la

Flamants roses sur leurs nids. La colonie, qui comprend habituellement des milliers de couples, est le plus souvent située sur des îles dans des zones inaccessibles où les oiseaux ne sont menacés ni par les mammifères prédateurs ni par l'homme.

jointure du « genou » étant rosés. On trouve cet oiseau dans les zones tempérées d'Amérique du Sud, les régions côtières et au bord des lacs andins de haute altitude, qui sont leur site de reproduction privilégié. On estime qu'il en existe actuellement 250 000 individus dans le monde.

Le flamant nain *(Phoeniconaias minor)* est le plus petit, le plus rosé et le plus abondant de la famille. Son plumage est entièrement rose, marqué de rouge et de noir sur les ailes. Le bec est rouge sang. Il fréquente les mêmes milieux aquatiques d'Afrique que le flamant rose.

Le flamant des Andes *(Phoenicoparrus andinus)*, dont le plumage est rose foncé et le bec jaune à la base, se distingue par la couleur jaune de ses pattes. Il fréquente les lacs salés de haute altitude péruviens, chiliens, boliviens et argentins, où il cohabite avec le flamant du Chili et le flamant de James.

Le flamant de James *(Phoenicoparrus jamesi)*, plus grand que le flamant nain, porte un plumage de couleur pâle. Les pattes sont rose orangé et le bec jaune à la base. C'est le plus rare (on crut à son extinction jusqu'aux environs de 1955). On le trouve au-dessus de 3 500 m d'altitude, près des lacs salés qu'affectionne le flamant des Andes.

Toutes les espèces de flamants sont grégaires et se groupent en bandes de milliers, voire de centaines de milliers d'individus. Toutes se livrent à un rituel nuptial avant l'accouplement. Ce cérémonial peut débuter plusieurs mois avant la ponte, et parfois loin du site de reproduction, mais il s'intensifie avec l'avancée de la saison, pour se terminer dès que la nidification commence. Les flamants construisent en général des nids en forme de cône, s'aidant de leur bec pour prélever la boue autour du site choisi. L'œuf unique est pondu dans un creux au sommet du nid. Les parents se relaient pour couver pendant 27 à 31 jours.

Les flamants sont très grégaires. On peut observer des bandes de plusieurs milliers de flamants roses cherchant leur nourriture, et ce nombre passe à plus de 1 million dans le cas des flamants nains. Leur régime est à base d'algues et de crustacés.

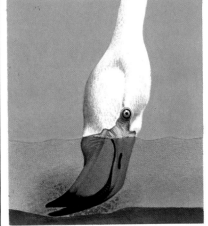

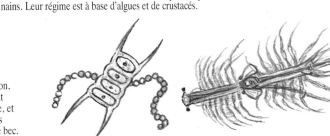

Par un rapide mouvement de piston, la langue du flamant filtre l'eau et la vase, et retient les particules alimentaires dans le bec.

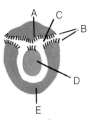
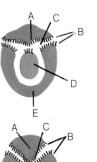
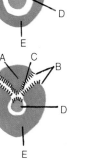

Bec du flamant rose (en haut) et du flamant nain. A) Mandibule supérieure ; B) lamelle ; C) lamelle souple ; D) langue ; E) mandibule inférieure.

Flamant rose européen *(Phoenicopterus ruber roseus)*

Flamant rose américain *(Phoenicopterus ruber ruber)*

Flamant des Andes *(Phoenicoparrus andinus)*

Flamant de James *(Phoenicoparrus jamesi)*

Flamant du Chili *(Phoenicopterus chilensis)*

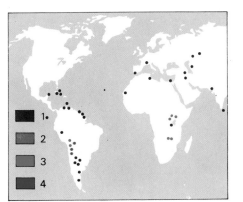

1 •
2
3
4

Les flamants comptent parmi les plus spectaculaires des oiseaux, particulièrement en vol, avec le cou et les pattes étendus en prolongement et leurs ailes rouge et noir. Ils lancent des cris proches de ceux des oies. Leur aspect exotique a de tout temps exalté l'imagination humaine, depuis l'âge de la pierre en passant par les civilisations antiques grecque et égyptienne. Ces oiseaux ont inspiré de nombreux artistes, et apparaissent dans beaucoup de mythes et légendes. Aujourd'hui encore, leur valeur décorative les rend très populaires dans les parcs et les zoos.
On les trouve sur 4 continents, l'exception étant l'Australasie, bien que l'on ait trouvé des restes fossiles en Australie.
1) Flamant rose *(Phoenicopterus ruber)* ; 2) flamant nain *(Phoeniconaias minor)* ; 3) flamant de James *(Phoenicoparrus jamesi)* ; 4) flamant des Andes *(Phoenicoparrus andinus)*.

ANSÉRIFORMES

Cet ordre regroupe des oiseaux dépendants de l'environnement aquatique. De taille très variable, tous possèdent un cou assez long, qui reste tendu en vol. On distingue 2 familles : les anhimidés et — les plus nombreux — les anatidés.

Les anhimidés ont des pieds palmés et un bec sans lamelles, mais ils portent des éperons osseux et le « poignet » des ailes (métacarpe) est couvert d'une substance cornée. La famille des anatidés est subdivisée en 3 sous-familles : ansérana-tinés, ansérinés et anatinés. L'unique espèce du premier groupe est une forme transitoire entre les anhimidés et les anatidés. Les 2 autres sous-familles comprennent la majeure partie des espèces les plus connues et communément appelées cygnes, oies ou canards.

Sauf dans le cas de l'oie semi-palmée (*Anseranas semipalmata*) et des oies sud-américaines du genre *Chloephaga*, la mue du plumage coïncide en général avec la période d'élevage des poussins. Oies, cygnes et canards perdent alors leur aptitude au vol pendant des périodes allant de deux à quatre semaines, car leurs rémiges tombent presque toutes en même temps. Dans ces conditions, il est alors absolument vital pour eux de se trouver en un lieu sûr et proche de zones où leur nourriture abonde.

Le bec des oies, robuste, est muni de lamelles transformées en petites dents qui leur permettent de déchirer et de couper les plantes dont elles se nourrissent, alors que les autres anatidés ont des lamelles filtrantes. Leurs pattes sont plus longues et plus vigoureuses que celles des cygnes, qui se déplacent peu sur la terre ferme.

Les oies, en revanche, sont d'excellentes marcheuses, capables de courir sur de courtes distances d'un pas chaloupé tout à fait typique. Ces oiseaux sont aussi de puissants voiliers, couvrant des centaines de kilomètres d'une traite et sans effort apparent. Grâce à leurs ailes longues, larges et effilées, les oies volent assez vite, en ligne droite, ou bien leur bandes sont disposées en forme de V.

Ces espèces se divisent en 2 groupes principaux : le genre *Anser* (oies « grises »), et le genre *Branta* (bernaches). Dans le premier groupe, les coloris du plumage varient du gris ou du blanc au gris-brun.

Oie rieuse
(Anser albifrons)

Oie des moissons
(Anser fabalis)

Oie cygnoïde
(Anser cygnoides)

Oie naine
(Anser erythropus)

Bernache cravant
(Branta bernicla)

▼ Quelques ansériformes.

Anhimidés
Kamichi cornu
(Anhima cornuta)

Anatidés
Cygne chanteur
(Cygnus cygnus)

Anatidés
Oie semi-palmée
(Anseranas semipalmata)

Anatidés
Oie cendrée
(Anser anser)

L'oie des moissons (*Anser fabalis*), l'oie rieuse (*A. albifrons*) et l'oie cendrée (*A. anser*) sont des espèces communes et très largement répandues dans la région paléarctique. L'oie des moissons a un bec particulier : sa base et son extrémité sont noires, sa partie médiane orange. L'oie naine (*A. erythropus*) ressemble à l'oie rieuse, mais elle est beaucoup plus petite, porte un cercle jaune clair autour de l'œil et la partie blanche de sa face est plus large. L'oie cygnoïde (*A. cygnoides*), reconnaissable à l'état sauvage à son long bec rappelant celui d'un cygne, est surtout connue sous sa forme domestique, au bec raccourci et surmonté d'une bosse frontale.

Les bernaches du genre *Branta* se distinguent par leur plumage, qui porte des marques noires et blanches au dessin caractéristique. Il est probable que ces marques permettent aux oiseaux d'une même espèce de s'identifier à distance. En fait, chaque espèce a ses propres habitudes, ce qui évite, à la saison de reproduction, que s'accouplent des oiseaux d'espèces différentes.

La bernache du Canada (*Branta canadensis*), aujourd'hui très largement répandue à la suite de son introduction dans diverses régions du nord de l'Europe, compte un grand nombre de sous-espèces, allant de *B. c. maxima* (environ 8 kg) à *B. c. minima* (environ 1,5 kg). L'oie néné (*B. sandvicensis*) est sans doute issue, par isolement, d'une forme ancestrale de la bernache du Canada, mais ses nombreuses différences structurales en font de nos jours une espèce à part entière.

Avec moins de 20 000 individus recensés, la splendide bernache à cou roux (*B. ruficollis*) est assez rare. Elle présente un curieux exemple d'association avec le faucon pèlerin *(Falco peregrinus)* et la buse pattue *(Buteo lagopus)*.

L'oie de Magellan *(Chloephaga picta)*, espèce sud-américaine, est un cas intéressant, à la limite des oies grises et des bernaches ; elle en possède le bec robuste, les longues pattes et la structure du bec.

Oie néné
(*Branta sandvicensis*)

Oie empereur
(*Anser canagicus*)

Bernache du Canada
(*Branta canadensis*)

Bernache de Magellan
(*Chloephaga picta*)

Bernache à cou roux
(*Branta ruficollis*)

Oie des neiges
(*Anser caerulescens*)

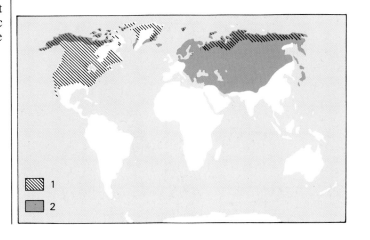

1
2

L'ordre des ansériformes comprend 2 familles, les anhimidés et les anatidés. Les anatidés sont eux-mêmes divisés en 3 sous-familles : anséranatinés, ansérinés et anatinés. On trouve sur les illustrations au bas de la page précédente les espèces les plus caractéristiques de cet ordre : le kamichi cornu, le cygne chanteur, l'oie semi-palmée et l'oie cendrée. En haut, sur les deux pages, sont représentées les principales espèces d'oies, incluant la bernache de Magellan, qui appartient en fait à la sous-famille des anatinés, et qui devrait donc, malgré son nom et son aspect, figurer parmi les canards.
Il y a 2 groupes principaux d'oies : les bernaches du genre *Branta* (1 sur la carte) et les oies « grises » du genre *Anser* (2 sur la carte), qui sont en général grises, mais aussi blanches et gris-brun.

KAMICHI CORNU

Anhima cornuta

Ordre Ansériformes
Famille Anhimidae
Taille Longueur 80 à 90 cm
Poids 2 à 3 kg
Distribution Colombie, Venezuela et jusqu'à l'est de la Bolivie (bassin de l'Amazone)
Mode de vie Grégaire
Nidification Au sol
Œufs Habituellement 2
Petits Nidifuges

Le kamichi cornu porte un plumage noirâtre, avec des reflets verts et violets. Ses larges ailes sont peu puissantes et sa queue est longue et tronquée. Une courte huppe se dresse sur la tête, et une longue plume blanchâtre (de 10 à 15 cm), sans barbes, pointe en avant du bec. Comme chez tous les kamichis, mâle et femelle sont semblables. Ses grands doigts lui permettent de marcher sur la végétation à fleur d'eau, à la manière des râles et des foulques.

Le kamichi de Derby *(Chauna chavaria)* est de taille moindre. Sa tête est ornée d'une petite huppe dont les plumes, orientées vers l'arrière, s'assortissent à celles de la nuque. Les joues sont blanches, le cou noir, et le tour des yeux rouge. Le coloris du corps varie du gris sombre au bleu, les pattes étant nues et orangées. Le kamichi huppé *(C. torquata)* ressemble beaucoup au précédent, mais le blanc des joues est remplacé par un étroit collier bordé par-dessous d'une bande noire.

Les kamichis sont typiques des régions marécageuses sud-américaines. Ils fréquentent aussi les forêts, la forme particulière du pied et la longueur du doigt postérieur leur permettant de se percher dans les arbres. De mœurs grégaires, ces oiseaux, qui se nourrissent surtout de végétaux, se tiennent souvent sur les hauts-fonds des marais. La période de reproduction donne lieu à des combats entre les mâles, qui échangent de spectaculaires coups d'aile, de patte et de bec. Mâle et femelle collaborent à l'édification du nid, volumineux, fait de plantes aquatiques, à la couvaison et à l'élevage des poussins. Le kamichi cornu a généralement 2 petits, et les autres espèces, 5 ou 6.

Kamichi cornu
(Anhima cornuta)

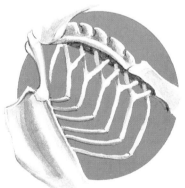

Contrairement aux autres oiseaux, les kamichis ont des côtes sans apophyse uncinée, qui renforce la cage thoracique. L'oiseau fossile *Archaeopteryx* n'en possédait pas non plus, et, de ce fait, on tient les kamichis pour des oiseaux très primitifs.

Kamichi de Derby
(Chauna chavaria)

Kamichi huppé
(Chauna torquata)

Bien qu'ils soient apparentés aux anatidés, les kamichis ont peu de points communs avec les oies et les canards, ce qui fait leur étrangeté. Ils se distinguent par leurs quatre grands doigts, qui ne portent pas de palmure, et par la forme du bec, petit et courbé, comme celui des galliformes. En outre, ils ont deux éperons au bord de l'aile.

Ces oiseaux sont typiques des régions marécageuses sud-américaines, mais, étant capables de se percher dans les arbres, ils fréquentent aussi les zones boisées. 1) Kamichi cornu *(Anhima cornuta)* ; 2) kamichi de Derby *(Chauna chavaria)* ; 3) kamichi huppé *(Chauna torquata)*.

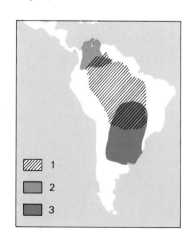

OIE SEMI-PALMÉE

Anseranas semipalmata

Ordre Ansériformes
Famille Anatidae ; sous-famille Ansera-
natinae
Taille Longueur 80 cm environ
Distribution Australie, Tasmanie, sud
de la Nouvelle-Guinée
Mode de vie Grégaire
Nidification Au sol
Œufs 5 à 14
Petits Nidifuges

L'oie semi-palmée est le seul représentant de la sous-famille des anséranatinés,
car ses caractères primitifs la séparent
nettement des oies, canards et cygnes.
Son long bec robuste, jaune rosâtre avec
de petites lamelles, porte un crochet
fort et recourbé vers le bas. Le plumage
est noir, avec de larges taches blanches
sur le croupion et sous le corps. La
femelle est un peu plus petite que le
mâle.

Malgré une allure lente et prudente,
cet oiseau est un bon marcheur. Il vole
avec aisance, planant et battant peu des
ailes sur les longues distances. Il se
perche dans les arbres, habituellement
aussi haut que possible sur les branches
les moins grosses. Mais, pour un oiseau
qui passe la plupart de son temps au
bord des lacs et des marais, c'est un
assez médiocre nageur.

Douces de tempérament, les oies
semi-palmées forment des troupes qui
se dispersent à l'approche de la période
de reproduction. Celle-ci ne suit pas un
calendrier fixe, et se déroule, comme
cela est souvent le cas chez les espèces
australiennes, à différentes périodes de
l'année.

Autre étrangeté de comportement :
l'oie semi-palmée s'accouple hors de
l'eau, ce qui est inhabituel chez les
cygnes, les oies et les canards. Sa moins
grande adaptation à l'environnement
aquatique en est, bien sûr, la raison.
Mâle et femelle couvent à tour de rôle
et élèvent ensemble les petits. On ne
retrouve ce type de comportement
parmi les ansériformes que chez les
kamichis, les canards arboricoles et le
cygne noir. Chez toutes les autres espèces, la femelle se charge seule des tâches
parentales.

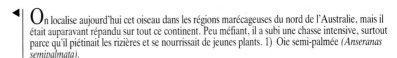

▲ L'oie semi-palmée, comme les kamichis, est presque un fossile
vivant. Ce n'est, à vrai dire, ni une oie, ni un cygne, ni un canard.
Contrairement aux oies et aux canards, cet oiseau ne perd pas
simultanément toutes ses rémiges, et n'est donc pas incapable de
voler pendant la mue. Il fréquente les lagunes et les lacs, où a lieu la
nidification.

◄ On localise aujourd'hui cet oiseau dans les régions marécageuses du nord de l'Australie, mais il
était auparavant répandu sur tout ce continent. Peu méfiant, il a subi une chasse intensive, surtout
parce qu'il piétinait les rizières et se nourrissait de jeunes plants. 1) Oie semi-palmée (Anseranas
semipalmata).

OIE CENDRÉE

Anser anser

Ordre Ansériformes
Famille Anatidae ; sous-famille Anserinae
Taille Longueur 75 à 90 cm
Envergure 1,50 à 1,80 m
Poids 2,9 à 3,7 kg
Distribution Europe et Asie
Mode de vie Grégaire, sauf à la saison de reproduction
Nidification Au sol
Œufs 4 à 7, exceptionnellement jusqu'à 12
Petits Nidifuges

L'oie cendrée est l'espèce d'oie la plus connue, sinon la plus abondante, mais c'est aussi l'ancêtre de plusieurs races domestiques.

En liberté, on la reconnaît facilement parce qu'elle est la seule de toutes les oies « grises » à posséder un bec de grande taille, uniformément rose ou orange (avec un crochet blanchâtre).

En vol, l'oie cendrée présente une large zone grise sur la partie antérieure de ses ailes, qui semble, de loin, pratiquement blanche. Le haut du corps est gris-brun, et les extrémités des plumes sont blanchâtres, formant un ensemble de fines rayures transversales de couleur blanche. Ces rayures sont plus larges et plus claires chez les oiseaux des populations orientales. La partie ventrale est plus ou moins uniformément claire, et les pattes sont de couleur chair. La queue courte est grise et contraste de manière tout à fait saisissante avec le croupion blanc.

Comme les sexes se ressemblent, il n'est pas facile de les identifier en liberté ; cependant, parfois, on peut y arriver en comparant la taille — les mâles sont plus grands — et les attitudes. Par contre, la reconnaissance des jeunes de l'année ne présente aucune difficulté, car ils sont plus sombres que les adultes, plutôt brunâtres, et ils ont moins de rayures dorsales blanches.

Autrefois, cette espèce nichait sur une étendue beaucoup plus vaste, en Asie comme en Europe. De nos jours, on trouve d'importantes populations réparties dans la plus grande partie de l'Asie centrale et en Russie orientale, mais les nids de cet oiseau ont pratiquement

La famille des anatidés (cygnes, oies et canards) comprend plusieurs espèces d'oiseaux aquatiques dont les pattes sont courtes mais robustes et qui sont capables de nager et de voler sur de longues distances. L'oie cendrée, comme les autres oies, possède de longues pattes particulièrement adaptées à la marche sur un sol sec. On la distingue facilement des autres espèces par la couleur de son bec, qui est presque uniformément rose ou orange, et par son corps gris-brun.

Les oies se nourrissent surtout de plantes, qu'elles arrachent et mastiquent avec les lamelles cornées situées le long des deux mandibules du bec.

disparu de l'Europe de l'Ouest et de l'Europe du Sud.

L'oie cendrée a une prédilection pour les prés humides, le plus souvent à proximité de régions couvertes de marais et de lacs. A l'instar des autres oies, elle dépend de l'eau plus pour des raisons de sécurité que pour sa subsistance. C'est ainsi que, au crépuscule, des bandes d'oies qui étaient venues se nourrir dans les champs s'envolent simultanément vers les endroits où elles ont l'habitude de passer la nuit ; leurs quartiers nocturnes se situent généralement le long de rives basses, dans des lagunes ou des estuaires boueux ou sableux, souvent là où surgit une bande de terre entourée d'eau.

Le nid de l'oie cendrée est une construction plutôt grossière, composée essentiellement de débris végétaux, branchettes, herbes, roseaux empilés à même le sol ; elle est ensuite rembourrée de plumes. Durant la saison de reproduction, les oiseaux oublient leurs habitudes grégaires, et chaque couple défend son petit territoire, en interdisant l'accès aux autres individus de la même espèce. Les petits éclosent au bout de 27-28 jours d'incubation et sont prêts à prendre leur premier vol après quelques semaines. Pendant ce temps, les deux parents subviennent à leurs besoins et les protègent. La deuxième ou, plus souvent, la troisième année, les oies s'accouplent, restant fidèles à leur partenaire pour toute la vie.

L'éthologiste Konrad Lorenz, auteur des premières et des plus célèbres études sur le comportement des oies cendrées, souligne que, chez elles, la monogamie est de règle, mais qu'à chaque règle il y a des exceptions. Il affirme qu'une jeune oie, quelque temps après l'éclosion, peut apprendre à traiter comme ses parents pratiquement tout animal, tout être humain ou même tout objet, pourvu que ces derniers se déplacent auprès d'elle et émettent, de temps à autre, des sons qui rappellent, sans être nécessairement identiques, les cris de contact habituellement utilisés par l'espèce. De cette façon, la jeune oie s'identifie à son parent adoptif, qui peut être une poule, un dindon, un être humain, et même une boîte en carton autopropulsée et équipée d'un émetteur de sons, et se comporte en sa présence de la même manière que s'il s'agissait de l'un de ses semblables ; arrivée à maturité, elle peut même tenter de s'accoupler avec des individus ou des objets qui ressemblent à son parent adoptif et refuser d'autres oies.

Quand elles volent sur de grandes distances, les oies adoptent la formation en V utilisée par tous les grands oiseaux grégaires pendant leur migration.

Les oies cendrées se nourrissent habituellement dans des champs et dans des prés, qui ne sont pas nécessairement situés dans des endroits humides.

Jeune oie cendrée peu de temps après l'éclosion.

Attitude d'une oie cendrée endormie.

La femelle (qui couve toute seule) récupère ici un œuf ayant roulé hors du nid.

Les oisons (jeunes de l'oie cendrée) peuvent suivre leur mère un jour après l'éclosion.

Durant les jours suivant l'éclosion, si la mère est absente, les oisons pourront prendre pour parent adoptif pratiquement n'importe quel objet ou animal qui se déplace à proximité, y compris un être humain.

CYGNE SAUVAGE

Cygnus cygnus

Ordre Ansériformes
Famille Anatidae
Taille Longueur 1,45 à 1,60 m
Distribution Europe et Asie
Nidification Au bord de l'eau
Œufs 5 ou 6, exceptionnellement 8
Petits Nidifuges

Les cygnes sont de grands oiseaux dont la taille dépasse celle de la plus grande des oies sauvages. Ils ont un cou très long, et leur plumage est blanc chez les espèces de l'hémisphère Nord, noir ou noir et blanc dans l'hémisphère Sud.

Ces oiseaux passent la plus grande partie de leur temps dans l'eau et y recherchent leur nourriture soit en filtrant les couches superficielles, soit en immergeant la tête et le cou afin de saisir les plantes qui poussent sur le fond.

Ils ont besoin de grandes étendues d'eau, particulièrement en période de croissance : leur corps lourd s'opposant par son poids au développement des pattes, celles-ci doivent régulièrement se reposer d'avoir soutenu l'oiseau sur la terre ferme.

Le bec du cygne est, en règle générale, haut à la base mais assez long. Les jeunes sont grisâtres ou brunâtres, et ce plumage les distingue d'emblée des adultes quand ils se mêlent à une bande de grande importance.

Les 5 espèces de cygnes existantes sont classées dans le genre *Cygnus* et ne présentent que peu de différences les unes par rapport aux autres. Contrairement à ce qu'on pourrait croire étant donné leur taille, les cygnes sont d'excellents et de puissants voiliers, capables de voyager sur plusieurs centaines de kilomètres.

Le cygne sauvage, ou cygne chanteur *(Cygnus cygnus)*, se distingue facilement par l'absence de tubercule ; il a une stature trapue et le cou plus souvent droit et raide que replié élégamment. Sa voix, profonde et musicale, ressemble au son de la trompette. C'est pour cette raison que la sous-espèce américaine *C. c. buccinator* porte le nom vernaculaire de cygne-trompette. C'est le plus grand de tous les cygnes, son poids pouvant atteindre plus de 15 kg.

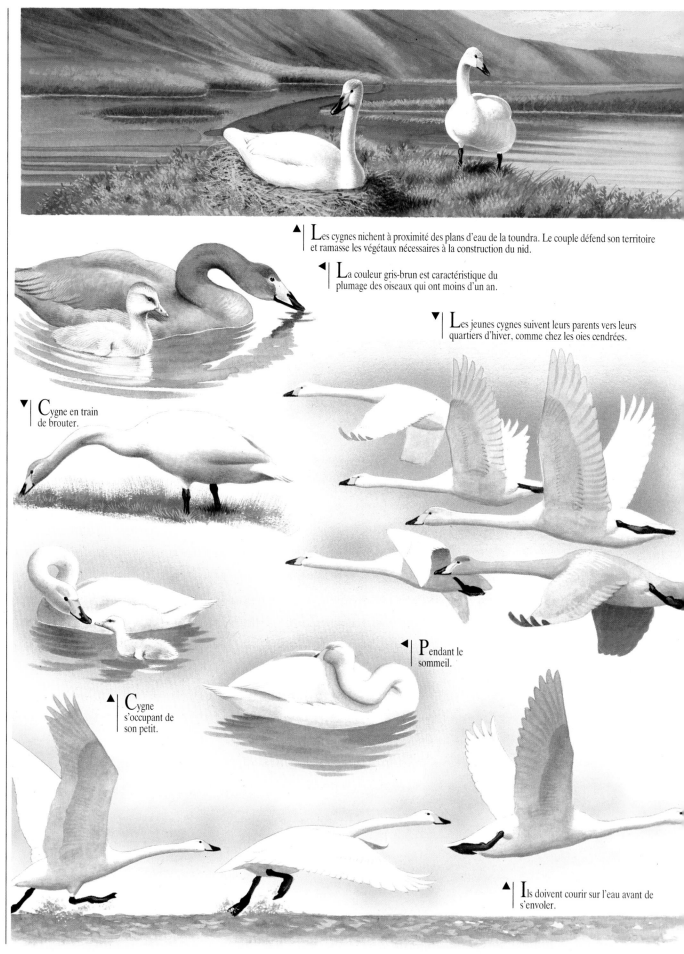

▲ Les cygnes nichent à proximité des plans d'eau de la toundra. Le couple défend son territoire et ramasse les végétaux nécessaires à la construction du nid.

◄ La couleur gris-brun est caractéristique du plumage des oiseaux qui ont moins d'un an.

▼ Les jeunes cygnes suivent leurs parents vers leurs quartiers d'hiver, comme chez les oies cendrées.

▼ Cygne en train de brouter.

◄ Pendant le sommeil.

▲ Cygne s'occupant de son petit.

▲ Ils doivent courir sur l'eau avant de s'envoler.

Le cygne-trompette était autrefois répandu dans plusieurs régions d'Amérique du Nord, mais, aujourd'hui, on le trouve uniquement dans une zone frontalière du Canada, des États-Unis et de l'Alaska.

Les cygnes nichent de préférence près des lacs, dans la toundra, dans les landes ou les endroits marécageux à proximité des estuaires des rivières arctiques. En hiver, ils se rassemblent dans des régions plus méridionales, car l'abondance de glace et de neige pourrait les empêcher de trouver leur nourriture.

Le cygne tuberculé *(C. olor)* se distingue des espèces voisines par son bec orange aux bords noirs, surmonté d'une grosse caroncule noire. Les pattes sont également noires (parfois grises ou couleur chair), et la queue est pointue et assez proéminente.

Le cygne tuberculé se rencontre au Danemark, au sud et au centre de la Suède, en Allemagne du Nord, en Pologne, en Roumanie, au centre de la Russie, en Asie occidentale, centrale et orientale, jusqu'en Mongolie, en Mandchourie du Nord. En hiver, il migre vers le sud.

Le cygne tuberculé fait généralement son nid sur un îlot situé dans un marais, mais les oiseaux à demi domestiques peuvent le construire n'importe où pourvu que ce soit à proximité de l'eau. Les deux sexes participent à sa construction, et le mâle se place à côté de la femelle pendant l'incubation. Elle pond de 4 à 7 œufs (exceptionnellement 12) et les couve 36 jours. Les parents subviennent aux besoins des petits, qui sont prêts à voler 120 à 150 jours après l'éclosion.

Le cygne siffleur *(C. columbianus)* ressemble, à beaucoup d'égards, au cygne sauvage, mais il est beaucoup plus petit. Son cou est plutôt court et son corps plutôt arrondi qu'allongé ; sa voix est musicale et sonore.

L'espèce la plus connue dans l'hémisphère Sud est, sans aucun doute, le cygne noir *(C. atratus)*, avec son élégant plumage noir et frisé et son bec d'un rouge foncé, dont l'extrémité est ornée de blanc.

Le cygne à cou noir *(C. melanocoryphus)*, qui est de taille plutôt petite par rapport aux autres, s'envole vers le nord en hiver. Son corps est blanc, son cou d'un noir profond et d'aspect velouté ; une bande blanche lui barre l'œil. Son bec est gris et présente, à sa base, un grand tubercule bilobé de couleur chair.

La femelle a la curieuse habitude de porter ses petits sur le dos quand ils vont nager.

Cygne à cou noir
(Cygnus melanocoryphus)

Cygne-trompette
(Cygnus cygnus buccinator)

Cygne noir
(Cygnus atratus)

Cygne tuberculé
(Cygnus olor)

▲ De gauche à droite : becs du cygne tuberculé, du cygne sauvage et du cygne siffleur.

◄ À l'exception du cygne tuberculé, qui est largement répandu sur la quasi-totalité du globe, les autres espèces exigent une protection absolue en raison de leur rareté et de leur valeur ornementale exceptionnelle.
1) Cygne sauvage *(Cygnus cygnus)* ; 2) cygne tuberculé *(Cygnus olor)* ; 3) cygne noir *(Cygnus atratus)* ; 4) cygne siffleur *(Cygnus columbianus)* ; 5) cygne à cou noir *(Cygnus melanocoryphus)*.

CANARD COLVERT

Anas platyrhynchos

Ordre Ansériformes
Famille Anatidae ; sous-famille Anatinae
Taille Longueur 50 à 65 cm
Envergure 80 à 98 cm
Poids 0,9 à 1,4 kg environ
Distribution Europe, Asie et Amérique du Nord ; une sous-espèce séparée (*A. p. conboschas*) a été identifiée au Groenland, deux autres (trois, selon certains auteurs) dans le sud des États-Unis et au Mexique ; deux sous-espèces sont considérées comme endémiques aux îles Hawaii
Mode de vie Grégaire
Nidification Généralement à même le sol, parfois dans toutes sortes de nids
Œufs 9 à 13 normalement, quelquefois jusqu'à 18
Petits Nidifuges

Le canard colvert est le représentant le plus commun et le plus connu des anatidés. Apprivoisé, comme l'oie cendrée, par l'homme il y a un millier d'années, il est l'ancêtre d'innombrables races domestiques. A l'état semi-domestique, sa livrée est facilement reconnaissable et très caractéristique, du moins dans le cas du mâle lorsqu'il arbore son plumage nuptial. La tête est vert vif avec des reflets métalliques, le bec jaune verdâtre, et le haut de la poitrine marron-roux avec une étroite bande blanche. La tache rectangulaire (miroir) sur l'aile est violet métallique, bordée de blanc et de noir, la queue gris et blanc et les tectrices caudales supérieures et inférieures noires. On remarque quelques plumes noires bouclées sur le croupion.

La femelle est zébrée, de couleur châtain, avec l'abdomen plus pâle, un bec noir et orange, et le même miroir violet sur les ailes. Le plumage d'éclipse du mâle est pratiquement identique à celui de la femelle, mis à part la teinte grise de la tête. Le dimorphisme sexuel, très marqué chez les individus vivant dans le Nord, est bien moins sensible chez les populations du sud des États-Unis, du Mexique et des îles Hawaii.

Comme tous les canards de surface, le colvert est un excellent voilier, qui peut couvrir des centaines de kilomètres

Le colvert mâle arbore un éclatant plumage coloré entre l'automne et le printemps ; durant cette période, la différence entre les sexes est très frappante. L'illustration montre un mâle et une femelle, ainsi qu'un caneton doté d'une « dent » à l'extrémité du bec, qu'il a utilisée pour briser la coquille de l'œuf au moment de l'éclosion.

sans s'arrêter. Les populations du Nord migrent, tandis que celles du Sud sont considérées comme sédentaires. Quant aux populations des climats tempérés, elles sont en partie migratrices, seuls quelques individus quittant les zones où ils sont nés.

Le comportement sexuel des canards a été le sujet d'études précises menées par de nombreux auteurs, dont Konrad Lorenz. Les couples se forment habituellement à l'automne, dans les quartiers d'hiver. Il arrive qu'un mâle s'apparie avec une femelle hivernant dans la même localité mais originaire d'une région complètement différente. Lorsque les deux migrent au printemps, le mâle suit la femelle.

Une femelle colvert non encore appariée émet une succession de cris décroissant en intensité. Quand un ou plusieurs canards mâles se rassemblent autour d'une femelle, celle-ci nage la tête inclinée et le cou tendu, attitude excitant les mâles, qui se mettent immédiatement à dresser puis à baisser leur tête en rythme. Une fois son choix fait, la femelle laisse le mâle l'approcher ; ce dernier nage autour d'elle, le cou tendu, jusqu'à ce qu'il parvienne à l'agripper par les plumes de la nuque et à monter sur son dos pour accomplir la copulation. Toutefois, la parade nuptiale n'est pas toujours un ballet « romantique » ; les mâles témoignent souvent d'un comportement agressif et violent, poursuivant avec insistance leur compagne, même dans les airs. Il n'est pas rare qu'un groupe de mâles querelleurs maltraitent une femelle pas assez rapide ni habile pour leur échapper. Une fois le couple formé, le mâle protège sa compagne des attaques des autres mâles pendant qu'elle construit le nid, dont elle tapisse soigneusement l'intérieur de plumes arrachées à son ventre (et qui se mettent aussitôt à repousser). Au cours de l'incubation (27 ou 28 jours), le mâle défend les alentours du nid.

Dans la mesure où le colvert se trouve en abondance et est facile à élever, il est évidemment d'un intérêt commercial manifeste et représente, pour les chasseurs et les éleveurs, une espèce de premier choix.

Le canard de surface se nourrit tout en flottant ; il nage sous l'eau exceptionnellement, lorsqu'il se sent en danger, par exemple. Il se soulève à la verticale pour s'envoler.

Le canard plongeur nage sous l'eau pour trouver la nourriture et ne prend son essor qu'après avoir couru sur une petite distance à la surface.

▲ Le canard passe généralement la journée à se reposer sur l'eau ou au milieu de la végétation aquatique. La nuit, il va se nourrir à terre. Il dort avec le bec et une partie de la tête enfoncés entre les ailes.

Parade nuptiale du colvert. Durant cette période, le mâle adopte souvent d'étranges attitudes, accompagnant ses mouvements de cris ou exhibant son plumage. ▲ ▶

◀ Aussitôt après la saison de l'accouplement, de juin à août, le plumage du mâle, alors appelé « plumage d'éclipse », devient identique à celui de la femelle.

Certains colverts, les canards mandarins, mais aussi les garrots à œil d'or et quelques harles, nichent dans des troncs d'arbres creux. ▶

CANARDS

En général, les canards ont tendance à être plus petits et à avoir le bec de forme plus variée que les oies. Il en existe plus de 100 espèces, la plupart migratrices, en ce sens qu'elles voyagent entre les zones de reproduction et les quartiers d'hiver chaque année.

On distingue deux groupes principaux. Les canards qui se nourrissent en restant à la surface de l'eau, sans s'immerger complètement et en laissant au moins la partie supérieure de leur corps exposée, sont appelés « canards de surface ». Chez ces espèces, les rémiges secondaires portent une tache colorée, le miroir, qui se détache nettement sur les ailes. De couleur vive, avec des teintes métalliques, ce miroir alaire présente divers reflets et sert à reconnaître les individus de la même espèce, à distance et en vol ; c'est donc un signal social.

Les « canards plongeurs » ont des ailes avec des zones noires et blanches, ou de couleur unie. Etroitement dépendants de l'eau, ils doivent leur nom à leur habitude de s'immerger entièrement pour s'alimenter, plongeant souvent à plus de 1 m de profondeur.

La palmure des pattes des canards de surface est plus petite, et leurs doigts sont assez courts, proportionnellement au corps. En revanche, les canards plongeurs possèdent une palmure bien développée, facilitant les déplacements sous l'eau. Par ailleurs, la position de leurs pattes légèrement en arrière donne l'impression qu'ils se tiennent plus droits lorsqu'ils sont à la surface de l'eau. Le bec des canards de surface, plat et assez long, est adapté au filtrage, tandis que celui des plongeurs, notamment ceux qui passent l'hiver au bord de la mer, est relativement haut à la base.

On classe les canards en plusieurs tribus et genres. Les dendrocygnes (tribu des dendrocygnini) abondent dans les régions tropicales et subtropicales du Nouveau Monde, ainsi qu'en Afrique, en Asie et en Australie, où il existe 8 espèces différentes. L'une des espèces les plus représentatives de la tribu des tadornini est le tadorne de Belon *(Tadorna tadorna)*, oiseau des plans d'eau saumâtre qu'on trouve fréquemment le long des côtes. L'observation de certains membres de ce groupe a montré que la femelle provoquait fréquemment son compagnon, l'excitant contre les intrus

Tadorne de Belon
(Tadorna tadorna)

Dendrocygne d'Inde
(Dendrocygne javanica)

Oie d'Égypte
(Alopochen aegyptiacus)

Canard souchet
(Anas clypeata)

Canard siffleur d'Amérique
(Anas americana)

Sarcelle à faucilles
(Anas falcata)

Canard siffleur
(Anas penelope)

Sarcelle d'été
(Anas querquedula)

Canard chipeau
(Anas strepera)

en se postant devant lui et en tournant la tête dans la direction de l'adversaire. Plus la femelle est provocatrice, plus le mâle est agressif envers les autres mâles de la tribu ; toutefois, en l'absence des femelles, les mâles vivent plutôt en harmonie.

Les canards de surface appartiennent à la tribu des anatini. C'est à la forme et à la taille du bec que l'on reconnaît le canard souchet (Anas clypeata) ; adapté pour filtrer l'eau, il lui permet de recueillir le plancton, partie importante de son alimentation. Cette espèce est répandue dans toutes les régions arctiques. La sarcelle d'été (A. querquedula), un peu moins grande, se distingue du canard souchet par son bec plus petit et par les couleurs particulières du plumage nuptial du mâle. La sarcelle à faucille (A. falcata) est un bel oiseau qui habite une large partie de l'Asie du Nord-Est et atteint la Chine et le Japon l'hiver. Son nom lui vient de ses rémiges tertiaires, en forme de faucille, particulièrement longues et recourbées chez le mâle. Le canard chipeau (A. strepera) lui ressemble (même aspect général, même comportement), mais son aire de distribution est beaucoup plus vaste et comprend l'Amérique du Nord, l'Europe et l'Asie.

Le canard siffleur (A. penelope) abonde en Asie et en Europe, tandis qu'en Amérique il est remplacé par deux espèces voisines, le canard siffleur d'Amérique (A. americana) et le canard siffleur du Chili (A. sibilatrix), habitant respectivement les régions du Nord et du Sud.

Les canards pilets, avec leur cou, leur tête et leur bec longs et étroits, et leur queue fine terminée en pointe, s'opposent, écologiquement parlant, aux canards siffleurs. Les canards pilets, en fait, occupent le même type d'habitat que ces derniers, ont un régime identique et trouvent leur nourriture à quelque 40 cm sous l'eau sans s'immerger complètement. La plus connue et la plus répandue des trois espèces est le canard pilet A. acuta, qui se reproduit en Amérique du Nord, en Europe et en Asie, gagnant l'Afrique et le sud de l'Asie pendant l'hiver.

Mentionnons encore le canard à bec zoné (A. poecilorhyncha), qui ressemble au colvert. Cette espèce, en partie sédentaire et dont les sexes sont pratiquement identiques, vit en Inde, dans la péninsule indochinoise, en Chine et au Japon. La sarcelle d'hiver (A. crecca), très connue, et la sarcelle élégante (A. formosa) constituent un autre groupe de canards de surface.

Canard pilet
(Anas acuta)

Canard à bec zoné
(Anas poecilorhyncha)

Sarcelle d'hiver
(Anas crecca)

Sarcelle élégante
(Anas formosa)

Canard carolin
(Aix sponsa)

Canard vapeur
(Tachyeres pteneres)

Canard mandarin
(Aix galericulata)

Les canards vapeur sont les seuls canards incapables de voler. Ils prennent la fuite en courant sur l'eau, battant des ailes, et en nageant sous l'eau, à l'aide de celles-ci.

Canard de Barbarie
(Cairina moschata)

Parmi les canards de la tribu des cairinini, on trouve le très inhabituel canard mandarin *(Aix galericulata)* et le canard carolin *(A. sponsa)*, renommé pour le spectaculaire plumage nuptial du mâle. Dans les régions d'Europe où ils sont en liberté, ces canards préfèrent vivre sur des étendues d'eau bordées de hautes herbes, où ils déposent leurs œufs après avoir tapissé les nids de plumes. Beaucoup d'autres espèces représentatives des cairinini habitent l'hémisphère Sud. Parmi elles, on compte la minuscule et curieuse sarcelle à oreillons (genre *Nettapus)* et le canard de Barbarie *(Cairina moschata)* : originaire de l'Amérique du Sud et du Mexique, c'est l'une des rares espèces élevées en captivité depuis plusieurs siècles.

Selon de nombreux auteurs, les canards plongeurs comprennent diverses tribus : les aythyini, les somateriini, les mergini et les oxyurini ; d'autres préfèrent réserver le terme de canard plongeur à la seule tribu des aythyini, qu'on distingue des autres parce qu'ils vont chercher leur nourriture dans les eaux profondes. Parmi les espèces les plus connues figurent le fuligule milouin *(Aythya ferina)*, le fuligule morillon *(A. fuligula)* et le fuligule milouinan *(A. marila)*. Des trois, le dernier dépend le moins de l'eau douce et d'une importante quantité de nourriture animale durant l'hiver.

La nette rousse *(Netta rufina)*, espèce décorative d'Asie et d'Europe méridionale, est le seul canard à avoir adopté un comportement commun aux autres oiseaux, le mâle offrant, pendant la parade nuptiale, des aliments (plantes aquatiques) à sa compagne.

L'eider *(Somateria mollissima)*, oiseau du Nord qui nage à la surface de la mer pendant l'hiver et plonge pour trouver ses aliments (essentiellement des mollusques), appartient à la tribu des somateriini. Très répandu, il approvisionne diverses populations humaines du Nord en œufs, viande et duvet. Particulièrement spectaculaire est la livrée nuptiale du mâle de l'eider à tête grise *(S. spectabilis)* et du mâle de l'eider de Steller *(Polysticta stelleri)*. Quelques espèces appartenant à la tribu des mergini témoignent de certaines affinités avec les cairinini. Le garrot arlequin *(Histrionicus histrionicus)* niche près des rivières à fort courant, habitat auquel il est bien adapté.

La harelde de Miquelon *(Clangula hyemalis)* est une espèce du Nord qui présente un certain nombre de caractéristiques particulières. Par exemple,

Garrot à œil d'or
(Bucephala clangula)

Fuligule milouin
(Aythya ferina)

Fuligule morillon
(Aythya fuligula)

Fuligule milouinan
(Aythya marila)

Eider de Steller
(Polysticta stelleri)

Eider à tête grise
(Somateria spectabilis)

Macreuse noire
(Melanitta nigra)

Harelde de Miquelon
(Clangula hyemalis)

c'est le seul canard qui arbore trois plumages distincts au cours de l'année. En outre, c'est le meilleur nageur sous l'eau ; il est capable de plonger à plus de 20 m et de rester sous l'eau plus d'une minute tout en chassant de petits mollusques ou crustacés. Le garrot à œil d'or *(Bucephala clangula)*, espèce très répandue de la taïga, niche dans le creux des arbres, au-dessus du sol.

Le plumage de la macreuse noire *(Melanitta nigra)* mâle est noir. Elle niche dans le Nord, en particulier dans la zone proche du cercle arctique, en bordure de la taïga. On la distingue facilement de la macreuse brune *(M. fusca)* par ses taches blanches sur les ailes. Ces oiseaux hivernent généralement le long des côtes et souffrent beaucoup de la pollution de l'eau due au trafic maritime intense.

Dans le groupe des harles, le harle piette *(Mergus albellus)* est l'une des plus petites espèces, remarquable par l'élégant plumage du mâle, noir et blanc. Cet oiseau se reproduit plus ou moins dans les mêmes régions que le pic noir et réquisitionne souvent le nid de ce dernier pour y déposer ses œufs. Originaire d'Amérique du Nord, le harle couronné *(M. cucullatus)* est identique en taille et est apparenté à deux espèces mieux connues, le harle bièvre *(M. merganser)* et le harle huppé *(M. serrator)*.

L'érismature, de la tribu des oxyurini, a une longue queue raide qui fonctionne comme un gouvernail et qui sert de signal pour les mâles lors de la parade nuptiale. L'érismature roux *(Oxyura jamaicensis)* a été importé de son pays d'origine dans diverses régions d'Europe, principalement en Grande-Bretagne, où vivent de petites populations sauvages. L'érismature à tête blanche *(O. leucocephala)* est une espèce eurasienne, encore très abondante en Asie centrale et occidentale et dans quelques régions d'Europe de l'Est.

Garrot arlequin
(Histrionicus histrionicus)

Harle piette
(Mergus albellus)

Harle huppé
(Mergus serrator)

Harle bièvre
(Mergus merganser)

Harle couronné
(Mergus cucullatus)

Erismature roux
(Oxyura jamaicensis)

En général, les canards ont tendance à être plus petits et à avoir le bec de forme plus variée que les oies. Il en existe plus de 100 espèces, la plupart migratrices, en ce sens qu'elles voyagent entre les zones de reproduction et les quartiers d'hiver chaque année.

On distingue deux groupes principaux, les canards de surface et les canards plongeurs, en fonction de la manière dont ils se nourrissent. Ces deux types diffèrent en partie en ce qui concerne le comportement, le vol et l'apparence extérieure : couleur du plumage, structure et position des pattes (les canards plongeurs ont une palmure bien développée et leurs pattes sont placées plus en arrière), forme du bec.

On voit sur cette page diverses espèces de canards plongeurs, tandis que les pages précédentes présentent une sélection de canards de surface.

FALCONIFORMES

L'ordre des falconiformes comprend tous les oiseaux rapaces diurnes, qui se distinguent par une solide ossature, particulièrement adaptée à la chasse et au vol.

Le spizaète de montagne *(Spizaetus nipalensis)* appartient au groupe des aigles « bottés ». Son bec, de couleur noire, est robuste ; ses pattes, très fortes, sont couvertes de plumes jusqu'aux articulations et munies de serres noires et crochues. La longueur totale de l'oiseau adulte est d'environ 65 à 85 cm. Il se déplace avec rapidité entre les arbres de la forêt quand il va chasser. Ses proies se composent de jeunes singes et d'autres mammifères de petite taille ou de taille moyenne, ainsi que d'oiseaux. Il vit dans les forêts à une altitude allant de 600 à 2 000 m et même plus, dans les Ghats occidentaux, à Sri Lanka, dans l'Himalaya, sur la péninsule indochinoise, en Chine orientale jusqu'au Yangtseu-kiang, sur la péninsule coréenne, dans les îles du Japon et à Taiwan. De nature solitaire, il niche dans les arbres. La femelle pond un seul œuf et les petits sont nidicoles.

La buse variable *(Buteo buteo),* membre, comme le précédent, de la famille des accipitridés, atteint plus de 50 cm de longueur, son envergure allant de 1,20 à 1,40 m et son poids de 0,6 à 1,4 kg. Cette espèce a de nombreux représentants dans les régions de forêts et dans la taïga des zones paléarctiques.

Dans bien des forêts bordant les steppes cultivées d'Europe centrale, la buse variable est l'oiseau de proie le plus répandu. Bien qu'elle niche dans les bois, c'est dans les champs qu'elle chasse. Le plus souvent elle fait son nid dans les arbres, mais celui-ci peut aussi être édifié dans les rochers, notamment dans les pays méditerranéens. Ce rapace se nourrit de petits rongeurs et d'autres mammifères — dont la taille ne dépasse pas celle d'un petit lièvre —, d'oiseaux, de reptiles, d'insectes et d'autres invertébrés ; en hiver, il ne dédaigne pas les charognes. L'une de ses façons de chasser les plus caractéristiques consiste à se percher sur un arbre ou sur un poteau et à guetter tout ce qui bouge dans les champs qu'il domine. Il peut planer, ce qui augmente nettement ses chances de capturer une proie.

La femelle pond d'habitude 2 ou 3 œufs, exceptionnellement 1, parfois de 4 à 6 ; les petits sont nidicoles.

Spizaète de montagne
(Spizaetus nipalensis)

Buse variable
(Buteo buteo)

Balbuzard
(Pandion haliaeetus)

Autour des palombes
(Accipiter gentilis)

Busard Saint-Martin
(Circus cyaneus)

Milan noir
(Milvus migrans)

Serpentaire
(Sagittarius serpentarius)

Faucon pèlerin
(Falco peregrinus)

Condor des Andes
(Vultur gryphus)

Buse
à joues grises
(Butastur ind...

L'aigle pêcheur, ou balbuzard *(Pandion haliaeetus)*, est l'unique représentant de la famille des pandionidés. C'est le seul oiseau de proie diurne ayant des doigts réversibles et des narines qui peuvent se fermer, ce qui lui permet de mieux plonger sous l'eau pour pêcher, le poisson étant son aliment exclusif.

Sa longueur totale est de 55 à 60 cm, son envergure varie de 1,45 à 1,65 m et son poids de 1,1 à 2 kg. La partie inférieure de ses doigts est recouverte de plaques cornées — notamment au niveau des articulations — qui lui permet, de même que ses serres longues et crochues, de ne pas laisser échapper une proie glissante.

Le balbuzard est répandu en Europe, en Asie, en Afrique, en Amérique du Nord, en Amérique centrale et sur les côtes de l'Australie. Sous les latitudes tempérées, cet oiseau se rencontre dans les régions de lacs et d'étangs poissonneux, ainsi qu'au voisinage des grands fleuves, particulièrement en Asie. Mais, sous les tropiques et dans les régions subtropicales, il préfère les côtes marines. C'est une espèce solitaire, parfois grégaire. La femelle pond, en moyenne, 3 œufs ; les petits sont nidicoles.

Le busard Saint-Martin *(Circus cyaneus)*, un autre accipitridé, a une longueur de 45 à 55 cm, son envergure étant de 1 à 1,25 m et son poids de 290 à 700 g. C'est un oiseau des grandes étendues d'Europe centrale et d'Europe du Sud, ainsi que d'Amérique du Nord, de l'Alaska jusqu'en Californie. Il habite les steppes — qu'elles soient sauvages ou cultivées —, les landes et les marais. Ses proies sont de petits mammifères, des oiseaux, des reptiles et des amphibiens. Le nid peut être édifié dans les landes, dans les zones reboisées, dans les champs de maïs ou dans les marécages, parmi les roseaux et les joncs. Cette espèce pond de 3 à 6 œufs et les petits restent quelque temps dans le nid.

La buse à joues grises *(Butastur indicus)* est largement répandue en Inde, en Asie du Sud-Est et en Afrique centrale. Ce rapace est nettement plus petit et moins robuste que le busard, auquel il ressemble par ailleurs. Sa longueur totale est de 40 à 45 cm et son envergure va de 0,90 à 1,10 m. Il vit dans les régions de champs cultivés et de forêts clairiérées. Son régime alimentaire et sa manière de chasser sont semblables à ceux du busard.

Pygargue à queue blanche
(Haliaeetus albicilla)

Pygargue de Steller
(Haliaeetus pelagicus)

Pygargue à tête blanche
(Haliaeetus leucocephalus)

Vautour moine
(Aegypius monachus)

▲ L'aigle royal est le plus commun et le mieux connu de tous les aigles. Répandu autrefois dans toute l'Europe, en Amérique du Nord et sur de grandes étendues en Asie, il a été décimé en Europe et dans l'est des États-Unis. 1) Aigle royal *(Aquila chrysaetos)*.

▼ 1) On trouve des représentants de l'ordre des falconiformes dans le monde entier ; 2) dans ces zones, cependant, on ne les voit qu'exceptionnellement.

Sur ces pages figurent quelques représentants des diverses familles de l'ordre des falconiformes. Le condor des Andes appartient à la famille la plus primitive, les cathartidés. Les pandionidés sont représentés par le balbuzard, seule espèce de cette famille. Les accipitridés comprennent la plus grande partie des oiseaux rapaces diurnes ; les dessins en illustrent 9 espèces : trois pygargues, le vautour moine, le busard Saint-Martin, l'autour des palombes, la buse à joues grises, la buse variable et le spizaète de montagne. La famille des sagittariidés est constituée d'une seule espèce, le serpentaire. Le faucon pèlerin, enfin, représente la famille la plus évoluée, les falconidés.

CONDOR DES ANDES

Vultur gryphus

Ordre Falconiformes
Famille Cathartidae
Taille Longueur 1 à 1,15 m
Envergure 2,75 à 3,15 m
Poids 9 à 12 kg
Distribution Amérique du Sud
Mode de vie Grégaire
Nidification Dans les anfractuosités des rochers
Œufs 1 ou 2
Petits Nidicoles

Outre leur taille impressionnante, les condors des Andes adultes se distinguent par leur plumage noir aux reflets métalliques et par leurs rémiges secondaires et leurs couvertures alaires entièrement ou partiellement blanches.

La tête est dénudée et le mâle a une crête charnue caractéristique, longue de 10 cm et haute de 4,5 cm ; la femelle ne possède ni cette crête ni les caroncules lobées présentes chez le mâle. La couleur diffère également, le mâle étant brun clair et la femelle brun rougeâtre.

Le bec est robuste et suffisamment puissant pour permettre au condor d'arracher des morceaux de chair aux cadavres de mammifères d'assez grande taille, qu'il s'agisse d'animaux marins ou terrestres. Le cou, long et dénudé, présente à sa base un collier de duvet, un peu plus étroit chez la femelle.

Le condor des Andes est répandu sur toute la longueur des Andes, du nord de la Colombie au sud de la Terre de Feu et, à l'est, le long de la côte atlantique de l'Argentine jusqu'à l'embouchure du rio Negro. Cette espèce est devenue rare, et a même disparu par endroits. Dans les Andes, l'oiseau vit à une altitude de 3 000 à 5 000 m, mais, le long des côtes, il niche dans de hautes falaises surplombant la mer.

Le condor est une espèce sociable en dépit de son comportement charognard, mais il ne niche pas en grandes colonies. Le soir, on peut observer des rassemblements d'individus encore immatures et d'adultes, en dehors de la période de reproduction, sur leurs perchoirs très caractéristiques et sur les corniches rocheuses, reconnaissables de loin à la couleur blanche que leur donnent les excréments de ces oiseaux.

▲ Condor des Andes adulte prêt à prendre son essor. C'est le plus grand de tous les oiseaux de proie. La tête dénudée et le cou muni d'un léger collier de duvet sont particulièrement adaptés à son régime alimentaire à base de charognes. Ces mêmes caractéristiques se retrouvent chez les autres vautours de l'Ancien et du Nouveau Monde.

◄ Le condor des Andes mâle se distingue de la femelle par sa crête charnue et son iris brun clair, ainsi que par sa taille plus grande.

Plus de 20 condors peuvent ainsi se réunir pour passer la nuit. Aux heures tardives de la matinée, à la faveur des courants d'air chaud ascendants qui se forment grâce à la chaleur du soleil, les condors prennent leur envol et couvrent de grandes étendues, qu'ils inspectent de leur regard exceptionnellement perçant, à la recherche de cadavres d'animaux, parfois déjà repérés par d'autres charognards, vautours ou caracaras.

De toute évidence, il existe une hiérarchie sociale chez les condors, ce dont témoigne la façon dont ils se nourrissent. Les individus dominants tolèrent la présence de leurs inférieurs et des « aspirants » et il est rare que des rivalités entraînent des affrontements directs, dont l'effet est alors l'instauration d'une nouvelle hiérarchie.

Un seul œuf est pondu, à même le sol, dans une anfractuosité d'une paroi rocheuse, à une altitude qui va du niveau de la mer à plus de 4 000 m. On trouve souvent plusieurs couples nichant sur la même paroi, chacun d'eux défendant les abords de son nid. Ces nids sont extrêmement difficiles à repérer, non seulement du fait de leur emplacement, mais également parce que les condors ont un comportement très discret lorsqu'ils les édifient. L'incubation est généralement l'affaire de la femelle, bien qu'il arrive au mâle de la remplacer quelques heures dans la journée. Les petits éclosent après environ deux mois et restent encore six semaines dans le nid, leurs parents les nourrissant, même après qu'ils ont commencé à voler. Le cycle complet de la reproduction peut prendre ainsi plus d'un an. C'est pourquoi un seul œuf est pondu tous les deux ans.

Le condor de Californie *(Gymnogyps californianus)* mesure de 1 à 1,15 m de longueur et pèse de 9 à 13,5 kg. Il niche dans une cavité rocheuse et pond un seul œuf. Les petits, nidicoles, restent plusieurs mois dans le nid. Son plumage est noir avec des reflets métalliques bleutés. On le reconnaît facilement aux bandes blanches qui se trouvent sous ses ailes et à son envergure, aussi large que celle du condor des Andes.

Le condor de Californie vivait uniquement dans les limites d'une petite région au nord de Los Angeles. Dans la première moitié de notre siècle, la population des condors comptait environ 60 individus. Aujourd'hui, en dépit des efforts des biologistes pour la conservation de l'espèce, il n'y a plus aucun condor de Californie en liberté.

▼ **C**ondor des Andes mâle en vol plané. Son envergure peut atteindre 3,15 m. Ses ailes larges et longues lui permettent d'utiliser les courants aériens ascendants, en dépensant beaucoup moins d'énergie que s'il volait en battant des ailes.

▼ **C**omme les vautours de l'Ancien Monde, auxquels ils ressemblent, le condor des Andes et les autres vautours du Nouveau Monde se nourrissent principalement de charognes de mammifères terrestres et marins.

▼ **L**'attitude agressive des deux mâles vise à établir un ordre hiérarchique réglementant le comportement des oiseaux lorsqu'ils se nourrissent.

▼ **L**e condor de Californie adulte a une taille voisine de celle du condor des Andes. Aujourd'hui, c'est l'un des oiseaux les plus rares du monde.

▲ **L**e vautour à tête rouge est la plus nombreuse de toutes les espèces de vautours du Nouveau Monde.

► **L**e vautour royal est célèbre pour les vives couleurs de sa tête bigarrée.

◄ 1) Le vautour royal *(Sarcoramphus papa)* habite les savanes et les forêts tropicales qui s'étendent du centre du Mexique au Paraguay et au nord de l'Argentine. 2) Le condor des Andes *(Vultur gryphus)* vit le long de la chaîne des Andes, du nord de la Colombie au sud de la Terre de Feu, et le long de la côte atlantique, de l'Argentine jusqu'à l'embouchure du rio Negro. 3) Le condor de Californie *(Gymnogyps californianus)* vivait dans les limites d'une petite région au nord de Los Angeles ; actuellement, il n'y en a plus aucun en liberté.

1
2
3

AIGLE ROYAL

Aquila chrysaetos

Ordre Falconiformes
Famille Accipitridae
Taille Longueur 75 à 90 cm
Envergure 1,85 à 2 m
Poids 2,5 à 6,5 kg
Distribution Europe, Afrique du Nord, Asie, Amérique du Nord
Mode de vie Solitaire
Nidification Dans les anfractuosités rocheuses ou dans les arbres
Œufs 1 à 3, habituellement 2
Petits Nidicoles

L'aigle royal se distingue des autres aigles par sa très grande taille et sa couleur presque uniformément brun foncé, la nuque et la tête de l'adulte étant dorées ou grisâtres. Le bec est massif et puissant ; les tibias et les tarses sont très larges et « bottés » jusqu'aux articulations. Les doigts sont gros et forts, avec des serres longues et crochues ; la serre postérieure est nettement plus grande que le doigt correspondant. On identifie l'aigle royal en vol à ses ailes longues, mais très larges, plus étroites aux extrémités, à sa tête projetée en avant et à sa longue queue légèrement arrondie.

Les aigles royaux immatures sont presque noirs, tachetés de blanc sur les ailes ; leur queue est blanche et se termine par une large bande noire transversale. Durant les premières années de leur vie, les espaces blancs de la queue et des ailes s'effacent graduellement, puis disparaissent. Sauf le groupe familial, il est rare de voir plus de deux aigles volant ensemble.

Autrefois, cette espèce était répandue en Europe, en Afrique du Nord, dans une grande partie de l'Asie et en Amérique du Nord. Du fait de la transformation de l'environnement, elle a disparu d'une grande partie de l'Europe et de l'est des États-Unis.

En Europe centrale et méridionale, l'espèce se limite aux régions montagneuses, avec une prédilection pour les zones rocheuses peu boisées, où elle peut trouver des gorges profondes et des corniches rocheuses inaccessibles, emplacements favorables à l'établissement de l'aire. En Scandinavie et en U.R.S.S., on rencontre aussi cet oiseau

Aigle royal immature perché. Il tient un passereau dans ses serres. De tous les aigles d'aujourd'hui, cette espèce est la plus nombreuse et la plus largement répandue.

dans les plaines couvertes de forêts et inhabitées. Dans ces régions, le nid est installé dans les arbres. Bien que, dans nombre d'endroits, l'aigle royal soit devenu une espèce de montagne, il se reproduit dans certains pays à basse altitude. C'est le cas en Écosse, en Espagne, en Sardaigne et en Crète, régions vallonnées et peu peuplées où l'influence de l'homme se fait peu sentir.

Deux facteurs limitent la croissance des populations d'aigles royaux : la nécessité de trouver des proies en nombre suffisant et le besoin d'emplacements adéquats pour l'édification des nids. Là où l'homme n'a que peu modifié l'environnement, les espèces restent attachées à leurs habitats traditionnels et gardent les mêmes emplacements d'une génération à l'autre.

A l'instar d'autres grands prédateurs, les aigles royaux vivent en couples, qui se forment souvent dès la deuxième année de leur existence. Pendant la période de « fiançailles », jusqu'à ce qu'ils atteignent leur maturité sexuelle, les deux oiseaux visitent souvent l'emplacement de leur futur nid, où ils empilent des branches destinées à sa construction ou à sa réparation. Chaque couple possède plusieurs nids, souvent situés sur la même paroi rocheuse ou dans les mêmes bois. Certaines aires sont utilisées pendant plusieurs dizaines d'années et peuvent atteindre 3 m de haut et plus de 2 m de large. Les deux sexes participent aux travaux de construction et de réparation du nid.

Pendant la période nuptiale, l'aigle royal exécute différents vols, dont l'un est particulièrement spectaculaire : le mâle descend en piqué vers la femelle, qui se renverse brusquement sur le dos de sorte que les serres des deux oiseaux se touchent.

Il est de règle que 2 œufs soient pondus, à 2 ou 3 jours d'intervalle. La ponte a lieu vers la fin février dans le sud de l'aire de distribution et à la fin mars dans le centre et au nord. L'incubation commence aussitôt le premier œuf pondu et est assurée par la femelle ; le mâle lui apporte la nourriture et la remplace seulement quand elle s'alimente.

Au début, le mâle apporte la nourriture pour les aiglons, mais, lorsqu'ils grandissent, la femelle s'en charge aussi. Jusqu'à environ 1 mois, les jeunes sont nourris de morceaux de viande, que la femelle arrache aux charognes avec son bec. Finalement, et non sans peine, les aiglons commencent à s'alimenter seuls. En principe, à l'âge de 3 mois, ils ont effectué leur premier vol.

L'importante surface des ailes permet à l'aigle royal de se servir des courants d'air chaud et de s'élever en dépensant le minimum d'énergie.

L'aigle royal s'empare de ses proies par surprise, celles-ci se trouvant le plus souvent au sol. Cependant, il peut aussi capturer des corbeaux en vol, ainsi que des petits rapaces, des canards et d'autres oiseaux. L'attaque de la proie est rapide et soudaine.

Après l'éclosion, les aiglons sont couverts d'un épais duvet de couleur blanc grisâtre.

L'aigle royal se nourrit essentiellement de mammifères de petite taille ou de taille moyenne, tels que lapins, lièvres, marmottes, souris, ainsi que de divers oiseaux. Mais il ne dédaigne pas les charognes, surtout l'hiver.

En règle générale, il niche sur des parois rocheuses, habituellement situées peu au-dessus de son terrain de chasse, ce qui facilite l'acheminement des grosses proies jusqu'à l'aire.

VAUTOUR MOINE

Aegypius monachus

Ordre Falconiformes
Famille Accipitridae
Taille Longueur 1 à 1,15 m
Envergure 2,60 à 2,90 m
Poids 7 à 12,5 kg
Distribution Europe et Asie
Mode de vie Solitaire
Nidification Dans les arbres
Œufs 1
Petits Nidicoles

Hormis sa taille impressionnante, le vautour moine est remarquable par son plumage brun foncé, son puissant bec noir et sa grosse tête gris pâle, couverte en partie de duvet brun clair. Les endroits nus de la tête et du cou sont bleuâtres ; les yeux, relativement gros et enfoncés, ont un iris presque noir. Un collier de plumes brunes, plus longues sur les côtés, protège le cou du froid.

Oiseau typique de la Mongolie et du Tibet, il habite de vastes zones de la région paléarctique méridionale ; dans beaucoup d'endroits d'Europe, cependant, il est devenu très rare, quand l'espèce ne s'est pas tout simplement éteinte. On le trouve en Turquie, dans le Caucase, dans le Turkestan occidental, en Iran et en Afghanistan, dans l'est de la Mongolie-Intérieure et du Tibet, au sud de l'Hindoustan et de l'Assam. De tous les vautours paléarctiques, aucun n'habite plus au nord, la limite extrême étant l'Altaï. Dans la péninsule Ibérique et les Balkans, il vit dans les collines et les montagnes parsemées d'arbres à feuilles persistantes, ainsi que dans les plaines et les hauts pâturages, où les carcasses de bétail constituent l'essentiel de son régime alimentaire.

Comme la plupart des grands rapaces, il est monogame et vit quelquefois en couple avant même d'avoir atteint la maturité sexuelle, vers la cinquième ou sixième année. Le nid du vautour moine, lourde construction faite de branches ramassées par le mâle et assemblées par la femelle, se trouve entre les branches ou au sommet d'un arbre, à une vingtaine de mètres du sol. Il peut servir plusieurs années de suite. Les vols nuptiaux, au-dessus du site de nidification, ressemblent à ceux du vautour fauve.

Presque aussi gros que les deux condors américains, le vautour moine est le plus impressionnant de tous les vautours de l'Ancien Monde. Lorsqu'il dévore une carcasse, il s'impose à toutes les autres espèces, même s'il tolère leur présence. Son comportement dépend de sa faim et de son appétit. Les plus affamés, reconnaissables à leur jabot complètement vide, dominent les autres, mais leur tendance agressive diminue progressivement, jusqu'à ce que tous les vautours du groupe finissent par se nourrir ensemble.

On reconnaît le vautour moine en vol à ses grandes ailes et à sa queue assez longue.

Un seul œuf, blanc avec des taches rougeâtres, est pondu, entre la mi-février et la fin mars, et couvé par les deux parents. Le petit éclôt 52 à 55 jours après.

Le régime du vautour moine, comme celui de tous les autres vautours, consiste essentiellement en carcasses de mammifères de taille moyenne, domestiques ou sauvages, quoiqu'il chasse parfois de petits mammifères de la taille du lièvre. Les vautours accomplissent, par conséquent, une fonction écologique et hygiénique précieuse, en éliminant les charognes, sources d'infection et d'épidémies, et en accélérant le recyclage des substances organiques pour les réinsérer dans l'écosystème dont ils font partie.

Légèrement plus petit que le vautour moine, le vautour fauve *(Gyps fulvus)* a un plumage beaucoup plus pâle. Il fréquente de vastes régions paléarctiques méridionales, où les deux espèces sont présentes. C'est un oiseau grégaire, nichant en colonies au milieu des rochers — jusqu'à 150 couples parfois. La femelle pond un œuf unique ; les petits sont nidicoles.

Le vautour à tête blanche *(Trigonoceps occipitalis)* se distingue par une crête de duvet blanc sur la tête et un gros bec rouge. Les zones nues de la tête sont pâles, mais peuvent devenir rouges quand l'oiseau est excité. Le plumage du dos et du collier est brun chocolat. Il est répandu en Afrique, de l'est du Sénégal à la Nubie et à la Somalie, dans l'Est et le Sud. Toutefois, il est absent des forêts tropicales du Centre et de l'Ouest. Il vit dans la savane, seul avec sa compagne, où il construit son nid dans les acacias. La femelle pond un œuf unique, et le petit reste dans le nid pendant de longues semaines. En plus des charognes, cette espèce se nourrit de proies de la taille de petites antilopes.

Le vautour percnoptère *(Neophron percnopterus)* est, avec le percnoptère brun, le plus petit des vautours de l'Ancien Monde. Dans la partie nord de son habitat, c'est un oiseau migrateur ; dans le centre et le sud, il est sédentaire. Il fréquente des terrains chauds ouverts, parsemés de zones rocheuses, où il construit son nid. La femelle pond 2 œufs. Les petits sont nidicoles.

▲ Vautours fauves déchiquetant la carcasse d'un zèbre. Grâce à leur long cou revêtu d'un plumage court et soyeux, ils peuvent enfoncer leur tête dans l'ouverture anale et la gueule de l'animal tué et extraire les intestins et les autres organes.

▲ Le vautour à tête blanche, le plus coloré de toutes les espèces de l'Ancien Monde, est remarquable par son habileté à capturer des proies vivantes. Il est moins abondant que les deux autres vautours africains, et il est rare de voir plus d'un individu près d'une charogne.

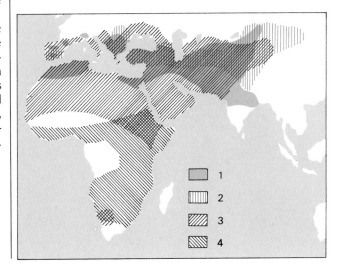

Dans certaines régions de l'Afrique de l'Est, le petit vautour percnoptère a une façon singulière d'ouvrir les œufs d'autruche dont il veut se nourrir. Pour casser l'épaisse coquille, il ramasse des pierres d'un poids de quelque 300 g et les laisse tomber à plusieurs reprises sur l'œuf.

◄ 1) Le vautour fauve *(Gyps fulvus)* habite de vastes régions paléarctiques méridionales. 2) Le vautour moine *(Aegypius monachus)* vit en Europe et en Asie ; toutefois, dans nombre de ses habitats européens, il est devenu rare, ou a même disparu, comme en Autriche, en Yougoslavie et en Espagne. Il s'aventure plus au nord que n'importe quel autre vautour paléarctique, le point le plus extrême étant l'Altaï. 3) Le vautour percnoptère *(Neophron percnopterus)* vit en Europe méridionale, en Asie jusqu'en Inde et en Afrique du Nord. 4) Le vautour à tête blanche *(Trigonoceps occipitalis)*, exclusivement africain, se rencontre dans de vastes zones de l'est et du sud du continent.

AUTOUR DES PALOMBES

Accipiter gentilis

Ordre Falconiformes
Famille Accipitridae
Taille Longueur 47 à 60 cm
Envergure 1 à 1,15 m
Poids 0,6 à 1,3 kg
Distribution Eurasie et Amérique du Nord
Mode de vie Solitaire
Nidification Dans les arbres
Œufs 2 à 5
Petits Nidicoles

L'autour des palombes est un oiseau de proie de taille moyenne, au dimorphisme sexuel accentué, la femelle étant beaucoup plus grande que le mâle. La tête est brun foncé avec une bande blanche au-dessus de l'œil. Le bec, court et fortement incurvé, est noirâtre. En vol, les ailes assez courtes et arrondies, la tête et la queue, longue et rectangulaire, sont nettement visibles.

On peut confondre un autour mâle avec un épervier d'Europe femelle, bien que les ailes du premier soient proportionnellement plus longues et la queue un peu plus arrondie. Le vol de l'autour consiste en une série de rapides battements d'ailes, suivis par un vol plané. Dans le Nord, les autours sont plus lourds et ont un plumage beaucoup plus pâle que dans le Sud.

Il est répandu dans la région holarctique et les zones tempérées de la Méditerranée, jusqu'au nord du Maroc. On trouve l'autour principalement dans les forêts d'arbres à feuilles caduques, de conifères et mixtes, où il bâtit son nid. Quand il chasse, il traverse les clairières et les champs, volant à faible hauteur et rapidement.

A cause de sa technique de chasse et de la difficulté à localiser son nid, situé en hauteur de telle sorte qu'on ne le voit pas depuis le sol, même le plus attentif des observateurs ne se rend pas toujours compte de la présence de l'autour. Le meilleur moment de l'année pour apercevoir un couple d'autours est le printemps, quand les deux partenaires apparaissent bien au-dessus du site de nidification pour accomplir les vols nuptiaux. Ils s'accouplent dans un arbre, près du nid, mais rarement dans le nid lui-

▶ Silhouette d'un autour en vol vu d'en dessous.

▼ Autour adulte avec un jeune faisan mâle qu'il vient de capturer. Ses ailes courtes et sa longue queue lui permettent d'exécuter des mouvements rapides dans les bois, où il trouve une bonne partie de ses proies. Son régime alimentaire est très varié et consiste en oiseaux atteignant la taille des tétraonidés ou des hérons et en mammifères comme des souris, des écureuils, des lapins et des lièvres.

même. Une fois le couple formé, le mâle désigne plusieurs sites à sa compagne, qui finit par choisir le plus approprié. Ils l'utiliseront plusieurs années de suite.

Les œufs sont pondus tous les 2 à 4 jours (cette période variant en fonction de la latitude), de la mi-mars, en Méditerranée, à la mi-avril, en Finlande. Ils sont blancs, parfois tachetés. L'incubation, prise en charge par la femelle, commence avant la ponte du dernier œuf. Le mâle nourrit sa compagne pendant l'incubation et une partie de l'élevage des jeunes. Après 35 à 41 jours, les petits éclosent, couverts d'un épais duvet blanc.

Les dimensions du territoire varient selon la quantité de proies vivant dans la région. Ainsi, dans le centre et au nord de l'Europe, un couple d'autours occupera une surface de 30 à 50 km². Les proies consistent surtout en oiseaux et en quelques mammifères, plus ou moins gros (des mésanges aux corneilles et aux lapins).

L'épervier d'Europe *(Accipiter nisus)* ressemble à un petit autour des palombes ; il partage d'ailleurs avec lui de vastes zones en Eurasie. Chez cette espèce aussi, le dimorphisme sexuel est très net, la femelle étant plus grosse que le mâle. L'épervier d'Europe est renommé pour chasser de petits oiseaux, qu'il attrape en rasant le sol ou en se perchant sur les branches inférieures d'un arbre, le corps absolument immobile ; seule la tête bouge. Dans le nid, bâti sur des branches, la femelle pond de 2 à 7 œufs. Les petits sont nidicoles.

La bondrée apivore *(Pernis apivorus)* est un oiseau de proie de taille moyenne, plus fin que la buse, et au régime alimentaire très spécialisé (larves de guêpes et autres hyménoptères). Elle est très répandue en Europe, et on la trouve jusque dans les montagnes de l'Altaï, au centre de l'Asie. Les zones boisées avec des espaces ouverts sont son habitat préféré. Sauf en migration, elle a un mode de vie solitaire. Son nid est construit dans un arbre et la femelle pond de 1 à 3 œufs. Les petits, comme ceux des espèces similaires, sont nidicoles.

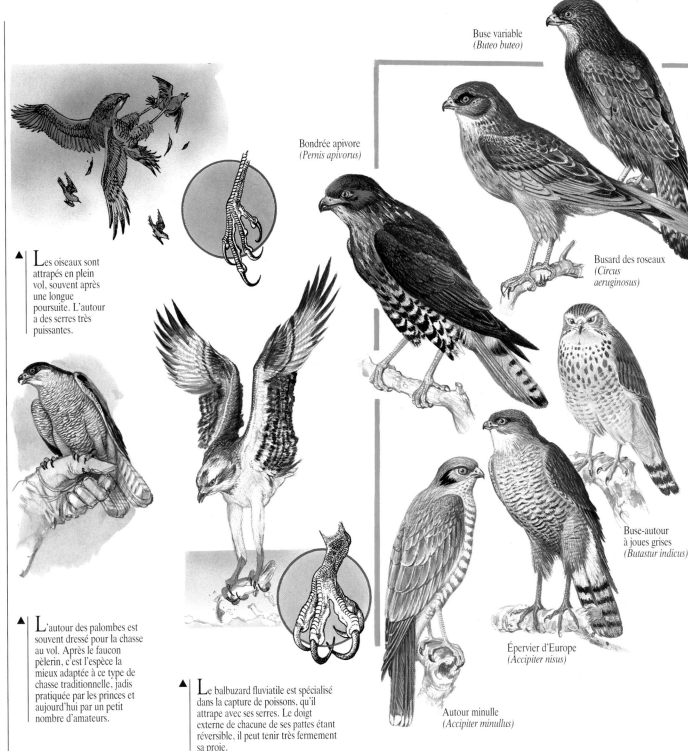

▲ Les oiseaux sont attrapés en plein vol, souvent après une longue poursuite. L'autour a des serres très puissantes.

Buse variable *(Buteo buteo)*

Bondrée apivore *(Pernis apivorus)*

Busard des roseaux *(Circus aeruginosus)*

Buse-autour à joues grises *(Butastur indicus)*

Épervier d'Europe *(Accipiter nisus)*

Autour minulle *(Accipiter minullus)*

▲ L'autour des palombes est souvent dressé pour la chasse au vol. Après le faucon pèlerin, c'est l'espèce la mieux adaptée à ce type de chasse traditionnelle, jadis pratiquée par les princes et aujourd'hui par un petit nombre d'amateurs.

▲ Le balbuzard fluviatile est spécialisé dans la capture de poissons, qu'il attrape avec ses serres. Le doigt externe de chacune de ses pattes étant réversible, il peut tenir très fermement sa proie.

◄ La distribution de l'autour des palombes comprend la région holarctique et les zones tempérées de la région méditerranéenne. La taïga marque la limite la plus au nord, et la frontière sud s'étend de la Turquie au nord de l'Iran en passant par le nord de la Mongolie, la Mandchourie et le Japon. Il est aussi très répandu en Amérique du Nord. 1) Distribution de l'autour des palombes *(Accipiter gentilis)*.

MILAN NOIR

Milvus migrans

Ordre Falconiformes
Famille Accipitridae
Taille Longueur 56 cm
Envergure 1,50 m
Distribution Eurasie, Afrique, Australie
Mode de vie Grégaire
Nidification Dans les arbres ou les rochers
Œufs 2 ou 3, plus rarement 1 à 4 ou 5
Petits Nidicoles

Le milan noir est à peu près de la même taille que la buse variable, bien qu'il soit plus fin. Sa coloration brun foncé, ses ailes étroites et sa queue fourchue permettent également de le distinguer de celle-ci. Le milan noir, qui témoigne d'une grande faculté d'adaptation, est l'un des oiseaux de proie le plus largement distribués et le plus abondamment représentés au monde. Il existe 6 ou 7 sous-espèces géographiques, variant par la couleur, la forme du bec et les dimensions, les plus petites se trouvant en Australie et en Indonésie, les plus grandes en Eurasie. Ce milan habite les lieux boisés près des rivières, des lacs, etc., à la fois en plaine et sur les collines. Au Moyen-Orient, on le rencontre aussi dans les villes et les villages, où il vit au contact de l'homme, qui lui fournit aliments et détritus. Il niche souvent dans le voisinage des hérons. En montagne, il atteint l'altitude de 800 à 1 000 m. C'est dans les plaines et au pied des collines que les populations sont le plus denses.

La majorité des milans noirs d'Europe migrent à l'automne et passent l'hiver en Afrique tropicale. Les diverses sous-espèces africaines connaissent pareillement des migrations périodiques, mais peu d'études ont été menées jusqu'à présent sur ce phénomène, dans la mesure où il est difficile de les distinguer des populations d'Europe. Le milan noir retourne en Europe par le détroit de Gibraltar entre février et mai, les passages les plus importants se situant en mars.

Le milan noir atteint sa maturité sexuelle vers 3 ans. Dans la plupart des cas, le nid se trouve dans un arbre, soit à un embranchement proche du tronc, soit sur une branche latérale, entre 8 et 20 m, ou plus, de hauteur. Tandis que d'autres oiseaux de proie décorent leur nid de

Le milan noir *(Milvus migrans)* est un oiseau de proie de taille moyenne qui se nourrit principalement de poissons, vivants ou morts, ainsi que de petits mammifères (oiseaux, reptiles et amphibiens), qu'il vole à d'autres oiseaux de proie ou qu'il ramasse morts.

branchages verts, le milan noir tapisse le sien de bouts de tissu, de papier, de morceaux de plastique et autres objets, collectés essentiellement par le mâle.

La femelle pond ses œufs, blanc-vert avec des taches brunes, tous les 1 ou 2 jours, pendant une période variant en fonction de la latitude : en mars en Afrique du Nord, en avril-mai dans le centre de l'Europe. L'incubation, qui commence souvent aussitôt après la ponte, dure 29 jours ; c'est surtout le travail de la femelle, qui ne s'absente que pour s'alimenter.

Le milan des Brahmes *(Haliastur indus)* est un oiseau de proie de taille moyenne, distribué principalement en Inde, au sud de l'Himalaya, jusqu'à une altitude de 2 000 m. Il est répandu aussi en Asie du Sud-Est et dans les îles situées à 28° de latitude nord, en Nouvelle-Guinée et sur les côtes nord de l'Australie. Il vit essentiellement à proximité de l'eau et se nourrit de poissons, morts ou vivants, d'amphibiens, de lézards, de mollusques, de petits oiseaux et mammifères, d'insectes, de charognes et, dans une grande mesure, de détritus de toutes sortes, accomplissant ainsi une fonction sanitaire et hygiénique appréciable.

En Inde, ce milan niche en décembre-janvier et a une seconde couvée en juin. Son nid, structure modeste, souvent situé dans un palmier ou un autre arbre entouré d'eau, ressemble à celui du milan noir, avec ses décorations de bouts de tissu, de boue, de papier, etc. Les 2 ou 3 œufs sont couvés par la femelle, pendant 28 jours.

Le milan royal *(Milvus milvus)* est un oiseau de proie imposant à l'air majestueux, caractérisé par une longue queue fourchue, des ailes longues et étroites et un plumage aux couleurs contrastées. Son habitat se limite à l'Europe continentale et méridionale, à la Turquie et à l'Afrique du Nord-Ouest. Il vit le plus souvent dans les bois de régions plates ou vallonnées parsemées d'espaces ouverts, de rivières, de lacs et de mares. Dans la région méditerranéenne, on le rencontre aussi à des altitudes de 1 500 à 2 000 m, en période de migration.

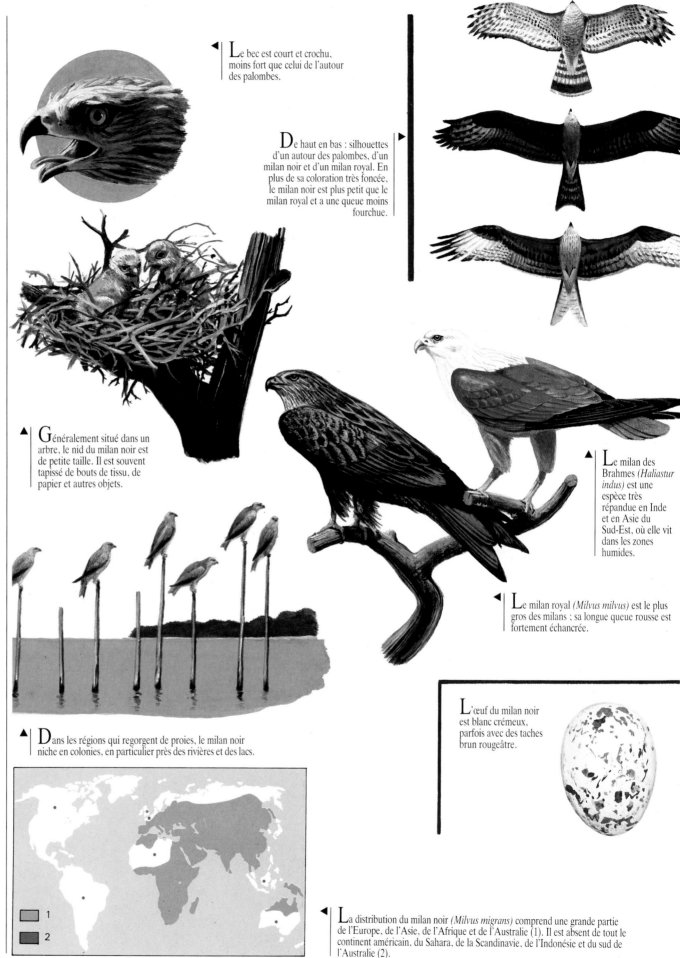

Le bec est court et crochu, moins fort que celui de l'autour des palombes.

De haut en bas : silhouettes d'un autour des palombes, d'un milan noir et d'un milan royal. En plus de sa coloration très foncée, le milan noir est plus petit que le milan royal et a une queue moins fourchue.

Généralement situé dans un arbre, le nid du milan noir est de petite taille. Il est souvent tapissé de bouts de tissu, de papier et autres objets.

Le milan des Brahmes *(Haliastur indus)* est une espèce très répandue en Inde et en Asie du Sud-Est, où elle vit dans les zones humides.

Le milan royal *(Milvus milvus)* est le plus gros des milans ; sa longue queue rousse est fortement échancrée.

Dans les régions qui regorgent de proies, le milan noir niche en colonies, en particulier près des rivières et des lacs.

L'œuf du milan noir est blanc crémeux, parfois avec des taches brun rougeâtre.

1
2

La distribution du milan noir *(Milvus migrans)* comprend une grande partie de l'Europe, de l'Asie, de l'Afrique et de l'Australie (1). Il est absent de tout le continent américain, du Sahara, de la Scandinavie, de l'Indonésie et du sud de l'Australie (2).

105

PYGARGUE À QUEUE BLANCHE

Haliaeetus albicilla

Ordre Falconiformes
Famille Accipitridae
Taille Longueur 70 à 90 cm
Envergure 2 à 2,40 m
Poids 4 à 7,5 kg
Distribution Eurasie
Mode de vie Solitaire, en partie grégaire
Nidification Dans les arbres et les rochers
Œufs 1 à 4, habituellement 2
Petits Nidicoles

Les 8 espèces appartenant au genre *Haliaeetus* sont de grands rapaces répandus dans le monde entier, à l'exception de l'Amérique centrale et du Sud. Le pygargue à queue blanche *(Haliaeetus albicilla)* est de taille légèrement plus élevée que l'aigle royal.

Habitant autrefois une bonne partie du nord de la région paléarctique, l'espèce s'est aujourd'hui éteinte dans de nombreux endroits, surtout en Europe, à la suite d'une persécution humaine à grande échelle et des changements de l'environnement qui ont eu lieu depuis le XVIIIᵉ siècle.

L'espèce, monogame, se reproduit vers sa cinquième année. En Europe centrale, les vols nuptiaux commencent à la mi-décembre et sont très intenses en février et mars. Le couple s'apparie ordinairement près du nid, construit au sommet d'un arbre, donc accessible d'en haut et invisible d'en bas ; servant à plusieurs générations, il devient très volumineux au fil des années.

La femelle pond tous les 2 à 5 jours, à une période variant en fonction de la latitude. Dans les régions méridionales de son aire de distribution, comme la Grèce, la ponte commence dès janvier ; en Allemagne orientale, de la mi-février à la mi-mars ; en Norvège, de la mi-avril à la fin avril ; au Groenland, dès le début de mai. L'incubation démarre après la ponte du premier œuf et dure en moyenne 38 jours.

Les populations vivant le plus au nord, notamment celles d'Asie, migrent l'hiver vers le sud, quand les rivières et les lacs gelés n'offrent plus assez de

▲ Jeune pygargue à queue blanche avec sa proie, un phoque mort. Ce grand rapace est répandu dans tout le nord de la région paléarctique ; il vit près de la mer et sur les berges des lacs et des rivières grouillant de poissons et d'oiseaux aquatiques.

Exemples de proies : poissons (morue, saumon, carpe, brochet, anguille, etc.), oiseaux (foulques, canards, cygnes, oies, grèbes, goélands, etc.), mammifères (petits rongeurs, lièvres, biches, rennes, etc.) et charognes. ▶

nourriture. Dans les autres régions, l'espèce est plus ou moins sédentaire.

L'aigle pêcheur d'Afrique *(Haliaeetus vocifer)* est de la taille de l'aigle royal. La femelle est légèrement plus grosse que le mâle. Il émet souvent un cri caractéristique, très semblable à celui du goéland argenté, soit quand il est perché — il relève alors la tête —, soit en vol. L'espèce s'étend du Sénégal à l'Éthiopie, en passant par le sud de la province du Cap. On la rencontre près des lacs et des rivières où abondent les poissons, mais aussi le long des côtes. L'aigle pêcheur est relativement commun, surtout dans la région des grands lacs d'Afrique de l'Est. Il attrape les poissons, qui constituent l'aliment essentiel de son régime, à la surface de l'eau, profonde ou non.

Le pygargue de Steller *(Haliaeetus pelagicus)* habite une aire très restreinte au nord de l'Asie. Solitaire, il niche sur des rochers ou à même la terre. La femelle pond de 1 à 3 œufs et les petits restent longtemps dans le nid. Son statut actuel est incertain ; il semblerait que l'espèce soit en déclin, les pesticides, au cours des dernières années, ayant eu un effet néfaste sur le taux de réussite des nichées.

Le pygargue à tête blanche *(Haliaeetus leucocephalus)* est le seul représentant du genre que l'on trouve en Amérique, où il est répandu de l'Alaska à la Californie, en passant par la Floride ; il est absent des régions les plus au nord du Canada. Le nid, dans un arbre, reçoit de 1 à 3 œufs ; les petits sont nidicoles. Le pygargue à tête blanche habite près des côtes, des grandes rivières ou des lacs, quelquefois dans les montagnes, comme celles du Yellowstone National Park. Il se nourrit principalement de poissons et de goélands, mais aussi d'oiseaux aquatiques, de serpents et de charognes, et vole souvent la proie d'autres rapaces. Au cours des dernières décennies, la population a connu un net déclin dans de vastes régions de son aire : réputée dangereuse, l'espèce a en effet été systématiquement chassée, en particulier dans les pâturages. Le pygargue à tête blanche nichant dans le nord du continent migre vers le sud à l'automne. Propre à l'Amérique du Nord, ce très bel oiseau a été choisi comme emblème des États-Unis.

Silhouettes de pygargue à queue blanche (en haut) et de pygargue de Steller en vol. Tous deux ont des ailes imposantes et une queue en forme de coin.

Le pygargue à queue blanche chasse souvent en rasant la surface de l'eau, les pieds tendus pour attraper poissons ou oiseaux.

Aigle pêcheur d'Afrique *(Haliaeetus vocifer)*

Pygargue de Steller *(Haliaeetus pelagicus)*

Pygargue à tête blanche *(Haliaeetus leucocephalus)*

1) Le pygargue de Steller *(Haliaeetus pelagicus)* habite une zone très limitée de l'Asie du Nord-Est. 2) Le pygargue à tête blanche *(Haliaeetus leucocephalus)* est largement distribué en Amérique du Nord, de l'Alaska à la Californie et à la Floride, mais on ne le trouve pas dans les régions le plus au nord du Canada. 3) Le pygargue à queue blanche *(Haliaeetus albicilla)* vit dans de vastes zones du nord de la région paléarctique, mais l'espèce s'est éteinte dans de nombreux endroits, en particulier l'Europe. 4) L'aigle pêcheur d'Afrique *(Haliaeetus vocifer)* est répandu du Sénégal à l'Éthiopie et au sud de la province du Cap.

FAUCON PÈLERIN

Falco peregrinus

Ordre Falconiformes
Famille Falconidae
Taille Longueur 38 à 48 cm
Envergure 0,80 à 1,15 m
Poids 0,5 à 1,3 kg
Distribution Cosmopolite
Mode de vie Solitaire
Nidification Dans les rochers et les arbres
Œufs 2 à 5
Petits Nidicoles

Le faucon pèlerin est un rapace de taille moyenne, au corps compact et robuste. Le dimorphisme sexuel est très marqué, la femelle mesurant presque un cinquième de plus que le mâle. Les ailes en pointe et la queue légèrement effilée sont très visibles lorsque l'oiseau est en vol.

Le faucon pèlerin est présent sur tous les continents, mais on ne le trouve pas dans les zones les plus au nord de l'Arctique, sur la ceinture désertique s'étendant du Sahara à la Chine, dans certaines régions d'Amérique du Nord ni dans de vastes zones d'Amérique du Sud, jusqu'à la Patagonie, dans les forêts tropicales d'Afrique centrale, en Asie du Sud-Est ni dans de nombreuses îles d'Océanie. A cause de cette vaste dispersion, l'espèce existe sous différentes formes et tailles, les plus grandes se trouvant en Amérique du Nord et en Sibérie, les plus petites en Méditerranée et dans divers archipels (Cap-Vert, Océanie).

En Europe, le pèlerin niche sur des falaises et des rochers le long des côtes et des petites îles de l'Atlantique et de la Méditerranée, sur des barres rocheuses à l'intérieur des terres (en montagne ou dans les vallées).

Il se reproduit dès sa seconde année. Parfois même, dans certaines régions où la population est faible, les oiseaux aux plumages juvéniles peuvent aussi se reproduire. L'espèce est monogame. Une fois son site de nidification établi, elle y reste longtemps, le « léguant » à plusieurs générations.

La latitude influe sur la période de ponte. Le faucon pèlerin des îles méditerranéennes pond de la mi-février

▲ Faucon pèlerin adulte chassant une oie rieuse. Ce rapace n'a pas son pareil pour attraper des oiseaux en plein vol. De nombreuses populations ont été gravement atteintes et leur nombre a énormément baissé au cours des dernières années à cause des pesticides ingérés par les proies dont elles se nourrissent.

▲ Silhouette de pèlerin. Ses ailes relativement longues et en pointe et son corps compact lui permettent de descendre en piqué.

◄ Échassiers, passereaux, tourterelles, canards et autres espèces plus grandes, comme les oies, les poules de prairie et les hérons, constituent le régime alimentaire du faucon pèlerin.

jusqu'aux dix premiers jours de mars ; en Europe centrale, des dix derniers jours de mars aux dix premiers jours d'avril ; en Finlande, à la mi-avril dans le sud et au début de mai dans le nord. Les 3 ou 4 œufs sont pondus à intervalles de 1 à 3 jours et l'incubation commence après la ponte du premier ou du deuxième. La femelle s'occupe de la couvaison et le mâle de la nourriture — encore qu'il puisse aider à couver. L'œuf éclôt en 29 à 31 jours.

Le faucon gerfaut *(Falco rusticolus)* est le plus grand représentant du genre *Falco*. Solitaire, il vit dans la toundra ou les régions arctiques, l'extrême nord de l'Eurasie et l'Amérique du Nord. Il niche principalement dans la toundra, sur les saillies des rochers, bien qu'on le trouve parfois sur des falaises au bord de la mer. Son régime consiste en mammifères de petite et moyenne taille, en tétraonidés et en oiseaux marins. La femelle pond de 3 à 5 œufs ; les petits sont nidicoles.

Le faucon hobereau *(Falco subbuteo)* est de taille moyenne, nettement plus petit que le pèlerin, à qui il ressemble beaucoup. Il habite toute la région paléarctique, jusqu'à 68° de latitude nord ; il s'aventure vers le sud jusque dans la zone orientale, à environ 30° de latitude nord. Ses habitats préférés sont les grands espaces ouverts sur les plaines et les collines, parsemés de zones boisées, souvent proches de lacs et de rivières. Martinets, hirondelles, alouettes, pipits et autres passereaux constituent la plupart de ses proies ; il se nourrit aussi d'insectes, qu'il mange en vol. Le hobereau s'installe dans les anciens nids des corneilles, des pies bavardes, des geais, etc. En Europe centrale, il commence à nicher entre la mi-mai et la fin mai. La femelle pond de 2 à 4 œufs.

Dans de nombreuses régions, le faucon crécerelle *(Falco tinnunculus)* est l'oiseau de proie le plus connu et le plus abondant. Il est répandu dans tout l'Ancien Monde, à l'exception du Sahara et des forêts tropicales d'Afrique. Solitaire, il niche sur des rochers, sur des édifices ou dans des arbres, pondant de 4 à 6 œufs.

Beaucoup plus petite, la crécerelle d'Amérique *(Falco sparverius)* est l'équivalente dans le Nouveau Monde du faucon crécerelle, puisqu'on la trouve de l'Alaska à la Patagonie, à l'exception des forêts tropicales du centre et du sud de l'Amérique.

Le mâle, beaucoup moins grand que la femelle, chasse essentiellement des passereaux de petite et moyenne taille. Au cours de sa descente en piqué, il peut atteindre une vitesse de 350 km/h.

Les œufs sont rouge-brun, avec des zones plus sombres.

Silhouette d'un hobereau en vol.

Faucon gerfaut *(Falco rusticolus)*

Faucon hobereau *(Falco subbuteo)*

Faucon crécerelle *(Falco tinnunculus)*

Crécerelle d'Amérique *(Falco sparverius)*

Avec ses 17 sous-espèces, le faucon pèlerin est répandu pratiquement dans le monde entier, à l'exception des régions les plus au nord de l'Arctique, de la ceinture désertique s'étendant du Sahara à la Chine, de certains endroits d'Amérique du Nord et de grandes zones d'Amérique du Sud jusqu'à la Patagonie, des forêts tropicales du centre de l'Afrique, de l'Asie du Sud-Est et de nombreuses îles d'Océanie. 1) Distribution du faucon pèlerin.

1

GALLIFORMES

Cet ordre comprend des oiseaux célèbres dans le monde entier pour la beauté de leur plumage et réputés pour la qualité de leur chair. La majorité des galliformes sont des espèces nichant parmi les broussailles et dont les petits sont nidifuges. La maturité sexuelle est atteinte relativement tôt et, chez de nombreuses espèces, le dimorphisme sexuel est accentué. Leur distribution géographique est très vaste, depuis les zones arctiques jusqu'à la dense végétation des forêts tropicales. Leur nourriture consiste essentiellement en végétaux.

L'ordre des galliformes est subdivisé en 7 familles : mégapodiidés, cracidés, tétraonidés, numididés, méléagrididés, phasianidés et opisthocomidés. La famille des phasianidés est elle-même subdivisée en diverses sous-familles, dont celle des perdicinés, qui englobe les cailles et les perdrix et est constituée de nombreuses espèces, avec une large distribution sur presque tous les continents.

La perdrix grise *(Perdix perdix)* témoigne de la plupart des caractéristiques des oiseaux appartenant à cette sous-famille. Elle vit dans les champs, les prairies, dans les régions plates ou vallonnées à la végétation herbacée ou arbustive, parfois en montagne, à une altitude supérieure à 1 500 m. C'est une espèce terrestre. Si elle doit prendre son essor, elle exécute un bref décollage, avec de bruyants battements d'ailes, et plane pour se poser quelques mètres ou dizaines de mètres plus loin. Son nid, une dépression dans le sol tapissée de feuilles et de brins d'herbes sèches, est protégé par un arbuste, une haie ou de hautes herbes. La femelle pond une dizaine d'œufs, qu'elle couve pendant 23 à 25 jours.

La perdrix rouge *(Alectoris rufa)* vit principalement dans les régions vallonnées, sur des terres en friche, quoiqu'on la rencontre aussi dans les champs et les vignes. Espèce terrestre, elle a un cycle biologique identique à celui de la perdrix grise ; sa période d'incubation, cependant, est un peu plus courte (23 jours).

La perdrix bartavelle *(Alectoris graeca)* est habituellement divisée en 3 sousespèces : *A. g. saxatilis*, qui vit dans les montagnes, des Alpes du Sud à la Styrie ; *A. g. graeca*, que l'on trouve dans les Apennins, une partie de la Grèce et

▲ Tôt le matin et tard l'après-midi, la perdrix grise fourrage parmi les buissons en bordure des terres cultivées ; quand la température monte, elle vient sur les chemins de terre battue, se chauffant au soleil et prenant des bains de poussière.

◄ Le régime de la perdrix consiste essentiellement en graines de plantes sauvages et de céréales et en feuilles ; les poussins se nourrissent d'invertébrés.

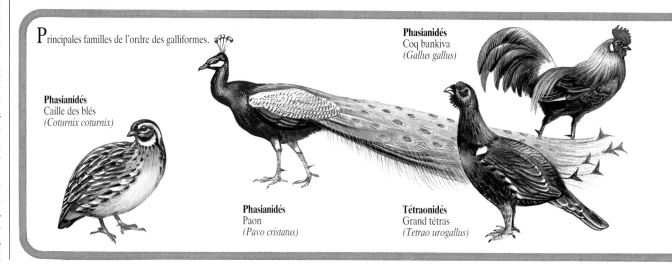

Principales familles de l'ordre des galliformes.

Phasianidés
Caille des blés
(Coturnix coturnix)

Phasianidés
Paon
(Pavo cristatus)

Phasianidés
Coq bankiva
(Gallus gallus)

Tétraonidés
Grand tétras
(Tetrao urogallus)

les îles Ioniennes ; et *A. g. whitakeri*, qui existe seulement dans les montagnes de Sicile.

La bartavelle des Alpes habite normalement sur des pentes herbues exposées au soleil le matin, au pied de murs de roche où le terrain est parsemé de cailloux, de moraines et de blocs de pierre. Dans les montagnes, la saison de reproduction de la bartavelle commence à la fin mai, la femelle pondant de 8 à 12 œufs, qu'elle couve pendant 24 ou 25 jours. Les petits sont nidifuges, comme ceux des autres perdrix.

En Asie du Sud, du Bangladesh aux côtes sud-est de la Chine (et dans le sud du Japon, où elle a été introduite avec succès), vit une espèce bien différente : la perdrix des bambous de Chine *(Bambusicola thoracica)*. Cet oiseau au plumage très coloré habite essentiellement dans les collines et sur les hauts plateaux, à proximité des terres cultivées où les bambous lui assurent protection et nourriture, laquelle consiste en racines, graines, baies et fruits. Elle a le même cycle biologique que les autres perdrix.

Les prairies qui s'étendent du sud du Canada au Brésil sont très fréquentées par les cailles du Nouveau Monde. Le colin de Virginie *(Colinus virginianus)* habite tout le centre et l'est des États-Unis, de la frontière avec le Canada au Mexique et à Cuba. Relativement abondante, cette espèce a appris à tirer profit des terres cultivées et de la prairie où pousse une végétation herbacée et arbustive.

La caille des blés *(Coturnix coturnix)* appartient, comme la perdrix, à la sous-famille des perdicinés, et est le seul migrateur des galliformes. En Europe, elle niche, durant l'été, dans les champs cultivés et les prés, du sud de l'Italie jusqu'à 65° de latitude nord. En automne, elle migre en Afrique centrale et en Asie centrale et méridionale. Son habitat est le même que celui de la perdrix grise, à savoir haies, terres en friche, champs et prairies.

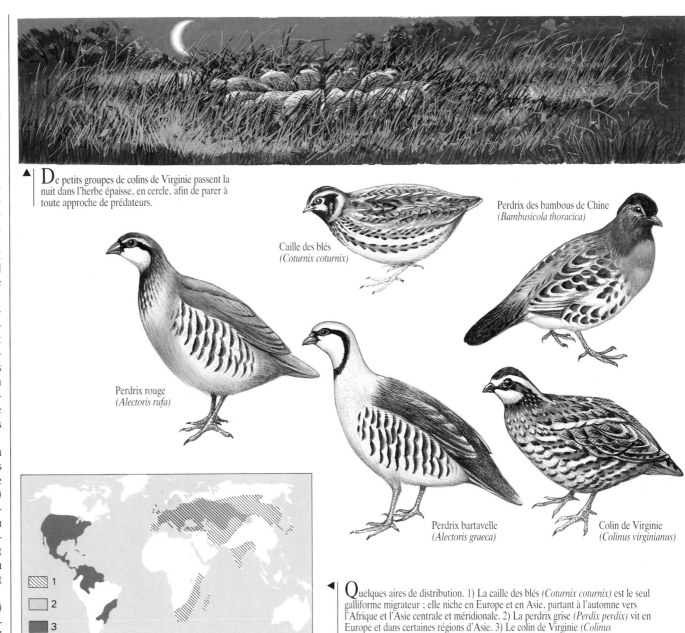

▲ De petits groupes de colins de Virginie passent la nuit dans l'herbe épaisse, en cercle, afin de parer à toute approche de prédateurs.

Caille des blés
(Coturnix coturnix)

Perdrix des bambous de Chine
(Bambusicola thoracica)

Perdrix rouge
(Alectoris rufa)

Perdrix bartavelle
(Alectoris graeca)

Colin de Virginie
(Colinus virginianus)

◄ Quelques aires de distribution. 1) La caille des blés *(Coturnix coturnix)* est le seul galliforme migrateur ; elle niche en Europe et en Asie, partant à l'automne vers l'Afrique et l'Asie centrale et méridionale. 2) La perdrix grise *(Perdix perdix)* vit en Europe et dans certaines régions d'Asie. 3) Le colin de Virginie *(Colinus virginianus)* est très abondant dans le Nouveau Monde.

Mégapodiidés
Leipoa ocellé
(Leipoa ocellata)

Numididés
Pintade vulturine
(Acryllium vulturinum)

Cracidés
Grand hocco
(Crax rubra)

Méléagrididés
Dindon sauvage
(Meleagris gallopavo)

111

LEIPOA OCELLÉ

Leipoa ocellata

Ordre Galliformes
Famille Megapodiidae
Taille Longueur 50 à 70 cm
Distribution Australie méridionale et occidentale
Mode de vie Monogame
Nidification A même le sol ; développement de l'œuf facilité par la chaleur provenant de la décomposition de débris végétaux sous le sable.
Œufs 10 à 12 (parfois plus), relativement grands par rapport au poids du corps
Petits Nidifuges

Le plumage du leipoa ocellé est en grande partie gris, avec des nuances plus sombres. Cet oiseau vit en Australie méridionale et occidentale, dans des régions arides parsemées de broussailles et où poussent très peu d'arbres et de plantes herbacées.

Tout comme d'autres représentants des mégapodiidés, il utilise la chaleur du soleil, de la terre et des matières végétales en décomposition pour l'incubation de ses œufs. La femelle pond dans un énorme nid fait de feuilles, d'herbes et autres débris végétaux, recouverts de sable. Ce tumulus agit comme une couveuse artificielle. Le mâle joue un rôle dans toutes les activités liées à la reproduction. En fait, 10 mois s'écoulent entre l'édification du nid et l'éclosion des œufs. Tout le travail préparatoire et la maintenance du nid sont l'affaire du mâle.

Au printemps (septembre dans l'hémisphère Sud), la ponte commence. La femelle place les œufs dans le trou que le mâle a creusé au sommet du monticule ; puis ce dernier le recouvre aussitôt après le départ de la femelle. Son travail consiste ensuite à assurer le développement continu à un rythme régulier, en ôtant ou en rajoutant du sable afin de maintenir une température constante, jour et nuit, au printemps, en été comme en automne.

A la fin de l'automne, la température a baissé, le cycle de reproduction est terminé et les jeunes éclosent, à quelques jours d'intervalle.

Monticule d'incubation du leipoa ocellé ; cette espèce, comme les autres mégapodes, ne couve pas ses œufs.

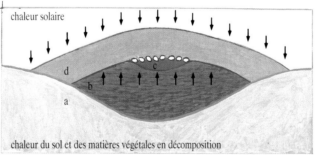

Coupe transversale d'un monticule : a) sol excavé par le leipoa mâle : b) feuilles, herbes et débris végétaux en décomposition : c) espace de ponte et d'incubation : d) sable mou.
A) Été : le jour, le mâle protège les œufs de la chaleur excessive en couvrant le monticule de sable : la nuit, il le retire pour que la chaleur accumulée puisse se disperser.
B) Automne : à cause de la baisse extérieure de la température, le processus est inversé ; le jour, le mâle découvre les œufs et les expose au soleil ; la nuit, il les recouvre de sable pour les maintenir au chaud.

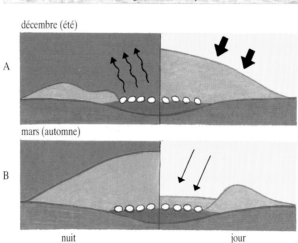

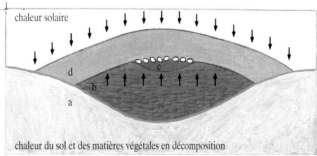

Les petits, après l'éclosion, doivent se creuser un passage à travers le sable mou pour atteindre la surface du monticule.

GRAND HOCCO

Crax rubra

Ordre Galliformes
Famille Cracidae
Taille Longueur 90 à 95 cm
Distribution Du sud du Mexique à l'Équateur occidental
Mode de vie Grégaire la majeure partie de l'année, monogame pendant la saison de reproduction
Nidification Dans des cavités naturelles d'arbres, à des hauteurs moyennes
Œufs 2 habituellement, relativement grands, avec une épaisse coquille blanche
Petits Nidifuges

Le grand hocco habite la partie la plus au nord de l'aire de répartition des cracidés, puisqu'il est répandu du sud du Mexique à l'Équateur occidental. Il vit dans les denses forêts tropicales et subtropicales, fréquentées alternativement pendant la saison sèche (hiver) et la saison humide (surtout l'été). Un tel habitat est donc caractérisé par des ceintures discontinues d'arbres, parsemées d'arbustes et de clairières.

Les cracidés, à l'inverse des autres galliformes, sont essentiellement arboricoles. Leur nid se trouve dans les arbres les plus hauts, mais proches du sol, dans des cavités naturelles des troncs ou au croisement de deux branches. Le mâle choisit le site, puis y conduit la femelle. Les deux oiseaux le tapissent ensuite de feuilles arrachées aux branches voisines. Peu après, la femelle pond 2 œufs, relativement gros, à 2 jours d'intervalle. Durant la période qui précède l'accouplement, le mâle se comporte de manière agressive à l'égard des autres individus de son espèce.

La femelle se charge seule de l'incubation, couvant les œufs 28 ou 29 jours. Les petits sont très vifs et prêts à faire des bonds au sol dès que leur duvet est sec. Ils suivent leur mère partout pendant qu'elle part en quête de nourriture, à terre et dans les arbres. Au moindre danger, ils se réfugient sous son corps.

Le régime du grand hocco consiste essentiellement en fruits, en pousses et en une grande quantité de petits invertébrés, notamment des arthropodes.

▼| Grand hocco femelle.

▲| Le grand hocco est essentiellement arboricole, nichant dans les cavités naturelles des arbres, qu'il tapisse de feuilles et autres substances végétales.

◀| Sa longue trachée lui permet d'émettre un cri très puissant, que l'on entend de loin.

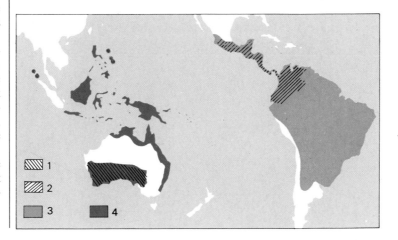

◀| Les cracidés sont répandus dans presque toute l'Amérique centrale et du Sud (3). Le grand hocco *(Crax rubra)* occupe la partie la plus au nord, une zone s'étendant du sud du Mexique à l'ouest de l'Équateur (2). Les mégapodiidés sont des oiseaux australiens qui vivent, en général, près des côtes ou dans des zones où la végétation est dense (4). Le leipoa ocellé *(Leipoa ocellata),* à l'inverse des autres membres de sa famille, préfère les régions arides couvertes d'herbes et d'arbustes en Australie occidentale et méridionale (1).

TÉTRAONIDÉS

La famille des tétraonidés, comprenant les tétras et les lagopèdes, regroupe 6 genres et 16 espèces.

Les représentants de cette famille se distinguent des autres galliformes à plusieurs égards. Trapus, massifs, ils sont de taille moyenne ou de grande taille, avec une queue moyenne ou longue, un bec court et recourbé et des narines emplumées. Au-dessus des yeux, il existe deux zones dénudées de couleur rouge (caroncules), plus développées chez le mâle. Elles s'élargissent et deviennent plus rigides pendant la saison de reproduction. Les pattes et, parfois, les pieds sont aussi recouverts de plumes ; le doigt postérieur est plus court et situé plus haut que les trois autres ; tous quatre possèdent des excroissances cornées ressemblant à des peignes.

Certaines espèces présentent des sacs aériens sur le cou, de même texture que les caroncules ; chez d'autres, on trouve plutôt des huppes de plumes érectiles sur le cou ou sur la couronne.

Jadis, les tétraonidés peuplaient de grandes étendues dans les landes et les régions boisées des zones septentrionales de l'hémisphère Nord. Avec l'avance et le recul des glaciers, ils se sont déplacés vers le sud et ont finalement colonisé les montagnes de l'Europe centrale et de l'Europe du Sud, de l'Amérique du Nord et du sud de la Sibérie. Ceux qui vivent aujourd'hui descendent d'un groupe ancestral de tétraonidés monogames qui habitaient les régions de forêts et ont donné naissance à deux branches.

Certaines espèces sont restées monogames ; ce sont des espèces à parade solitaire et, pour cette raison, elles sont considérées comme étant moins évoluées. Parmi elles, on peut citer notamment la gelinotte des bois (Bonasa bonasia), le lagopède alpin (Lagopus mutus), le lagopède des saules (L. lagopus), la gelinotte à fraise (Bonasa umbellus). Il est de règle, en période nuptiale, que le couple s'empare d'un territoire qu'il n'abandonne qu'exceptionnellement. Le mâle aide la femelle à couver et, parfois, détourne l'attention des éventuels prédateurs. En général, les deux sexes se ressemblent. Les espèces vivant dans les régions de forêts ont une queue plus longue et leurs différentes parties sont très mobiles ; hormis leur apparence, elles se signalent par des cris forts et répétés (ce qui est surtout caractéristique de la gelinotte à fraise).

▲ Groupe de lagopèdes arborant leur plumage d'hiver, à la fin de l'automne. Au premier plan, à gauche, un mâle adulte ; au centre, une femelle dont la mue n'est pas encore terminée.

▼ Couple de lagopèdes et sa progéniture dans un haut pâturage de montagne, au début de l'été.

▼ Les narines des lagopèdes sont emplumées. Des caroncules rouges sont situées au-dessus des yeux, particulièrement visibles chez le mâle, de même qu'une bande de plumes noires allant de la base du bec à l'arrière de l'œil. Les tarses et les pieds sont revêtus de plumes qui facilitent la marche sur la neige ; le doigt postérieur est situé bien au-dessus des autres.

D'autres espèces plus évoluées ont développé un comportement grégaire pendant la période de reproduction et font des parades collectives. Il y a une rivalité entre les mâles, chacun d'eux essayant de prouver sa supériorité sur ses concurrents par diverses parades, par des appels et par des combats, afin de s'accoupler avec plusieurs femelles.

On trouve dans ce groupe le tétras-lyre *(Lyrurus tetrix)*, le grand tétras *(Tetrao urogallus)*, le cupidon des prairies *(Tympanuchus cupido)*, le tétras des armoises *(Centrocercus urophasianus)* et d'autres espèces d'Amérique du Nord et d'Asie orientale. Habituellement, ces espèces présentent un dimorphisme sexuel frappant et, la majeure partie de l'année, les deux sexes vivent séparément. Les tétraonidés choisissent des habitats plutôt ouverts, à l'exception du grand tétras, qu'on voit parader dans les clairières des forêts. Chaque mâle, jour après jour, prend position sur le terrain consacré aux parades et défend avec acharnement son territoire. A proximité du centre de cette arène, les territoires individuels sont d'assez petite taille ; par contre, ceux qui se trouvent à l'extérieur sont plus grands et occupés seulement par de jeunes mâles. Les mâles placés au centre ont plus de chances de trouver une partenaire, car les femelles, le moment venu, se dirigent toujours vers cet endroit de l'arène où les prétendants sont les plus nombreux. Au cours des combats acharnés qui les opposent, une sélection s'opère parmi les mâles, à l'issue de laquelle le vainqueur, qui est vraisemblablement le combattant le plus fort et le plus rusé, sachant le mieux exploiter sa connaissance du terrain, occupe le centre.

Chez toutes les espèces, le comportement du mâle pendant la saison de reproduction est caractéristique, consistant à effectuer une série de mouvements avant de procéder à l'accouplement. Toutes les femelles, pour leur part, se comportent de la même façon face au mâle : quand elles sont prêtes pour l'acte sexuel, elles s'étendent à plat sur le sol, écartent légèrement leurs ailes et se préparent ainsi à recevoir leur partenaire.

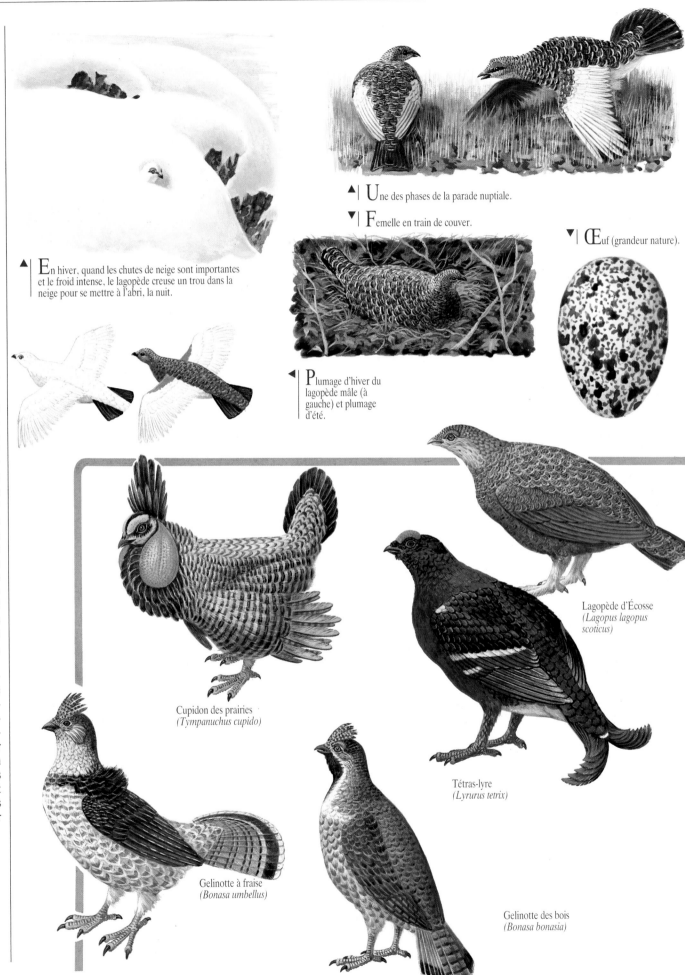

▲| En hiver, quand les chutes de neige sont importantes et le froid intense, le lagopède creuse un trou dans la neige pour se mettre à l'abri, la nuit.

▲| Une des phases de la parade nuptiale.

▼| Femelle en train de couver.

▼| Œuf (grandeur nature).

◄| Plumage d'hiver du lagopède mâle (à gauche) et plumage d'été.

Cupidon des prairies
(Tympanuchus cupido)

Lagopède d'Écosse
(Lagopus lagopus scoticus)

Tétras-lyre
(Lyrurus tetrix)

Gelinotte à fraise
(Bonasa umbellus)

Gelinotte des bois
(Bonasa bonasia)

GRAND TÉTRAS

Tetrao urogallus

Ordre Galliformes
Famille Tetraonidae
Taille Longueur : mâle adulte 90 cm, femelle adulte 62 cm
Poids Mâle adulte 3,5 à 5,5 kg, femelle adulte 1,6 à 2,5 kg
Distribution Europe du Nord et Asie
Nidification A même le sol
Œufs 5 à 9, jaunâtres, avec des taches brunes
Petits Nidifuges

Le grand tétras, ou grand coq de bruyère, est, de tous les membres européens de la famille des tétraonidés, celui qui a la taille la plus élevée. Le dimorphisme sexuel est très net : le mâle est plus gros que la femelle, et son plumage, beaucoup plus coloré. Il est répandu de l'Écosse à la Lena et au lac Baïkal, en Sibérie orientale ; la frontière nord coïncide avec le cercle arctique et la limite sud se situe en Sibérie, à 50° de latitude nord. Certaines populations, cependant, vivent plus au sud.

Au printemps, du début avril à la fin mai, le grand tétras consacre toutes ses activités à la reproduction. Le mâle prend position dans un arbre, en un point avantageux, quand il fait encore nuit — parfois même la veille au soir — et se met à chanter dès que le jour se lève (en général, plusieurs mâles s'assemblent pour parader). Le chant attire les femelles. Durant la parade nuptiale, elles s'installent sur une branche de conifère ou au pied d'un arbre, écoutant ce chant jour après jour, le matin et le soir, pour finir par s'accoupler avec le mâle dominant, à même le sol. Ce dernier, de plus en plus excité, ne voit ni n'entend rien durant la partie finale de son chant, tandis que les femelles, attentives, sont aux aguets : au moindre bruit ou mouvement, elles s'éloignent aussitôt, gloussant bruyamment, ce qui prévient le mâle du danger.

Après l'accouplement et jusqu'à la fin de la saison de reproduction, chaque oiseau se désintéresse des autres et mène une vie solitaire. La femelle pond de 5 à 9 œufs, à intervalles de 24 à 48 heures dans une dépression du sol. L'incubation dure de 26 à 28 jours.

▲ Grand tétras mâle adulte pendant la période nuptiale.

▲ Mâle et femelle adultes sur le qui-vive pendant qu'ils s'alimentent. A noter les appendices cornés aux orteils, qui permettent à l'oiseau de marcher sur la neige, et les caroncules, présentes seulement chez le mâle.

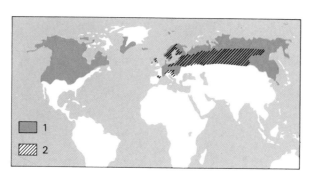

◄ 1) La famille des tétraonidés, largement distribuée durant l'ère tertiaire dans les landes septentrionales et les bois de l'hémisphère Nord, colonisa ultérieurement les régions plus au sud. Aujourd'hui, on trouve des membres de cette famille dans les zones montagneuses de l'Europe centrale et méridionale, en Amérique du Nord et en Sibérie méridionale. 2) Distribution du grand tétras *(Tetrao urogallus)*.

TÉTRAS-LYRE

Lyrurus tetrix

Ordre Galliformes
Famille Tetraonidae
Taille Longueur : mâle adulte 55 cm, femelle adulte 40 cm
Poids Mâle adulte 1,3 kg, femelle adulte 0,9 kg
Distribution Europe du Nord et Asie
Nidification A même le sol
Œufs 6 à 10, jaunâtres, avec des taches et des rayures brunes
Petits Nidifuges

Le tétras-lyre est le plus connu de tous les tétraonidés, en particulier à cause de sa queue en forme de lyre. Le dimorphisme sexuel est très prononcé, tant par la taille que par la coloration du plumage. L'espèce est répandue, presque sans discontinuité, des îles Britanniques aux côtes orientales de la Sibérie. Le plus souvent, elle habite les bordures des forêts, les clairières ou les espaces ouverts.

A la fin de l'hiver, les mâles rejoignent les zones où ils ont pris l'habitude de se rassembler année après année à la saison de reproduction, s'installant chacun dans leur propre espace, territoire de parade qui a reçu le nom d'arène. Une fois là, ils se livrent à un cérémonial accompagné de gloussements et de cris et cherchent à monopoliser le centre de l'arène. A la fin de ces querelles entre mâles, les femelles entrent à leur tour dans l'arène et montrent, selon des rituels bien définis, qu'elles sont disposées à s'accoupler. Les mâles les plus forts, grâce à leur grande expérience du combat et à leur familiarité avec le terrain, auront à ce moment-là pris possession du centre de l'arène.

Après la copulation, les femelles abandonnent l'arène et se consacrent à la préparation du nid, dépression peu profonde dans le sol, caché par les broussailles, où elles pondent généralement 7 ou 8 œufs, jaunâtres et tachetés ou rayés de brun. L'incubation dure de 24 à 26 jours.

Le régime de l'adulte varie considérablement en fonction de l'environnement, mais consiste pour l'essentiel en végétaux et en petites quantités de substances animales.

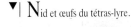 **C**ombat entre deux tétras-lyres mâles sur l'arène de parade.

 **P**arade nuptiale entre une femelle et un mâle avant la copulation.

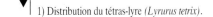 **N**id et œufs du tétras-lyre.

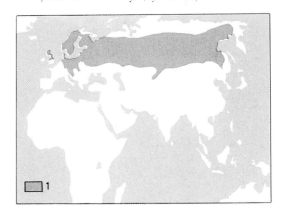
1) Distribution du tétras-lyre (Lyrurus tetrix).

DINDON SAUVAGE

Meleagris gallopavo

Ordre Galliformes
Famille Meleagrididae
Taille Longueur : mâle adulte 1 à 1,20 m, femelle adulte 80 à 85 cm
Distribution Amérique du Nord et centrale
Mode de vie Le mâle est polygame
Nidification A même le sol
Œufs 8 à 10 (parfois plus), jaune-brun clair, avec des taches marron
Petits Nidifuges

Le dindon sauvage est le plus gros galliforme vivant d'Amérique du Nord et centrale. Le dimorphisme sexuel est très marqué, en ce qui concerne à la fois le plumage et la taille ; en effet, le mâle est nettement plus gros que la femelle. Jadis, l'espèce était répandue à travers tous les États-Unis et tout le Mexique, mais, à la fin du XIXᵉ siècle, elle devint beaucoup plus rare ; aujourd'hui, elle est très localisée, ce qui ne laisse rien présager de bon pour sa survie.

L'arrivée du printemps marque le début du cycle de reproduction du dindon sauvage. Durant les parades nuptiales, les zones nues et boutonneuses de sa tête et de son cou se gonflent et prennent une teinte bleu clair, tranchant nettement avec le rouge vif des verrues et caroncules. Tandis qu'il courtise la femelle, il se pavane fièrement, se rengorgeant et déployant toute la splendeur de sa livrée nuptiale.

Après l'accouplement, la femelle s'éloigne, et le mâle se désintéresse d'elle et de la couvée. A l'aide de ses griffes, la femelle gratte la terre au pied d'un arbre pour y creuser son nid, et le tapisse de feuilles, de brindilles et d'herbes sèches. Elle pond une dizaine d'œufs, cette opération lui prenant environ 20 jours. Ensuite, elle se consacre à l'incubation, qui dure 27 ou 28 jours.

Le régime du dindon sauvage consiste essentiellement en végétaux, mais, durant l'été, les petits se nourrissent d'arthropodes et autres invertébrés.

◀ Le dindon sauvage vit dans les forêts d'Amérique du Nord. Cette espèce, apprivoisée il y a longtemps par les anciennes tribus du Mexique, est l'ancêtre du dindon domestique.

▲ Malgré sa taille considérable, le dindon sauvage vole plutôt bien.

La tête du dindon ocellé *(Agriocharis ocellata)* est remarquable par ses nombreuses caroncules jaunes et rouges présentes sur les zones nues et boutonneuses, sur le front et au-dessus des yeux. ▶

◀ Originaire d'Amérique du Nord, le dindon sauvage était autrefois répandu dans une grande partie des États-Unis et du Mexique ; aujourd'hui, cette aire est notablement réduite.
1) Dindon sauvage (Meleagris gallopavo) ; 2) dindon ocellé (Agriocharis ocellata).

1 ·
2

PINTADE
Numida meleagris

Ordre Galliformes
Famille Numididae
Taille Longueur 50 à 55 cm
Distribution Afrique centrale et australe
Mode de vie Monogame pendant la saison de reproduction, grégaire le reste de l'année
Nidification A même le sol
Œufs 8 à 15, variables en couleur, du jaune moutarde au rouge-brun
Petits Nidifuges

Connue des Grecs et des Romains, la pintade a été récemment introduite à Madagascar, en Afrique du Sud occidentale, en Amérique et dans de nombreux endroits au climat identique à ses pays d'origine. La pintade vit habituellement dans les savanes ou les steppes sèches parsemées de buissons ou d'arbustes épineux, dans les forêts claires ou les terrains rocailleux. Les seules pintades à habiter les luxuriantes forêts tropicales d'Afrique sont les deux espèces du genre *Guttera*.

La majeure partie de l'année, la pintade vit en groupes, parfois très importants. Le début de la saison de reproduction coïncide avec le début de la saison des pluies. Le groupe se sépare très vite, et les couples se retirent dans les broussailles pour nicher et élever la couvée. Dans une dépression du sol, la femelle pond une douzaine d'œufs, relativement petits, mais munis d'une coquille épaisse et résistante. L'incubation dure 27 jours environ.

Le régime de la pintade est composé d'une grande variété de feuilles, bourgeons, tubercules, fruits, baies et graines, et d'un grand nombre de petits invertébrés. Parfois, des troupes envahissent les champs de céréales et les plantations, endommageant considérablement les récoltes.

La pintade est essentiellement un oiseau terrestre. Elle se nourrit ou se repose le jour à terre, s'éloignant rapidement en courant si elle sent un danger ; elle ne prend son essor qu'en cas de poursuite. Le soir, cependant, elle se réfugie dans les arbres, pour échapper aux nombreux mammifères prédateurs.

▼ La pintade vit en groupes et passe la majeure partie de la journée à chercher de la nourriture dans les zones arides de la savane ou en bordure des forêts.

▲ Le régime de la pintade consiste essentiellement en végétaux (graines, feuilles et céréales) ; elle se nourrit aussi d'animaux, surtout dans les premiers mois de sa vie.

Pintade huppée
(Guttera pucherani)

Pintade vulturine
(Acryllium vulturinum)

▲ La pintade est originaire d'Afrique, au sud du Sahara ; aujourd'hui, on la trouve dans toute l'Afrique centrale et australe, jusqu'à l'est de l'Afrique du Sud. 1) Pintade *(Numida meleagris)* ; 2) zones d'Afrique où l'espèce a été introduite.

1
2

PAON BLEU

Pavo cristatus

Ordre Galliformes
Famille Phasianidae
Taille Longueur : mâle adulte 1,10 à 1,20 m, femelle adulte 90 cm
Distribution Inde et Sri Lanka
Mode de vie Grégaire la plus grande partie de l'année
Nidification Sur le sol
Œufs 4 à 8
Petits Nidifuges

De tous les galliformes, le paon bleu est celui dont les couleurs sont les plus spectaculaires. Le plumage du mâle est particulièrement brillant. La tête, le cou et la poitrine sont bleu-vert et violet, avec des reflets métalliques. Autour des yeux se trouve une zone dénudée, et une crête de plumes, munies de barbes à leur extrémité, orne l'occiput.

Le bec, d'assez grande taille, est brun clair, comme l'iris. Les plumes du dos sont vert doré avec des bordures couleur bronze, les tertiaires blanches avec de fines rayures noires, les couvertures alaires primaires et secondaires d'un bleu-vert métallique et les rémiges et rectrices brunes.

Les plumes sus-caudales (au nombre de 100 à 150) sont beaucoup plus longues que les rectrices et forment la traîne du paon. Ces plumes peuvent atteindre jusqu'à 1,50 m de longueur — elles grandissent jusqu'à la sixième année —, mais en principe ne dépassent pas 1 m. Elles possèdent de longues barbes vert métallique avec des reflets bleus et bronze, qui forment, près de leur extrémité, une tache évoquant un œil et connue sous le nom d'ocelle, dont le centre d'un bleu vif est entouré d'anneaux concentriques brun, jaune d'or et violet.

La paonne est plus petite que le paon. Elle n'a pas de traîne et son plumage est moins éclatant.

Le paon bleu est répandu partout en Inde et à Sri Lanka. On le rencontre dans les forêts et le long des rivières, ainsi qu'en bordure des grandes clairières dans les régions chaudes et humides ; dans les montagnes du sud de l'Inde, il habite les forêts humides tropicales dont les arbres et les buissons sont clairsemés, jusqu'à une altitude de 2 000 m.

Le paon bleu est un oiseau sédentaire qui vit, la plus grande partie de l'année, en groupes de taille variable. Ces attrou-

Pendant la saison de reproduction, le paon, en présence des femelles, élève ses rectrices et étale ses magnifiques plumes sus-caudales, formant alors un grand éventail, puis se pavane à travers son territoire.

pements ne se dispersent qu'au début du printemps, chaque coq adulte partant de son côté, suivi par 2 à 5 femelles. La période de reproduction dure tout le printemps. Pendant la parade nuptiale, le mâle, qui est le point de mire des femelles, élève ses rectrices et déploie ses plumes sus-caudales en éventail. Les femelles accourent à ce signal et, comme il convient, adoptent les postures caractéristiques indiquant qu'elles sont disposées à s'accoupler tapies sur le sol, face au mâle, les ailes mi-ouvertes. Alors, le paon referme rapidement sa magnifique traîne et s'accouple successivement avec toutes les paonnes.

Quelque temps après, la femelle prépare un nid rudimentaire à même le sol, en général à l'abri d'un arbuste ou d'une plante. Elle y pond 4 ou 5 œufs, mais d'après certains auteurs ils peuvent être beaucoup plus nombreux. L'incubation dure de 28 à 30 jours.

En liberté, les paons sont omnivores, se nourrissant essentiellement de substances végétales (pousses, feuilles, baies, graines, etc.), mais aussi d'animaux (escargots, vers et, surtout, insectes).

Outre le paon bleu, la sous-famille des pavoninés comprend deux autres espèces, le paon spicifère *(Pavo muticus)* et le paon du Congo *(Afropavo congensis)*.

Le paon spicifère mâle est plus grand que chez l'espèce voisine. La couleur dominante du plumage est le vert, avec des reflets bleu métallique, et il est encore plus somptueux. La femelle possède également un plumage vert vif, mais elle n'a pas de traîne. On rencontre cette espèce du sud-est de l'Assam jusqu'en Thaïlande, en Chine méridionale, dans la péninsule malaise et dans l'île de Java.

Le paon du Congo se distingue nettement des espèces mentionnées ci-dessus par son cou dénudé et l'absence de traîne. Cette espèce a été décrite pour la première fois par un ornithologue américain, Chapin, en 1936. Il avait remarqué un couple de ces galliformes, empaillés et exposés au musée du Congo à Tervueren, en Belgique, désignés par erreur comme étant de jeunes individus du paon commun. S'étant rendu compte de cette erreur de classification, Chapin s'était promis de confirmer sur place l'existence d'une espèce nouvelle, et un an après, en explorant la province de l'Ituri, il avait réussi à en capturer plusieurs spécimens. En réalité, cette espèce était connue de la population locale et des Blancs qui habitaient la région.

La nuit, l'oiseau se réfugie sur une branche.

Le paon est avant tout une espèce vivant au sol, mais, en cas de danger, il peut voler sans difficulté.

La paonne aide les petits à trouver leur nourriture et parfois les alimente elle-même pendant leurs premiers jours.

Paon spicifère
(Pavo muticus)

Paon bleu
(Pavo cristatus)

Paon du Congo
(Afropavo congensis)

1) Le paon du Congo *(Afropavo congensis)* habite une région assez limitée du Zaïre, dans les forêts pluviales tropicales. Il n'a été découvert que récemment, en 1936.
2) Le paon bleu *(Pavo cristatus)* vit en Inde et à Sri Lanka, dans les zones vallonnées et montagneuses jusqu'à 2 000 m d'altitude, avec une prédilection pour les régions de forêts humides et clairiérées. Sa domestication est facile. Il était connu dans les pays de la Méditerranée dès l'Antiquité, et de nos jours on l'élève souvent pour des raisons ornementales. 3) Le paon spicifère *(Pavo muticus)* se rencontre dans le sud-est de l'Asie et l'île de Java.

■ 1
■ 2
■ 3

FAISAN DE COLCHIDE

Phasianus colchicus

Ordre Galliformes
Famille Phasianidae
Taille Longueur : mâle adulte 75 à 90 cm, femelle adulte 55 à 65 cm
Poids Mâle adulte 1,15 à 1,5 kg, femelle adulte 1 kg environ
Nidification Sur le sol
Œufs 7 à 14 (habituellement 10), de couleur brune, vert vif ou vert olive pâle, de forme arrondie
Petits Nidifuges

Le faisan de Colchide (*Phasianus colchicus*) est réputé pour son beau plumage et se reconnaît facilement à sa queue longue et pointue. Le dimorphisme sexuel est très prononcé, aussi bien en ce qui concerne la taille que la couleur. Le plumage de la femelle est très terne, tandis que celui du mâle est particulièrement éclatant.

Les faisans peuvent vivre dans toutes les forêts claires et la campagne où se trouvent des haies et des massifs broussailleux situés en bordure de terres en friche.

En hiver, ils se rassemblent en groupes composés uniquement de mâles ou uniquement de femelles. Au début du printemps, les bandes se dispersent et les faisans se mettent à la recherche d'un emplacement convenable. Une fois maître de son territoire, chaque mâle affirme ses droits en chantant et parfois affronte les rivaux abordant son domaine. L'endroit choisi, habituellement couvert de buissons, est situé à la lisière d'une forêt, en bordure de prés ou de sentiers. La période nuptiale est assez longue, la date des accouplements, qui commencent en avril, dépendant de la région.

Par la suite, les poules se retirent dans leur nid et se mettent à couver. Le nid est une dépression dans le sol, tapissé de tiges d'herbe sèche et de quelques plumes que la femelle a laissé tomber ; il est situé au milieu des feuilles mortes, entre deux monticules de terre, sous les branches d'un petit buisson, en bordure d'un champ ou dans une haie. Classiquement, 10 œufs sont pondus, de couleur vert olive pâle ; la ponte commence après le 15 avril et l'incubation

▲ Faisan de Colchide mâle au printemps dans le territoire qu'il occupe pendant la saison de reproduction. Une femelle est perchée sur une branche morte.

◄ Cet oiseau se nourrit surtout de végétaux (graines, plantes et fruits) ; en été et en automne, son régime alimentaire, en particulier celui des jeunes, est également à base d'animaux.

◄ Les tarses des faisans de Colchide mâles sont munis d'un éperon.

dure une vingtaine de jours. Normalement, il n'y a qu'une seule couvée par an. Après l'éclosion, les femelles restent sur place, jusqu'à ce que les petits aient toutes leurs plumes. Quatre à cinq mois plus tard, le plumage des jeunes faisans est semblable à celui des adultes.

Leur nourriture varie selon la saison, mais se compose essentiellement de plantes herbacées, de graminées et diverses autres plantes, de baies, de fruits, ainsi que d'aliments d'origine animale.

On connaît plusieurs autres espèces de faisans vivant à l'état sauvage en Asie. Le faisan de Soemmering *(Syrmaticus soemmeringii)* habite les forêts des montagnes de l'île japonaise de Kyushu, au-dessus de 1 200 m. Son habitat caractéristique est fait de broussailles denses et de sous-bois, parsemés de clairières, à proximité de ruisseaux et de rivières. Le faisan doré *(Chrysolophus pictus)* et le faisan de Lady Amherst *(C. amherstiae)* sont, sans doute, les plus colorés et les plus somptueux de tous les faisans d'Asie. Le premier vit dans les zones de broussailles très denses des montagnes de la Chine centrale et occidentale, jusqu'à une altitude de 2 500 m. Il mange surtout les feuilles et les bourgeons des différents arbustes et bambous nains. Le faisan de Lady Amherst est encore plus bariolé que le faisan doré ; sa queue est plus longue et, pendant la parade, l'oiseau l'exhibe, de même que sa livrée nuptiale, aux tons chatoyants. Cet oiseau vit sur les pentes rocheuses des montagnes de la Chine du Sud-Ouest, à une altitude de 2 200 à 3 600 m. Il trouve sa subsistance au milieu des arbustes et des bambous, se nourrissant surtout de bourgeons.

Le faisan argenté *(Lophura nycthemera)* vit en couples ou en petits groupes dans les forêts des montagnes de l'Asie du Sud-Est, à une altitude de 600 à 2 100 m. Il est largement répandu dans le nord-est de la péninsule indochinoise, jusqu'au golfe du Tonkin et dans tout le sud-est de la Chine.

Le lophophore resplendissant *(Lophophorus impeyanus)* présente lui aussi un plumage bigarré. On le trouve sur une vaste étendue dans les montagnes de l'Asie du Sud, de l'Afghanistan jusqu'au Tibet et au Bhoutan. Ce faisan vit d'habitude dans les forêts de conifères ou dans les forêts mixtes — composées de conifères et d'arbres à feuilles caduques —, choisissant fréquemment pour habitat les pentes rocheuses ou les ravins profonds à une altitude qui varie de 2 700 à 3 600 m.

▲ La femelle qui couve se confond avec la végétation.

▲ Le faisan s'envole brusquement et bruyamment.

◀ Petit âgé de quelques jours.

◀ Chant nuptial du mâle au printemps.

Faisan de Soemmering *(Syrmaticus soemmeringii)*

Faisan argenté *(Lophura nycthemera)*

Faisan doré *(Chrysolophus pictus)*

Lophophore resplendissant *(Lophophorus impeyanus)*

Faisan de Lady Amherst *(Chrysolophus amherstiae)*

◀ De nos jours, les populations indigènes de faisans de Colchide sont réparties de façon discontinue des côtes sud et est de la mer Noire jusqu'aux côtes de la Chine, à travers l'Asie centrale. Le faisan de Colchide a été introduit en Europe il y a très longtemps ; on ne le trouve ni en Islande, ni en Scandinavie du Nord, ni au sud ou à l'ouest de la péninsule Ibérique, ni en Italie insulaire ou en Grèce du Sud. 1) Distribution du faisan de Colchide *(Phasianus colchicus)*.

COQ BANKIVA

Gallus gallus

Ordre Galliformes
Famille Phasianidae
Taille Longueur : mâle 45 à 50 cm, femelle 40 à 43 cm
Distribution Asie du Sud-Est
Mode de vie Grégaire, polygame
Nidification A même le sol
Œufs 5 à 8, blanchâtres
Petits Nidifuges

Le coq bankiva, ou coq sauvage *(Gallus gallus)*, est l'une des espèces les plus importantes des galliformes, car c'est de lui que sont issues toutes les races actuelles de volaille domestique. Son plumage est très vif et coloré. La femelle, plus petite et au plumage plus terne, n'a pratiquement pas de crête ou de caroncules, ni d'éperons. L'été, la livrée du mâle en plumage d'éclipse prend à son tour des teintes ternes.

Le genre *Gallus* comprend 4 espèces, vivant en Asie du Sud-Est, de l'Inde à l'île de Java. Le coq bankiva est répandu du nord-est de l'Inde jusqu'aux îles de la Sonde. Les 4 espèces habitent des zones boisées à la végétation dense, qui leur procure nourriture et endroits sûrs où se cacher en cas de danger.

En général, le coq bankiva est polygame et vit de manière grégaire la majeure partie de l'année, se déplaçant en groupes de taille variable pour chercher de la nourriture dans les clairières et sur les lisières, souvent proches de terres cultivées. Vers la fin du printemps, quand la saison de reproduction commence, les mâles les plus vigoureux (suivis par plusieurs femelles) se mettent à marquer leur territoire, le défendant avec détermination et luttant âprement contre les concurrents qui osent y pénétrer. De 3 à 5 femelles s'établissent dans chaque territoire et, après un certain temps, préparent leur nid ; les œufs sont blanchâtres, avec des tons jaunes ou roses, et couvés pendant 20 ou 21 jours par les femelles.

La quête de la nourriture, en fourrageant dans la terre, se fait à l'aube ou au crépuscule. Dans la journée, les oiseaux s'exposent souvent au soleil et prennent des bains de poussière. A la tombée de la nuit, ils se réfugient dans un arbre.

▲ Le coq bankiva a un mode de vie terrestre, se déplaçant à travers la végétation dense à la recherche de nourriture.

▲ Pour échapper aux mammifères prédateurs, le coq bankiva va se percher le soir sur la branche d'un arbre, où il passe la nuit.

Le chant caractéristique du mâle au printemps lui sert à marquer son territoire et à écarter les autres mâles. ▶

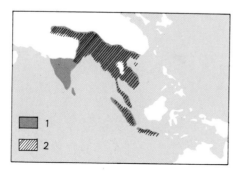

◀ 1) Les oiseaux appartenant au genre *Gallus* vivent en Asie du Sud-Est, de l'Inde à Java. 2) Le coq bankiva *(Gallus gallus)* habite du nord-est de l'Inde aux îles de la Sonde. Toutes les volailles domestiques connues et élevées aujourd'hui dans le monde sont issues de cette espèce.

1
2

HOAZIN

Opisthocomus hoazin

Ordre Galliformes
Sous-ordre Opisthocomi
Famille Opisthocomidae
Taille Longueur 60 cm
Distribution Amérique du Sud
Mode de vie Grégaire, arboricole
Nidification Sur les branches basses des arbres
Œufs 2 à 5, blanchâtres, tachés de brun
Petits Semi-nidicoles, ils ont l'extrémité des ailes munie de griffes

L'hoazin a le corps svelte, brun à sa partie supérieure, avec d'étroites bandes blanchâtres sur le dos ; les plumes du cou et de la poitrine sont fauves, les rémiges et le plumage de l'abdomen brun roussâtre.

A l'éclosion, les petits présentent une particularité intéressante : leurs membres antérieurs — leurs ailes — sont munis de griffes fonctionnelles, bien développées et mobiles, dont ils se servent pour circuler dans les branches. Durant la croissance, ces griffes s'atrophient et finissent par disparaître.

L'hoazin est répandu dans les forêts-galeries denses et le long des cours d'eau en Colombie, en Bolivie, au Pérou et dans le bassin de l'Amazone. Grégaire, il vit surtout dans les arbres, où il trouve l'essentiel de sa nourriture.

Pendant la saison de reproduction, les couples restent assez proches les uns des autres, nichant et parfois couvant en petits groupes. Le nid est fait à la fourche d'une branche, juste au-dessus du sol ou de la surface de l'eau ; habituellement, il a l'aspect d'une plate-forme, composée de quelques branchettes sommairement entrelacées et de débris végétaux. Les deux sexes participent à sa construction.

Les parents couvent à tour de rôle, l'éclosion s'effectuant 28 jours après la ponte du dernier œuf. A l'éclosion, les petits sont tout nus, mais capables de se déplacer avec une certaine agilité, en se servant de leurs griffes alaires pour grimper aux arbres et passer d'une branche à l'autre en s'y agrippant. Les premiers jours, ils sont alimentés par leurs parents, mais ils grandissent rapidement et deviennent bientôt indépendants.

Ils se nourrissent essentiellement de feuilles d'arum, de fruits et de feuilles d'autres plantes aquatiques.

L'hoazin est un galliforme d'aspect étrange, grégaire et arboricole. Dans la journée, il émet souvent des cris perçants pour rester en contact avec les autres individus du groupe. Il se nourrit de feuilles et de fruits de diverses plantes aquatiques, surtout de feuilles d'arum.

Les membres antérieurs des jeunes hoazins, en l'occurrence les ailes, sont munis de solides griffes qui les aident à grimper aux arbres.

L'hoazin est une espèce sud-américaine vivant dans les forêts équatoriales denses et le long des rivières en Bolivie, en Colombie, au Pérou et dans le bassin de l'Amazone.
1) Distribution de l'hoazin (Opisthocomus hoazin).

GRUIFORMES

L'ordre des gruiformes réunit 11 ou 12 familles et quelque 200 espèces vivantes ou récemment éteintes, ayant en commun un certain nombre de caractéristiques anatomiques, mais se distinguant nettement les unes des autres par leur morphologie et leur biologie. Les gruiformes possèdent de longues pattes et partagent avec les représentants des ciconiiformes l'appellation d'échassiers. En fait, ces deux ordres sont bien distincts, compte tenu des caractéristiques de leur bec et du mode de développement de leurs petits.

Les gruiformes sont de taille variable et possèdent des ailes courtes et arrondies, qui, à l'exception de celles des grues, ne sont pas très bien adaptées au vol. Leurs longues pattes leur permettent de courir vite et sont généralement munies de quatre doigts, le doigt postérieur étant souvent plus petit et surélevé. Pour cette raison, ces oiseaux se perchent rarement dans les arbres, saisir une branche étant pour eux un véritable exploit. Leurs doigts ne sont pas palmés, sauf chez les foulques et les grébifoulques, où ils sont bordés de palmures festonnées. Le plumage est habituellement assez terne. Le bec est robuste. Les petits, nidifuges, sont recouverts d'un épais duvet.

La famille des gruidés comprend 14 espèces. Les deux sexes se ressemblent. La couleur des ailes et du corps varie du blanc au gris et les rémiges sont noires. Certains présentent une plage nue, d'un rouge vif, sur la tête.

De nombreuses espèces se livrent à des danses caractéristiques, qui ne sont pas nécessairement liées à la période de reproduction. La monogamie est de règle, les deux parents construisant le nid et couvant les 2 œufs. La forme très particulière de sa trachée donne à la grue une voix exceptionnellement sonore, portant sur plusieurs kilomètres.

La demoiselle de Numidie (Anthropoides virgo), longue de 95 cm, est la plus petite de la famille ; deux touffes de plumes blanches très typiques ornent les côtés de sa tête. La grue blanche américaine (Grus americana) était autrefois une espèce nombreuse, répandue jusqu'au Canada. Malgré des mesures de protection sévères, on n'en recensait plus, ces dernières années, que 23 dans la réserve d'Aransas, qui est sa zone d'hivernage, sur les côtes du golfe du Mexique.

Grue de Mandchourie
(Grus japonensis)

Grue antigone
(Grus antigone)

Quelques représentants de la famille des gruidés.

Grue blanche de Sibérie
(Grus leucogeranus)

Grue blanche américaine
(Grus americana)

Demoiselle de Nu
(Anthropoïdes virg

Grue moine
(Grus monacha)

Grue à col blanc
(Grus vipio)

La famille des eurypygidés ne compte qu'une seule espèce, le caurale-soleil *(Eurypyga helias),* qui habite les forêts d'Amérique du Sud.

La famille des psophiidés, ou oiseaux-trompettes, comprend 3 espèces aux mœurs voisines, qui vivent dans les forêts du Brésil.

La famille des aramidés est représentée par une seule espèce vivante, le courlan *(Aramus guarauna).* Cet oiseau, mesurant 60 cm environ, se rencontre au sud des États-Unis.

Les 2 espèces constituant la famille des cariamidés, le cariama huppé *(Cariama cristata)* et le cariama de Burmeister *(Chunga burmeisteri),* vivent dans les pampas et les forêts clairsemées du Brésil, du Paraguay et de l'Argentine.

Les mésitornithidés regroupent 3 espèces qui habitent Madagascar ; ces petits oiseaux mesurent 25 cm de longueur.

La famille des turnicidés, ou hémipodes, regroupe 15 espèces, dont l'aspect général rappelle beaucoup celui de la caille.

Les 3 espèces qui constituent la famille des héliornithidés, ou grébifoulques, sont des oiseaux aquatiques, farouches, vivant au bord des rivières et des marais des forêts tropicales. Le grébifoulque du Sénégal *(Podica senegalensis),* avec 60 cm de long, est le représentant le plus grand.

La famille des rallidés, qui comprend 132 espèces connues sous le nom de râles, est la plus importante de cet ordre. Certaines espèces sont terrestres, d'autres aquatiques ; toutes sont de taille moyenne ou de grande taille et parfaitement adaptées pour vivre dans la végétation dense des marécages et sur les bords des lacs et des rivières. Plusieurs sont nocturnes ; quelques-unes, bien que très répandues, ne sont pratiquement connues que par leurs cris.

La famille des rhynochétidés n'a qu'un seul représentant, le kagou *(Rhynochetos jubatus),* qui habite les épaisses forêts de Nouvelle-Calédonie.

Les 22 espèces qui forment la famille des otididés sont bien adaptées à la vie sur la terre ferme, grâce à leurs pattes longues et robustes. Les outardes vivent dans les zones semi-désertiques, dans les savanes herbeuses et les prairies plantées de quelques arbres. Plusieurs de ces grands oiseaux portent des plumes ornementales sur la tête, sur le cou, sur la gorge et sur la nuque ; ils les déploient pour les exhiber pendant la parade nuptiale, ou bien s'en servent pour intimider leurs rivaux.

Psophiidés
Agami à ailes blanches
(Psophia leucoptera)

Turnicidés
Hémipode outarde
(Turnix suscitator)

Aramidés
Courlan
(Aramus guarauna)

Otididés
Grande outarde
(Otis tarda)

Rhynochétidés
Kagou
(Rhynochetos jubatus)

Rallidés
Râle aquatique
(Rallus aquaticus)

Héliornithidés
Grébifoulque du Sénégal
(Podica senegalensis)

▲ L'ordre des gruiformes, qui comprend quelque 200 espèces vivantes ou éteintes récemment, est divisé en 11 familles (12, selon certains auteurs). Ci-dessus figurent les représentants de certaines de ces familles.

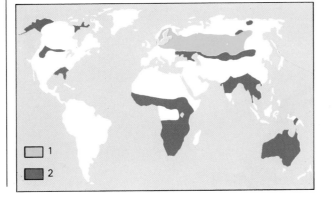

1

2

◄ Les oiseaux de la famille des gruidés sont répandus dans le monde entier, sauf en Amérique du Sud, dans l'archipel indo-malais, en Nouvelle-Zélande et dans les îles de Polynésie. La grue cendrée est la seule espèce qui niche en Europe, mais elle se rencontre aussi en Asie. 1) Grue cendrée *(Grus grus)* ; 2) autres membres de la famille des gruidés.

GRUE
CENDRÉE

Grus grus

Ordre Gruiformes
Famille Gruidae
Taille Mâle : longueur 122 cm, aile 58 cm, bec 11 cm, tarse 24 cm ; femelle : longueur 113 cm
Mode de vie Migrateur
Nidification A même le sol
Œufs 2, fauves ou olive

La grue cendrée est un grand oiseau aux longues pattes, avec une élégante touffe de plumes ornementales, composée de très longues rémiges secondaires. Elle niche à terre, se déplace avec un léger mouvement de balancement et est à même de courir.

Les deux sexes sont identiques (plumage gris cendré, avec de délicates nuances bleuâtres), encore que la femelle soit légèrement plus petite. Le sommet de la tête est rouge, et deux bandes blanches en courbe partent de derrière les yeux et descendent de part et d'autre du cou ; le front, la nuque, la gorge et les pattes sont noirs, les yeux rouges. Les jeunes, au cou et à la tête marron, sont plus ternes.

En vol, la grue cendrée a le cou et les pattes tendus à l'horizontale. Par temps froid, lorsqu'elle se repose, elle replie ses pattes et les enfouit sous ses plumes abdominales.

Cette espèce des zones paléarctiques est largement répandue en Scandinavie, en Pologne, en Russie et en Asie centrale. A l'est de la Volga, la sous-espèce *Grus grus lilfordi* habite la Sibérie jusqu'au nord de la Mandchourie, au Turkestan et à la Mongolie, couvrant le Sud jusqu'à l'Arménie et au Tianshan.

La grue cendrée vit dans les terrains marécageux où poussent quelques arbres, dans la taïga et au bord de la toundra. Grégaire, active le jour, timide et méfiante de nature, elle fréquente des espaces ouverts, avec des plans d'eau, où elle se déplace lentement à la recherche de nourriture.

En raison de leur taille, de leurs déplacements en groupes, en formation linéaire ou en V, et de leurs arrivées et départs réguliers dans de nombreuses régions, les grues ont fasciné et inspiré naturalistes et écrivains.

Grue cendrée
(Grus grus)

Elles voyagent à la vitesse moyenne de 40 à 50 km/h. Mais, lorsque le vent est favorable, elles peuvent voler deux fois plus vite que dans des conditions climatiques normales. On a ainsi observé des grues migratrices atteignant plus de 100 km/h.

L'altitude moyenne à laquelle volent nombre d'oiseaux varie considérablement en fonction de la topographie et des conditions atmosphériques. Depuis que l'on utilise le radar pour étudier le phénomène de la migration, on a remarqué que beaucoup d'espèces volaient tellement haut qu'elles étaient invisibles à l'œil nu. Ainsi, des vols de grues ont été enregistrés sur les écrans à une hauteur de 5 000 m ; toutefois, le plus souvent, elles se déplacent entre 300 et 750 m. Cela dit, les migrateurs sont capables de voler bien plus haut que les chaînes de montagnes ; par exemple, dans l'Himalaya, on a observé de grands vols de plusieurs espèces au-dessus de 5 800 m.

Le régime de la grue cendrée consiste principalement en substances végétales (graines, pousses, baies et feuilles, tubercules pris dans les champs, les prairies). Elle chasse aussi les insectes (criquets, sauterelles, mouches, moustiques, libellules, papillons, coléoptères, etc.), les mollusques, les vers et les petits vertébrés, comme les grenouilles et les lézards.

Au début du printemps, les troupes se disloquent et les couples se forment, pour rester ensemble définitivement, semble-t-il. Durant la période nuptiale, les grues accomplissent des danses caractéristiques, où elles sautent en l'air jusqu'à 4 ou 5 m de hauteur, courent en décrivant des cercles, des ellipses, en faisant des bonds, se saluent et ramassent de petits objets au sol, qu'elles jettent en l'air et rattrapent en plein vol. Elles battent des ailes tout en sautant d'une patte sur l'autre.

En avril ou mai, selon la latitude, la femelle pond normalement 2 œufs (1 en Suède), fauves ou olive, de forme ovale ou elliptique.

▲| En vol, les grues adoptent une formation en V.

◀▼ La parade nuptiale des grues et le cérémonial qui l'accompagne sont particulièrement reconnaissables : danses, bonds sur une patte puis sur l'autre, profonds saluts de la tête, les ailes à demi ouvertes.

◀ Le nid, large et plat, est placé à même le sol ou sur un petit monticule ; la femelle pond 2 œufs.

▼ Au repos, les grues, debout en équilibre sur une patte, cachent leur tête sous une aile.

Les petits nouvellement éclos sont recouverts d'un épais duvet. A droite, une jeune grue.

129

RÂLE AQUATIQUE

Rallus aquaticus

Ordre Gruiformes
Famille Rallidae
Taille Longueur 28 cm
Envergure 40 cm
Poids Mâle 130 g, femelle 110 g
Distribution Europe, Asie et Afrique
Saison de reproduction Avril-juin
Incubation 21 jours
Œufs 7 à 10
Petits Nidifuges

La forme typique de toutes les sous-espèces du râle aquatique, ou râle d'eau, niche en Europe centrale et méridionale, dans le sud-ouest de la Sibérie et en Scandinavie du Sud, en Afrique du Nord-Ouest, en basse Égypte et en Israël. On a identifié une sous-espèce en Islande, et deux autres de l'Asie centrale et orientale jusqu'au Pacifique.

Ce râle est un oiseau partiellement migrateur. En général, les populations les plus septentrionales hivernent au sud, le long de la Méditerranée et en Asie du Sud. Cependant, de nombreux oiseaux passent l'hiver sur les lieux de reproduction.

Comme ses parents, le râle aquatique migre la nuit, couvrant des distances considérables sans s'arrêter, à une hauteur relativement faible. Il vit dans les régions marécageuses riches en végétation. Rivières, canaux, fossés d'irrigation, lacs et mares lui offrent des abris parfaits. Comme il n'aime guère nager, il préfère les eaux peu profondes, dans les terrains limoneux.

Le râle est très actif à l'aube et au crépuscule, se reposant la nuit et s'aventurant parfois au clair de lune. Peu sociable, vivant généralement seul, il a tendance à être agressif, même à l'égard des membres d'autres espèces, surtout à la saison de reproduction. Il devient plus tolérant l'hiver, quand il part en quête de nourriture, parfois en compagnie d'individus de son espèce, fouillant la vase avec son long bec ou plongeant la tête sous l'eau. Son régime consiste en insectes aquatiques (dytiques, autres coléoptères et moustiques), ainsi qu'en mollusques, vers, sangsues et crustacés ; il chasse également les grenouilles, les tritons et quelquefois les petits poissons.

▲ Méfiant et solitaire, le râle aquatique, identifiable à sa voix caractéristique, est souvent caché sous la dense végétation aquatique. On le distingue des autres râles grâce à son long bec rouge, qui lui donne un profil unique. Son régime consiste en proies animales (insectes d'eau, vers, mollusques, crustacés), qu'il mélange, surtout l'hiver, à des graines, des baies, des pousses et autres substances végétales.

◄ Les pattes du râle aquatique sont munies de longs doigts.

▼ L'oiseau se déplace gracieusement à travers les plantes aquatiques.

Durant la parade nuptiale, le mâle se comporte étrangement : il agite la queue, lève les ailes, pose le bec contre la poitrine de la femelle et tourne autour d'elle tout en lui dévoilant les barres de ses flancs et les plumes blanches sous-caudales. Cette parade est accompagnée de cris caractéristiques qui jouent un rôle important dans la formation du couple.

Le nid est une structure simple composée de plantes aquatiques disposées de façon à former une coupe centrale, tapissée de feuilles mortes et de débris végétaux. De la fin avril à la fin juin, la femelle pond de 7 à 10 œufs, rose crème, tachetés de brun. L'incubation dure 3 semaines ; seule la femelle s'en charge, tandis que le mâle lui apporte des aliments et ne la remplace qu'épisodiquement.

La marouette ponctuée (Porzana porzana) a un mode de vie similaire. Brun olivâtre dessus et gris foncé avec de minuscules taches blanches sur le reste du corps, elle a des bandes blanches sur les flancs ; le bec, à la base rouge, est jaune et vert olive vers le bout ; les sous-caudales sont roussâtres. Ressemblant à la marouette ponctuée, bien que légèrement plus petite et avec un dimorphisme sexuel marqué, la marouette poussin (Porzana parva) vit dans des zones humides à la végétation flottante, sur laquelle elle se déplace en sautillant, à la recherche d'insectes.

A l'inverse des deux espèces aquatiques précédentes, le râle de genêts (Crex crex) vit dans les grandes prairies à la couverture florale dense, exploitées de façon extensive.

Identique en apparence à la poule d'eau, mais plus petit, le râle noir (Limnocorax flavirostra) vit en Afrique et est représenté par une sous-espèce en Amérique du Sud.

L'un des plus gros râles coureurs est le wéka (Gallirallus australis), originaire de Nouvelle-Zélande. Grâce à son corps robuste et à ses pattes solides, il peut courir vite et, si besoin est, nager.

Les mesures de protection sont une priorité urgente pour nombre d'espèces de râles en danger, en particulier celles dont la distribution est restreinte et qui sont répertoriées dans le « Livre rouge » de l'U.I.C.N. (Union internationale pour la conservation de la nature et de ses ressources).

▲ Peu disposé à prendre son essor, il garde les pattes repliées s'il est obligé de s'envoler.

◀ ▼ Râle aquatique sur son nid, fait de touffes de carex, généralement situé dans une eau peu profonde ou à proximité ; les œufs sont rose crème, tachetés de brun.

Le poussin de râle aquatique est couvert de duvet noir, avec des reflets verdâtres et violets. Il est nidifuge. ▶

Râle noir
(Limnocorax flavirostra)

Autres espèces de rallidés.

Poule d'eau
(Gallinula chloropus)

Marouette poussin
(Porzana parva)

Râle de genêts
(Crex crex)

Marouette ponctuée
(Porzana porzana)

Wéka
(Gallirallus australis)

◀ 1) Le râle aquatique (Rallus aquaticus) niche en Europe occidentale, centrale et méridionale, au nord jusqu'à la Scandinavie et à la Sibérie. On le rencontre occasionnellement en Afrique. L'espèce est en partie migratrice, les individus des zones les plus au nord ayant tendance à hiverner dans la région méditerranéenne et dans le sud de l'Asie. La migration a lieu de nuit ; bien que volant relativement bas, le râle aquatique peut, s'il le faut, traverser de hautes montagnes. 2) Le genre Rallus est presque cosmopolite.

1
2

POULE D'EAU

Gallinula chloropus

Ordre Gruiformes
Famille Rallidae
Taille Longueur 30 à 35 cm
Poids 200 à 330 g
Distribution Europe, Asie, Afrique et Amérique
Reproduction Mars-avril ; 2 couvées, parfois 3
Incubation 20 ou 21 jours
Œufs 5 à 11
Petits Nidifuges

La poule d'eau est un oiseau aquatique à peu près de la taille d'un pigeon. Ses ailes sont courtes et arrondies, ses flancs aplatis, et sa queue brève se lève et s'abaisse de façon rythmée dès que l'oiseau prend conscience d'un danger. Les adultes ont les flancs barrés de blanc et les sous-caudales blanches avec une bande noire ; le bec rouge à extrémité jaune est surmonté d'un écusson frontal rouge vif. Les pattes sont verdâtres, la partie inférieure des tibias porte une « jarretière » orange ou rouge, et l'iris est brun rougeâtre.

Selon le climat prédominant dans les régions où elle se reproduit, la poule d'eau est tantôt un oiseau sédentaire, tantôt un oiseau de passage ou migrateur. Elle s'établit de préférence au bord des rivières et des lacs, des étangs et des canaux, des marais.

La poule d'eau est moins peureuse et secrète que les autres rallidés et on la voit souvent courir sur les feuilles flottant à la surface de l'eau ou explorer les berges, en se cachant dans la végétation au moindre bruit. Lorsqu'on la dérange, elle se met à courir à la surface de l'eau en battant rapidement des ailes, mais elle cherche rarement son salut dans les airs, car elle vole mal. Très souvent, pour s'enfuir, elle plonge et reste sous l'eau pendant quelques minutes, s'agrippant aux plantes aquatiques par le bec et par les pattes, et se servant de ses ailes et de ses pattes pour nager. Plonger est plus pour elle un moyen de se cacher que de trouver sa nourriture. Le nid est fait sur l'eau, ou à proximité immédiate, mais on peut aussi le trouver dans les branches des arbres ou dans les buissons ; les nids abandonnés des corbeaux, des pies et des geais sont également mis à contribution. Les deux sexes participent à la construction, le mâle apportant

Poule d'eau
(Gallinula chloropus)

Foulque noir
(Fulica atra)

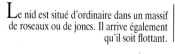

La poule d'eau est un oiseau très répandu dans différents milieux aquatiques. Son bec et son écusson frontal rouges la distinguent, au premier coup d'œil, des autres rallidés, tels que la foulque, qui est plus grande et dont le bec et l'écusson frontal sont blancs. Sa nourriture, variée, se compose surtout de végétaux, mais aussi d'animaux, tels qu'insectes aquatiques, vers, escargots et petits poissons.

Le nid est situé d'ordinaire dans un massif de roseaux ou de joncs. Il arrive également qu'il soit flottant. ▶

les matériaux et la femelle les disposant. Outre ce nid destiné à recueillir les œufs, la poule d'eau construit d'autres nids, plus rudimentaires, qui jouent un rôle pendant la période nuptiale et lors de l'élevage des jeunes. La femelle pond de 5 à 11 œufs, blanc grisâtre, tachés de brun-rouge. Ils sont couvés par les deux parents et l'incubation dure 20 ou 21 jours.

La foulque noire *(Fulica atra)* est un oiseau commun dans les étangs et les marécages. L'adulte mesure de 40 à 45 cm de long et pèse entre 0,7 et 1 kg. Il se distingue facilement à la couleur blanche de son bec et de son écusson frontal, qui se détachent sur le plumage gris ardoise et sur la tête et le cou, qui sont d'un noir brillant. A l'instar de la poule d'eau, la foulque noire est un oiseau sédentaire ou migrateur. Elle passe la majeure partie de sa vie dans l'eau. Elle plonge couramment pour trouver sa nourriture, descendant parfois jusqu'à 8 m de profondeur. Elle mange des quantités importantes de plantes aquatiques, mais se nourrit aussi de différentes espèces de mollusques, d'insectes, de larves et, plus rarement, de vers et de petits poissons. Les deux sexes participent à la construction du nid, qui se compose de végétaux aquatiques entrelacés, formant une plate-forme flottante. Les œufs, au nombre de 7 à 12, sont couvés par les deux parents pendant 21 à 25 jours. Les jeunes plongent déjà à l'âge de 5-6 jours, et se reconnaissent à leur tête rouge orangé.

La poule sultane *(Porphyrio porphyrio)* se distingue nettement par son plumage. Les parties supérieures de son corps sont d'un bleu-violet profond, la poitrine est bleu pâle avec des reflets métalliques, et les sous-caudales, d'une blancheur éclatante, contrastent avec la queue noire ; son bec, ses longues pattes et son écusson frontal sont rouge vif. Il en existe quelque 20 sous-espèces, dans différentes régions du monde.

Il faut ajouter à cette liste le takahé *(Porphyrio mantelli)*, un grand rallidé incapable de voler, couvert d'un plumage brillant de teinte bleu-vert, sur lequel se détachent le bec, massif, rouge à sa base et rose à son extrémité, ainsi que l'écusson frontal, rouge vif. Aujourd'hui, c'est une espèce protégée en voie de disparition. Son nid est une sorte de tunnel dans une touffe d'herbe ; la femelle y dépose 1 ou 2 œufs, opaques, blanc crème, tachés de brun.

◄ **P**our prendre son essor, la foulque court à la surface de l'eau.

▲ **E**n cas de danger, la foulque plonge et nage sous l'eau, en ramant avec ses pattes.

▲ **S**es doigts sont bordés de palmures festonnées.

Le takahé *(Porphyrio mantelli)* est un rallidé inapte au vol qui vit en Nouvelle-Zélande ; il est de la taille d'un dindon. Considéré comme éteint au milieu du XIXᵉ siècle, il a été redécouvert par hasard en 1948, mais, bien qu'il soit protégé, il compte au nombre des espèces en voie de disparition.

▲ **P**etit de foulque noire, à tête rouge orangé, et petit de poule d'eau, au bec rouge à extrémité jaune.

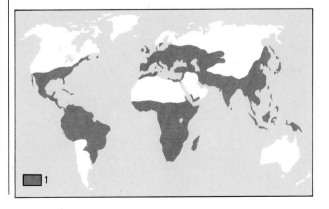

▲ **C**i-dessus, de gauche à droite : la foulque à crête *(Fulica cristata)* présente des excroissances charnues caractéristiques, de couleur rouge, au-dessus de son écusson frontal, blanc ; la poule sultane *(Porphyrio porphyrio)* se distingue par ses pattes, son bec et son écusson frontal, qui sont de couleur rouge vif ; quant à la poule sultane d'Amérique *(P. martinica)*, son bec rouge à extrémité jaune est surmonté d'un écusson frontal bleu clair et ses pattes sont d'un jaune pur.

◄ **L**a poule d'eau (1) est répandue dans le monde entier, sauf dans les régions polaires et désertiques ; en Australie, on trouve des espèces voisines. Elle s'établit de préférence au bord des rivières, des lacs, des étangs, des canaux, ainsi que dans les marais et les marécages, les noues et les rizières.

133

GRANDE OUTARDE

Otis tarda

Ordre Gruiformes
Famille Otididae
Taille Mâle : longueur 1,10 m, ailes
65 cm, queue 28 cm ; femelle : longueur
80 cm, ailes 50 cm
Œufs 2 ou 3
Petits Nidifuges

Oiseau des steppes et des plaines cultivées, la grande outarde est sédentaire
dans les régions méridionales, et en partie migratrice ailleurs, lorsque l'hiver est
froid. Elle fréquente les plaines ouvertes
où pointent quelques arbres, les prairies
herbues et les immenses champs de blé,
de maïs, de colza et de betteraves,
jouant de sa coloration pour échapper à
l'attention des prédateurs. En Europe,
l'espèce a fortement diminué.

La grande outarde est une espèce
terrestre qui se déplace avec une
extrême prudence, la tête dressée. En
général, elle vit en petits groupes, plus
importants l'hiver, et essentiellement
composés de femelles. En cas de danger,
elle s'éloigne en courant à une vitesse
pouvant atteindre 35 km/h, et ne prend
son essor que si elle y est obligée, pour
redescendre aussitôt à terre. De temps
en temps, elle émet des grognements ou
aboiements qu'on entend de loin.

Ses aliments de base consistent en
végétaux (pousses, tiges et fleurs), avec
une préférence pour les crucifères et les
légumineuses. Elle apprécie aussi les
graines des graminées, ainsi que les
insectes, les larves, les mollusques et les
petits vertébrés terrestres. Elle passe la
nuit dans les champs, se rassemblant en
groupe dès la nuit tombée. A l'aube,
elle part chercher de la nourriture loin
du lieu où elle a passé la nuit. Apparemment, c'est un oiseau qui ne boit jamais.

Vers la fin avril, la grande outarde
creuse une faible dépression dans la
terre, qu'elle tapisse plus ou moins
d'herbes. La femelle pond 2 ou 3 œufs,
verdâtres, avec des taches gris foncé.
Elle se charge de l'incubation, qui dure
4 semaines ; le mâle reste cependant
près d'elle.

De longues moustaches blanches décorent le mâle.

Outarde mâle paradant devant une femelle.

Le comportement du mâle pendant la
parade nuptiale est surprenant. Les tectrices
de la queue et des ailes, blanches en
dessous, sont retournées à l'envers, tandis
que la tête est enfouie entre les épaules, de
telle sorte qu'il se transforme en une masse
blanche. Il peut rester ainsi pendant
quelques minutes, avant de reprendre
brusquement sa posture normale.

Les longues pattes robustes sont grises
et n'ont que 3 orteils, aux griffes plates.

La grande outarde est un oiseau des steppes qui hiverne dans le Sud, en
Espagne, au Portugal, en Afrique du Nord et en Asie, de la Syrie à la
Chine. Elle niche dans la péninsule Ibérique, en Europe centrale et
orientale, en Asie occidentale, en Sibérie et au Turkestan. Autrefois, les
zones de reproduction de l'espèce couvraient une aire bien plus vaste : au
XIXe siècle, elle nichait en France et, plus récemment, en Bulgarie.
1) Distribution de la grande outarde (Otis tarda).

CAURALE-SOLEIL

Eurypyga helias

Ordre Gruiformes
Famille Eurypygidae
Taille Longueur 43-48 cm, ailes 21-22 cm, queue 15-16 cm
Œufs Généralement 2
Incubation 27 jours

Le caurale-soleil est un oiseau de taille moyenne au plumage magnifique, tant par ses couleurs que par ses motifs. Il vit dans les forêts de l'Amérique tropicale, du sud du Mexique au Pérou, à la Bolivie et au centre du Brésil, au bord de rivières ombragées par une végétation luxuriante.

On peut admirer la splendeur de son plumage bigarré durant la parade nuptiale, quand le mâle accomplit de fantastiques danses, exhibant le noir, le blanc et le marron moucheté de ses ailes, soulevant et déployant sa queue et dressant son cou d'avant en arrière. La délicatesse et l'éclat des plumes des ailes et de la queue sont peut-être comparables à ceux des ailes de certains papillons nocturnes des mêmes régions tropicales. Le caurale-soleil n'est pas un bon voilier et se perche rarement dans les arbres. Il parcourt généralement les rives des cours d'eau à la recherche de nourriture (insectes, petits vertébrés et poissons, qu'il attrape avec une étonnante dextérité, les empalant à l'aide de son bec pointu).

Le nid est construit par les deux sexes, au croisement de deux branches basses. Les œufs sont gris, mouchetés de roux. Les petits éclosent couverts de duvet et restent dans le nid plusieurs semaines. Lorsqu'il est attaqué, le caurale riposte bravement, défiant souvent les prédateurs.

De la famille des héliornithidés, le grébifoulque (*Heliornis fulica*) habite au bord des rivières, des lacs et des mares, dans les forêts tropicales d'Amérique centrale et du Sud (Pérou, nord de la Bolivie, Paraguay et nord de l'Argentine). Craintif et peu sociable, il vit seul ou en couple. Excellent plongeur et nageur, il se propulse à l'aide de ses pattes puissantes, la tête à moitié sous l'eau. Ses cris gutturaux ressemblent aux jappements d'un jeune chien.

▼ Durant la parade nuptiale, le caurale-soleil mâle accomplit une danse fantastique, déployant ses ailes et exhibant son magnifique plumage.

Caurale-soleil
(*Eurypyga helias*)

◀ Le grébifoulque (*Heliornis fulica*), nageur fort habile, se nourrit essentiellement de poissons, qu'il attrape en plongeant parfois très profondément. Ses pattes jaunes, barrées de noir, sont munies de lobes palmés qui lui permettent d'avancer très vite.

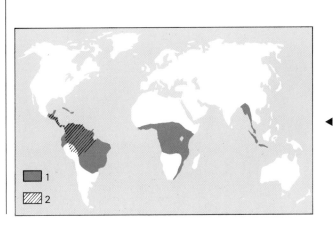

◀ 1) Distribution des héliornithidés. Chacun des genres constituant cette famille habite une région distincte, quoique tous soient tropicaux : *Heliornis* vit en Amérique, *Heliopais* en Indonésie et *Podica* en Afrique.
2) Le caurale-soleil (*Eurypyga helias*), seul représentant de la famille des eurypygidés, est un oiseau des forêts tropicales d'Amérique, du sud du Mexique au Pérou, à la Bolivie et au centre du Brésil.

JACANAS

Jacanidae

Sept espèces de jacanas composent cette famille d'échassiers très originale. On ne sait pas très bien où ils se situent dans le vaste groupe des échassiers, mais on les reconnaît immédiatement à leurs doigts démesurés, que prolongent de longues griffes. Leurs pattes sont également longues (caractéristique accentuée par le tibia dénudé), tandis que leur bec est court, souvent surmonté d'un écusson frontal charnu. Trois des espèces sont africaines, une américaine, une australienne et deux asiatiques.

L'espèce la plus nombreuse et la plus répandue en Afrique est le jacana africain (Actophilornis africana), que l'on trouve au sud du Sahara, dans tous les endroits appropriés. Presque deux fois plus gros que le jacana nain, il a le dos et le ventre bruns, avec des nuances roux métallique, la gorge et le cou blancs, l'œil, le haut de la tête et la nuque noirs. A la saison de reproduction, son bec est bleu, avec un long écusson frontal également bleu. Si la femelle est en général nettement plus grosse, les deux sexes ont un plumage plus ou moins semblable. Les petits ressemblent au jacana nain.

Le jacana à longue queue (Hydrophasianus chirurgus) est l'espèce la plus remarquable de cette famille : c'est la seule à être dotée de plumages d'hiver et d'été distincts. Lorsque le mâle arbore sa livrée nuptiale, son front, sa tête, sa gorge et son cou sont blancs, bordés d'un fin liséré noir, se fondant dans le plumage ventral, brun foncé. La nuque, jaune d'or brillant, contraste avec le brun du dos. Les ailes et la plupart des couvertures alaires sont blanches. La queue, brune, mesure 30 cm. En hiver, le haut de la tête et la nuque sont brunâtres. Une bande noire part de l'œil et descend sur le côté du cou, jusqu'à la poitrine. Le reste du plumage ventral est blanc.

Le jacana à ailes bronzées (Metopidius indicus) est une espèce moins répandue. Noir et vert bronze, il se distingue par ses sourcils blancs, qui se rejoignent sur la nuque. Les deux sexes sont de même couleur, mais la femelle est en moyenne plus grosse que le mâle. La longueur des ailes oscille entre 17 et 18 cm.

Le jacana américain (Jacana spinosa) est largement répandu du Mexique et

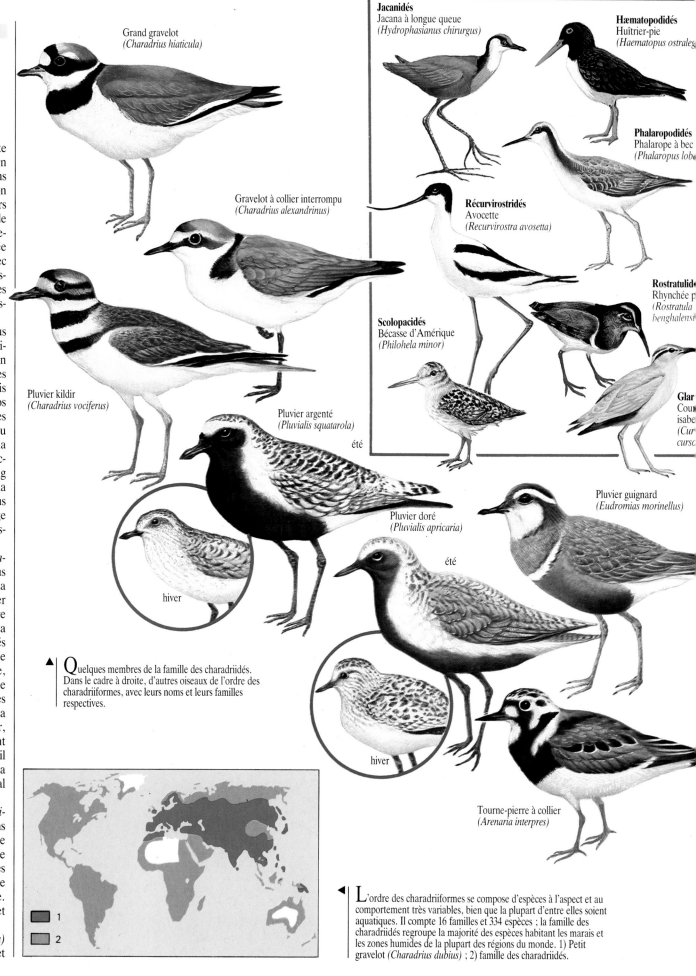

▲ Quelques membres de la famille des charadriidés. Dans le cadre à droite, d'autres oiseaux de l'ordre des charadriiformes, avec leurs noms et leurs familles respectives.

Grand gravelot
(Charadrius hiaticula)

Gravelot à collier interrompu
(Charadrius alexandrinus)

Pluvier kildir
(Charadrius vociferus)

Pluvier argenté
(Pluvialis squatarola)

été

hiver

Jacanidés
Jacana à longue queue
(Hydrophasianus chirurgus)

Hæmatopodidés
Huîtrier-pie
(Haematopus ostraleg

Phalaropodidés
Phalarope à bec
(Phalaropus lob

Récurvirostridés
Avocette
(Recurvirostra avosetta)

Rostratulid
Rhynchée p
(Rostratula
benghalens

Scolopacidés
Bécasse d'Amérique
(Philohela minor)

Glar
Cour
isabe
(Cur
curso

Pluvier doré
(Pluvialis apricaria)

été

Pluvier guignard
(Eudromias morinellus)

hiver

Tourne-pierre à collier
(Arenaria interpres)

◄ L'ordre des charadriiformes se compose d'espèces à l'aspect et au comportement très variables, bien que la plupart d'entre elles soient aquatiques. Il compte 16 familles et 334 espèces ; la famille des charadriidés regroupe la majorité des espèces habitant les marais et les zones humides de la plupart des régions du monde. 1) Petit gravelot (Charadrius dubius) ; 2) famille des charadriidés.

de Cuba au sud de l'Uruguay, et de l'ouest de l'Atlantique aux Andes. Le dimorphisme sexuel concernant la taille, apparent dans toute la famille, atteint son maximum avec cette espèce, où la femelle est beaucoup plus grande que le mâle (longueur des ailes : 13-14 cm chez la femelle, pour 11,5-12,5 cm chez le mâle). Cependant, il n'y a pas de différence de coloration entre les sexes.

Les jacanas fréquentent les lacs d'eau douce, les rivières calmes ou les bras morts, car c'est là que se trouve le plus de végétation flottante. Ces plans d'eau, généralement peu profonds, n'ont pas besoin d'être très vastes, surtout en dehors de la saison de reproduction. Avec leurs grandes pattes et griffes, les jacanas se déplacent aisément sur la végétation flottante. Ils marchent en levant très haut les pattes et en secouant la queue, afin de se débarrasser de l'herbe qui aurait pu s'accrocher. Lorsqu'ils sont poursuivis, ils peuvent courir assez vite, préférant ne pas voler. Habitants des régions aquatiques, ils savent bien nager. S'ils sont menacés, ils se cachent au milieu des plantes, ne laissant sortir que leur bec ; ou bien, lorsqu'ils sont blessés ou ne peuvent pas voler, ils plongent dans l'eau, où ils peuvent rester plusieurs minutes.

Ils ont un régime très varié, composé essentiellement d'invertébrés. La période de reproduction est généralement difficile à définir, dans la mesure où elle change en fonction des pluies. En Asie, où il n'y a qu'une seule saison des pluies, elle peut s'étendre sur 4 ou 5 mois, tandis qu'en Afrique, où les averses sont longues ou courtes, les jacanas peuvent nicher à n'importe quel mois de l'année. La ponte culmine vers la fin de la saison des pluies, quand le niveau des eaux s'est stabilisé à sa hauteur maximale.

Le nid, le plus souvent installé sur des plantes flottantes, est très rudimentaire, quelques brins d'herbe empêchant les œufs — au nombre de 4 — de glisser. Le mâle se charge de l'incubation.

▼ Le jacana à longue queue (Hydrophasianus chirurgus) est le seul représentant de la famille des jacanidés à posséder deux plumages différents, l'un pour l'hiver, l'autre pour l'été ; sa queue peut atteindre 30 cm de longueur. Cet oiseau vit dans des zones d'eaux stagnantes, peu profondes, se rassemblant en bandes d'environ une centaine d'individus.

▲ Les pieds sont particulièrement bien adaptés à la marche sur la végétation flottante. L'oiseau lève les pattes très haut en marchant, afin de secouer l'herbe qui aurait pu s'accrocher à ses doigts.

Jacana d'Afrique
(Actophilornis africana)

Jacana à ailes bronzées
(Metopidius indicus)

Jacana américain
(Jacana spinosa)

◀ La plus grande partie des jacanidés vivent dans les régions tropicales. N'étant pas l'objet d'une chasse acharnée, leur problème majeur est celui de l'habitat. En effet, sur leur territoire de distribution, on a constaté une diminution du nombre des noues et, bien que cette évolution n'ait pas encore eu de graves conséquences, il n'est pas certain que l'avenir leur soit favorable. 1) Distribution de la famille des jacanidés.

PLUVIERS
Charadriidae

Les pluviers sont extrêmement répandus, des lagunes tropicales aux montagnes arctiques, en passant par les prairies tempérées. Ils tirent profit de régions où d'autres échassiers ne peuvent pas se reproduire.

On trouve le gravelot à collier interrompu *(Charadrius alexandrinus)* sur les côtes du monde entier et le grand gravelot *(C. hiaticula)* sur les plages de sable des régions tempérées. Le petit gravelot *(C. dubius)* habite les lacs, les rivières et les sablières. Les marais sont le domaine d'espèces à longues pattes, comme le vanneau à queue blanche asiatique *(Chettusia leucura)*. Encore mieux adapté, le vanneau à longs doigts *(Hemiparra crassirostris)* d'Afrique de l'Est, qui, parce que ses doigts allongés lui permettent de se déplacer sur la végétation, se rapproche du jacana.

Dans les prairies tempérées, le vanneau huppé *(Vanellus vanellus)* est un nicheur typique ; dans les landes, c'est le pluvier doré *(Pluvialis apricaria)*. Plus au nord, dans la toundra, on trouve le pluvier doré de Sibérie et quelques populations de grands gravelots. Le pluvier guignard *(Eudromias morinellus)* vit seul dans les montagnes, alors que certaines espèces ont une distribution très limitée sur des îles isolées de l'hémisphère Sud, tel le gravelot de Nouvelle-Zélande *(Thinornis novaeseelandiae)* des îles Chatham, au large de la Nouvelle-Zélande.

L'une des caractéristiques des pluviers est leur manière de se nourrir. Leur bec court et leurs grands yeux indiquent qu'ils se fient essentiellement à la vue pour détecter leurs proies. Ils sont ainsi capables de reconnaître un insecte, par exemple, à 60 cm environ de distance ; ils s'empressent alors de l'attraper, puis s'arrêtent et attendent que d'autres proies apparaissent. Les vanneaux et les pluviers dorés épient, la tête dressée, les moindres mouvements des invertébrés vivant dans l'herbe.

Toutes sortes de proies sont exploitées ; les espèces et même le groupe d'invertébrés dépendent de l'habitat et du type de pluvier. Cependant, sur les côtes, la nourriture la plus courante consiste en vers polychètes, en mollusques et en crustacés. Malgré leur bec relativement court, les pluviers peuvent attraper des vers vivant profondément

▼ Le petit gravelot *(Charadrius dubius)* habite à l'intérieur des terres, près des lacs, des rivières et des carrières de sable ou de gravier. Dans les zones côtières, il se nourrit essentiellement de vers marins, de mollusques et de crustacés ; à l'intérieur des terres, de vers, de larves de cafards, de mouches et de phalènes.

enfouis dans la vase, car ils profitent du moment où ces derniers remontent à la surface pour chercher leur nourriture ou pour déféquer.

Le comportement territorial au début de la saison de reproduction est remarquable chez les pluviers. Ils accomplissent une parade aérienne spectaculaire et prennent des postures variées au sol. Chez la plupart d'entre eux, le mâle est légèrement plus grand et plus coloré que la femelle. Toutefois, chez le pluvier guignard, c'est l'inverse ; la femelle se charge de presque toute la parade nuptiale et, une fois les œufs pondus, laisse le mâle les couver et s'occuper ensuite des poussins.

Le nid des pluviers est très rudimentaire ; en fait, les œufs sont généralement pondus à même le sol, dans une dépression peu profonde ou dans la terre grattée. Ils sont parfois camouflés avec de petits cailloux ou de la végétation trouvés dans les environs. Plusieurs sites sont essayés avant que la femelle fasse son choix.

Normalement, 4 œufs sont pondus par couvée, mais 2 seulement chez de nombreuses espèces du Sud. Leur couleur se confond avec celle de la terre, ce qui assure le meilleur camouflage. Les œufs des oiseaux nichant parmi les cailloux ont tendance à être pâles, avec des taches relativement grandes, tandis que ceux des espèces pondant dans le sable ont de toutes petites taches. Les pluviers qui nichent à l'intérieur des terres ont des œufs beaucoup plus bruns, avec des marbrures et des rayures brunes.

L'incubation est une période dangereuse, puisque la plupart des nids sont à ciel ouvert, donc en vue de tous les prédateurs. C'est pourquoi, chez les espèces solitaires, le camouflage des adultes au nid est important. Les espèces plus grandes, en particulier *Vanellus*, ont tendance à être grégaires. Comme il est difficile de se cacher en terrain découvert, tous les oiseaux de la colonie réagissent contre les prédateurs qui s'approchent d'eux.

▼| Le bec court mais puissant sort un mollusque du sable.

▲| L'oiseau zigzague le long de la plage pour éviter les vagues.

◀| Au début de la saison de reproduction, le mâle marque son territoire. Si un rival s'approche, il l'affronte, la queue déployée, en s'avançant, tête baissée, avec une posture menaçante. En général, cela suffit à décourager l'adversaire.

◀| Les œufs sont relativement bien camouflés, se confondant avec la terre ou les cailloux. Le duvet gris-blanc des poussins est marqué irrégulièrement de taches marron foncé.

Vanneau huppé
(*Vanellus vanellus*)

▲| Si le nid est directement menacé, les adultes feignent d'être blessés afin de distraire le prédateur et de l'inciter à s'éloigner ; ensuite, les oiseaux s'envolent, pour revenir plus tard au nid.

A gauche, oiseau en vol. A droite, dans une posture redressée.

CHEVALIERS

Scolopacidae

Les 2 plus importantes sous-familles de scolopacidés sont les calidridinés et les tringinés. Les calidridinés comprennent 7 genres, dont 6 n'ont qu'un représentant *(Aphriza, Eurynorhynchus, Limicola, Micropalama, Tryngites* et *Philomachus)*, tandis que le septième, *Calidris*, en compte 18. Les *Calidris* sont parmi les plus nombreux de tous les petits échassiers (limicoles), apparaissant en migration sur tous les continents et prédominants sur la plupart des côtes et des îles. Le grand maubèche *(C. tenuirostris)* est celui qui a la taille la plus élevée. Il se reproduit en Asie du Nord-Ouest et hiverne essentiellement en Australie. La femelle peut avoir une longueur d'aile supérieure à 20 cm. Le grand maubèche se distingue du bécasseau maubèche *(C. canutus)* non seulement par sa taille, mais aussi par son croupion blanchâtre et sa poitrine mouchetée.

Le bécasseau maubèche est l'une des espèces les plus étudiées de tout le genre. Il a une aire de reproduction circumpolaire, quoique très disjointe, la plupart des sites de reproduction s'étendant au-dessus de 70° de latitude nord. Pendant la migration ou l'hiver, il séjourne dans les estuaires. Le spectacle des hordes de bécasseaux est l'un des plus fascinants du monde des oiseaux : bruissement de milliers d'ailes (30 000 individus entassés en un même endroit), évolutions aériennes coordonnées et chatoiement des couleurs. Ce bécasseau a le croupion gris et les pattes courtaudes, verdâtres. Le bécasseau sanderling *(C. alba)* est le plus largement répandu du genre en hiver ; on le voit sur toutes les plages, du nord de l'Écosse à la Terre de Feu à la Tasmanie.

Le bécasseau variable *(C. alpina)*, quoique moins répandu, est peut-être le plus connu des petits échassiers des régions tempérées ; on le trouve du Japon à l'Europe et à l'Amérique du Nord. Lorsqu'il est recouvert de son plumage nuptial, il est le seul de tout le genre à avoir un ventre noir, qu'il perd à la mue d'automne, quand il se transforme en petit échassier gris-brun et blanc. Des *Calidris* de taille moyenne, le bécasseau cocorli *(C. ferruginea)* est le plus remarquable. Toute l'année, son croupion blanc, ses longues pattes et son long bec permettent de l'identifier ; l'été, on le distingue en un clin d'œil des

L'avenir des échassiers dépend de la solution de nombreux problèmes menaçant actuellement leur survie, comme l'assèchement des marais et la pollution des eaux. Le drainage et l'assèchement des estuaires présentent de réels dangers dans maintes régions d'Europe et d'Amérique du Nord, car ces terres gorgées d'eau sont des sources d'alimentation pour les oiseaux. Des études récentes montrent que les estuaires existants suffisent à peine pour recevoir les populations d'échassiers, et plus ces aires se réduiront, plus les oiseaux auront des difficultés, surtout en hiver, à trouver de la nourriture.

Chevalier guignette
(Tringa hypoleucos)

Chevalier sylvain
(Tringa glareola)

Chevalier gambette
(Tringa totanus)

Chevalier arlequin
(Tringa erythropus)

Chevalier guignette
(Tringa hypoleucos)

autres bécasseaux grâce à son ventre marron-roux.

Les bécasseaux constituent l'autre groupe de limicoles très répandu et abondant dans ce genre. Particulièrement nombreux dans les régions tropicales et sous les latitudes sud pendant l'hiver de l'hémisphère Nord, ils sont petits, avec un bec court, et très difficiles à identifier.

Des autres genres de la sous-famille des calidridinés, certains méritent qu'on les mentionne. Le plus inhabituel peut-être de tous est le bécasseau spatule *(Eurynorhynchus pygmaeus)*, avec son extraordinaire bec en forme de spatule. A maints égards, son plumage ressemble à celui du grèbe jougris ou du bécasseau minute. Cette espèce rare se reproduit dans le nord-est de l'U.R.S.S. et hiverne en Asie du Sud-Est. Le bécasseau falcinelle *(Limicola falcinellus)* est une autre espèce sans équivalent en Amérique du Nord. Il couvre l'ouest et le nord-est de l'U.R.S.S., et la Scandinavie.

Le chevalier combattant de la région paléarctique *(Philomachus pugnax)* et le bécasseau rousset néarctique *(Tryngites subruficollis)* sont les deux seules espèces au sein de cette sous-famille où le mâle est plus grand que la femelle.

Les tringinés comprennent 2 groupes. Les courlis *(Numenius spp)*, les barges *(Limosa spp)* et le maubèche des champs *(Bartramia longicauda)* forment le premier. Le second est centré sur le genre *Tringa*, avec ses 10 espèces, mais 4 autres genres — *Xenus, Actitis, Heterascelus* et *Catoptrophorus* — totalisent 6 espèces. La différence essentielle entre ces 2 groupes d'oiseaux est le long bec au toucher sensible des premiers et le bec plus court et plus rigide des *Tringa*. D'où des techniques alimentaires, des régimes et des comportements différents.

On reconnaît immédiatement les barges à leur long bec étroit et légèrement recourbé. La barge rousse *(Limosa lapponica)* se reproduit de la Scandinavie à l'est de l'Alaska et fréquente, l'hiver, les côtes d'Europe, d'Afrique, d'Asie et d'Australie. Les populations orientales, plus grandes et plus sombres, ont un plumage de la même couleur que celui des courlis. La barge à queue noire *(L. limosa)* occupe une zone disjointe autour de la région paléarctique, au sud de l'aire de la barge rousse.

Les chevaliers (genre *Tringa*) sont aussi très connus ; bruyants et se nourrissant dans les terres et en hauteur, ils se rencontrent aux abords des eaux douces et salées en hiver. La plupart des

La plupart des espèces de scolopacidés font de longues migrations annuelles et certaines traversent de très vastes étendues d'océan. Ainsi, des barges rousses de Sibérie vont passer l'hiver aux îles Hawaii, et même en Nouvelle-Zélande. Des courlis corlieux vont sur les Seychelles, etc.
1) Zones de reproduction ;
2) quartiers d'hiver.

L'été, l'abondance des insectes dans les régions du Nord aide à nourrir et à élever les petits.

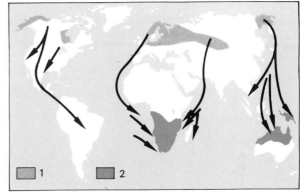

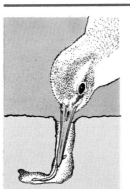

A gauche : l'oiseau fore dans la vase à la recherche de nourriture (petits bivalves, crustacés et vers), en y insérant son bec à plusieurs reprises. A droite : l'extrémité du bec permet d'attraper des animaux, surtout des gastéropodes, à la surface.

Posture du chevalier guignette quand il dort.

Les limicoles se nourrissent d'invertébrés. Quoique leurs régimes soient parfois similaires, les différentes techniques d'alimentation, variant en fonction de la taille du bec, et les zones d'alimentation séparées permettent de réduire la rivalité entre ces oiseaux.

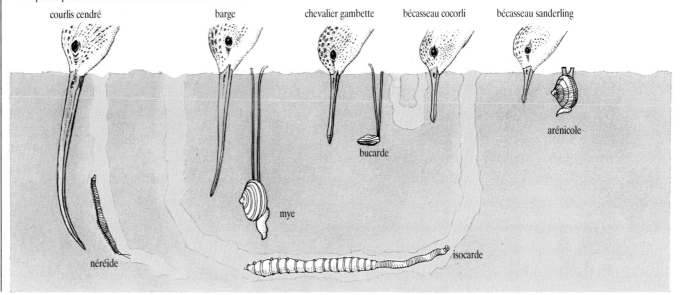

courlis cendré   barge   chevalier gambette   bécasseau cocorli   bécasseau sanderling

néréide   mye   bucarde   isocarde   arénicole

espèces se reproduisent dans les zones nord tempérées ou boréales ; l'espèce la plus connue est le chevalier gambette *(T. totanus)*, qui se reproduit dans la région paléarctique. On le reconnaît aisément à ses pattes rouges, ses rémiges secondaires et son croupion blancs.

Le chevalier arlequin *(T. erythropus)* se confond avec le gambette, sauf que ses pattes sont plus longues et plus ternes, son bec plus fin et ses rémiges secondaires rayées. Bien qu'il se reproduise de la Scandinavie au Kamtchatka, il n'habite pas l'Europe occidentale et ne fréquente pas les latitudes des autres espèces. L'hiver, il a une distribution essentiellement tropicale.

Le chevalier aboyeur *(T. nebularia)* a des pattes vert pâle et un bec robuste, permettant de le distinguer des autres espèces. Toutefois, il partage de nombreux traits communs avec le chevalier arlequin, notamment quant à la zone de reproduction et d'hivernage. En effet, il passe l'hiver jusqu'en Afrique du Sud et en Australie. Assez semblable au chevalier aboyeur, le grand chevalier à pattes jaunes d'Amérique du Nord *(T. melanoleuca)* se reconnaît à la couleur de ses pattes et à son croupion carré blanc. L'été, on le rencontre de l'Alaska à Terre-Neuve, tandis qu'il migre l'hiver jusqu'au sud de l'Argentine. Le petit chevalier à pattes jaunes *(T. flavipes)*, bien plus petit et plus élégant que son précédent cousin, partage avec lui la forme de la tache du croupion et la couleur des pattes. Sa distribution est également la même, mais ne s'étend pas aussi loin à l'est ou à l'ouest l'été. Alors que le grand chevalier ressemble au chevalier aboyeur par sa structure, le petit chevalier rappelle, lui, le chevalier sylvain *(T. glareola)*.

Cette dernière espèce est l'une des plus nombreuses du genre *Tringa*. Elle migre en grand nombre vers le sud en Afrique, en Inde et en Asie de l'Est, où elle hiverne dans des marécages. Plus robuste et avec un bec plus court, elle a aussi des pattes plus vertes et plus courtes que le petit chevalier à pattes jaunes. Le chevalier cul-blanc *(T. ochropus)* est parfois confondu avec le chevalier sylvain, malgré son plumage plus sombre, qui contraste avec le blanc brillant de son croupion. L'espèce la plus inhabituelle de ce groupe est la bargette du Terek *(Xenus cinereus)*, aux pattes courtaudes jaunes, au long bec recourbé et au plumage uni à tout âge. Comme plusieurs autres espèces, sa zone de reproduction couvre la région paléarctique, mais elle est très rare en Finlande.

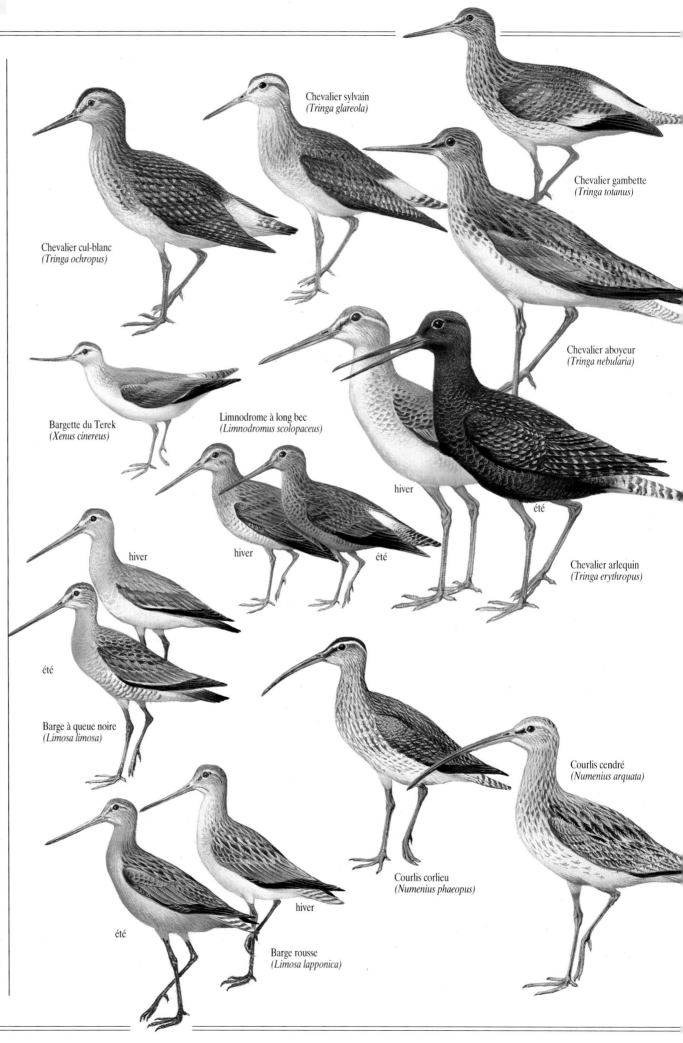

Chevalier sylvain
(Tringa glareola)

Chevalier cul-blanc
(Tringa ochropus)

Chevalier gambette
(Tringa totanus)

Chevalier aboyeur
(Tringa nebularia)

Bargette du Terek
(Xenus cinereus)

Limnodrome à long bec
(Limnodromus scolopaceus)

hiver

été

Chevalier arlequin
(Tringa erythropus)

hiver

hiver

hiver

été

été

Barge à queue noire
(Limosa limosa)

Courlis cendré
(Numenius arquata)

Courlis corlieu
(Numenius phaeopus)

hiver

été

Barge rousse
(Limosa lapponica)

142

La sous-famille des gallinaginés se divise en 3 sections : les bécassines aberrantes, les bécassines typiques et les limnodromes à long bec. Il existe 2 espèces de bécassines aberrantes, très différentes. La bécassine de Nouvelle-Zélande *(Coenocorypha aucklandica)*, petit oiseau courtaud qui vit sur plusieurs îles au large de la Nouvelle-Zélande, est semblable aux vraies bécassines, mais sans les lignes blanchâtres longitudinales caractéristiques de celles-ci ; elle a par ailleurs un bec plus court, légèrement courbé vers le bas, et ressemble en fait à un râle. Avec son plumage à reflets vert-pourpre métalliques, son bec court et ses 12 rectrices, la bécassine sourde *(Lymnocryptes minimus)* ressemble aux bécassines typiques. Son aire de reproduction couvre la forêt et la toundra, de 55° à 70° de latitude nord, et s'étend de l'est de la Scandinavie jusqu'à 160° de longitude en Union soviétique.

A l'intérieur du groupe des vraies bécassines (genre *Gallinago*), on distingue 2 sous-groupes. L'un, en Amérique du Sud, est composé de grands oiseaux semblables à des bécasses d'Amérique, avec 14 rectrices, comme la bécassine du Strickland *(G. stricklandii)*, la bécassine géante *(G. undulata)* et la bécassine impériale *(G. imperialis)*. La bécassine des marais *(G. gallinago)* est l'espèce la plus répandue : dans l'hémisphère Nord, entre 45° et 70° de latitude ; dans l'hémisphère Sud, surtout en Amérique du Sud. Le dernier genre de cette sous-famille est *Limnodromus*. Les limnodromes, bien que comparables, d'un point de vue structurel et comportemental, aux bécassines, n'ont pas de plumage rayé et ont des pattes longues. Ils se situent donc entre les vraies bécassines et les autres scolopacidés.

Chevalier combattant
de la région paléarctique
(Philomachus pugnax)

Bécasseau violet
(Calidris maritima)

Bécasseau maubèche
(Calidris canutus)

hiver

été

Bécasseau minuscule
(Calidris minutilla)

Bécasseau cocorli
(Calidris ferruginea)

hiver

hiver

hiver

été

Bécasseau variable
(Calidris alpina)

été

Bécasseau à queue fine
(Calidris acuminata)

été

hiver

été

Bécasseau minute
(Calidris minuta)

Bécasseau spatule
(Eurynorhynchus pygmaeus)

Bécasseau falcinelle
(Limicola falcinellus)

Bécasseau de Temminck
(Calidris temminckii)

Bécasseau sanderling
(Calidris alba)

La famille des scolopacidés comprend plus de 70 espèces, dans 24 genres. Ce sont des oiseaux de taille petite ou moyenne, avec un long bec fin, droit ou courbé. Ils habitent des terrains ouverts à proximité de plans d'eau. L'hiver, ils se rassemblent en troupes le long des côtes, dans les estuaires et les deltas ; quelques espèces, cependant, préfèrent les marécages et les marais. Les bandes de bécasseaux maubèches constituent l'un des plus beaux spectacles du monde avien. Les oiseaux, entassés jusqu'à 30 000 individus, accomplissent des mouvements coordonnés, de telle sorte que, lorsqu'ils tournoient et prennent leur essor, ils dévoilent tous ensemble leur face inférieure blanche, puis leur dos gris.

BÉCASSE DES BOIS

Scolopax rusticola

Ordre Charadriiformes
Famille Scolopacidae
Sous-famille Scolopacinae
Taille Longueur 36 cm
Poids 320 g environ
Distribution Zones tempérées nord et subarctiques, Orient
Maturité sexuelle Vers 1 an, probablement
Œufs 2 à 5, normalement 4
Âge maximal 20 ans 9 mois

La bécasse des bois, ou bécasse d'Europe, est très répandue, et, du fait de son évolution en forêt, aucune sous-espèce ne s'est développée. On la trouve, d'ouest en est, de l'Irlande et des Açores jusqu'aux îles Sakhaline, en Union soviétique orientale, et Hokkaido, au Japon. En altitude, son habitat est également très varié, s'étendant du niveau de la mer en Europe occidentale jusqu'à 3 600 m dans l'Himalaya. Elle fréquente les bois d'arbres à feuilles caduques, où elle trouve un abri, mais évite les herbes denses.

La structure du crâne de la bécasse des bois est unique parmi les limicoles. Elle présente le même système sensoriel que les autres genres de scolopacidés, mais plus développé. Ainsi, ses yeux sont grands, placés très haut sur les côtés du crâne, caractéristique qui a plusieurs implications pour son alimentation : en effet, la bécasse ne volant que la nuit sous le couvert des arbres et ne se nourrissant qu'à ce moment-là, ils lui permettent de s'orienter et de repérer des aliments. Par ailleurs, grâce à leur position latérale, elle peut, tout en fouillant la végétation à la recherche de lombrics, surveiller les prédateurs. Ainsi, elle a deux zones de vision binoculaire, l'une en avant et l'autre en arrière.

Les bécasses se nourrissent en abondance d'arthropodes et de vers. Elles consomment également des insectes, des araignées et des mille-pattes. En un jour, elles peuvent ingurgiter l'équivalent de 70 à 90 % de leur poids.

La bécasse a une parade aérienne spectaculaire, appelée « croule ». On peut l'observer à la tombée de la nuit, et, avec une intensité bien moindre, à

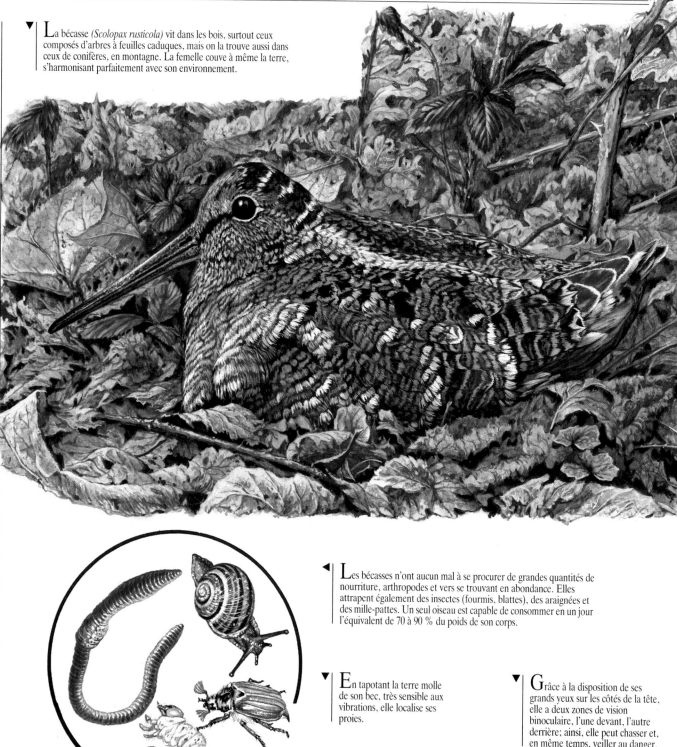

▼ La bécasse *(Scolopax rusticola)* vit dans les bois, surtout ceux composés d'arbres à feuilles caduques, mais on la trouve aussi dans ceux de conifères, en montagne. La femelle couve à même la terre, s'harmonisant parfaitement avec son environnement.

▼ Les bécasses n'ont aucun mal à se procurer de grandes quantités de nourriture, arthropodes et vers se trouvant en abondance. Elles attrapent également des insectes (fourmis, blattes), des araignées et des mille-pattes. Un seul oiseau est capable de consommer en un jour l'équivalent de 70 à 90 % du poids de son corps.

▼ En tapotant la terre molle de son bec, très sensible aux vibrations, elle localise ses proies.

▼ Grâce à la disposition de ses grands yeux sur les côtés de la tête, elle a deux zones de vision binoculaire, l'une devant, l'autre derrière; ainsi, elle peut chasser et, en même temps, veiller au danger.

l'aube. La bécasse d'Europe vole avec des battements lents de ses larges ailes arrondies, un peu au-dessus des arbres. Sa trajectoire de vol est généralement circulaire, quoiqu'elle puisse varier et couvrir parfois 6 à 7 km. Tout en volant, elle émet deux cris : l'un, le plus fréquent, est un sifflement très aigu (« touissik »), l'autre, un croassement grave (« croo-croo »).

Les vols nuptiaux servent souvent à distinguer les territoires, ou tout du moins à deviner l'importance d'une population. Tout récemment, la croule a été étudiée en employant la méthode du radio-tracking (des bécasses ont été munies d'un appareil radio miniaturisé permettant de suivre leurs déplacements à distance malgré l'obscurité). On a constaté que les mâles n'ont pas de territoire proprement dit.

Le mâle survole une partie de la forêt et s'accouple à terre de manière opportuniste, avec n'importe quelle femelle réceptive. Il est d'ailleurs capable de s'accoupler avec plusieurs partenaires. Les œufs sont pondus à intervalles de 1 à 3 jours, en fonction de la latitude et des conditions climatiques. Dans les régions méridionales, les premiers œufs sont pondus au cours de la première semaine de mars. En Angleterre, le point culminant de la ponte se situe entre la mi-mars et la mi-avril, et au Danemark, une ou deux semaines après. Là, si le printemps est relativement chaud, jusqu'à 43 % des nids sont occupés avant le 7 avril ; s'il fait froid, seulement 13 %.

Pendant la couvaison, la bécasse ne quitte pas le nid, à moins que l'on ne s'en approche de très près. Ici aussi, la position de ses yeux lui permet de ne pas bouger la tête. L'incubation est de 21 à 23 jours. Seule la femelle se charge de couver et d'élever les petits. Deux tiers des œufs pondus éclosent ; les pertes sont essentiellement dues à la désertion du nid, quand les oiseaux sont dérangés par l'homme.

▲| La bécasse ne s'envole que si l'on s'approche très près de son nid.

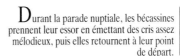

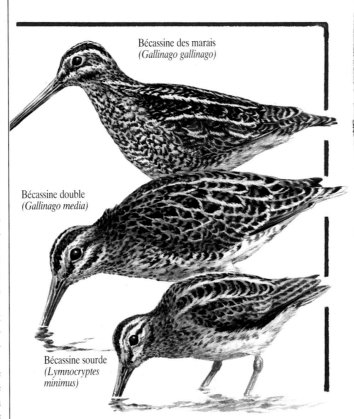

Bécassine des marais
(*Gallinago gallinago*)

Bécassine double
(*Gallinago media*)

Bécassine sourde
(*Lymnocryptes minimus*)

▲| La bécassine des marais est un oiseau typique des zones humides où la végétation est dense. L'hiver, la bécassine double fréquente les prairies sèches et les landes, tandis que la bécassine sourde préfère les prairies humides et les polders.

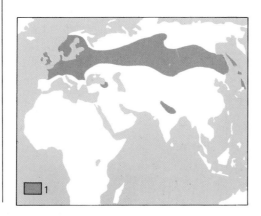

▲| Trajectoire de vol de la bécasse des bois tandis qu'elle gagne de la hauteur.

▲| La bécassine des marais se reconnaît à son vol en zigzag quand elle s'élève dans le ciel.

D urant la parade nuptiale, les bécassines prennent leur essor en émettant des cris assez mélodieux, puis elles retournent à leur point de départ. |►

◄| La bécasse des bois, sans sous-espèce, a une aire de nidification très vaste. Les 4 autres bécasses du genre *Scolopax* vivent sur diverses îles au nord-ouest du Pacifique et ne diffèrent guère de l'espèce européenne. Elles sont toutes issues du même ancêtre, qui s'est dispersé il y a très longtemps, quand les îles qu'elles habitent aujourd'hui se sont séparées du continent. 1) Distribution de la bécasse des bois (*Scolopax rusticola*).

COURLIS CENDRÉ

Numenius arquata

Ordre Charadriiformes
Famille Scolopacidae
Taille Longueur 56 cm
Poids 600 g environ
Distribution Niche des zones tempérées nord aux régions arctiques
Maturité sexuelle Généralement vers 2 ans, parfois 3
Œufs 4 habituellement
Age maximal Le plus vieux a vécu 31 ans et 6 mois

Comme beaucoup d'autres membres de la famille des scolopacidés, le courlis cendré a un bec muni d'un grand nombre de corpuscules de Herbst sensibles au toucher et aux vibrations. Toutefois, la vue joue également un rôle dans la recherche de nourriture : elle contrôle, semble-t-il, le premier mouvement, le toucher intervenant une fois la proie découverte. Le courlis suit les galeries des vers polychètes et des mollusques marins ; s'il ne détecte pas d'occupant, il n'insère son bec que sur quelques centimètres, mais, s'il sent quelque chose, il se met aussitôt en activité.

L'extrémité du bec est actionnée par des muscles indépendants de la base et fonctionne comme une pince. Le courlis peut attraper des vers profondément enfouis. Il possède, le long du palais, plusieurs projections dirigées vers l'arrière qui empêchent la proie de se sauver. Les vers sont soigneusement extraits, parfois lavés, puis avalés. L'été, sur les lieux de reproduction, le courlis peut se nourrir de baies et autres substances végétales.

Tous les courlis se reproduisent à l'intérieur des terres, la plupart préférant les prairies, les landes humides ou les tourbières. En Europe, certains se reproduisent dans les terres cultivées, peut-être parce que les prairies sont continuellement drainées. Le vol des mâles figure parmi les spectacles les plus fascinants du monde des échassiers. Ils s'élèvent en émettant un chant plaintif, avant de redescendre à terre en plané.

Les 4 œufs sont couvés pendant 4 semaines et les petits attendent environ 5 semaines pour voler.

Les courlis ont toujours été chassés de façon intensive. Certaines populations sont parvenues à résister à cette pression, d'autres ont énormément diminué. Celles du Nord ont été massacrées massivement aux États-Unis, année après année, jusqu'à la fin du XIXe siècle ; vers 1920, les courlis étaient rares, et ils ne se sont pas remis de cette tuerie. Le courlis à bec grêle, espèce qui n'a jamais été abondante, a vu son nombre baisser dans toute la région méditerranéenne à la suite de la chasse.

Courlis cendré
(Numenius arquata)

Quand les petits sont dans le nid, les parents tiennent les prédateurs à distance en faisant mine de s'être blessé une aile et en les conduisant dans une autre direction ; chez un oiseau de cette taille, c'est un spectacle impressionnant.

1

La distribution des espèces du genre *Numenius* est sérieusement menacée, notamment par le drainage des lieux de reproduction, les prairies tourbeuses étant asséchées pour les besoins de l'agriculture en Europe, en Asie et en Amérique. La protection et l'organisation rationnelle de leur habitat naturel sont essentielles pour la survie de ces oiseaux. 1) Courlis cendré *(Numenius arquata)*.

AVOCETTE

Recurvirostra avosetta

Ordre Charadriiformes
Famille Recurvirostridae
Taille Longueur 43 cm
Distribution De l'Europe occidentale à la Chine centrale et septentrionale, et de la Suède à l'Afrique du Sud
Maturité sexuelle 2 ans habituellement
Œufs 4 normalement
Age maximal 24 ans et 6 mois

L'avocette a une aire de reproduction très vaste, de l'Europe de l'Ouest à la Chine centrale et septentrionale, et de la Suède à l'Afrique du Sud. Cette aire est, toutefois, loin d'être continue, sauf en Europe orientale et en Asie. En Europe occidentale et, surtout, en Afrique, elle niche en groupes isolés. En Afrique, l'avocette a peut-être la distribution la plus remarquable de tous les échassiers. Elle niche localement en Afrique du Sud, de l'Est et, plus particulièrement, du Nord et du Nord-Est. Sauf en Afrique du Sud et en Tunisie, elle se reproduit de manière occasionnelle, ne cherchant à nicher que si la nourriture et le niveau de l'eau lui conviennent.

En général, elle se reproduit au bord des eaux saumâtres ou des lacs légèrement salés. Elle niche souvent dans les marais salants ou dans les réserves naturelles spécialement aménagées pour elle. En dehors de la saison de reproduction, elle est beaucoup plus éclectique, et on la voit près des lacs salés, dans les estuaires, sur les côtes basses.

Pour se nourrir, elle balance le bec, légèrement ouvert, sur les côtés, filtrant l'eau ou la vase. Comme beaucoup d'autres oiseaux aquatiques, elle détecte ses proies au toucher, les attrape aussitôt et relève le bec avant de les avaler. Son régime varie en fonction de l'habitat. Dans l'eau, elle se nourrit de crustacés ; dans la boue, de vers polychètes, en particulier *Nereis*. L'avocette est capable de nager, ce qu'elle fait souvent grâce à ses pattes palmées, et en se renversant comme les canards. Dans les estuaires, elle se nourrit là où la vase est semi-fluide, le sable et la vase compacte étant trop difficiles à pénétrer.

▼ L'avocette vit dans les marais salants et le long des lacs d'eau saumâtre. Son élégante apparence l'a rendue très populaire ; en Angleterre, on l'a même choisie comme symbole de l'influente Société royale pour la protection des oiseaux.

▲ Le long bec recourbé est légèrement ouvert et balancé sur les côtés pour filtrer l'eau ou la vase. Toute nourriture animale entrant en contact avec lui est aussitôt prise et avalée.

▼ Ses longues pattes palmées permettent à l'avocette de se déplacer dans l'eau.

◄ 1) L'avocette est plus répandue que les autres espèces du genre *Recurvirostra*, puisqu'elle niche de l'Europe occidentale à la Chine centrale et septentrionale, et de la Suède à l'Afrique du Sud. Cependant, sauf en Europe orientale et en Asie, sa distribution n'est pas continue. A l'inverse de ce qui s'est passé pour bien d'autres espèces, rendues vulnérables par l'expansion humaine et qui ont beaucoup souffert, les habitats créés par l'homme ont eu une influence favorable sur sa distribution et sa reproduction.

HUÎTRIER-PIE

Haematopus ostralegus

Ordre Charadriiformes
Famille Haematopodidae
Distribution Toute la région paléarctique occidentale
Maturité sexuelle 3 à 5 ans, la plupart du temps 4
Œufs 2 ou 3, moins fréquemment 4
Age maximal 36 ans

L'huîtrier-pie fait partie des échassiers les plus caractéristiques. Relativement grand, il a un plumage noir et blanc, un bec long, robuste et rouge orangé.

Chez tous les échassiers, notamment les espèces qui vivent longtemps, les liens du couple sont forts et durables. Cela semble vrai de l'huîtrier-pie, qu'il s'agisse de populations migratrices ou sédentaires. Les parades aériennes ou terrestres au début de la saison de reproduction ont pour fonction première non pas d'attirer une compagne, mais d'établir et de défendre un territoire.

Après l'accouplement, le mâle creuse plusieurs nids, en grattant la terre, et la femelle en choisit un. En général, il est situé dans le sable, parmi des coquillages ou au milieu des galets sur la côte ou, localement, les berges d'une rivière. Entre 1 et 4 œufs sont pondus, le plus fréquemment 3. Chez toutes les espèces étudiées, un œuf est pondu toutes les 36 ou toutes les 48 heures. L'incubation commence après la ponte du dernier et dure de 25 à 30 jours. Bien que les petits puissent s'alimenter seuls dès l'éclosion, ils sont nourris par les parents.

Le régime de l'huîtrier-pie consiste en bivalves, avec des variations en fonction de l'habitat et du continent. Il arrive qu'il se nourrisse d'autres espèces et d'une grande variété de mollusques dédaignés par d'autres échassiers. L'adulte utilise diverses méthodes pour s'alimenter, changeant de technique en fonction de la taille et de la longueur de la coquille. Abandonnant les grandes moules aux coquilles trop épaisses, il chasse dans des eaux peu profondes ou au bord des courants à la recherche de moules ouvertes. S'il s'agit de petites moules ou de coques de taille moyenne, il brise la coquille.

▲ Une fois le muscle adducteur coupé, l'oiseau fait pivoter sa tête à 90° et ouvre le coquillage.

▲ L'huîtrier-pie se nourrit essentiellement de bivalves. Bien qu'il préfère les moules et les coques, il mange aussi des patelles et des bigorneaux. Les coups de bec continus contre les coquillages ont tellement usé et renforcé l'extrémité de celui-ci que, chez la plupart des adultes, il est aussi aiguisé que des ciseaux. Une fois le mollusque ouvert, la partie n'est pas encore gagnée, et l'on voit souvent des huîtriers-pies qui, n'ayant pas réussi à couper le muscle adducteur, sont obligés de s'envoler avec une moule coincée au bout du bec. C'est quelquefois fatal pour l'oiseau, car il peut mourir de faim ou ne pas être en mesure de voler correctement et se faire prendre par la marée. Certains individus spécialisés pour attraper des vers ont un bec pointu, ce qui explique peut-être pourquoi les oiseaux avec un bec plus pointu ont tendance à être plus nombreux que les autres dans les bandes partant vers les terres à l'approche de l'hiver.

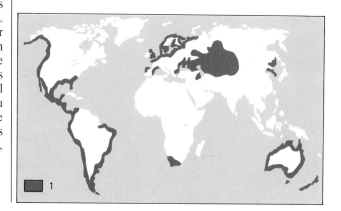

◄ Les huîtriers-pies fréquentent les côtes et, après la saison de reproduction, forment des bandes souvent très importantes.
1) Distribution de la famille des hæmatopodidés.

RHYNCHÉE PEINTE

Rostratula benghalensis

Ordre Charadriiformes
Famille Rostratulidae
Distribution Afrique, Asie du Sud et Australie
Habitat Tropical et subtropical
Taille Longueur 25 cm
Maturité sexuelle Probablement à 1 an
Œufs 4, rarement 3 ou 5-6

La rhynchée peinte de l'Ancien Monde a une aire de reproduction très vaste, puisqu'on la trouve en Afrique, en Asie du Sud et en Australie. On pense qu'il s'agit d'une espèce non migratrice, quoiqu'elle se déplace localement, en fonction des chutes de pluie et de l'état du sol. Les oiseaux d'Afrique et d'Asie appartiennent à la sous-espèce *Rostratula benghalensis benghalensis*. Chez toutes les rhynchées peintes, le dimorphisme sexuel est net : la femelle a un plumage bien plus vif et est beaucoup plus grosse que le mâle. La rhynchée peinte d'Amérique est assez identique à *R. benghalensis*, mais avec un dimorphisme sexuel moins accentué.

Les rhynchées peintes habitent les marécages. On les trouve généralement dans des zones à végétation dense, à la fois herbeuses et arbustives, bien qu'on en rencontre aussi dans des rizières, des étangs où poussent des lotus, des marais salants et les lieux boueux. Quelquefois, on en voit même jusque dans les salines côtières.

La rhynchée peinte court très vite, tête baissée, et c'est une excellente nageuse. Pour échapper aux prédateurs, elle s'immobilise et se camoufle dans les herbes. C'est seulement en cas de danger qu'elle prend son envol ou s'enfuit en courant.

Comme chez la plupart des limicoles, la femelle se charge seule de la parade d'intimidation et de la défense du territoire. C'est elle qui émet les cris les plus perçants (ceux du mâle sont plus faibles). A terre, sa parade est des plus remarquables. Elle y a recours avant la copulation et pour menacer les autres femelles qui pénètrent à l'intérieur de son territoire.

▲ Le mâle couve les œufs et s'occupe d'élever les petits nouvellement éclos.

▲ On ne sait pas grand-chose des habitudes alimentaires de la rhynchée peinte (ci-dessus, une femelle), d'autant qu'elle est très discrète et en grande partie nocturne. Elle se procure ses aliments en fouillant la boue à l'aide de son bec. Parfois, elle emploie une méthode très inhabituelle qui consiste à balancer le bec de gauche à droite dans une eau peu profonde. Lorsqu'elle fore ainsi la boue, elle peut avaler des aliments sans relever le bec, en s'aidant de la langue, presque aussi longue que le bec lui-même (aucun autre échassier n'a de langue aussi longue). Ses proies consistent en toutes sortes d'animaux vivant dans la boue et l'eau, comme les mollusques, les crustacés et les vers ; elle se nourrit aussi de substances végétales et on a observé certaines rhynchées peintes en train de manger du riz et des graines d'herbes.

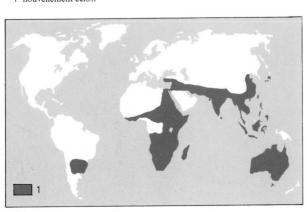

◀ 1) La rhynchée peinte *(Rostratula benghalensis)* a une aire de reproduction très vaste, puisqu'on la trouve en Afrique, en Asie du Sud et en Australie. La rhynchée peinte d'Amérique est assez semblable. Avec une telle distribution, il est surprenant qu'il n'existe pas plus de sous-espèces. Grégaire, elle forme des groupes allant de 50 à 60 individus.

GOÉLAND CENDRÉ

Larus canus

Ordre Charadriiformes
Famille Laridae
Sous-famille Larinae
Distribution Europe centrale et septentrionale, Asie centrale et Amérique du Nord-Ouest
Mode de vie Grégaire
Nidification Mi-mai à début juin. Une seule couvée
Œufs 3 habituellement, rarement 1 ou 4, variant en couleur du brun au bleu, avec des taches sombres
Petits Couverts d'un duvet marbré gris-jaune ; semi-nidifuges

Les mouettes et les goélands sont répandus dans le monde entier, mais la plupart sont originaires de l'hémisphère Nord. En raison de leur répartition et de leurs facultés d'adaptation à la présence de l'homme, ils sont assurément les oiseaux marins les plus connus, même s'ils fréquentent les côtes plutôt que la haute mer. En effet, ils s'aventurent rarement loin du rivage et on en rencontre dans les terres près des plans d'eau, souvent au-dessus du niveau de la mer. Plusieurs espèces nichent dans des régions proches des pôles, abandonnant leurs aires de reproduction à l'approche de l'hiver pour des pays plus cléments ; certains partent de l'autre côté de l'équateur. Seules 2 espèces de mouettes tridactyles sont vraiment pélagiques.

Le goéland cendré *(Larus canus)* est l'une des espèces le plus disséminées, car, en plus du nord de la région paléarctique, il fréquente aussi les côtes nord-ouest de l'Amérique du Nord. Comme presque tous les goélands, il a un mode de vie grégaire, et l'on voit souvent des bandes de plusieurs douzaines d'oiseaux survoler les plages de sable, les estuaires et les ports. En hiver, le goéland cendré, plus qu'aucun autre goéland, fréquente les bords des lacs, des rivières, des marécages et les terres cultivées, où il cherche des aliments.

Mouettes et goélands forment un groupe homogène de quelque 45 espèces, avec des caractéristiques bien définies. Ce sont des oiseaux robustes, aux ailes pointues et à la queue carrée. En

Goéland cendré
(Larus canus)

Le goéland cendré, comme tous les goélands, ne redoute aucunement la présence humaine ; on le rencontre souvent dans les ports, perché pendant des heures sur un poteau. Il se nourrit de poissons, d'œufs et de poussins d'autres oiseaux, de petits vertébrés et de détritus.

général, le corps est blanc, mais la partie supérieure des ailes peut être grise, noire ou d'un blanc virginal. Parfois, par souci de commodité, ils sont divisés en 2 groupes, selon qu'ils ont ou non un « capuchon » foncé en plumage nuptial. Les mouettes et les goélands se sentent chez eux aussi bien sur des terres sèches, où ils attrapent leurs proies, que sur l'eau, où ils se reposent et se nourrissent. A l'inverse de la majorité des oiseaux de mer, ils ne peuvent s'immerger complètement dans l'eau. Ce sont d'excellents voiliers, et, bien qu'ils volent lentement, ils savent, s'il le faut, tirer profit des rafales de vent pour accomplir des manœuvres acrobatiques, s'élever en suivant des courants d'air chaud et planer comme des oiseaux de proie. Leur comportement extrêmement complexe a été le sujet de recherches menées par de célèbres scientifiques tels que Tinbergen et Moynihan. On sait ainsi qu'ils communiquent les uns avec les autres en poussant des cris et en prenant diverses attitudes.

Les mouettes et goélands, pour se nourrir, ont tendance à ingurgiter tout ce qui attire leur attention, que ce soit comestible ou non. Certaines espèces mangent des poissons vivants ou des invertébrés marins, mais la majorité consomment des rongeurs, des oiseaux, des insectes, des plantes et, surtout, des détritus. Afin de manger des mollusques, certains de ces oiseaux lâchent des coquillages de très haut sur des rochers, pour les briser ; d'autres attaquent des oiseaux, souvent des espèces migratrices, près de leurs colonies. Le goéland cendré a souvent une attitude de voleur et de parasite, chipant la nourriture d'autres oiseaux comme les mouettes, les foulques noires et les canards, qui apprennent à céder devant leur force et leur détermination.

Les goélands nichent dans des colonies de plusieurs centaines de couples parfois. La densité des nids dans une colonie est très élevée, et le territoire d'un couple se résume au nid. Si la côte est leur site préféré, il leur arrive de s'éloigner loin du rivage, tels ces goélands qui nichent sur des lacs du Tibet et dans les Andes, à près de 5 000 m d'altitude.

Le goéland cendré niche sur des îlots et le long des côtes, mais aussi au bord des lacs et des marais près de la mer, des ruisseaux, des rivières et des landes.

▼ Il est toujours prêt à bondir sur un poisson ou des détritus jetés des bateaux.

▼ La mouette tridactyle niche sur des rochers escarpés.

▲ Il rase la surface, tuant les proies avec son bec.

Mouette ivoire (Pagophila eburnea)

Mouette pygmée (Larus minutus)

Goéland brun (Larus fuscus)

Goéland argenté (Larus argentatus)

Mouette rieuse (Larus ridibundus)

Mouette tridactyle (Rissa tridactyla)

▲ Autres espèces de goélands.

Bec-en-ciseaux noir (Rynchops nigra)

Grand labbe (Stercorarius skua)

Macareux huppé (Aethia cristatella)

Sterne inca (Larosterna inca)

◄ Les parents du goéland sont les labbes, les becs-en-ciseaux, les sternes et les macareux. Tous sont des membres de l'ordre des charadriiformes.

STERNE PIERREGARIN

Sterna hirundo

Ordre Charadriiformes
Famille Laridae
Taille Longueur 35 cm
Distribution Largement répandue dans l'hémisphère Nord
Mode de vie Grégaire
Nidification Fin mai à début juin
Œufs 2 ou 3, verdâtres ou bruns, avec des taches plus foncées
Petits Recouverts d'un duvet gris-jaune ou brun moucheté ; semi-nidifuges

La sterne pierregarin (*Sterna hirundo*) est la plus représentative de la vingtaine d'espèces apparentées. Le plus gros oiseau de ce groupe est la sterne caspienne *(Hydroprogne caspia)*, d'une longueur supérieure à 50 cm, et le plus petit la sterne naine, ou sterne à front blanc *(Sterna albifrons)*, qui fait à peine 24 cm. La longueur moyenne de la sterne pierregarin est de 35 cm, pour une envergure de 80 cm. Pendant la saison de reproduction, les adultes portent un capuchon noir, qui en hiver devient partiellement blanc.

L'aire de répartition de la sterne pierregarin est particulièrement vaste, couvrant plusieurs continents. C'est une espèce migratrice. A l'approche de l'hiver, ces oiseaux rejoignent, en vols plus ou moins nombreux, leurs quartiers d'hiver en zone tropicale, longeant les côtes ou le lit des fleuves. Le retour, au printemps, les ramène à leurs sites d'origine. Ces migrations sont très longues, car une partie des sternes pierregarins nichent sous de hautes latitudes, en compagnie des sternes arctiques. Les sites de nidification correspondent à des environnements divers. Comme d'autres sternes, cette espèce s'établit volontiers sur les côtes maritimes, les dunes, au bord des marécages saumâtres, dans les estuaires, mais aussi auprès d'eaux douces — berges des fleuves, des rivières ou des étangs.

C'est sans nul doute dans les airs que les sternes sont le plus à l'aise. Leur vol gracieux, aux battements lents et réguliers, est particulièrement adapté aux migrations, mais aussi à la pêche, activité qui occupe la majeure partie de leur temps. On les voit alors, en groupes,

Bien qu'elle soit considérée comme un oiseau marin, la sterne pierregarin s'aventure rarement en haute mer : elle préfère le littoral, les estuaires des rivières, mais aussi les eaux à l'intérieur des terres. On trouve souvent des rassemblements importants à proximité des ports. Cet oiseau se nourrit surtout de petits poissons vivant à la surface de l'eau, mais également de crustacés et d'insectes.

▶ Quelques oiseaux marins en vol.

Puffin　　　Labbe　　　Goéland　　　Sterne

survoler la surface de l'eau, tête baissée, guettant la moindre agitation dans les flots. Quand une proie est repérée, l'oiseau attend le moment opportun pour plonger et la prendre dans son bec effilé, mais sans jamais s'immerger complètement. Contrairement à d'autres oiseaux aquatiques, les sternes ne savent pas nager sous l'eau. Leur nourriture se compose principalement de petits poissons, de crustacés et de mollusques.

Extrêmement grégaires, les sternes pierregarins nichent en colonies, très importantes quand elles sont installées sur le littoral. De retour sur le site de reproduction après la migration de printemps, ces oiseaux commencent les rites nuptiaux par de frénétiques envolées. Les poursuites et les démonstrations aériennes se succèdent sans relâche, les sternes criant bruyamment tout en effectuant des piqués. Quand l'excitation retombe, dans la phase suivante de la parade nuptiale, les couples se forment et s'envolent à la recherche d'un lieu de ponte, simple trou dans le sol tapissé d'éclats de coquillages, d'herbes et de débris d'algues.

La suite du rituel nuptial se déroule au sol, pendant l'édification du nid. Dans les colonies importantes, les nids sont très proches les uns des autres, d'où des luttes territoriales acharnées. Les oiseaux attaquent en plongeant et donnent des coups de bec aux intrus, homme compris. Entre avril et mai, la femelle pond 2 ou 3 œufs verdâtres ou bruns, tachés de brun foncé, qui sont couvés par les deux sexes pendant environ 3 semaines. L'oiseau qui reste au nid est alors nourri par son partenaire.

Le comportement reproducteur de la gygis blanche *(Gygis alba)*, oiseau typique des îlots tropicaux, est très différent. Elle dépose un œuf unique en hauteur, sans édifier de nid, souvent à la fourche d'un tronc d'arbre. Mâle et femelle se relaient tous les 2 ou 3 jours pour couver, réduisant ainsi au minimum le risque de faire tomber l'œuf au cours de leurs allées et venues. Une gygis adulte peut capturer et transporter dans son bec jusqu'à 15 poissons, et parvient donc à rassasier la nichée avec 2 ou 3 voyages par jour.

▼| La sterne se laisse tomber dans l'eau comme une masse et harponne sa victime avec son bec effilé. On voit souvent l'oiseau s'immobiliser en l'air avant de plonger sur sa proie.

▲| Au cours de la parade nuptiale qui précède l'édification du nid, les deux partenaires échangent symboliquement des proies.

▲| Les poussins naissent couverts d'un épais duvet.

Sterne arctique
(Sterna paradisaea)

Sterne de Dougall
(Sterna dougallii)

Sterne fuligineuse
(Sterna fuscata)

Sterne naine,
ou sterne à front blanc
(Sterna albifrons)

Guifette noire
(Chlidonias niger)

Gygis blanche
(Gygis alba)

◄| On trouve des sternes à peu près partout dans le monde. La majorité des espèces sont tropicales, mais certaines sont cosmopolites et nichent même dans les régions circumpolaires. 1) Sterne naine *(Sterna albifrons)* ; 2) sterne pierregarin *(Sterna hirundo)*.

1

2

STERNE ARCTIQUE

Sterna paradisaea

Ordre Charadriiformes
Famille Laridae
Sous-famille Sterninae
Taille Longueur 36 cm
Distribution Niche dans les régions arctiques ; effectue une très longue migration jusqu'à l'Antarctique
Mode de vie Grégaire
Nidification Fin mai à début juin ; une nichée
Œufs 2 habituellement, parfois 1 ou 3, jaunes ou vert pâle, mouchetés de brun
Petits Comme ceux de la sterne pierregarin, mais avec des marques foncées moins nettement délimitées

La sterne arctique *(Sterna paradisaea)* ne se distingue de la sterne pierregarin et de la sterne de Dougall *(S. dougallii)* que par quelques détails (couleur du bec, longueur des pattes, etc.). Son aire de nidification se limite au Grand Nord ; aucune autre sterne ne s'aventure sous de si hautes latitudes pour se reproduire.

Chez cette espèce, les populations qui nichent dans les zones le plus au sud, juste sous le cercle polaire arctique, forment des colonies mixtes avec d'autres sternes, les pierregarins en particulier, mais aussi avec d'autres oiseaux aquatiques. La sterne arctique, plus que toute espèce apparentée, dépend d'un environnement aquatique, fréquentant les côtes et nichant sur des îlots rocheux et déserts. Au cours d'extraordinaires migrations, cet oiseau effectue chaque année l'aller et retour des régions arctiques jusqu'à l'Antarctique, soit environ 36 000 à 38 000 km.

Pendant la saison de reproduction, entre mai et juillet, mâle et femelle édifient un nid rudimentaire. Les 2 ou 3 œufs ressemblent beaucoup à ceux de la sterne pierregarin, mais sont plus tachetés. L'incubation dure environ 3 semaines. Les poussins, peu différents de ceux de la pierregarin, portent des marques foncées moins nettement délimitées.

Grégaires, les sternes se rencontrent en bandes plus ou moins importantes qui survolent lentement les vagues, souvent contre le vent, pour faciliter le repérage des proies.

Sterne arctique
(Sterna paradisaea)

▲ Ces oiseaux, plus typiques de la haute mer que les autres sternes, nichent souvent sur de petits îlots loin des côtes. La saison de reproduction se déroule de mai à juillet et l'incubation dure environ 3 semaines.

▲ De haut en bas : sterne de Dougall *(Sterna dougallii)*, sterne arctique *(Sterna paradisaea)* et sterne pierregarin *(Sterna hirundo)*. Ces oiseaux sont très similaires et il est souvent difficile de les distinguer en vol ; toutefois, quand ils sont perchés, plusieurs détails morphologiques permettent de les identifier.

◄ 1) Zones de nidification de la sterne arctique. Ces oiseaux migrateurs quittent chaque année les régions arctiques, où ils nichent, pour les latitudes de l'Antarctique, puis reviennent, couvrant ainsi environ 36 000 à 38 000 km.

BEC-EN-CISEAUX NOIR

Rynchops nigra

Ordre Charadriiformes
Famille Rynchopidae
Taille Longueur 48 cm
Distribution Eaux côtières et continentales d'Amérique tropicale
Mode de vie Grégaire
Nidification A la fin du printemps, par petites colonies, sur les rives ou les côtes sablonneuses
Œufs 2 à 4, similaires à ceux des sternes
Petits Couverts d'un duvet fauve, avec des points foncés ; nidifuges

La famille des rynchopidés comprend 3 espèces : le bec-en-ciseaux noir *(Rynchops nigra)*, le bec-en-ciseaux africain *(R. flavirostris)* et le bec-en-ciseaux d'Asie *(R. albicollis)*, qui sont des oiseaux exclusivement continentaux, habitant sous les tropiques. Le premier vit en Amérique, où ses populations nichant le plus loin de l'équateur migrent pour échapper aux conditions hivernales. Le deuxième se rencontre dans toute l'Afrique tropicale ; il est lui aussi partiellement migrateur. On ne trouve le troisième que sur les côtes de l'Inde, de la Birmanie et de la péninsule indochinoise. Les becs-en-ciseaux préfèrent les fleuves et les grands lacs, mais fréquentent aussi le littoral sablonneux, en particulier les estuaires ; on les voit rarement en haute mer.

La technique de pêche de ces oiseaux correspond à la structure particulière de leur bec. Ils pêchent en volant au ras de l'eau, sillonnant la surface avec la mandibule inférieure de leur bec ouvert. Quand le bout de celui-ci heurte une proie, par exemple un poisson ou un crustacé, ils réagissent aussitôt en abaissant la tête et en refermant le bec sur la victime.

Conséquence de cette technique de pêche originale, et signe de l'adaptation de ces oiseaux, ils peuvent battre des ailes sans que celles-ci descendent plus bas que l'horizontale ; lorsqu'ils volent en rasant l'eau, elles ne touchent donc pas la surface.

▼ Le bec-en-ciseaux noir, qui vole au ras de l'eau en l'effleurant avec sa mandibule inférieure, plus longue que la mandibule supérieure, referme son bec dès qu'il touche une proie. Il se nourrit principalement de poissons et de petits animaux vivant en surface ou à proximité (crevettes d'eau douce).

Bec-en-ciseaux noir
(Rynchops nigra)

Bec-en-ciseaux africain
(Rynchops flavirostris)

▲ Le bec-en-ciseaux africain fréquente les berges des grandes rivières et des lacs de l'Afrique tropicale ; il se distingue du bec-en-ciseaux noir par l'extrémité jaune de son bec.

◄ Les becs-en-ciseaux vivent dans les régions tropicales de trois continents, fréquentant les fleuves et les lacs et s'aventurant rarement en haute mer.
1) Bec-en-ciseaux noir *(Rynchops nigra)* ; 2) bec-en-ciseaux africain *(R. flavirostris)* ; 3) bec-en-ciseaux d'Asie *(R. albicollis)*.

GRAND LABBE

Stercorarius skua

Ordre Charadriiformes
Famille Stercorariidae
Taille Longueur 58 cm
Distribution Dans l'hémisphère Nord, il niche depuis les îles de l'Écosse jusqu'en Islande. Dans l'hémisphère Sud, il vit le long des côtes du continent antarctique. En hiver, on le trouve par-delà l'Atlantique jusqu'au tropique du Cancer
Nidification Fin mai à début juin ; une seule couvée
Œufs 2 habituellement, rarement 1, de couleur brun olive ou jaune grisâtre, tachés de brun
Petits Ils éclosent avec un duvet brun jaunâtre, plus pâle sur le dessous du corps ; semi-nidifuges

Le grand labbe *(Stercorarius skua)* porte un plumage brun foncé et ses rémiges primaires sont tachées de blanc sur les deux faces des ailes. Le bec, noirâtre et crochu, plus court et plus robuste que celui des goélands, comporte à sa base une partie nue, la cire, et des plaques couvrent la zone des narines. Les pieds des labbes, palmés et noirâtres, sont garnis de serres puissantes, indispensables à ces prédateurs qui ont des mœurs spectaculaires de pirates. Leur vol, surtout dans le cas du grand labbe, semble lent et pesant, mais il devient agile et acrobatique dès qu'une proie est en vue.

Les labbes sont très agressifs envers les autres oiseaux marins, les harcelant implacablement jusqu'à ce qu'ils lâchent ou régurgitent leur proie, et rattrapant souvent celle-ci au vol avant qu'elle ne tombe à l'eau. Le labbe parasite s'attaque de préférence aux sternes, aux mouettes tridactyles et aux macareux, choisissant ceux qui portent un gros poisson plutôt que plusieurs petits. Il lui est en effet plus facile de récupérer au vol un seul poisson, d'autant que goélands et corbeaux risquent de venir disputer les proies lâchées. Cette stratégie réussit neuf fois sur dix si la victime ne trouve pas à se réfugier en mer ou parmi les rochers. Ce comportement kleptoparasite se retrouve chez certains jeunes goélands, mais de façon moins prononcée ; le grand labbe y est moins enclin que les autres stercoraires, encore qu'il s'attaque aux fous, plus gros que lui. On a donné à cette famille le nom de stercorariidés car on croyait, à tort, que les

Comme tous les stercoraires, le grand labbe est un kleptoparasite (parasite voleur), se nourrissant de poissons qu'il vole à d'autres oiseaux de mer. Le comportement agressif des stercoraires explique en partie l'origine de leur nom : on a longtemps cru qu'ils mangeaient les excréments *(stercus,* en latin) émis par les oiseaux effrayés d'être poursuivis ; en fait, ils se nourrissent d'oiseaux, de charognes, d'œufs et de poussins, de rongeurs et, bien sûr, de poissons.

Le bec des labbes (en bas) est semblable à celui des goélands (en haut), mais plus crochu à son extrémité pour mieux retenir les proies.

labbes se nourrissaient des excréments (*stercus*, en latin) émis par les oiseaux effrayés de se trouver poursuivis.

Tous les labbes montrent beaucoup d'adresse pour chasser d'autres oiseaux en plein vol, lançant des attaques si puissantes avec leurs ailes et leurs pattes que la victime tombe au sol, où elle est promptement achevée. Parmi les oiseaux ainsi capturés, on compte le macareux moine, des petits passereaux au nid, des poussins de lagopède, de goéland, de courlis corlieu, de vanneau huppé, de mouette rieuse, etc.

Les labbes vivent presque toute l'année au large, ne se fixant sur le rivage que pour la reproduction. Le grand labbe niche de préférence à proximité de la mer, dans les landes, à une altitude variable, sur des sols nus ou parmi la végétation, dans les estuaires des fleuves. Le labbe parasite niche dans des paysages assez similaires, mais il s'aventure aussi à l'intérieur des terres, vers la toundra marécageuse, habitat caractéristique du labbe pomarin et du labbe à longue queue. Comme tous les prédateurs de l'hémisphère Nord, les labbes adaptent leur reproduction en fonction de l'abondance de leurs proies, les lemmings en particulier : les années où ces rongeurs pullulent, les oiseaux parviennent à élever une nichée complète ; par contre, si les lemmings sont rares, il arrive qu'ils ne se reproduisent pas du tout.

Les labbes nichent en petites colonies ou en couples isolés. Le nid, généralement placé à découvert, constitue le centre d'un territoire de taille variable appartenant au couple. L'instinct agressif de ces oiseaux est si fort qu'ils n'hésitent pas, pour défendre leur territoire, à s'attaquer à des espèces beaucoup plus grandes, et même aux hommes ; ils piquent de haut sur l'intrus et lui décochent de puissants coups d'aile ou de patte. Les individus non reproducteurs sont écartés des territoires, mais peuvent observer les activités des couples reproducteurs.

Le nid, creusé dans le sol par les deux sexes, est tapissé de mousse, de brins d'herbe et d'autres matériaux. La ponte a lieu entre la fin mai et le début juillet, après les parades nuptiales. Les parents se relaient pour couver, pendant 23 à 30 jours selon l'espèce.

▼ Étapes successives de l'attaque d'un grand labbe : ayant repéré sa victime, il la poursuit pour la forcer à lâcher sa proie, puis récupère le poisson en plein vol.

▼ Pendant la saison de reproduction, le grand labbe est friand d'œufs et de poussins d'autres oiseaux (ici, un fou).

▼ Dans l'Antarctique, les labbes jouent un rôle essentiel pour la sélection naturelle des colonies de manchots.

Autres espèces de labbes.

Labbe parasite
(*Stercorarius parasiticus*)

Labbe pomarin
(*Stercorarius pomarinus*)

Labbe à longue queue
(*Stercorarius longicaudus*)

◀ Vivant en mer et près des côtes, les labbes ne sont pas des oiseaux pélagiques. Ils sont nordiques, sauf le grand labbe, qui niche aussi dans l'Antarctique et sur les îles Falkland ; ils effectuent de longues migrations en dehors de la saison de reproduction, parfois jusque dans l'hémisphère Sud.
1) Labbe parasite (*Stercorarius parasiticus*) ; 2) grand labbe (*Stercorarius skua*).

GUILLEMOT DE TROÏL

Uria aalge

Ordre Charadriiformes
Famille Alcidae
Distribution Côtes septentrionales de l'Atlantique et du Pacifique (Amérique du Nord, Europe du Nord, Groenland, Islande)
Mode de vie Marin, grégaire
Nidification En colonies, sur des îlots rocheux et sur des falaises
Œufs 1 seul, de grande taille, en forme de poire
Petits Semi-nidicoles ; ils s'aventurent dans la mer avant même de savoir voler

Toutes les espèces de la famille des alcidés ont à peu près le même plumage : noir à sa partie supérieure et blanc à sa partie inférieure, mais il est parfois uniformément noir. Elles se distinguent les unes des autres par la répartition des taches et des bandes blanches sur les ailes et par l'aspect des motifs de la tête (certaines espèces portent des touffes de plumes colorées). Le bec, les pattes et le gosier sont de couleur variable. De toute évidence, les deux couleurs de base, le blanc et le noir, ont une fonction de camouflage. En effet, les oiseaux de proie, en particulier les pygargues, ne distinguent pas le dos noir de l'oiseau qui flotte à la surface de la mer sombre. A l'inverse, ils sont protégés des prédateurs marins, tels que les cétacés et les poissons carnivores, par la couleur blanche de leur abdomen, peu discernable dans la lumière éblouissante d'un ciel clair. Le plumage des deux sexes est très semblable, mais il existe des périodes où il est nettement différent. Tous deux perdent périodiquement les plumes de leurs ailes, devenant momentanément incapables de voler. Leurs manifestations vocales sont assez rudimentaires, faites de grognements, de cris rauques et de sifflements.

Les alcidés sont, dans l'hémisphère Nord, la contrepartie écologique des manchots et des pétrels plongeurs de l'hémisphère Sud : les manchots et les pingouins sont de bons exemples d'évolution convergente, phénomène par lequel des animaux classés séparément (les manchots appartiennent à l'ordre des sphénisciformes et les pingouins à

Les guillemots nichent dans les falaises, entassés sur d'étroites corniches rocheuses surplombant la mer. Le spectacle des oiseaux volant en cercle au-dessus des falaises, comme s'ils rentraient de la pêche, forme, avec la senteur âpre et pénétrante, les taches blanches des excréments sur les rochers et les cris rauques qu'émettent sans relâche les adultes et les jeunes, un ensemble des plus saisissants.

La nourriture se compose surtout de poissons, mais aussi de crustacés, de mollusques et de vers.

l'ordre des charadriiformes) acquièrent un aspect extérieur et un comportement semblables lorsqu'ils vivent dans le même environnement et se nourrissent de la même façon.

Le guillemot de Troïl *(Uria aalge)* est un représentant typique de la famille. Il ressemble beaucoup à un manchot, avec son corps fuselé, son long cou, son bec conique et pointu et ses pieds cachés sous l'abdomen. Son plumage ventral est blanc, tandis que les plumes du dos, de la tête et du cou sont noires ou brun chocolat. Ses pieds et son bec sont noirs.

Le guillemot est un oiseau marin du large, qui ne s'aventure sur le sol que pour y nicher. Quand il marche, il se déplace gauchement et repose assis sur les tarses. Il ne se sent pas, non plus, à l'aise dans les airs, battant rapidement ses ailes courtes et étroites pour supporter son corps lourd, sa queue courte entraînant de brusques changements de direction et ses pieds palmés dépassant largement des deux côtés.

Dans la mer, par contre, il se sent chez lui, parfaitement adapté à cet élément ; son plumage doux et épais est recouvert d'une couche d'huile, sécrétée par la glande uropygienne et que l'oiseau étale sur les plumes avec son bec, se protégeant ainsi de l'eau et du froid. Quand il s'immerge, il nage en remuant les ailes comme des palettes et se sert de ses pattes comme gouvernail. Il peut plonger jusqu'à 10 m de profondeur et rester sous l'eau plus d'une minute.

A la fin décembre, les guillemots se dirigent vers la côte pour nicher sur les emplacements qu'ils ont fréquentés les années précédentes. Début avril, des milliers de couples sont déjà bien installés aux endroits choisis pour la nidification. Ils se rassemblent en colonies sur les sommets aplatis des îles rocheuses et sur les rebords des falaises, et sont en équilibre précaire quand ils défendent les quelques centimètres carrés qui les séparent de leurs voisins. L'œuf est bleuvert pâle, taché de brun et de noir, et en forme de poire. Celle-ci a une utilité : quand le vent souffle et le roule, il tourne autour de son extrémité pointue et risque moins de tomber des rebords étroits. Les deux sexes participent à l'incubation, qui dure de 32 à 34 jours.

Dès la troisième semaine, les plumes tout juste poussées, le jeune dispose d'un plumage imperméable ; incité par ses parents, il se précipite dans la mer d'une hauteur de plusieurs mètres et devient un excellent nageur avant même d'apprendre à voler.

La capture de la proie s'effectue le plus souvent sous l'eau, à la suite d'une poursuite acrobatique, le guillemot se servant de ses ailes comme d'aubes et de ses pieds comme d'un gouvernail.

été / hiver

Guillemot du Pacifique *(Cepphus columba)*

Macareux moine *(Fratercula arctica)*

Pingouin torda *(Alca torda)*

Mergule nain *(Plautus alle)*

Macareux huppé *(Aethia cristatella)*

Le guillemot couve un œuf unique qu'il tient entre ses pieds, le corps tourné vers la paroi rocheuse pour se protéger du vent. L'œuf a la forme d'une poire, dont l'extrémité est pointue : de cette manière, si on le pousse, il tourne autour de son axe sans tomber.

L'apparence et le comportement des alcidés et des manchots sont assez semblables, bien qu'ils appartiennent à deux ordres différents. Cependant, leur taille n'est pas la même : le guillemot de Troïl (à gauche) mesure 40 cm de long, tandis que le manchot empereur (à droite) a une longueur de 120 cm.

Guillemot de Troïl *(Uria aalge)* en plumage d'hiver.

Les oiseaux de la famille des alcidés sont tous des espèces marines répandues dans les zones froides de l'hémisphère Nord. La saison de reproduction terminée, ils s'envolent vers le sud et gagnent l'Atlantique et le Pacifique ; en hiver, le guillemot peut atteindre la Méditerranée, la Californie et le nord du Japon. 1) Famille des alcidés ; 2) guillemot de Troïl *(Uria aalge)*.

1
2

MERGULE NAIN

Plautus alle

Ordre Charadriiformes
Famille Alcidae
Taille Longueur 20 cm
Distribution Atlantique Nord et mers arctiques environnantes
Mode de vie Grégaire
Nidification En colonies, sur des îlots et des falaises
Œufs 1, parfois 2
Petits Semi-nidicoles, s'aventurant en mer avant d'être aptes au vol

Dans les mers qu'il fréquente, le mergule nain ne peut être confondu avec aucun autre oiseau. Il a la taille d'un étourneau, mais son corps est trapu et dodu, et son bec très court. En été, la tête, le dos et la poitrine sont noirs, le dessous du corps est blanc. En hiver, les côtés du cou et de la tête sont blancs, la poitrine est brun-noir. Les pieds sont gris, le bec est noir, le gosier jaune.

C'est l'espèce la plus nordique de cette famille, nichant sous les hautes latitudes arctiques, sur les falaises ou les îlots rocheux au large du Groenland, de l'île Jan Mayen, de l'Islande, de la Nouvelle-Zemble et de l'archipel François-Joseph. Hors de la saison de reproduction, les mergules nains se dispersent dans les océans, sans jamais beaucoup s'éloigner de la banquise. Certains parviennent parfois, à la suite de tempêtes, jusqu'aux îles Britanniques ou en mer Méditerranée. Pendant la courte période de la nidification, ils résident sur les falaises ou les côtes de galets.

Le régime du mergule nain est à base de plancton, de crustacés, de mollusques, mais aussi de vers et de poissons de taille moyenne qui abondent à la surface de l'eau. Il n'a donc pas à plonger à plus de 2,50 m de profondeur, et ne reste immergé que 25 à 30 secondes.

Rassemblés par milliers en colonies, ces oiseaux nichent sur des plages rocheuses, parfois sur des versants montagneux jusqu'à 6 km à l'intérieur des terres. L'œuf unique, bleu-vert marqué de brun, est pondu à la mi-juin, dans un trou parmi des pierres ou dans une fissure de rocher. Mâle et femelle couvent à tour de rôle, pendant 29 jours en moyenne.

Pour revenir à son nid sur les falaises, le mergule nain survole la surface de la mer avec de rapides battements d'ailes. ▶

◀ Cet oiseau plonge sous l'eau pour chercher sa nourriture (crustacés, petits poissons et mollusques), et poursuit sa proie en utilisant ses ailes comme des pagaies.

Hors de la période de reproduction, les mergules nains passent la plupart de leur temps au large, près de la banquise, où leur nourriture abonde. ▶

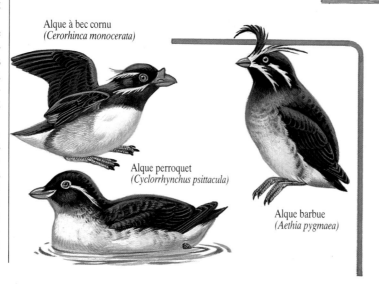

Alque à bec cornu
(Cerorhinca monocerata)

Alque perroquet
(Cyclorrhynchus psittacula)

Alque barbue
(Aethia pygmaea)

▼ Le mergule nain et le manchot Adélie, bien que très lointains dans la classification et différents d'aspect (le manchot est quatre fois plus gros), sont tous deux aussi bien adaptés à la vie aquatique.

MACAREUX
MOINE

Fratercula arctica

Ordre Charadriiformes
Famille Alcidae
Taille Longueur 30 cm
Distribution Atlantique Nord
Mode de vie Marin, grégaire
Nidification En colonies, sur des îlots rocheux ou des pentes herbeuses proches du littoral
Œufs 1
Petits Semi-nidicoles

Pesant de 300 à 450 g, le macareux moine a un corps trapu, porté par deux pieds largement palmés. La tête, ronde et massive, est équipée d'un bec haut et aplati, très voyant pendant la période de reproduction, car il est alors orné de plaques cornées aux teintes vives (bleu, rouge et jaune), qui disparaissent en hiver. Le dos est noir, l'abdomen et les joues sont blanches, les pattes orangées.

Vers la mi-mars, les macareux retournent au site de reproduction des années précédentes. Tandis qu'ils se regroupent près des côtes où se déroulera la nidification, quelques individus gagnent la terre et cherchent les endroits favorables. Bien que certains couples choisissent comme lieux de ponte des fissures rocheuses et des renfoncements, la plupart préfèrent élever leur poussin dans un terrier. Des pieds et du bec, les deux oiseaux creusent alors un tunnel pentu d'environ 2,50 m de profondeur, se terminant par une chambre où la femelle pond l'œuf unique, blanc moucheté de taches roussâtres.

Pendant les parades nuptiales qui précèdent la ponte, les deux partenaires frottent leurs becs l'un contre l'autre, agitent et hochent la tête, avant de s'accoupler. Ils participent tous deux à l'incubation, qui dure de 40 à 43 jours. Les adultes pêchent en plongeant et ramènent 15 à 20 petits poissons à la fois, fermement tenus entre la langue et la mandibule inférieure. Cette technique permet au macareux de continuer à pêcher sans que les premières prises l'encombrent. Les derniers jeunes quittent la colonie début août, laissant le site à nouveau désert et silencieux.

Le macareux moine maintient les poissons entre sa langue et sa mandibule inférieure ; il peut ainsi continuer à pêcher sans retourner au nid après chaque prise. Cet oiseau, comme tous les autres alcidés, est gravement menacé par la pollution océanique due aux hydrocarbures. Le naufrage du pétrolier *Torrey Canyon* dans la Manche a affecté les colonies de macareux en Bretagne, mais n'est pas la seule cause du déclin de l'espèce depuis le début du xxᵉ siècle.

▼| Parmi les autres espèces de macareux vivant dans le Pacifique, on compte le macareux huppé *(Lunda cirrhata)*, en haut, et le macareux cornu *(Fratercula corniculata)*, en bas.

▲| Regroupant un grand nombre d'oiseaux, les colonies de macareux nichent sur des îles, dont les pentes herbeuses sont criblées de terriers creusés avec les pattes et le bec.

◄| Comme tous les alcidés, les macareux sont typiques des eaux septentrionales de l'hémisphère Nord. 1) Macareux moine *(Fratercula arctica)* ; 2) macareux cornu *(Fratercula corniculata)*. Ce dernier ressemble beaucoup au macareux moine, espèce de l'Atlantique dont il est la contrepartie dans le Pacifique. Pour protéger les sites de reproduction des alcidés, on a créé des réserves, mais il est aussi essentiel d'exploiter raisonnablement la mer et ses ressources, d'interdire les déversements intempestifs d'hydrocarbures et de substances toxiques, et de contrôler sévèrement la circulation des pétroliers pour réduire les risques d'accident.

COLOMBES ET PIGEONS

Columbidae

La taxinomie ne fait pas la distinction entre les colombes et les pigeons, qui appartiennent à la famille des columbidés et sont répandus sur la quasi-totalité du globe, à l'exception des régions polaires. Leur taille est très variable, certaines espèces étant grandes comme un moineau et d'autres de la taille d'un dindon. Le mode d'alimentation des 299 espèces de columbidés est aussi très varié : il existe des oiseaux qui se nourrissent presque exclusivement de graines, tandis que d'autres mangent essentiellement des fruits. Plus de la moitié de ces espèces se rencontrent dans les régions indo-malaises ou en Australie : un petit groupe vit sous les latitudes chaudes d'Amérique et on rencontre 6 espèces en Europe.

Chez certaines espèces, telles que le pigeon biset, les deux sexes portent un plumage presque identique ; chez d'autres, les couleurs du plumage sont destinées à attirer les partenaires en raison d'un dimorphisme sexuel marqué. Tous les columbidés sont monogames, proverbialement amoureux et fidèles l'un à l'autre. Le nid est habituellement une construction assez grossière, faite le plus souvent par les deux sexes. Les 2 œufs sont couvés à tour de rôle par les parents, qui partagent également la tâche d'élever les jeunes. L'incubation dure de 12 à 30 jours. Parmi les traits communs, on note la cire charnue de la base du bec et le « lait de pigeon ».

La plus grande sous-famille, celle des tréroninés, ou pigeons verts, est répandue dans les zones tropicales de l'Ancien Monde, en particulier dans les régions indo-malaises. Ce sont essentiellement des mangeurs de fruits, et la plupart présentent un dimorphisme sexuel prononcé, les couleurs du mâle étant souvent vives et spectaculaires.

Le pigeon vert *(Sphenurus sieboldii)* qui habite l'Asie du Sud et l'Indonésie est l'un des représentants les plus typiques de la famille ; sa taille approche celle du pigeon biset, son corps est vert jaunâtre et brun à sa partie supérieure, les pattes sont écarlates et les yeux cernés de bleu. De même que les autres tréroninés, il se déplace en bandes à la recherche d'arbres couverts de fruits

La famille des columbidés comprend un nombre important d'espèces, dont la taille et le mode d'alimentation sont très variables.

Le syrrhapte paradoxal *(Syrrhaptes paradoxus)* appartient à la famille des ptéroclididés, qui, avec une autre famille, celle des columbidés, forme l'ordre des columbiformes.

Pigeon colombin
(Columba oenas)

Tourterelle des bois
(Streptopelia turtur)

EURASIE

Tourterelle orientale
(Streptopelia orientalis)

Tourterelle turque
(Streptopelia decaocto)

Pigeon ramier
(Columba palumbus)

Pigeon janthina
(Columba janthina)

Pigeon vert
(Sphenurus sieboldii)

ASIE DU SUD ET AUSTRALIE

Phaps crêté
(Petrophassa plumifera)

Grand tréron
(Treron capellei)

Carpophage impérial
(Ducula concinna)

Ptilope à poitrine rou
(Ptilinopus viridis)

Colombe turvert
(Chalcophaps indica)

Pigeon Nicobar
(Caloenas nicobarica)

Colombe poignardée
(Gallicolumba luzonica)

Pigeon à épaulettes violettes
(Ptilinopus cinctatus)

Carpophage vert
(Ducula aenea)

mûrs. Pour se nourrir, les oiseaux effectuent chaque année une migration lente, quittant les plaines de basse altitude, où les fruits mûrissent tôt, pour des endroits situés plus haut. Malgré ses couleurs vives, il n'est pas facile de distinguer le pigeon vert, car la plupart du temps il est bien caché dans les arbres, parfois pendu à l'envers pour attraper des baies.

Le groupe le plus important des tréroninés comprend les ptilopes du genre *Ptilinopus*, dont le ptilope superbe *(P. superbus)*, qui habite la Nouvelle-Guinée, la Tasmanie et l'Indonésie, est le représentant le mieux connu.

Les carpophages, ou pigeons impériaux, du genre *Ducula*, se distinguent par leurs teintes métalliques éclatantes. Un des plus beaux d'entre eux est le carpophage vert *(D. aenea)*, qui mesure 40 cm de long et possède un plumage aux éclats vifs et métalliques.

La petite sous-famille des gourinés réunit 3 espèces vivant en Nouvelle-Guinée connues sous le nom de gouras. L'autre sous-famille importante, les columbinés, se compose à la fois de mangeurs de graines et de mangeurs de fruits, ainsi que des pigeons les plus grégaires de la famille.

Le genre *Streptopelia* comprend la colombe d'Afrique *(S. decipiens)* et la tourterelle des bois *(S. turtur)*. La colombe de la Caroline *(Zenaidura macroura)*, qui habite le Mexique et l'Amérique du Nord, leur ressemble beaucoup. Elle mesure 30 cm de long, son plumage est gris-brun, le cou étant plus foncé, avec des teintes roses et violettes sur les côtés. Cette espèce, la plus commune d'Amérique, niche souvent dans les villes.

L'une des tourterelles les plus esthétiques est la colombe turvert *(Chalcophaps indica)*, oiseau par excellence terrestre qu'on trouve dans les forêts indomalaises et en Australie.

Outre le pigeon biset *(Columba livia)*, le genre *Columba* comprend deux autres espèces européennes, le pigeon ramier *(C. palumbus)* et le pigeon colombin *(C. oenas)*.

Il existe deux familles d'oiseaux qui sont proches des columbidés. La première, les ptéroclidés, se compose de 16 espèces de gangas qui peuplent les régions inhabitées et souvent désertiques de l'Ancien Monde. La deuxième, les raphidés, est à présent éteinte. Elle réunissait quelques espèces inaptes au vol, telles que le dodo *(Raphus cucullatus)*, pigeon géant dont la longueur dépassait 1 m.

AMÉRIQUE

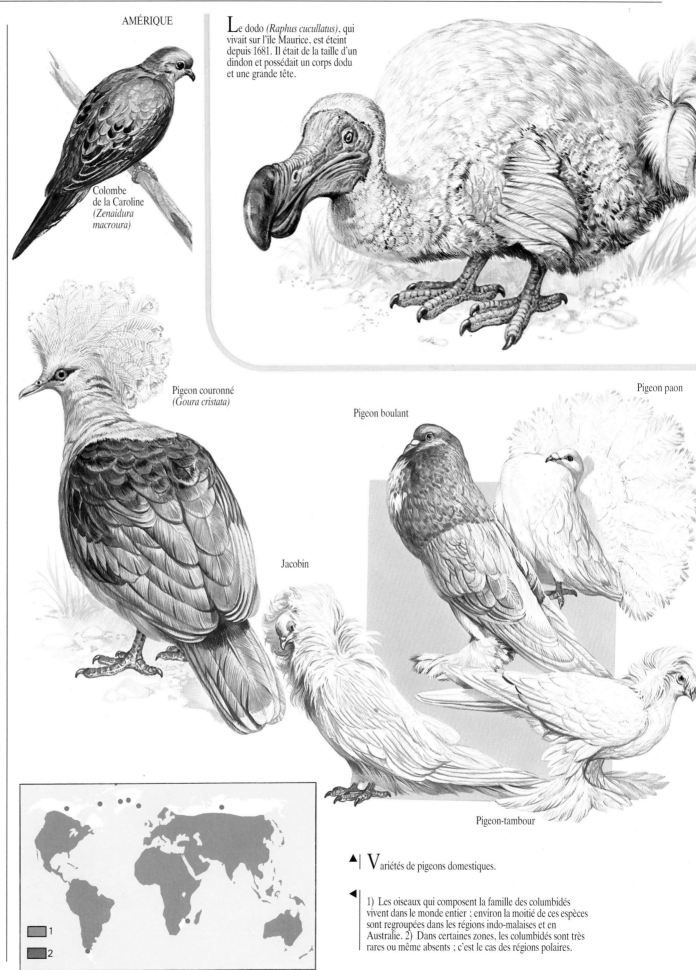

Colombe de la Caroline *(Zenaidura macroura)*

Le dodo *(Raphus cucullatus)*, qui vivait sur l'île Maurice, est éteint depuis 1681. Il était de la taille d'un dindon et possédait un corps dodu et une grande tête.

Pigeon couronné *(Goura cristata)*

Pigeon paon

Pigeon boulant

Jacobin

Pigeon-tambour

▲| Variétés de pigeons domestiques.

◀| 1) Les oiseaux qui composent la famille des columbidés vivent dans le monde entier ; environ la moitié de ces espèces sont regroupées dans les régions indo-malaises et en Australie. 2) Dans certaines zones, les columbidés sont très rares ou même absents ; c'est le cas des régions polaires.

PIGEON BISET

Columba livia

Ordre Columbiformes
Famille Columbidae
Taille Longueur 33 cm
Distribution Europe, Afrique du Nord et Asie, Inde
Mode de vie Fortement grégaire
Nidification En colonies ; en hauteur sur des rochers ou des bâtiments
Œufs 2
Petits Nidicoles

La répartition géographique du pigeon biset est immense, incluant à peu près toute la zone paléarctique (Europe, Afrique du Nord, Asie du Nord et de l'Ouest) et une partie de l'Orient (Inde). Cette espèce, commensale de l'homme depuis des milliers d'années, n'a jamais cessé de se répandre, toutes les constructions lui convenant pour nicher en colonies. Les pigeons se concurrencent pour trouver leur nourriture au centre et à la périphérie des villes, déjà envahies par d'autres oiseaux, parfois de la même famille des columbidés. Avec une aire de répartition aussi vaste, il est évident que le pigeon biset présente plusieurs races géographiques ; en fait, les taxinomistes reconnaissent une quinzaine de sous-espèces, souvent très différentes d'aspect.

La meilleure garantie de sécurité du pigeon biset est sa sociabilité. On ne rencontre pour ainsi dire jamais un individu isolé, et les bandes où ces oiseaux se regroupent par milliers leur assurent une protection maximale. Il est extrêmement difficile d'approcher un groupe de pigeons en liberté quand ils se nourrissent, car il y en a toujours un ou plusieurs qui sont prêts à donner l'alerte. De même, il est quasi impossible de venir près d'un nid à l'improviste : malgré leur sociabilité, les couples de cette espèce le défendent contre les autres, empêchant tout intrus de s'en approcher.

Le nid — un assemblage grossier de brindilles, large d'environ 20 cm — est construit par le mâle et la femelle dès les premières phases du rite nuptial. L'incubation dure 17 jours ; les oisillons, aveugles et couverts d'un duvet jaune clairsemé à l'éclosion, doivent encore être réchauffés durant quelques jours. Les deux adultes se relaient sur le nid : le mâle cède en général la place à la

Le pigeon biset est une espèce très sociable, qui vit en bandes pouvant regrouper plusieurs milliers d'individus. Les nids, parfois édifiés à moins de 1 m les uns des autres, sont en général situés sur des rochers inaccessibles dominant la mer ou un lac, à l'abri des prédateurs terrestres. Ces oiseaux n'ont pas l'habitude de se percher dans les arbres. On les voit le plus souvent au sol, picorant des graines, des insectes ou des escargots.

Détail du bec. Les colombes et les pigeons se distinguent des autres oiseaux par la présence d'une cire (peau nue) où s'ouvrent les narines. Cette excroissance charnue est située à la base du bec.

femelle pendant quelques heures l'après-midi et ne couve jamais la nuit. Comme leur plumage est absolument identique, seul ce comportement permet de différencier les deux sexes.

Les oisillons se nourrissent d'une substance nommée « lait de pigeon », que le jabot produit en réponse à la stimulation d'une hormone particulière, la prolactine, très concentrée pendant cette période et similaire à la prolactine humaine. Ce lait compose toute l'alimentation des tout-petits. Par la suite, les adultes leur donnent aussi des graines broyées, à demi digérées, et cela jusqu'à l'âge d'environ 1 mois, où ils sont aptes à picorer par eux-mêmes. Le lait de pigeon, très proche de celui des mammifères, apporte aux jeunes toutes les protéines dont ils ont besoin. C'est pourquoi les pigeons peuvent élever chaque année plusieurs nichées, alors que d'autres oiseaux sont limités aux périodes où les insectes abondent.

La qualité de leur chair, la prolificité des diverses races ainsi que d'autres traits de leur comportement ont incité les hommes à élever les pigeons depuis l'Antiquité.

Le pigeon commun des rues descend de populations de pigeons bisets qui se sont peu à peu accoutumées aux villes. Ce processus est bien sûr engagé depuis des siècles, comme en témoigne le nom générique latin *Columba*, dérivé de *columna*, qui signifie « colonne », indiquant que ces oiseaux avaient l'habitude, jadis, de se rassembler sur les toits des maisons et des temples.

L'une des races les plus importantes de pigeons domestiques est celle des pigeons voyageurs. Les facultés d'orientation de ces oiseaux restent un mystère qui fascine les scientifiques depuis toujours. Ils sont capables de revenir à leur pigeonnier même s'ils en sont éloignés de plusieurs centaines de kilomètres. Dès qu'on le relâche, le pigeon prend la direction de son lieu d'origine, choisissant presque toujours sans erreur la meilleure route.

▼ Pendant la période de reproduction, le mâle courtise la femelle en roucoulant. Quand les liens sont établis entre les deux, ils échangent des « baisers », en introduisant leur bec dans celui du partenaire.

▼ La fidélité des pigeons est proverbiale, mais pas toujours réelle. Les couples s'unissent assez souvent pour toute leur vie, mais certains se défont au bout d'un an...

Pendant la période de reproduction, le jabot des parents produit un liquide nommé « lait de pigeon », qui constitue la seule alimentation des oisillons durant les quelques jours suivant leur éclosion. Par la suite, ce régime est complété avec des graines à demi digérées que les adultes régurgitent dans le jabot des jeunes. L'apport des protéines contenues dans le lait permettant aux pigeons d'élever leur nichée même à une saison où les insectes sont rares, ils se reproduisent plusieurs fois par an.

◀ Les pigeons vivent librement dans les villes. A l'origine, on les utilisait pour porter des messages ; aujourd'hui, on les élève en général pour participer à des courses.

TOURTERELLE DES BOIS

Streptopelia turtur

Ordre Columbiformes
Famille Columbidae
Taille Longueur 30 à 32 cm
Distribution Europe du Sud et centrale
Mode de vie Irrégulièrement grégaire, sauf pendant les migrations
Nidification En hauteur dans les arbres
Œufs 2
Petits Nidicoles

Par la forme de son corps et sa silhouette en vol, la tourterelle des bois ressemble à un petit pigeon ; elle est cependant plus élancée et sa queue nettement plus longue. On la trouve en Europe, sauf dans l'extrême Nord-Ouest et le Nord : presque totalement absente d'Écosse, d'Irlande et du Danemark, elle apparaît parfois dans la péninsule scandinave. C'est une espèce des forêts et des plaines environnées de bois.

Le nom latin de la tourterelle vient du roucoulement caractéristique que le mâle émet. Cette espèce est devenue, au fil des siècles, un symbole d'amour et de tendresse. Mais, eu égard au comportement réel de cet oiseau, sa renommée n'est qu'en partie méritée, car il affiche dans ses relations avec ses congénères une agressivité marquée (c'est le cas des mâles entre eux). En outre, sa réputation de gentillesse n'a pas empêché la tourterelle d'être victime de chasses organisées, en particulier dans les contrées qu'elle traverse régulièrement au cours de ses voyages migratoires.

Pendant la saison de reproduction, le mâle cherche à attirer la femelle par ses roucoulements, puis par des parades nuptiales assez semblables à celles des pigeons. Lors de la nidification, il défend son territoire avec ardeur, signalant son droit de propriété par des chants et des envolées particulières. Si un autre mâle envahit cet espace, il l'attaque en le frappant de ses ailes et en donnant de violents coups de bec sur celles du rival. Le chant est monotone et comprend des phrases qui durent environ 15 secondes et sont longuement répétées.

Quand le couple est formé, les oiseaux édifient le nid, qui recevra 2 œufs, dont l'incubation dure environ 14 jours.

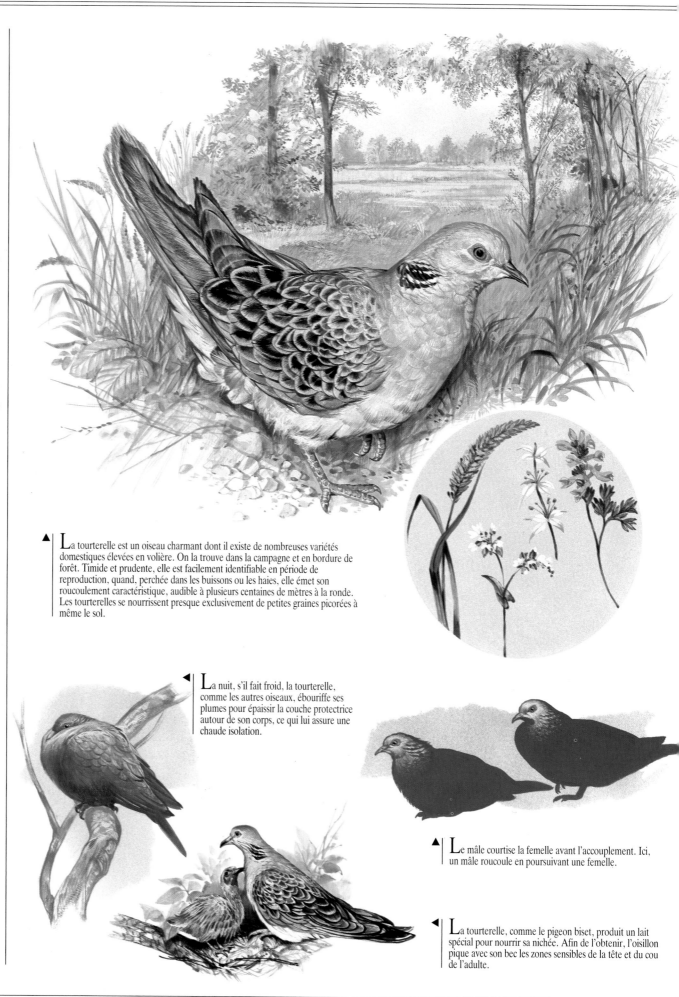

▲ La tourterelle est un oiseau charmant dont il existe de nombreuses variétés domestiques élevées en volière. On la trouve dans la campagne et en bordure de forêt. Timide et prudente, elle est facilement identifiable en période de reproduction, quand, perchée dans les buissons ou les haies, elle émet son roucoulement caractéristique, audible à plusieurs centaines de mètres à la ronde. Les tourterelles se nourrissent presque exclusivement de petites graines picorées à même le sol.

◄ La nuit, s'il fait froid, la tourterelle, comme les autres oiseaux, ébouriffe ses plumes pour épaissir la couche protectrice autour de son corps, ce qui lui assure une chaude isolation.

▲ Le mâle courtise la femelle avant l'accouplement. Ici, un mâle roucoule en poursuivant une femelle.

◄ La tourterelle, comme le pigeon biset, produit un lait spécial pour nourrir sa nichée. Afin de l'obtenir, l'oisillon pique avec son bec les zones sensibles de la tête et du cou de l'adulte.

PIGEON COURONNÉ

Goura cristata

Ordre Columbiformes
Famille Columbidae
Taille Longueur 75 à 80 cm
Distribution Nouvelle-Guinée et îles environnantes
Mode de vie Grégaire, par petits groupes
Nidification Dans les arbres, à faible hauteur
Œufs 1, parfois 2
Petits Nidicoles

Le pigeon couronné *(Goura cristata)* est le plus gros des pigeons, un géant dans cette famille, puisqu'il mesure jusqu'à 80 cm et pèse plus de 3 kg. Cet oiseau particulièrement beau, au plumage bleu violacé, vit dans les régions humides de Nouvelle-Guinée, au nord et au sud de l'île, et dans les archipels voisins. Encore abondante dans les forêts vierges, l'espèce a presque disparu de la périphérie des villes et des villages. Cet oiseau niche près des rivières et des marais, choisissant les endroits où la végétation est la plus dense.

Le pigeon couronné, le goura Victoria *(G. victoria)* et le goura de Scheepmaker *(G. scheepmakeri)* composent le genre *Goura.* Aussi gros que les dindons et d'une saveur réputée, ils sont très recherchés des chasseurs ; mais les collectionneurs de trophées sont tout autant, sinon plus, attirés par les plumes spectaculaires de la crête.

Si un étranger les approche quand ils se nourrissent, ces pigeons se contentent de chercher refuge sur une branche basse pour y observer la suite des événements. Ce comportement en fait des cibles extrêmement faciles ; d'autant que, si l'un d'eux est abattu, le reste du groupe, comme incapable de s'enfuir, ne s'écarte que de quelques mètres. Si les pigeons couronnés agissent de cette manière apparemment stupide, c'est qu'ils n'ont guère de prédateurs naturels. Contrairement à la majorité des autres oiseaux, ils n'ont donc pas été amenés à développer une réaction de fuite, en prenant leur envol pour se mettre hors de portée.

▶ **D**eux espèces du genre *Goura* : au premier plan, le pigeon couronné *(Goura cristata)* et, derrière lui, le goura Victoria *(G. victoria)*, que l'on reconnaît à ses ailes tachées de blanc.

◀ **A**u XIXᵉ siècle, en particulier, on utilisait les très belles plumes des pigeons couronnés comme ornements. La valeur de leur plumage et leurs mœurs confiantes ont amené les espèces au bord de l'extinction.

◀ **D**étail de la patte et du pied. Comme chez d'autres espèces, les pattes des pigeons couronnés sont non pas cornées, mais couvertes d'une sorte d'épiderme tuilé.

◀ **C**es oiseaux se nourrissent exclusivement de fruits tombés au sol. Leur unique réaction face au danger est de se percher sur une branche d'arbre basse ou un buisson, où ils constituent des cibles faciles pour les chasseurs.

SYRRHAPTE PARADOXAL

Syrrhaptes paradoxus

Ordre Columbiformes
Famille Pteroclididae
Taille Longueur 35 cm
Distribution Asie centrale
Mode de vie Grégaire
Nidification Au sol, en petites colonies
Œufs 2 à 4
Petits Nidicoles

On trouve le syrrhapte paradoxal *(Syrrhaptes paradoxus)* en Asie centrale, où il se reproduit. Il apparaît irrégulièrement en Europe. Il s'agit de déplacements sporadiques à plus ou moins grande échelle, plusieurs milliers d'oiseaux atteignant l'Europe occidentale ; ainsi, en 1908, on nota la présence de quelques couples reproducteurs dans les îles Britanniques. D'autres « invasions » avaient eu lieu, notamment au cours du printemps et de l'été de 1863 et en 1888-1889. Depuis, on a observé à plusieurs reprises quelques oiseaux qui sont allés au-delà de l'U.R.S.S., mais il ne s'agissait plus d'« invasions ».

L'habitat de cette espèce, comme celui de la majorité des ptéroclididés, se limite aux zones arides, aux steppes dépourvues — ou presque — de végétation. Ces oiseaux réussissent à vivre dans les régions arides et semi-arides grâce à diverses adaptations anatomiques, physiologiques et comportementales. Le terme d'« hyperspécialisation » s'applique aux espèces dont l'habitat est particulièrement défavorable ; c'est le cas du syrrhapte, qui vit dans les steppes où il est difficile de trouver de l'eau et où les températures extrêmes sont la règle.

Le problème fondamental du syrrhapte paradoxal est d'obtenir sa ration d'eau quotidienne. C'est ainsi que l'on voit chaque jour, de l'aube au coucher du soleil, avec une étonnante régularité, des bandes regroupant plusieurs douzaines de ces oiseaux autour des rares points d'eau du désert, qu'ils rejoignent souvent en franchissant de fort longues distances. Au cours de leurs voyages, les syrrhaptes utilisent des signaux acoustiques (sifflements et gazouillements) pour éviter l'éparpillement du groupe dans la semi-obscurité.

▲ Le syrrhapte paradoxal *(Syrrhaptes paradoxus)* est un oiseau typique des régions arides plus ou moins dépourvues de végétation. Son plumage camouflé joue un rôle capital pour le dissimuler à ses prédateurs sur ce type de terrain. Ces oiseaux sociables se rassemblent régulièrement, à l'aube et au crépuscule, autour des rares points d'eau du désert.

◄ Il se nourrit des graines, des pousses et, parfois, des insectes qu'il trouve dans les steppes.

◄ Le pied est court et robuste, entièrement couvert de plumes ; il n'y a pas de doigt postérieur chez le syrrhapte.

Le dessous du pied est plat et couvert d'écailles épaisses. C'est un des moyens de protection de ces oiseaux contre le sable brûlant. ▶

Les syrrhaptes adultes ont un plumage homochrome, c'est-à-dire dont la couleur s'harmonise avec celle du milieu ambiant.

Les poussins peuvent survivre malgré l'hostilité de leur environnement grâce à des adaptations tout aussi remarquables. Le nid, hâtivement creusé dans le sable, est une simple cavité, parfois tapissée de quelques tiges. Les œufs, à peine plus gros que ceux d'un pigeon, sont fauve clair ou crème, mouchetés de taches plus foncées, et se confondent avec le sable. La femelle couve le jour, le mâle la nuit — son plumage étant plus brillant, il y a alors moins de risques qu'il soit aperçu de loin, ce qui mettrait toute la nichée en péril. A plusieurs reprises dans la journée, le mâle aide la femelle en lui apportant de l'eau et de la nourriture, régurgitées de son bec.

Les syrrhaptes ont des mœurs semi-coloniales, les couples nichant à proximité les uns des autres, mais demeurant absolument monogames. Pour éloigner les prédateurs du nid, l'oiseau adulte fait diversion en se comportant comme s'il était blessé et incapable de s'envoler, attirant ainsi l'ennemi à l'écart. Ce comportement est typique de nombreuses autres espèces nichant au sol.

La famille des ptéroclidés ne compte qu'un autre genre, *Pterocles*, dont les représentants se caractérisent par des pieds particulièrement petits et emplumés ; il y a un petit doigt postérieur et les autres sont reliés par une palmure. Ce genre est composé de 14 espèces, dont le ganga cata (*P. alchata*), qui présente un dimorphisme sexuel accentué, et le ganga tacheté (*P. senegallus*), qui vit en Afrique du Nord. Le ganga unibande (*P. orientalis*), l'espèce la plus grosse du genre, et même de toute la famille, est la seule, avec le ganga cata, qui soit présente en Europe. On trouve le ganga unibande en Europe du Sud (Espagne, Portugal et Turquie).

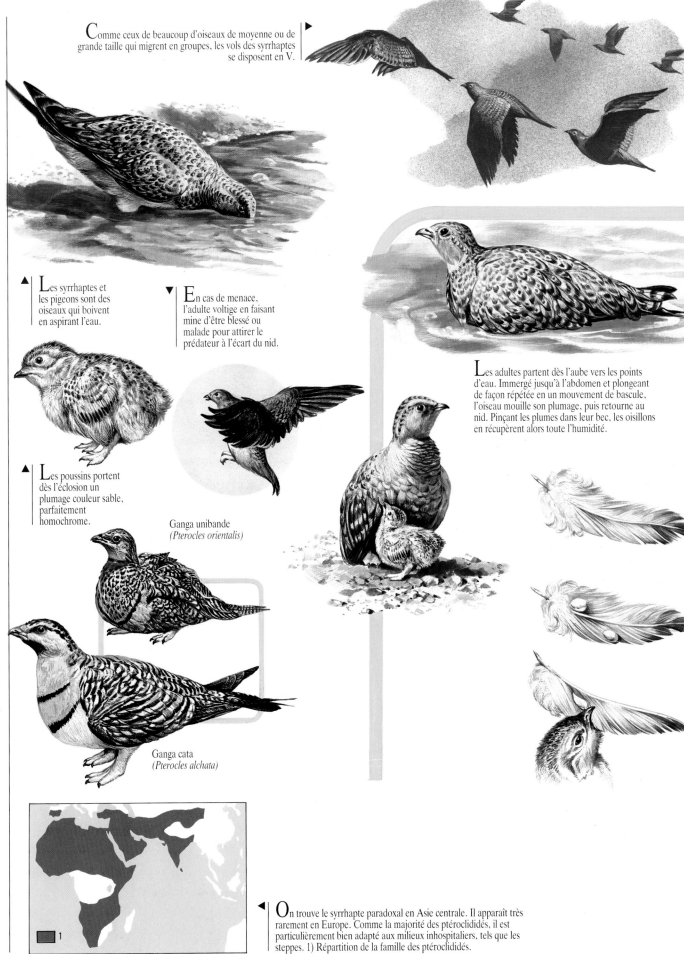

Comme ceux de beaucoup d'oiseaux de moyenne ou de grande taille qui migrent en groupes, les vols des syrrhaptes se disposent en V. ▶

▲ Les syrrhaptes et les pigeons sont des oiseaux qui boivent en aspirant l'eau.

▼ En cas de menace, l'adulte voltige en faisant mine d'être blessé ou malade pour attirer le prédateur à l'écart du nid.

Les adultes partent dès l'aube vers les points d'eau. Immergé jusqu'à l'abdomen et plongeant de façon répétée en un mouvement de bascule, l'oiseau mouille son plumage, puis retourne au nid. Pinçant les plumes dans leur bec, les oisillons en récupèrent alors toute l'humidité.

▲ Les poussins portent dès l'éclosion un plumage couleur sable, parfaitement homochrome.

Ganga unibande
(*Pterocles orientalis*)

Ganga cata
(*Pterocles alchata*)

◀ On trouve le syrrhapte paradoxal en Asie centrale. Il apparaît très rarement en Europe. Comme la majorité des ptéroclidés, il est particulièrement bien adapté aux milieux inhospitaliers, tels que les steppes. 1) Répartition de la famille des ptéroclidés.

PERROQUETS ET PERRUCHES

Psittaciformes

Leur bec fortement crochu, aux deux mandibules nettement articulées, leurs pieds, dont deux doigts sont tournés vers l'avant et deux vers l'arrière, et surtout leurs couleurs éclatantes, parmi lesquelles dominent le vert, le rouge, le jaune et le bleu, ainsi que leurs cris particuliers, le plus souvent sonores et rauques, ne sont que quelques-uns des traits les plus caractéristiques permettant de reconnaître aisément les perroquets.

On trouve la plupart de ces oiseaux dans les régions tropicales de l'hémisphère austral, particulièrement en Amérique du Sud, en Australie et en Nouvelle-Guinée, une minorité vivant en Afrique, à Madagascar, en Asie du Sud, aux Philippines, dans les îles de la Sonde, en Nouvelle-Zélande, en Micronésie, en Mélanésie et en Polynésie.

Depuis la disparition de la perruche de la Caroline *(Conuropsis carolinensis)*, que l'on rencontrait jusqu'à la fin du XIXᵉ siècle dans le sud-est des États-Unis, l'espèce fréquentant les latitudes les plus septentrionales est la perruche à tête noire *(Psittacula himalayana)*, qui réside dans l'ouest de l'Afghanistan, à une latitude de 36° nord. Dans l'hémisphère Sud, on trouve la perruche australe *(Microsittace ferruginea)* jusqu'à l'extrémité de la Terre de Feu. Ce record était partagé jusqu'au début de ce siècle avec la perruche à bandeau rouge *(Cyanoramphus novaezelandiae erythrotis)*, espèce endémique des îles Macquarie que des chats, imprudemment introduits sur cet archipel par des chasseurs de manchots, ont exterminée.

De nombreuses espèces ont un pouvoir d'adaptation remarquable, étendant continuellement le domaine qu'elles occupent, parfois jusqu'au centre des villes. C'est par exemple le cas de la perruche à collier *(Psittacula krameri)*, présente sur les îles du Cap-Vert dans l'Atlantique, en Afrique tropicale, au Moyen-Orient, en Inde, et qui a été introduite en Europe (Grande-Bretagne surtout). En revanche, d'autres perroquets habitent des zones dont les limites, sans être marquées par des barrières naturelles infranchissables, tels des montagnes ou des océans, sont très restreintes. L'exemple type en la matière est

celui de la perruche des îles Antipodes *(Cyanoramphus unicolor)*, originaire de l'archipel rocheux du même nom, qui couvre à peine 38 km^2 au sud-est de la Nouvelle-Zélande. D'autres, tels l'ara de Lear *(Anodorhynchus leari)* et l'ara de Spix *(Cyanopsitta spixi)*, ont une répartition géographique presque inconnue, dans l'est du Brésil (le second n'existe plus en liberté, semble-t-il).

Si les perroquets vivent en majorité dans la jungle tropicale, ils occupent toutefois à peu près tous les types d'habitat. Certaines espèces peuplent les savanes herbeuses et boisées, les régions désertiques et semi-désertiques ; d'autres les terres cultivées, les montagnes enneigées la plus grande partie de l'année, ainsi que les mangroves, les falaises et les lagunes côtières. Certains perroquets sont associés à des espèces végétales particulières : le cacatoès à tête brune *(Calyptorhynchus lathami)* au casuarina, en Australie ; l'amazone de Prêtre *(Amazona pretrei)* à l'araucaria ; le perroquet à gros bec *(Rhynchopsitta pachyrhyncha)* à divers pins, en Amérique.

Le plus gros représentant de cet ordre est l'ara hyacinthe *(Anodorhynchus hyacinthinus)* du Brésil, qui mesure environ 1 m de long et pèse 1,5 kg, tandis que le plus petit est le micropsitte à tête fauve *(Micropsitta pusio)* de Nouvelle-Guinée, qui atteint à peine 8 cm de long et ne pèse que 15 g.

Ce qui distingue avant tout les perroquets, c'est la riche palette de leur plumage, où domine le vert — qui, bien sûr, n'est pas une couleur pure, mais un mélange de bleu et de jaune. Les teintes allant du jaune au rouge sont dues chez ces oiseaux à la présence de pigments, les psittacines, analogues au carotène par leur structure biochimique.

Le dimorphisme sexuel — différence de couleur, d'aspect ou de taille entre le mâle et la femelle — est assez courant parmi les perroquets d'Australie, de Nouvelle-Guinée et d'Asie, mais beaucoup moins chez ceux d'Afrique et d'Amérique. En principe, c'est le mâle qui arbore les couleurs les plus chatoyantes, mais, chez le grand éclectus *(Eclectus roratus)* de Nouvelle-Guinée et des régions voisines, la femelle est rouge et bleu, alors que le mâle est presque uniformément vert. Cet exceptionnel dimorphisme inversé ne se rencontre — à un degré moindre — que chez 2 autres perroquets africains du genre *Poicephalus*, le perroquet robuste *(P. robustus)* et le perroquet de Ruppell *(P. rueppellii)*. Le dimorphisme peut

Ils fouillent sous l'écorce des arbres à la recherche de larves.

Les perroquets se nourrissent de graines, de baies, de feuilles, d'écorce tendre, de pousses, de bourgeons et de racines. Ils se servent de leurs griffes pour tenir ce qu'ils mangent.

En dehors de son rôle dans l'alimentation, le bec permet à l'oiseau de prendre appui lorsqu'il se déplace dans les arbres ou sur les rochers ; chez les grosses espèces, il sert aussi de balancier pour la marche.

Le principal ennemi de l'ara macao est la harpie.

Les couples, qui sont formés pour plusieurs années, se donnent fréquemment des coups de bec sur la tête en signe d'affection.

aussi affecter la couleur du bec, l'iris et la cire — petit espace de peau nue à la racine de la mandibule supérieure, où s'ouvrent les narines.

Les ailes des perroquets comptent 10 rémiges primaires et 10 secondaires. Certaines sont longues et étroites, par exemple chez les genres *Nymphicus, Polytelis, Melopsittacus* ou *Lathamus* ; d'autres courtes et arrondies, comme chez les genres *Amazona, Nestor, Probosciger* ou *Strigops*, le dernier groupant des oiseaux inaptes au vol battu et effectuant seulement de courtes glissades en vol plané. On ne relève qu'une véritable anomalie : le mâle adulte des perruches Alexandra *(Polytelis alexandrae)* porte, à l'extrémité de la troisième rémige primaire, un étrange appendice en forme de goutte.

Tous les cacatoès ont une huppe mobile de forme variable, dont la fonction reste incertaine. Ils s'en servent comme signaux visuels, notamment en période nuptiale, mais il s'agit là d'une fonction secondaire, qui n'explique certainement pas leur développement. On a suggéré que cette huppe était un prolongement de la tête destiné à tromper les attaques des rapaces : ceux-ci, en visant la nuque, ne prendraient dans leurs serres que quelques plumes. Cette théorie est ingénieuse, mais peu plausible. Plus vraisemblablement, la huppe est une sorte de parasol qui améliore la protection contre le soleil, en particulier dans les étendues continentales arides de l'Australie, où résident la plupart des cacatoès. Les perroquets sont en général capables de hérisser par-dessus leur bec les plumes qui couvrent le bas des joues, limitant ainsi la déperdition de chaleur quand ils se reposent.

La mue, liée au cycle de reproduction, peut se produire tôt ou tard, selon les conditions climatiques saisonnières. Elle débute pendant l'incubation ou à l'éclosion des oisillons, sa durée totale variant de 3 à 4 mois. La présence sur la tête de zones dénudées, parfois colorées (en blanc, noir, gris, bleu, jaune, marron, rouge ou rose), est un phénomène qui se remarque très fréquemment parmi les aras et certains cacatoès.

Le bec des perroquets, en dépit de sa ressemblance avec celui des oiseaux de proie — en particulier les hiboux —, fonctionne de façon tout à fait différente. Les 2 mandibules, entièrement articulées, peuvent être ouvertes en grand simultanément. Quand un perroquet mange, il s'en sert un peu comme le font les ruminants, les bords tranchants de la mandibule inférieure allant et venant

Ara aux ailes vertes
(Ara chloroptera)

Ara hyacinthe
(Anodorhynchus hyacinthinus)

Ararauna
(Ara ararauna)

Perruche de la Caroline
(Conuropsis carolinensis)

Perruche soleil
(Aratinga solstitialis)

AMÉRIQUE

Ara militaire
(Ara militaris)

Amazone de Levaillant
(Amazona ochrocephala oratrix)

Cacatoès des Moluques
(Cacatua moluccensis)

AUSTRALIE ET NOUVELLE-ZÉLANDE

Grand cacatoès à huppe jaune
(Cacatua galerita)

Cacatoès noir
(Probosciger aterrimus)

Cacatoès de Leadbeater
(Cacatua leadbeateri)

Cacatoès gang-gang
(Callocephalon fimbriatum)

sur le palais, broyant ou décortiquant ainsi la nourriture à l'aide de la langue. Il est fréquent de voir un perroquet au repos frotter les deux parties de son bec l'une contre l'autre, dans l'intention moins de les aiguiser que d'en limiter la croissance. Outre son rôle dans l'alimentation, le bec sert aussi à l'oiseau à s'accrocher pendant les déplacements de branche en branche.

La forme et la taille du bec s'accordent aux habitudes alimentaires. Son coloris varie du noir, gris et blanc au brun, rouge, orange, jaune et verdâtre. Ses deux parties sont parfois colorées différemment.

La grosse langue charnue des perroquets leur permet de maintenir la nourriture contre le palais pendant que le bord coupant de la mandibule inférieure la décortique et la broie. Elle sert aussi à débarrasser la gorge des aliments qui s'y trouvent. Ainsi, dans le cas du perroquet de Pesquet, la langue, en se rétractant, dirige vers le fond de la bouche les gros morceaux de banane ou d'autres fruits mous que l'oiseau avale. Sa couleur, en général noirâtre, brune, bleuâtre ou rose chair, prend parfois des teintes plus curieuses : noir et jaune chez l'ara hyacinthe, rouge et noir chez le microglosse noir.

Tous les perroquets sont zygodactyles (2 doigts en avant et 2 en arrière), ce qui est la structure typique des oiseaux grimpeurs.

Graines, baies, feuilles, lamelles d'écorce tendre, pousses, bourgeons et racines composent le régime de la plupart des perroquets. Les loris, exclusivement arboricoles, ne se nourrissent que de nectar, de pollen et de pulpe de fruits sucrés. Les insectes font aussi partie de l'alimentation de presque tous ces oiseaux. Mais certains ont une tendance insectivore marquée, tels les cacatoès noirs du genre *Calyptorhynchus* et, surtout, le nestor, ou kaka *(Nestor meridionalis)*, qui passent une grande partie de leur temps à arracher de vieilles écorces pour y trouver des larves, jouant ainsi, à leur manière, le rôle des pics, qui manquent en Australie et en Nouvelle-Zélande. Les petits vertébrés entrent dans le régime d'un assez grand nombre de perroquets. Ainsi, le kakapo *(Strigops habroptilus)* de Nouvelle-Zélande, espèce nocturne presque inapte au vol, mange des lézards. Parmi les espèces essentiellement végétariennes, certaines sont expertes dans l'art de casser les noix et les noyaux de fruits.

Les perroquets se déplacent en groupes, qui vont de la cellule familiale à des

Perroquet gris
(Psittacus erithacus)

Inséparable de Liliane
(Agapornis lilianae)

AFRIQUE

Inséparable masqué
(Agapornis personata)

Perruche à tête prune
(Psittacula cyanocephala)

Perruche à collier
(Psittacula krameri)

Inséparable à tête rouge
(Agapornis pullaria)

Perruche ondulée
(Melopsittacus undulatus)

Perruche splendide
(Neophema splendida)

Perruche de paradis
(Psephotus pulcherrimus)

Perruche à tête noire
(Psittacula himalayana)

Loriquet de Swainson
(Trichoglossus haematodus moluccanus)

Perruche calopsitte
(Nymphicus hollandicus)

Kakapo
(Strigops habroptilus)

ASIE DU SUD

Perruche terrestre
(Pezoporus wallicus)

Kéa
(Nestor notabilis)

1

La plupart des perroquets vivent dans les régions tropicales de l'hémisphère Sud, en particulier en Amérique du Sud, en Australie et en Nouvelle-Guinée. On trouve relativement peu d'espèces en Afrique et à Madagascar, en Asie du Sud, aux Philippines, en Indonésie, en Nouvelle-Zélande, en Micronésie, en Mélanésie et en Polynésie. L'espèce dont l'aire de répartition remonte le plus loin au nord est la perruche à tête noire *(Psittacula himalayana)*, qu'on rencontre en Afghanistan, sous 36° de latitude nord : son équivalent dans l'hémisphère Sud est la perruche australe *(Microsittace ferruginea)*, qu'on trouve jusqu'à la Terre de Feu, sa zone de peuplement le plus au sud. 1) Répartition mondiale de l'ordre des psittaciformes.

173

bandes de milliers d'individus. Les petites espèces ont un vol bas très rapide, ondulant, durant lequel elles interrompent de temps à autre les battements d'ailes pour redescendre. Les plus grosses espèces ont des battements d'ailes plus lents et plus réguliers, mais leur vol, plus élevé, est tout aussi rapide et agile. Le microglosse noir, aux ailes courtes et arrondies en rapport avec son poids, fait toutefois exception, car il vole la tête penchée en avant, son bec énorme appuyé sur la poitrine.

De nombreuses espèces parcourent chaque jour de longues distances pour rejoindre leurs gagnages ; d'autres sont nomades, profitant au mieux des pluies sporadiques qui arrosent le centre de l'Australie. D'autres encore partent pour de véritables migrations saisonnières, tels beaucoup de loris de Nouvelle-Guinée, divers araini du sud-est de l'Amérique du Sud, la perruche à ailes bleues *(Neophema chrysostomus)* et la perruche à ventre orange *(N. chrysogaster)*, ces deux dernières effectuant l'aller et le retour à travers le détroit de Bass, qui sépare le continent australien de la Tasmanie. En volant, les perroquets émettent des cris sonores et discordants, très rapprochés, qui les aident à rester groupés pendant leurs déplacements.

Quelques espèces ont une facilité naturelle à imiter le cri d'autres oiseaux, ce qui vaut à plusieurs d'entre elles, tels le perroquet gris *(Psittacus erithacus)* et l'amazone à tête jaune *(Amazona ochrocephala)*, d'être la cible des trafiquants. Un grand nombre d'adultes et de jeunes oiseaux sont ainsi capturés chaque année.

On connaît peu le comportement nuptial des perroquets à l'état sauvage, car la plupart des études concernent des animaux vivant en captivité. Malgré de nombreuses exceptions, on observe 2 types principaux de rituel nuptial : celui des espèces dimorphes (en particulier en Orient et en Australasiè) chez lesquelles les relations entre les 2 sexes sont limitées à la période de reproduction ; celui des espèces dépourvues de caractères sexuels secondaires (vivant principalement dans la région néotropicale), où les couples demeurent ensemble pendant le reste de l'année, et souvent même toute leur vie.

Les premières phases des parades nuptiales, généralement les plus variées, sont la prérogative du mâle, qui plonge la tête de manière répétée, contracte les pupilles, hérisse les plumes de la tête, étale la queue, abaisse les ailes, pousse des cris, souvent très musicaux, et (sauf

Avec son bec caractéristique et tranchant, le microglosse noir *(Probosciger aterrimus)* ouvre les noix les plus dures. Il en retire ensuite des morceaux avec la pointe de la mandibule inférieure, puis les pousse vers la bouche avec le bout de sa langue rouge et noir.

Le cacatoès funèbre est friand d'insectes. Perché dans les arbres, il cherche les larves sous l'écorce. Les moutons se nourrissent des feuilles tombées, et c'est la raison pour laquelle, semble-t-il, ils suivent les déplacements des oiseaux.

Nombre de perroquets ont un don naturel pour imiter les sons produits par d'autres animaux ou par la voix humaine. C'est le cas du perroquet gris *(Psittacus erithacus)*, dont la demande commerciale est, de ce fait, très forte, occasionnant la capture organisée des adultes comme des oisillons. Le perroquet gris est un oiseau très populaire et facile à apprivoiser.

chez les cacatoès) offre de la nourriture à la femelle après une série de mouvements de la tête stimulant la régurgitation.

Les liens du couple se renforcent pendant toute l'année, par des salutations réciproques, identiques pour les deux sexes, pendant lesquelles l'iris se contracte fortement, les plumes des joues, du cou, de la nuque et du corps se hérissent, la queue se déploie, les partenaires avançant l'un vers l'autre à pas lents et mesurés, la tête baissée et le corps horizontal. Chaque oiseau se livre souvent à un examen de la tête et de la nuque de son partenaire, pour y dénicher les parasites, alors que les offrandes de nourriture n'interviennent qu'immédiatement avant ou pendant l'accouplement.

L'accouplement peut s'effectuer de deux manières différentes : le mâle pose ses deux pieds sur le dos de la femelle, ou bien encore (mais uniquement parmi les espèces américaines) il pose un pied sur une branche et l'autre sur le dos de sa partenaire.

La majorité des perroquets pondent leurs œufs dans un trou d'arbre, mais nombreux sont ceux qui installent leur nid dans une cavité rocheuse, dans un mur, sous les rebords d'un toit, dans un trou du sol, au milieu de touffes d'herbe et de tas de pierres, dans des terriers s'ouvrant à flanc de colline ou dans une termitière. Les œufs, de couleur blanche, mesurent environ 16 mm dans le cas du micropsitte à joues orange, et jusqu'à 50-55 mm pour le microglosse noir et les gros aras. En principe, la femelle assure seule l'incubation, mais les couples de cacatoès blancs (*Cacatua, Nymphicus*) et de cacatoès gang-gang (*Callocephalon fimbriatum*) couvent à tour de rôle.

Les loricules, du genre *Loriculus*, sont des perroquets typiques de l'Asie du Sud et des îles environnantes. Ils dorment suspendus aux branches comme des chauves-souris, la tête en bas. C'est aussi dans cette position qu'ils cueillent les fruits dont ils se nourrissent.

Le kakapo (*Strigops habroptilus*) de Nouvelle-Zélande, inapte au vol, se limite à des glissades aériennes de quelques centaines de mètres. Cette espèce, qui se nourrit de lézards, est exclusivement nocturne.

Le kéa (*Nestor notabilis*) vit dans les montagnes néo-zélandaises. On prétend, sans preuve toutefois, qu'il attaque et tue les moutons pour manger leur graisse dorsale. Il arrive en tout cas que des moutons morts soient en partie dévorés par cet oiseau.

COUCOU GRIS

Cuculus canorus

Ordre Cuculiformes
Famille Cuculidae
Sous-famille Cuculinae
Taille Longueur 32 à 37 cm
Poids 100-130 g
Distribution Europe et Asie
Mode de vie Parasitaire
Nidification Dans les nids des passereaux
Période de reproduction Printemps
Incubation 12 jours et demi
Œufs 9 en moyenne (exceptionnellement jusqu'à 26)
Petits Nidicoles
Maturité sexuelle Atteinte probablement à l'âge de 2 ans

Le coucou gris *(Cuculus canorus)* est approximativement de la taille d'une tourterelle et migre en Europe et en Asie à la saison de reproduction. Son comportement reproducteur est très original. Il n'édifie pas de nid mais parasite ceux d'hôtes qui ne lui sont pas apparentés (passereaux insectivores). Le jeune coucou, en ouvrant grand son bec, montre un palais rouge bien plus large que celui des autres oisillons et attire ainsi l'attention de ses parents adoptifs. Ses fientes, comme celles des passereaux, sont incluses dans une capsule gélatineuse qui facilite leur enlèvement. Il s'agit là d'adaptations qui contribuent, avec d'autres, à assurer la survie de l'espèce.

Le régime du coucou gris se compose essentiellement de petits invertébrés — en particulier des insectes — et de quelques fruits.

Les coucous ne forment pas de couples fixes, et la rencontre du partenaire peut se faire au hasard des déplacements quotidiens ; par contre, ils restent fidèles à un territoire, dans lequel ils reviennent souvent tous les ans. Ce territoire peut recouvrir en partie celui d'un autre individu, parfois de sexe opposé ; c'est pourquoi il arrive de voir deux mâles avec une femelle. Il existe également des cas de polyandrie.

Parvenue à maturité, la femelle choisit son territoire en fonction du nombre de nids pouvant être parasités. Son ovulation commence au moment où l'hôte

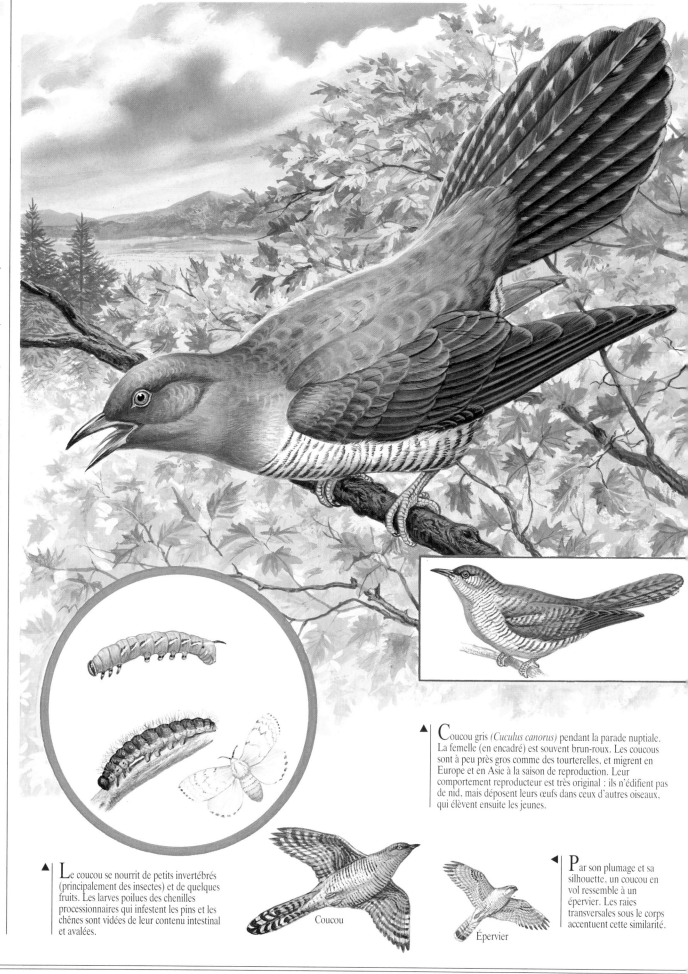

▲ Coucou gris *(Cuculus canorus)* pendant la parade nuptiale. La femelle (en encadré) est souvent brun-roux. Les coucous sont à peu près gros comme des tourterelles, et migrent en Europe et en Asie à la saison de reproduction. Leur comportement reproducteur est très original : ils n'édifient pas de nid, mais déposent leurs œufs dans ceux d'autres oiseaux, qui élèvent ensuite les jeunes.

▲ Le coucou se nourrit de petits invertébrés (principalement des insectes) et de quelques fruits. Les larves poilues des chenilles processionnaires qui infestent les pins et les chênes sont vidées de leur contenu intestinal et avalées.

Coucou

Épervier

◄ Par son plumage et sa silhouette, un coucou en vol ressemble à un épervier. Les raies transversales sous le corps accentuent cette similarité.

édifie son nid. Tous les deux jours, les œufs (en moyenne 9, parfois jusqu'à 18, exceptionnellement 26) sont pondus dans des nids différents mais appartenant toujours à la même espèce, ce qui augmente les chances de survie pour chaque oisillon. Si les nids sont trop rares ou trop éloignés, 2 œufs sont pondus dans le même. On a aussi observé des nids contenant les œufs de deux coucous.

En général, l'hôte n'a pas encore fini sa ponte quand l'œuf de coucou est déposé. L'incubation, durant 12 jours et demi, est plus courte que celle des œufs du passereau, qui couve au moins pendant 13 jours. Il s'agit là aussi d'une remarquable adaptation à la vie de parasite.

Le jeune coucou présente une hypersensibilité de la peau des flancs et du dos, de 10 heures après sa naissance jusqu'à l'âge de 4 jours, parfois 1 semaine. Le corps de l'oisillon est irrité au moindre contact, qu'il tente donc d'éviter. Cela le pousse à charger sur son dos les œufs ou les oisillons éclos à côté de lui pour les passer par-dessus le bord du nid.

Deux particularités anatomiques l'aident à accomplir ce tour de force : la courbure de son dos, ajustée à la taille d'un petit œuf, et ses pattes, assez puissantes pour lui permettre d'escalader la paroi du nid. Dans le cas exceptionnel où celui-ci contient 2 œufs de coucou, chaque jeune essaie d'expulser l'autre. C'est en général le plus fort qui l'emporte ; les deux survivent rarement. Une fois disparue l'hypersensibilité du dos et des flancs, le jeune coucou ne cherche plus à éjecter du nid tout objet.

Il est rare que les oisillons de l'hôte survivent ; le jeune coucou, plus fort et plus entreprenant, s'attribue toute la nourriture, conduisant les autres à mourir de faim. L'hôte effectue de continuels aller et retour pour alimenter, avec des arthropodes en particulier, ce parasite qui grandit très vite. Le coucou paraît insatiable : son gosier grand ouvert réclame sans cesse, ce qui stimule ses parents adoptifs.

▲ Les coucous migrent dans le Sud en juillet et août. Si les oiseaux parasités surprennent le coucou femelle dans leur nid, ils s'efforcent de le faire fuir.

▲ Dès qu'un petit passereau s'absente de son nid, le coucou dérobe un œuf, le remplace par un des siens et s'enfuit ; l'opération ne prend guère qu'une minute.

▲ L'incubation dure de 13 à 15 jours pour les œufs de l'hôte, 12 jours et demi pour ceux du coucou. Le jeune coucou, nu et aveugle, éclôt ainsi le premier.

▲ Le jeune coucou expulse les autres œufs ou oisillons hors du nid en les chargeant sur son dos concave et en s'aidant de ses pattes.

▲ L'hôte accepte (mais pas toujours...) l'œuf du coucou et élève le jeune avec autant de soin que les siens. En trois semaines, le jeune coucou occupe entièrement le nid.

▲ Devenu trop gros pour loger dans le nid, le jeune coucou se perche sur une branche, le parent adoptif se posant parfois sur son dos pour l'alimenter.

Pie-grièche écorcheur   Œuf de coucou   Œuf de pie-grièche

◄ L'œuf du coucou et celui de l'hôte sont à peu près de même taille et de même coloris ; le mimétisme est tel que l'hôte ne remarque pas la différence. Ici, un œuf de coucou et un œuf de pie-grièche écorcheur (*Lanius collurio*).

CUCULIDAE

La famille des cuculidés comprend des oiseaux de petite ou de moyenne taille. Ils ont une silhouette allongée, un bec faiblement courbé, des ailes légèrement arrondies et une longue queue. Les pattes sont courtes et peu puissantes dans le cas des espèces arboricoles ; celles des espèces vivant au sol sont plus longues et assez robustes, et portent un doigt postérieur plus allongé.

Les vrais coucous (cuculinés) sont des oiseaux arboricoles de taille moyenne. Ils ont une voix aux modulations typiques, à deux tons, et un plumage de coloration variée et assez lâche. Rapides en vol, certains sont migrateurs et parcourent de longues distances, en voyageant surtout de nuit. Malgré leur timidité envers l'homme, plusieurs se sont établis avec succès dans les zones habitées. On peut entendre leur chant caractéristique, non seulement au cœur des forêts, mais aussi dans les vergers et les jardins des villes. Grâce à leurs facultés d'adaptation, ils vivent dans une grande partie du monde.

Les coucous parasites (une cinquantaine d'espèces) choisissent des hôtes dont la taille va du troglodyte, qui pèse environ 7 g, au corbeau, qui atteint presque 1 kg. Quel que soit son poids, l'hôte aura la charge d'élever un oisillon, qui, lorsqu'il sera prêt à voler, pèsera de 25 g à 1 kg selon les espèces. De nombreux passereaux sont susceptibles de trouver un œuf de coucou dans leur nid. En Europe, pour le coucou gris, il existe 20 espèces d'hôtes réguliers et jusqu'à 70 d'hôtes occasionnels — au total, on a compté 100 espèces ayant accueilli un jeune coucou. Les œufs de coucou ont une coloration assez variable, mais chaque femelle ne pond qu'un type d'œuf et parasite régulièrement le même hôte.

La femelle du coucou pond en principe dans le nid de l'espèce qui l'a elle-même élevée. Cette habitude a entraîné l'apparition de « lignées », dont le comportement diffère selon l'espèce parasitée, car elles s'adaptent complètement aux mœurs de cette dernière. Ainsi, en Finlande, certains coucous pondent des œufs bleus dans les nids du rouge-queue à front blanc (*Phoenicurus phoenicurus*) ; en Hongrie, ils parasitent les rousserolles turdoïdes (*Acrocephalus arundinaceus*) ; en Afrique, le coucou gris et d'autres choisissent les nids des rubiettes de Moussier (*Diplootocus moussieri*), etc. La ressemblance entre

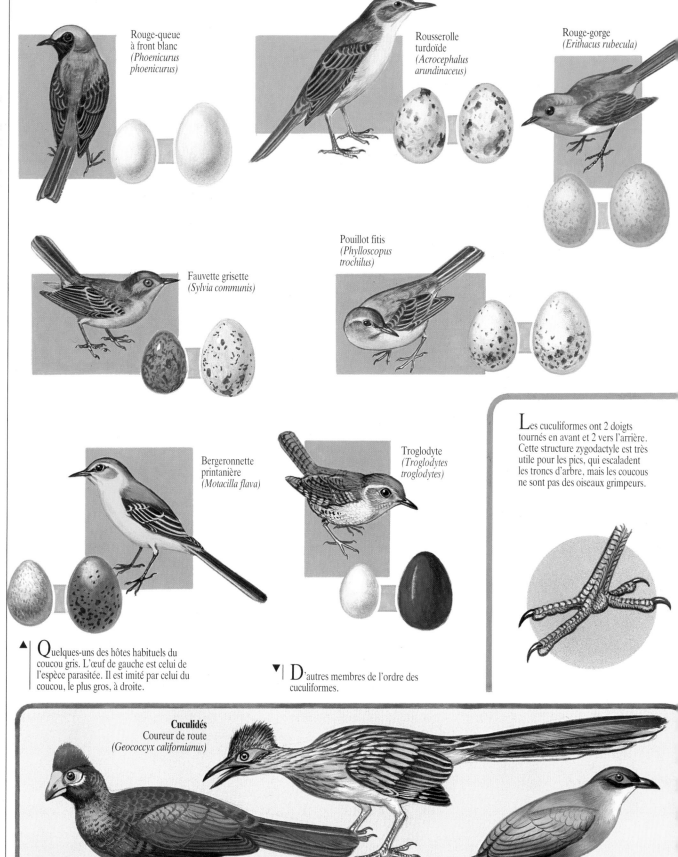

Rouge-queue à front blanc (*Phoenicurus phoenicurus*)

Rousserolle turdoïde (*Acrocephalus arundinaceus*)

Rouge-gorge (*Erithacus rubecula*)

Fauvette grisette (*Sylvia communis*)

Pouillot fitis (*Phylloscopus trochilus*)

Bergeronnette printanière (*Motacilla flava*)

Troglodyte (*Troglodytes troglodytes*)

Les cuculiformes ont 2 doigts tournés en avant et 2 vers l'arrière. Cette structure zygodactyle est très utile pour les pics, qui escaladent les troncs d'arbre, mais les coucous ne sont pas des oiseaux grimpeurs.

▲ Quelques-uns des hôtes habituels du coucou gris. L'œuf de gauche est celui de l'espèce parasitée. Il est imité par celui du coucou, le plus gros, à droite.

▼ D'autres membres de l'ordre des cuculiformes.

Cuculidés
Coureur de route (*Geococcyx californianus*)

Musophagidés
Touraco violet (*Musophaga violacea*)

Cuculidés
Coua géant (*Coua gigas*)

l'œuf du coucou et celui de l'hôte peut être si parfaite qu'il est difficile aux spécialistes de les distinguer.

En Europe, les hôtes involontaires les plus fréquents sont : les bergeronnettes et les pipits (motacillidés), en particulier la bergeronnette grise *(Motacilla alba)*, la bergeronnette des ruisseaux *(M. cinerea)*, le pipit des arbres *(Anthus trivialis)* et le pipit des prés *(A. pratensis)* ; les pouillots de la famille des sylviidés, notamment le pouillot siffleur du genre *Phylloscopus* ; le rouge-queue à front blanc et le rouge-gorge *(Erithacus rubecula)*. Parmi les espèces fréquemment parasitées, on trouve aussi l'accenteur mouchet *(Prunella modularis)*, le troglodyte *(Troglodytes troglodytes)* et les pies-grièches. Les hôtes varient selon l'espèce de coucou. Ainsi, dans le sud de l'Europe, le coucou-geai *(Clamator glandarius)* dépose ses œufs dans les nids de la pie bavarde *(Pica pica)* et de la corneille noire *(Corvus corone)*.

La taille des œufs est fonction de l'hôte choisi. Le coucou à tête grise *(Cuculus poliocephalus)* pond de petits œufs, de la taille de ceux du troglodyte, son hôte. Les œufs du coucou-geai sont aussi gros et de même aspect que ceux de la pie bavarde, qu'il parasite.

La réussite du parasitisme est fondée sur la coloration des œufs de coucou. La passivité de l'hôte est un facteur additionnel favorisant la survie du jeune coucou. Toutefois, cette passivité qui amène l'hôte à couver des œufs étrangers est inconsciente. Il arrive même que celui-ci réagisse de manière inattendue en découvrant qu'un œuf n'est pas le sien. On a vu, par exemple, une pie-grièche détruire son nid et un rouge-queue recouvrir le sien d'une nouvelle couche de matériaux. Cela explique que 35 % des œufs de coucou soient pondus en vain et rejetés par certaines espèces, en particulier les plus petites, dont le nid est endommagé par la femelle du coucou et qui refusent alors de poursuivre l'incubation. Les petits passereaux manifestent une hostilité marquée à l'égard des coucous surpris près de leur nid.

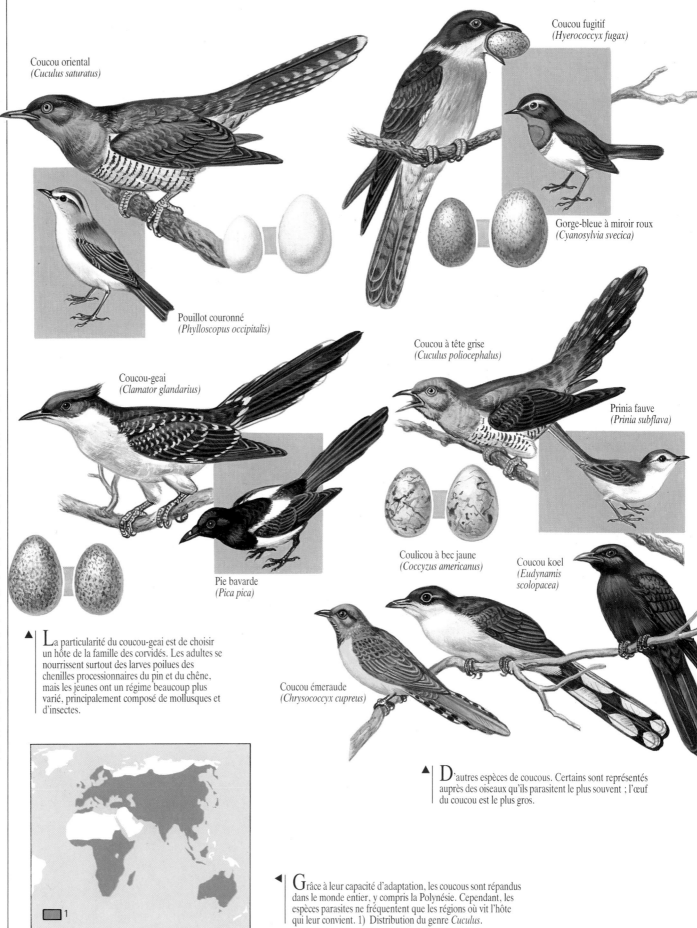

Coucou fugitif
(Hyerococcyx fugax)

Coucou oriental
(Cuculus saturatus)

Gorge-bleue à miroir roux
(Cyanosylvia svecica)

Pouillot couronné
(Phylloscopus occipitalis)

Coucou à tête grise
(Cuculus poliocephalus)

Coucou-geai
(Clamator glandarius)

Prinia fauve
(Prinia subflava)

Coulicou à bec jaune
(Coccyzus americanus)

Coucou koel
(Eudynamis scolopacea)

Pie bavarde
(Pica pica)

Coucou émeraude
(Chrysococcyx cupreus)

▲ La particularité du coucou-geai est de choisir un hôte de la famille des corvidés. Les adultes se nourrissent surtout des larves poilues des chenilles processionnaires du pin et du chêne, mais les jeunes ont un régime beaucoup plus varié, principalement composé de mollusques et d'insectes.

▲ D'autres espèces de coucous. Certains sont représentés auprès des oiseaux qu'ils parasitent le plus souvent ; l'œuf du coucou est le plus gros.

◄ Grâce à leur capacité d'adaptation, les coucous sont répandus dans le monde entier, y compris la Polynésie. Cependant, les espèces parasites ne fréquentent que les régions où vit l'hôte qui leur convient. 1) Distribution du genre *Cuculus*.

1

COUREUR DE ROUTE

Geococcyx californianus

Ordre Cuculiformes
Famille Cuculidae
Taille Longueur 58 cm
Poids 500 g
Distribution Sud-ouest de l'Amérique du Nord
Mode de vie Solitaire
Nidification Arbustes, buissons, cactus
Saison de reproduction Printemps
Incubation 18 jours
Œufs 2 à 12
Petits Nidicoles
Maturité sexuelle 1 à 2 ans

Le coureur de route est un oiseau très célèbre, héros de nombreuses bandes dessinées ou dessins animés. De taille moyenne, de couleur brune et blanc sale, l'œil entouré d'un cercle bleu, plus large dans la zone postérieure, il possède un puissant bec recourbé à son extrémité. Il porte une petite crête sur le sommet de la tête, son cou est modérément long et sa queue aussi longue que son corps.

Cet oiseau est connu pour sa vélocité, gagnée cependant au détriment de son aptitude au vol. En effet, très rapide sur terre, il est extrêmement maladroit en vol et ses petites ailes ne peuvent le porter que sur de courtes distances. Il évolue avec agilité sur les terrains rocailleux et sablonneux, effectuant parfois des sauts de 3 m. Sa vitesse maximale est d'environ 24 km/h, sa vitesse moyenne de 15 km/h.

Sauterelles, escargots, oiseaux, souris, lézards et serpents, même venimeux comme le serpent à sonnette, constituent son régime alimentaire. Il a l'habitude d'empiler les coquilles d'escargot, ce qui permet assez souvent de repérer sa présence.

On rencontre cette espèce en Californie du Sud, au Texas et au centre du Mexique, nichant sur les cactus, les arbustes et buissons élevés (de 1 à 5 m). La femelle pond 5 ou 6 œufs, d'un blanc sale, un jour sur deux.

L'incubation commence dès la ponte du premier œuf, de sorte qu'on peut trouver des œufs et des petits dans un même nid. Elle dure 18 jours et les petits, tout à fait sans défense à l'éclosion, sont capables de marcher sur le sol et de se percher dès 7 ou 8 jours.

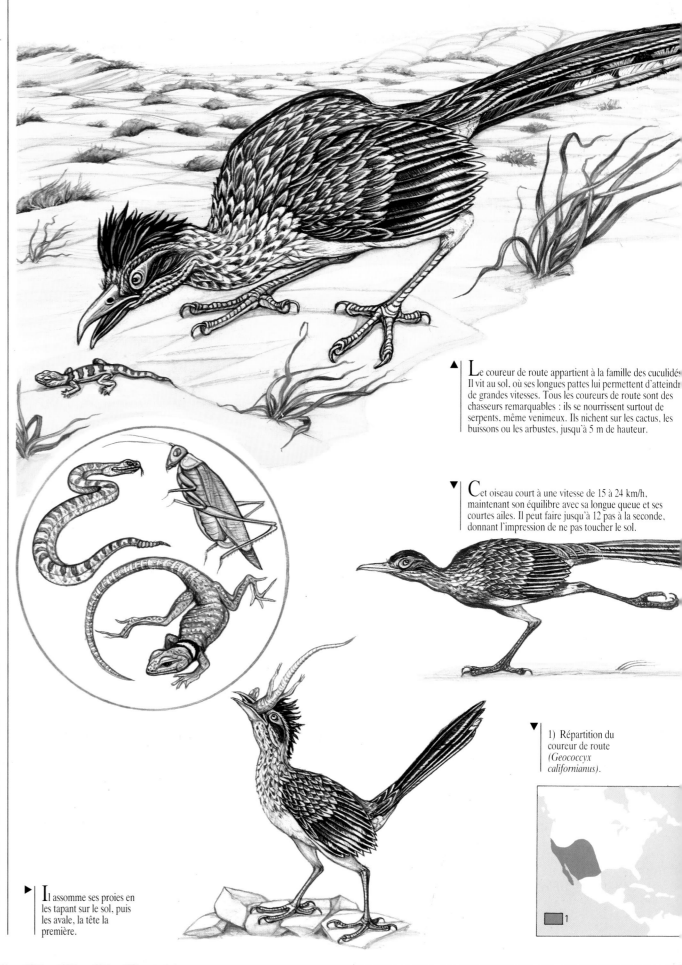

Le coureur de route appartient à la famille des cuculidés. Il vit au sol, où ses longues pattes lui permettent d'atteindre de grandes vitesses. Tous les coureurs de route sont des chasseurs remarquables : ils se nourrissent surtout de serpents, même venimeux. Ils nichent sur les cactus, les buissons ou les arbustes, jusqu'à 5 m de hauteur.

Cet oiseau court à une vitesse de 15 à 24 km/h, maintenant son équilibre avec sa longue queue et ses courtes ailes. Il peut faire jusqu'à 12 pas à la seconde, donnant l'impression de ne pas toucher le sol.

1) Répartition du coureur de route (*Geococcyx californianus*).

Il assomme ses proies en les tapant sur le sol, puis les avale, la tête la première.

TOURACO VERT SUD-AFRICAIN

Tauraco corythaix

Ordre Cuculiformes
Famille Musophagidae
Taille Longueur 40 à 70 cm
Poids 0,2 à 1 kg
Distribution Sud-est de l'Afrique
Mode de vie De tendance grégaire
Nidification Dans les arbres
Période de reproduction Toute l'année
Incubation 16 à 18 jours
Œufs 2 ou 3
Petits Nidicoles
Longévité 20 ans

Les touracos ont des pieds semi-zygodactyles, le troisième doigt pouvant s'orienter vers l'avant ou l'arrière, un bec aux bords parfois coupants, court, convexe, souvent crochu, et un plumage aux coloris particulièrement beaux. Ceux-ci proviennent de substances que les touracos sont seuls à posséder : la touracoverdine est à l'origine du vert et le rouge des rémiges est dû chez de nombreuses espèces à la touracine, pigment composé de cuivre et qui se dissout dans les solutions alcalines — et aussi un peu dans l'eau.

L'écologie des différentes espèces est encore assez peu connue. Vers 1950, Van Someren étudia au Kenya le touraco de Hartlaub *(Tauraco hartlaubi)*, qui émet un cri bref, principalement le matin et au crépuscule, déclenchant la réponse vocale d'autres oiseaux. Très timide, il se cache habituellement dans les feuillages et reste immobile quand on le découvre. Il mange surtout des baies, des bourgeons et des fruits.

Pendant la parade nuptiale, le mâle pousse des cris, hérisse sa huppe, lève la queue et entrouvre les ailes pour exhiber ses plumes rouges. Poursuivant la femelle, il renouvelle sa parade à plusieurs reprises et offre de la nourriture. 2 œufs sont pondus, entre avril et juillet ou entre septembre et janvier ; leur incubation dure de 16 à 18 jours.

Le touraco du Ruwenzori *(T. johnstoni)* vit entre 2 000 et 4 000 m d'altitude. Selon Chapin, qui l'étudia, il émet des sons semblables au piaillement des singes et se reproduit sans doute en toutes saisons.

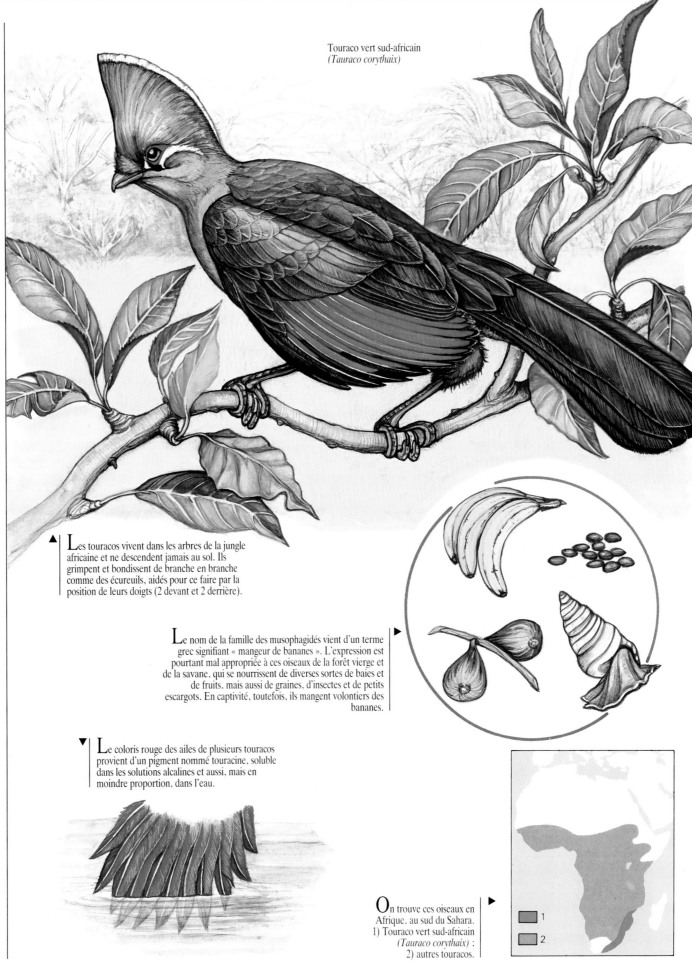

Touraco vert sud-africain
(Tauraco corythaix)

Les touracos vivent dans les arbres de la jungle africaine et ne descendent jamais au sol. Ils grimpent et bondissent de branche en branche comme des écureuils, aidés pour ce faire par la position de leurs doigts (2 devant et 2 derrière).

Le nom de la famille des musophagidés vient d'un terme grec signifiant « mangeur de bananes ». L'expression est pourtant mal appropriée à ces oiseaux de la forêt vierge et de la savane, qui se nourrissent de diverses sortes de baies et de fruits, mais aussi de graines, d'insectes et de petits escargots. En captivité, toutefois, ils mangent volontiers des bananes.

Le coloris rouge des ailes de plusieurs touracos provient d'un pigment nommé touracine, soluble dans les solutions alcalines et aussi, mais en moindre proportion, dans l'eau.

On trouve ces oiseaux en Afrique, au sud du Sahara.
1) Touraco vert sud-africain *(Tauraco corythaix)* :
2) autres touracos.

CHOUETTES

Strigiformes

Les rapaces nocturnes sont des préda-teurs regroupés dans l'ordre des strigi-formes et comprennent 2 familles : les tytonidés, avec 10 espèces, rassemblent les effraies ; les strigidés, avec plus de 120 espèces, regroupent les sous-famil-les des buboninés et des striginés, hiboux et chouettes proprement dits.

Ces oiseaux sont pourvus de grands yeux, relativement fixes et qui s'ouvrent sur la face, entourés de plumes mar-quant deux zones circulaires, ou disques faciaux. Ces caractères faciaux sont tout à fait reconnaissables. Les plumes pous-sant au centre de ces disques sont sou-ples, munies de quelques barbes seule-ment mais dépourvues de barbules, tan-dis que celles des pourtours sont rêches, courtes et légèrement bouclées. Le cen-tre de la face est occupé par deux zones en croissant, généralement blanches, et qui se rejoignent pour souligner le bord interne des yeux. Le bec est fortement crochu, assez grand, et plus large à sa base. La tête est grande et ronde, ornée, chez certaines espèces, de plumes parti-culières dressées comme des cornes ou des oreilles et dont la fonction reste mal connue. Les serres sont particulièrement bien développées pour la taille des espè-ces. Le quatrième doigt est opposable au doigt postérieur aussi bien qu'aux antérieurs.

Les couleurs de ces oiseaux sont géné-ralement neutres, gris ou noisette, sou-vent strié ou tacheté, et assurent un bon camouflage. Leur vol est particulière-ment silencieux grâce à la douceur veloutée des barbules.

La vue est certainement le sens le plus développé chez les rapaces noctur-nes, comme l'atteste la grandeur des yeux. Proportionnellement, ceux des espèces les plus petites sont plus grands que les yeux humains. L'œil est muni d'un cristallin développé, d'une cornée fortement convexe et d'une membrane nictitante, ou troisième paupière, comme chez les autres oiseaux. Le champ de vision embrasse pratiquement 180°, dont les deux tiers sont couverts par une vision binoculaire. Les proprié-tés de leurs yeux permettent à ces oiseaux de voir correctement même si la luminosité est faible. Dans une obscurité quasi totale, fait assez rare dans la natu-re, ils sont incapables de rien distinguer ; toutefois, grâce à leur ouïe très sensible,

Chevêche
(Athene noctua)

Petit duc
(Otus scops)

Chouette de l'Oural
(Strix uralensis)

Chouette de Tengmalm
(Aegolius funereus)

Hibou des marais
(Asio flammeus)

Moyen duc
(Asio otus)

Harfang des neiges
(Nyctea scandiaca)

Chouette hirsute
(Ninox scutulata)

Effraie
(Tyto alba)

Hibou pêcheur de Blakiston
(Ketupa blakistoni)

Grand duc
(Bubo bubo)

ils sont en mesure de localiser et de capturer leurs proies. Étant presbytes, à brève distance, ils n'ont pas une bonne perception des images, au point que, lorsqu'ils mangent leurs proies, ils doivent faire appel à leur sens tactile, auquel participent les longues vibrisses situées autour du bec.

Les strigiformes ne sont pas exclusivement nocturnes, en particulier ceux qui habitent les régions nordiques, et qui, durant l'été arctique, doivent développer leurs activités dans des conditions de lumière quasi permanente. Toutes les espèces chassent à l'aube et au crépuscule, dans une semi-obscurité. La nuit alternent des périodes de chasse et des périodes de repos et de chant. Le plus souvent, ces oiseaux dorment le jour, se retirant dans des endroits écartés et ombragés, à l'abri des attaques et des cris des autres oiseaux.

Leur régime alimentaire consiste essentiellement en rongeurs, mais hiboux et chouettes chassent également de nombreux autres animaux, dont les petits mammifères, oiseaux, reptiles, amphibiens, poissons, insectes et divers invertébrés. Les plus grosses proies peuvent atteindre 3 à 4 kg, mais seuls le grand duc et quelques autres grands strigidés sont capables de chasser de tels animaux. Les proies sont en effet avalées entières, n'étant mises en morceaux que pour les plus grosses.

Les cris ont une grande importance chez les rapaces nocturnes. Les mâles émettent un cri sur une ou plusieurs notes, répété à des intervalles réguliers mais changeants. Ces cris ont une signification territoriale et servent à attirer la femelle, généralement plus discrète que le mâle et qui produit des sons équivalents mais sur des notes différentes. Pour l'essentiel, la saison des chants correspond à celle des amours.

Ces oiseaux vivent en couples isolés et non en colonies ; ils peuvent devenir grégaires au cours de leurs migrations ou dans leurs quartiers d'hiver. A l'exception de quelques espèces comme le hibou des marais, les strigiformes ne font pas de nid, se satisfaisant généralement d'une dépression au sol, et pondent leurs œufs et élèvent leurs jeunes dans des crevasses rocheuses, troncs d'arbres, terriers et nids d'autres animaux. Quelques espèces nichent dans les bâtiments.

Chouette à lunettes
(Pulsatrix perspicillata)

Chevêchette
(Glaucidium passerinum)

Nyctale d'Acadie
(Aegolius acadicus)

Grand duc de Virginie
(Bubo virginianus)

Chouette rousse
(Glaucidium brasilianum)

Chouette des saguaros
(Micrathene whitneyi)

Chouette épervière
(Surnia ulula)

Chouette rayée
(Strix varia)

Chouette pêcheuse de Pel
(Scotopelia peli)

Chouette lapone
(Strix nebulosa)

Chouette leptogramme
(Strix leptogrammica)

▼ Les strigiformes partagent de nombreux caractères en commun, qui permettent de les distinguer aisément des autres oiseaux. Leurs yeux sont situés antérieurement sur la face et entourés de disques faciaux concaves. Quelques espèces possèdent au-dessus des oreilles des aigrettes proéminentes dont la fonction est mal connue. A cause de leur plumage épais, le corps des chouettes paraît rond. Les plus petites, comme la chouette des saguaros, ne pèsent guère plus de 50 g, tandis que les plus grandes atteignent les 4 kg. Ces oiseaux de proie nocturnes regroupent 130 espèces, 28 genres et 2 familles.
1) Répartition de la chouette hulotte (Strix aluco) ; 2) chouette de l'Oural (Strix uralensis) ; 3) les strigiformes sont présents sur tous les continents, à l'exception de l'Antarctique.

1
2
3

CHOUETTE HULOTTE

Strix aluco

Ordre Strigiformes
Famille Strigidae
Taille Longueur 37 à 46 cm
Envergure 0,90 à 1 m
Poids Mâle 330 à 490 g, femelle 335 à 715 g
Distribution Afrique du Nord-Ouest et Eurasie, à l'exception de la majorité des zones septentrionales et de la plupart de l'Asie du Sud
Mode de vie Solitaire ou en couple
Nidification Dans un trou d'arbre, dans une cavité de rocher, au sol, dans les nids d'autres espèces, ou dans des bâtiments
Œufs 2 à 5 en moyenne
Petits Nidicoles

On trouve la chouette hulotte *(Strix aluco)* à peu près dans toute l'Europe continentale — jusqu'en Norvège en deçà de 64° de latitude nord —, dans les îles Britanniques, en Sicile, en Afrique du Nord-Ouest, en Asie — de la Turquie à la Corée, y compris à Taiwan, mais à l'exclusion des zones situées plus au nord et de vastes espaces intermédiaires — et dans le nord de l'Arabie. De répartition surtout paléarctique, donc, cette espèce préfère les régions semiboisées où se mêlent prés, champs cultivés, bosquets, haies et forêts. Elle s'adapte sans difficulté aux zones rocheuses et aux sites bâtis, s'abritant et se reproduisant dans des nichoirs, des granges, des ruines, etc. La chouette hulotte chasse aussi bien dans les prés et les champs cultivés que dans les bois ou les fourrés. Elle fréquente plutôt les altitudes basses et moyennes, jusqu'à 1 500 m dans les régions montagneuses, mais rarement plus haut.

Pendant la majeure partie de la journée, cet oiseau s'abrite dans des endroits obscurs, tels des crevasses de rocher, de grands arbres au feuillage dense, des troncs creux, des granges, des greniers ou des ruines. Grâce à son plumage brun ou gris, son gros corps, à la tête massive et ronde, est bien camouflé, et on ne peut l'apercevoir que de très près. En général, la chouette dort dans la journée, un œil ou les deux yeux fermés, apparemment insouciante de ce qui se

Chouette hulotte
(Strix aluco)

▲ Cette chouette vivant dans les régions boisées a l'habitude de se percher sur des branches ou des rochers. De là, elle surveille les environs à la nuit tombée, guettant ses proies à la lueur des étoiles ou de la lune. Le plumage de la chouette hulotte est de couleur neutre, variant du gris au roux-brun. Des rayures foncées marquent le dessus et le dessous du corps. Les yeux sont brun foncé et entourés de disques faciaux dessinant assez nettement des cercles concentriques. Les pattes et les pieds, portant des serres noires, sont emplumés.

passe autour d'elle. Ses activités commencent à la nuit tombée, pour finir peu avant l'aube. Pendant la nuit, elle alterne chasse et périodes de repos et de chant, durant lesquelles elle émet son appel caractéristique en deux parties, la première courte et aiguë, suivie 2 à 7 secondes après par un double hululement modulé. Ce chant si particulier, audible à plus de 1 km à la ronde, est le meilleur indice pour localiser cet insaisissable rapace. Ces hululements, que l'on peut entendre toute l'année, sont toutefois plus fréquents pendant la saison de reproduction.

En chasse, la chouette hulotte vole à quelques mètres au-dessus du sol et scrute les lieux où ses proies ont des chances d'apparaître. Le plus souvent, elle se perche, choisissant un endroit d'où elle surveillera un espace assez ouvert pour n'offrir aucune chance de retraite à ses victimes potentielles. Ses captures sont surtout de petits mammifères, tels des mulots, des souris, des rats, des musaraignes, des taupes, des levrauts, des lapins et des écureuils, tous ces animaux pesant de 20 à 400 g. Elle prend aussi des oiseaux. Grâce à son vol silencieux, elle peut se laisser tomber de haut sur sa proie, les serres écartées, avant que la victime ne réagisse. Son régime comprend aussi des amphibiens, des poissons et des invertébrés, mollusques et insectes tels que scarabées ou sauterelles. Comme les autres chouettes, elle repère ses proies par l'ouïe et par la vue.

Dès le milieu de l'hiver, le mâle commence sa parade nuptiale en chantant dans son territoire de plus en plus longuement pour attirer sa partenaire. Ensuite, il l'encourage à s'apparier par des offrandes de proies. C'est en revanche la femelle qui choisit le site où elle pondra et élèvera la nichée, site souvent réutilisé année après année : au creux d'un tronc, entre les racines d'un arbre, dans l'ancien nid d'une autre espèce de rapace, une crevasse rocheuse, une grotte, une cavité, dans un grenier ou des ruines — ou même dans le terrier d'un mammifère. Un nichoir, s'il est placé à plusieurs mètres de haut sur un tronc, pourra convenir. La ponte a lieu entre janvier et avril, en fonction de la latitude et de l'altitude. En général, 2 à 5 (parfois plus) œufs blancs et sphériques, pesant environ 40 g, sont pondus, à plusieurs jours d'intervalle, et incubés par la femelle pendant environ un mois. Durant la couvaison, le mâle nourrit la femelle en apportant des proies au nid.

Pour compenser la relative immobilité de ses yeux, la chouette hulotte, comme d'autres espèces, peut faire tourner sa tête sur 180° au moins.

Environ 75 % de ses proies sont des taupes, des mulots, des souris, des musaraignes, des passereaux et des coléoptères. Levrauts et écureuils complètent son régime.

Ses yeux étant placés sur la face, la chouette hulotte a un champ de vision assez restreint. Ce que compense un recouvrement presque total des deux champs de vision, de telle sorte que l'oiseau perçoit particulièrement bien la configuration du terrain et estime les distances avec précision.

Durant la journée, la chouette est assez souvent prise à partie par d'autres oiseaux, surtout des passereaux.

C'est souvent au creux d'un tronc d'arbre qu'elle pond et élève ses petits. Ceux-ci se nourrissent de proies chassées par les adultes.

La chouette hulotte capture en vol des oiseaux, qu'elle débusque en piquant sur les taillis.

L'oisillon est couvert d'un duvet blanc ou fauve avec des marques foncées.

HARFANG DES NEIGES

Nyctea scandiaca

Ordre Strigiformes
Famille Strigidae
Taille Longueur 56 à 65 cm
Envergure 1,50 à 1,60 m
Poids Mâle 1,3 à 2 kg, femelle 1,5 à 2,6 kg
Distribution Amérique du Nord et Eurasie, entre 65° et 80° de latitude nord
Mode de vie Solitaire ou en couple
Nidification Dans de petites cavités du sol
Œufs 3 à 10
Petits Nidicoles

Bien adapté aux conditions de froid extrême et se confondant avec les paysages de neige et de glace gris et blancs, le harfang des neiges a un plumage épais et doux.

De distribution circumpolaire, il niche dans les régions arctiques — continentales et insulaires — de l'Eurasie et de l'Amérique du Nord, sa limite se situant, au sud, en Norvège, vers 65° de latitude nord, et, à l'extrême nord, au Groenland, vers 82°. Il lui arrive, en hiver, de descendre jusqu'aux États-Unis et à l'Europe centrale, mais son habitat normal est la toundra arctique et ses environs ; c'est là qu'habituellement il vit, chasse et se reproduit.

Ce rapace est l'un des plus redoutables prédateurs des zones arctiques. Il chasse en volant ou en faisant le guet, de nuit comme de jour, car il s'est bien adapté aux très longues périodes de clarté de l'été boréal. Il se perche souvent sur un monticule, un éperon rocheux, et la couleur de son plumage lui assure un camouflage efficace. Il est plus aisé de l'identifier en vol, grâce à ses battements d'ailes caractéristiques, lents en descente, plus rapides et fougueux quand il prend de l'altitude.

Un couple de harfangs des neiges occupe en général un territoire de plusieurs kilomètres carrés. En mai-juin, la femelle creuse une légère cavité dans le sol encore gelé, où elle pond de 3 à 10 (parfois jusqu'à 14) œufs de 60 g environ chacun. L'incubation dure à peu près 32 jours et commence avec la ponte, qui survient tous les 2 jours, l'éclosion se trouvant ainsi échelonnée.

Harfang des neiges
(*Nyctea scandiaca*)

Le harfang des neiges a un plumage blanc, avec quelques rayures et points foncés. Ces marques sont plus nombreuses chez la femelle, comme on le voit ci-dessus chez ce spécimen réchauffant ses petits. Le mâle, ici représenté avec un rongeur dans son bec, est en général plus clair.

Sa silhouette en vol ressemble beaucoup à celle d'une buse, car les rémiges primaires sont disjointes aux extrémités.

Les oisillons sont nourris par la femelle. Celle-ci ne laisse pas le plus gros s'attribuer la proie entière, mais la découpe pour la répartir.

Le harfang des neiges est un grand chasseur, dont le régime comprend lemmings, campagnols, perdrix limicoles, lièvres des neiges et belettes.

CHOUETTE EFFRAIE

Tyto alba

Ordre Strigiformes
Famille Tytonidae
Taille Longueur 33 à 40 cm
Envergure 90 à 95 cm
Poids 290 à 355 g
Distribution Presque cosmopolite
Mode de vie Solitaire ou en couple
Nidification Dans des crevasses rocheuses, des troncs d'arbres creux ou des bâtiments
Œufs 2 à 8, exceptionnellement 14
Petits Nidicoles

La chouette effraie est quasi cosmopolite, fréquentant les régions chaudes et tempérées d'Eurasie, d'Afrique, d'Amérique et d'Australie. Sa répartition reste cependant irrégulière : elle est à peu près absente des zones nordiques, des déserts et des forêts équatoriales. Cette espèce tout à fait sédentaire vivait à l'origine dans les régions rocheuses et semi-boisées, à proximité de prairies et de steppes ; elle s'est par la suite très bien adaptée aux zones habitées, nichant dans des ruines, des greniers, des granges, des clochers, et chassant dans les prés, les champs cultivés, etc. Aujourd'hui, c'est un oiseau des plaines et des collines ne dépassant guère 1 000 m d'altitude.

La chouette effraie dort dans la journée, à l'abri dans des renfoncements, des granges ou des greniers. A la nuit tombée, elle part en chasse en volant au-dessus des prés et des champs. Elle rôde très peu et préfère se percher sur une clôture, un poteau ou tout autre site avantageux d'où elle pourra scruter les environs et localiser sa proie par la vue et l'ouïe, s'élançant ensuite en silence et avec agilité pour la capturer.

La femelle ne fait pas de nid (comme les autres rapaces nocturnes) et pond ses œufs sur des débris d'aliments indigestes (poils, os) recrachés sous forme de « pelotes de réjection ». La ponte a lieu deux fois par an, quand les proies principales (campagnols) abondent.

Pesant environ 20 g, les œufs, blanchâtres, sont au nombre de 2 à 8, exceptionnellement jusqu'à 14. La femelle couve seule pendant 30 ou 31 jours. La ponte étant échelonnée, les oisillons n'ont donc pas tous la même taille.

La chouette effraie, qui vivait à l'origine dans des zones rocheuses et nichait au creux de troncs d'arbres, dans des grottes et des crevasses, s'est par la suite adaptée aux espaces habités ; elle s'abrite et se reproduit dans des greniers, des granges, des clochers ou tout autre type de bâtiment.

Le dessous de son corps étant de couleur pâle, l'effraie, la nuit, semble voltiger comme un fantôme au clair de lune.

Les pelotes de réjection s'accumulent sous les perchoirs fréquemment utilisés par l'effraie. Elles sont composées de poils, d'os, de plumes ou de toute autre partie non digestible des proies, que la chouette régurgite en boulettes après son repas.

1) La chouette effraie *(Tyto alba)* a une distribution presque cosmopolite : elle vit dans les régions chaudes et tempérées de tous les continents, sauf l'Antarctique. 2) Le harfang des neiges *(Nyctea scandiaca)* niche dans les zones arctiques d'Eurasie et d'Amérique, rarement au-dessous de 65° de latitude nord.

Les jeunes trottinent hors du « nid » avant de savoir voler. Ils sont couverts d'un épais duvet blanc, ont des yeux noirs et affichent déjà leur faciès typique, en forme de cœur.

GUACHARO

Steatornis caripensis

Ordre Caprimulgiformes
Famille Steatornithidae
Taille Longueur 45 cm environ
Poids 400 g environ
Distribution Régions du nord et de l'ouest de l'Amérique du Sud
Nidification En colonies, sur des rochers à l'intérieur de grottes
Œufs 2 à 4, blancs avec des taches brunes
Incubation 33 ou 34 jours
Petits Nidicoles (ils sont incapables de voler pendant 90 à 125 jours)

Le guacharo est le seul représentant de la famille des stéatornithidés. Il vit sur l'île de la Trinité, au Venezuela, en Colombie, en Equateur et au Pérou. Là, il habite au milieu des forêts des régions montagneuses ou des côtes rocheuses où il est sûr de trouver des grottes, essentielles à sa survie et à sa reproduction. L'espèce a été découverte en 1799 par le célèbre explorateur et naturaliste allemand Alexander von Humboldt dans la grotte de Caripe, sur la côte nord-ouest du Venezuela. Aujourd'hui, ce site est devenu un parc national.

Grâce à ses adaptations, le guacharo mène une vie hors du commun. Il passe la journée en colonies de centaines d'oiseaux, à l'intérieur d'immenses grottes, perché sur les saillies des parois rocheuses. Vers le soir, conduits par quelques individus explorateurs, tous sortent de leur repaire et partent en quête de nourriture, couvrant parfois, s'il le faut, des distances de 80 km. Ils restent dehors toute la nuit et, bien que ne chassant pas en groupes, communiquent entre eux en émettant des cris. Aux premières lueurs de l'aube, ils rentrent et disparaissent au fond de la grotte.

Le guacharo se nourrit essentiellement de fruits de palmier et de laurier. Il vole autour d'un arbre, puis saisit un fruit avec son bec crochu, sans jamais se percher sur une branche. Il est tout à fait vraisemblable que son odorat joue un rôle primordial. Le guacharo ne digère pas les graines, mais les régurgite lorsqu'il est de retour dans la grotte, et, là, les laisse germer. Privées de lumière, les plantes meurent très vite et forment avec la fiente des oiseaux une épaisse couche d'humus.

Guacharo
(Steatornis caripensis)

Ibijau gris
(Nyctibius griseus)

Podarge
(Podargus strigoides)

Ægothèle
(Aegotheles cristatus)

▲ Le guacharo appartient à l'ordre des caprimulgiformes, et la famille qu'il constitue à lui seul diffère des autres par des caractéristiques anatomiques, biologiques et écologiques. Son régime, entièrement végétarien, consiste en fruits de palmier et de laurier.

◄ L'ordre des caprimulgiformes comprend 5 familles : en plus des caprimulgidés et des stéatornithidés, il y a les podargidés (à gauche), les nyctibiidés (au centre) et les ægothélidés (à droite).

C'est grâce aux biologistes Donald R. Griffin et William H. Phelps Jr. que l'on sait, depuis 1954, comment le guacharo parvient à évoluer avec assurance dans un environnement sans lumière : il se dirige par écholocation, c'est-à-dire en s'aidant d'échos, comme les chauves-souris ; mais, tandis que ces dernières émettent des ultrasons, inaudibles à l'oreille humaine, les cris du guacharo ont une fréquence de 7 300 cycles par seconde — ce qui correspond à des cliquètements métalliques. Ils sont émis en vol, en particulier quand l'oiseau rencontre un obstacle, qui est identifié par les ondes sonores réfléchies. Pour autant que l'on sache, c'est la seule espèce qui soit munie d'un tel système de « sonar ».

La reproduction a également lieu à l'intérieur de la grotte. A l'aide de l'humus du sol, le guacharo se construit un nid solide, parfois de 30 cm de diamètre, en forme de cône tronqué, qu'il pose sur une saillie ou dans une fissure, en hauteur. Un nid peut servir au même couple pendant plusieurs années consécutives. L'incubation des 2 à 4 œufs, qui dure 33 ou 34 jours, est assurée par les deux parents.

Le mot « guacharo » vient de l'espagnol et signifie « pleureur et gémisseur » ; l'oiseau a été appelé ainsi à cause de ses cris particuliers. Le nom vernaculaire anglais (oilbird, littéralement « oiseau à huile ») fait allusion au fait que, jadis, les Indiens avaient coutume d'utiliser la graisse des oisillons — qu'ils accumulent en énorme quantité — comme huile de cuisine. Pendant la saison de reproduction des guacharos, les Indiens se réunissaient pour explorer les grottes à la lueur de leurs torches, armés de longues perches avec lesquelles ils attrapaient autant de nids que possible, parfois des milliers. Les petits étaient éventrés et leur graisse, qui fondait à la chaleur, conservée sous forme d'huile dans des jarres en terre. Fluide, sans odeur et transparente, elle peut se garder pendant des mois sans rancir.

◄ L'oiseau arrache les fruits des arbres avec son bec crochu, sans avoir besoin de se poser.

P odarge (Podargus strigoides) dans sa posture caractéristique. ►

◄ Le guacharo passe la journée tapi dans des fissures de la roche à l'intérieur des grottes.

▼ D ans son monde souterrain et complètement obscur, le guacharo utilise l'écholocation, fondée sur l'émission de cris et la perception de leurs échos (les chauves-souris, elles, émettent des ultrasons).

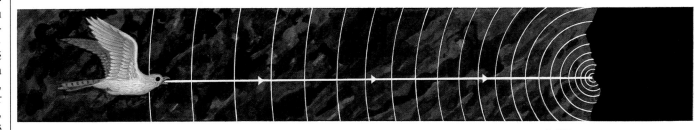

▼ Les petits, nourris de fruits gras, deviennent très gros, et même bien plus lourds que les adultes.

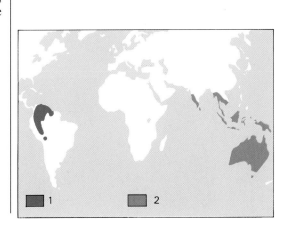

◄ 1) Le guacharo (Steatornis caripensis), unique membre de la famille des stéatornithidés, vit sur l'île de la Trinité, au Venezuela, en Colombie, en Equateur et au Pérou. 2) La famille des podargidés est répandue en Australie, en Tasmanie, en Nouvelle-Guinée, en Inde et sur plusieurs archipels de l'océan Pacifique ; elle est composée des genres Podargus et Batrachostomus, comptant 12 espèces.

▪ 1   ▪ 2

ENGOULEVENT D'EUROPE

Caprimulgus europaeus

Ordre Caprimulgiformes
Famille Caprimulgidae
Taille Longueur 26-28 cm (queue : 13-14 cm)
Envergure 57-64 cm
Poids 60 à 90 g
Distribution Europe, Asie de l'Ouest et du Centre, Afrique du Nord-Ouest. Hiverne en Afrique de l'Est, centrale et méridionale
Nidification A même le sol. Normalement, 2 couvées annuelles
Œufs 2, elliptiques, gris-blanc ou crème, avec des marbrures brunes ou grises
Incubation 18 jours
Petits Nidicoles (capables de voler à 16-18 jours)

En tant que nicheur, l'engoulevent d'Europe occupe, avec diverses sous-espèces, une vaste partie de la région paléarctique, dont l'Europe jusqu'à 64-65° de latitude nord, l'Afrique du Nord-Ouest et l'Asie tempérée jusqu'au lac Baïkal et à l'Afghanistan. Son habitat est varié, mais toujours boisé. Les lieux de nidification, forêts de conifères ou d'arbres à feuilles caduques pas trop denses, sont situés en terrain rocheux ou sableux ; il niche aussi dans les landes, les plantations forestières et les friches. L'hiver, il migre dans les savanes, les steppes broussailleuses et les plateaux du continent noir.

L'engoulevent vole en silence, effectuant de brusques changements de direction et des rotations rapides, rarement à grande hauteur. On le voit surtout entre chien et loup ou par nuit claire. De jour, perché sur une branche ou installé directement à même le sol, il ne se montre que lorsqu'il est dérangé. Parfaitement camouflé, il garde les yeux à demi fermés. Au coucher du soleil, il part en quête de nourriture.

Bien qu'il mange des insectes terrestres, comme les scarabées, les sauterelles, les géotrupes, etc., l'engoulevent se nourrit essentiellement d'insectes volant à la tombée du jour (papillons de nuit, moustiques, cousins et mouches, diverses sortes de coléoptères, punaises, etc.). Il les attrape à l'aide des vibrisses entourant sa bouche et les gobe. Si les

Engoulevent couvant à même le sol dans une forêt d'arbres à feuilles caduques. Il se nourrit d'insectes, dont des mouches, des papillons et des coléoptères.

La structure de la bouche et les vibrisses qui l'entourent permettent à l'oiseau de chasser en plein vol.

L'engoulevent ne chasse qu'à la nuit tombée. Ses ailes lui garantissent une grande agilité et un vol silencieux.

conditions atmosphériques (froid et pluie) restreignent les activités des insectes, l'engoulevent peut tomber dans une espèce de léthargie, durant laquelle sa température baisse. Son corps devient raide et immobile, son rythme cardiaque et sa respiration sont réduits au minimum (observations faites en captivité).

Vers la fin du printemps, les mâles reviennent de leurs quartiers d'hiver avant les femelles et prennent aussitôt possession de leur site de reproduction, signalant leur présence par un bourdonnement pouvant durer plusieurs minutes. Ce chant devient plus bruyant à l'arrivée des femelles. Les deux sexes procèdent alors à la parade nuptiale, qui se termine par l'accouplement. Ils ne construisent pas de nid, mais préparent un petit creux dans la terre nue. La femelle pond généralement 2 œufs, à 36 heures d'intervalle, qu'elle couve pendant 18 jours, avec l'aide du mâle aux premières heures de la nuit.

La famille des caprimulgidés est très uniforme, et presque tous ses représentants ont les mêmes traits morphologiques que l'engoulevent d'Europe. L'engoulevent bois-pourri (*Caprimulgus vociferus*) est une espèce qui vit dans les forêts d'Amérique du Nord et hiverne dans le sud des États-Unis, au Mexique et en Amérique centrale. L'engoulevent de Nuttall (*Phalaenoptilus nuttallii*), hôte des régions occidentales d'Amérique du Nord, est caractérisé par un demi-collier blanc autour de la gorge. C'est le premier oiseau dont on ait découvert l'hibernation, phénomène rare chez les oiseaux, mais commun pour d'autres classes de vertébrés.

L'engoulevent à balanciers (*Macrodipteryx longipennis*), qui vit dans des zones à végétation dense, habite une bande de terre en Afrique au nord de l'équateur et migre vers des régions plus au nord. Son vol est marqué de mouvements irréguliers et saccadés. Pendant la saison de reproduction, la neuvième rémige du mâle, consistant en un long rachis dénudé muni d'un vexille seulement à l'extrémité, atteint 45 cm.

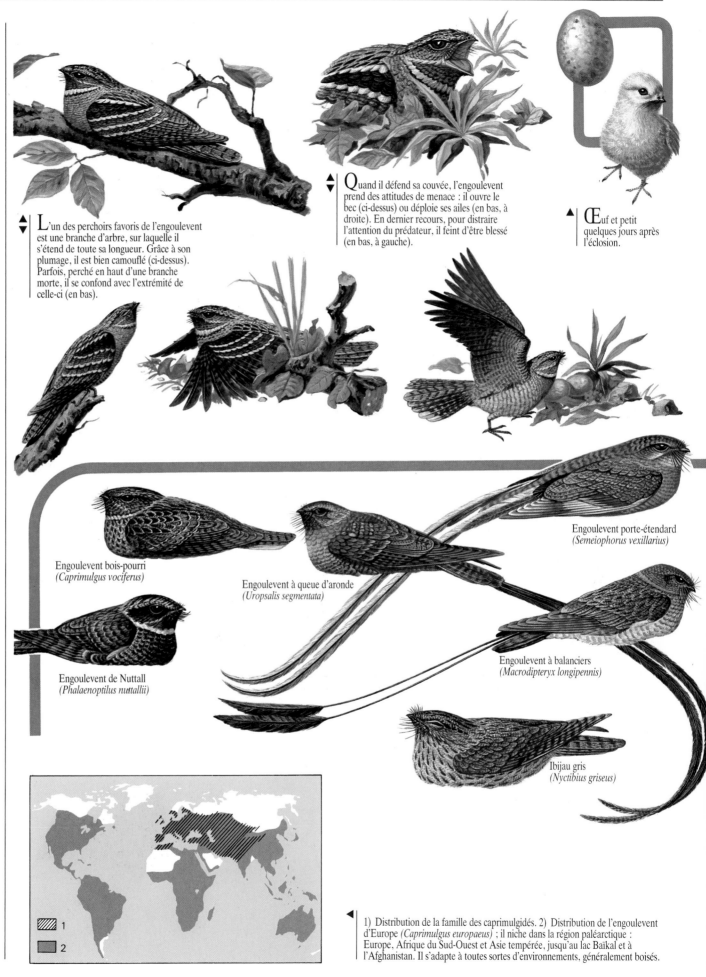

L'un des perchoirs favoris de l'engoulevent est une branche d'arbre, sur laquelle il s'étend de toute sa longueur. Grâce à son plumage, il est bien camouflé (ci-dessus). Parfois, perché en haut d'une branche morte, il se confond avec l'extrémité de celle-ci (en bas).

Quand il défend sa couvée, l'engoulevent prend des attitudes de menace : il ouvre le bec (ci-dessus) ou déploie ses ailes (en bas, à droite). En dernier recours, pour distraire l'attention du prédateur, il feint d'être blessé (en bas, à gauche).

Œuf et petit quelques jours après l'éclosion.

Engoulevent bois-pourri
(*Caprimulgus vociferus*)

Engoulevent de Nuttall
(*Phalaenoptilus nuttallii*)

Engoulevent à queue d'aronde
(*Uropsalis segmentata*)

Engoulevent porte-étendard
(*Semeiophorus vexillarius*)

Engoulevent à balanciers
(*Macrodipteryx longipennis*)

Ibijau gris
(*Nyctibius griseus*)

1) Distribution de la famille des caprimulgidés. 2) Distribution de l'engoulevent d'Europe (*Caprimulgus europaeus*) ; il niche dans la région paléarctique : Europe, Afrique du Sud-Ouest et Asie tempérée, jusqu'au lac Baïkal et à l'Afghanistan. Il s'adapte à toutes sortes d'environnements, généralement boisés.

MARTINET NOIR

Apus apus

Ordre Apodiformes
Famille Apodidae
Taille Longueur 16 à 18 cm
Distribution Eurasie ; absent des régions polaires et de presque toute l'Afrique
Mode de vie Nettement grégaire
Nidification En colonies, sur des falaises et des bâtiments
Œufs 2, rarement 3
Petits Nidicoles

Le martinet noir *(Apus apus)* a un corps effilé aux longues ailes fines et une queue fourchue relativement courte. La bouche, quand elle est ouverte, a plus ou moins la forme d'un carré ; le bec, très court, est crochu. Au repos, les ailes, plus longues que la queue, se croisent au-dessus d'elle.

Le martinet est facile à identifier, car il niche, hiverne et migre en bandes. Sa silhouette en vol est reconnaissable à ses longues ailes gracieusement courbées et à sa queue fourchue.

On confond fréquemment le martinet et l'hirondelle. Leur ressemblance, en fait, n'est due qu'à une convergence de l'évolution, car d'un point de vue phylogénétique ils sont complètement distincts. Les martinets et les hirondelles ont évolué à partir d'ancêtres très différents, mais ont fini par développer des structures similaires accomplissant des fonctions identiques.

Le martinet noir est répandu en Eurasie et dans le nord-ouest de l'Afrique. Son habitat est peu varié : on le rencontre surtout dans les villes et sur les falaises. Son régime consiste en insectes de toutes sortes, des mouches et moucherons aux petits papillons.

C'est l'un des voiliers au corps le plus parfaitement adapté au vol. Sa vitesse normale est de 60-90 km/h, avec des pointes jusqu'à 200 km/h. En fait, le martinet passe la moitié de sa vie dans les airs, où il accomplit la plupart de ses activités : chasse, parade nuptiale et même accouplement. De temps en temps, il se lance dans de brèves évolutions aériennes, accompagnées de cris aigus. Comme plusieurs mâles courtisent la même femelle, une sorte de hiérarchie

▲ La vitesse de croisière du martinet noir se situe entre 60 et 90 km/h. mais il peut dépasser 200 km/h sur de courtes distances. Son vol est très varié : il peut être alternativement battu, plané ou tournoyant. Comme le colibri, le martinet noir est le champion des manœuvres aériennes.

▼ Le martinet noir capture les insectes en volant.

▲ Le martinet noir est le spécialiste de la capture d'insectes volants. Il détruit ainsi un grand nombre d'espèces nuisibles. Les petits animaux dont il se nourrit (mouches et papillons) forment ce que l'on appelle le « plancton aérien ».

s'instaure entre eux au début de la saison de reproduction.

Le martinet ne reste posé que la nuit ou lorsqu'il couve ses œufs ; la collecte de nourriture, de matériaux pour édifier le nid (plumes, brins de paille, feuilles) s'effectue en vol. Même pour se désaltérer, il se contente de raser la surface de l'eau en planant. Quand il se plaque contre une surface verticale, le martinet relève la tête. Les 4 doigts supportent entièrement le poids du corps. Le quatrième, mobile, peut pivoter à 180°.

En général, il a énormément de difficultés à prendre son essor quand, accidentellement, il se trouve sur une surface horizontale. Aussi, si l'on en voit un à terre, c'est lui rendre un grand service que de l'aider à décoller en le lançant dans l'espace. Il est capable de voler sans fatigue pendant un temps considérable.

Deux espèces de martinet au moins sont connues pour dormir en vol ; des pilotes d'avion en ont même aperçu, se profilant dans le ciel les nuits de pleine lune, à des altitudes élevées (jusqu'à plus de 2 000 m). On a souvent vu des martinets s'envoler au coucher du soleil et revenir sur la terre ferme à l'aube. Ce sont surtout les jeunes qui se comportent ainsi.

Plusieurs structures spécialisées permettent à ces oiseaux, parfaitement adaptés à la capture d'insectes dans les airs, de voler très vite pendant très longtemps et d'opérer des changements brusques de direction pour attraper des proies qui tenteraient de leur échapper.

Le martinet noir détruit un grand nombre d'insectes nuisibles. Les petits animaux dont il se nourrit (mouches et papillons notamment) forment ce que l'on appelle le « plancton aérien ».

Le martinet noir est l'un des oiseaux migrateurs les plus typiques, allant et venant entre ses lieux de reproduction et ses quartiers d'hiver à des dates presque fixes. Il peut retourner chaque année dans le même nid, phénomène qui a pu être vérifié grâce à des oiseaux bagués.

Sa proverbiale régularité n'est apparemment pas liée aux conditions climatiques locales ; quand il « décide » du jour de départ, le martinet est guidé non pas par la température ou la quantité de nourriture disponible, mais par la durée de l'ensoleillement. En d'autres termes, il ne quitte pas l'Europe au beau milieu de l'été (fin juillet-début août) parce qu'il sent l'approche de l'hiver et donc l'imminente rareté des insectes, mais parce que la diminution du jour déclen-

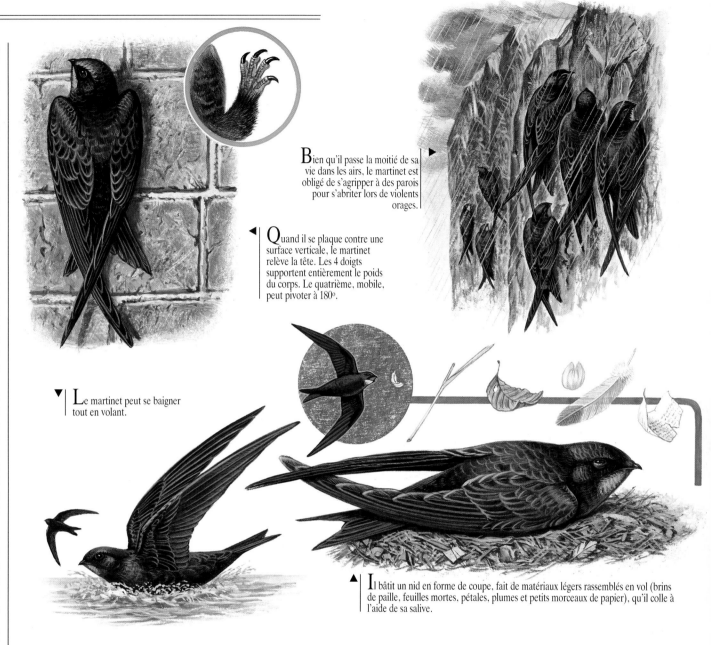

Bien qu'il passe la moitié de sa vie dans les airs, le martinet est obligé de s'agripper à des parois pour s'abriter lors de violents orages.

◀ **Q**uand il se plaque contre une surface verticale, le martinet relève la tête. Les 4 doigts supportent entièrement le poids du corps. Le quatrième, mobile, peut pivoter à 180°.

▼| **L**e martinet peut se baigner tout en volant.

▲| **I**l bâtit un nid en forme de coupe, fait de matériaux légers rassemblés en vol (brins de paille, feuilles mortes, pétales, plumes et petits morceaux de papier), qu'il colle à l'aide de sa salive.

▼| **C**omparaison de silhouettes en vol.

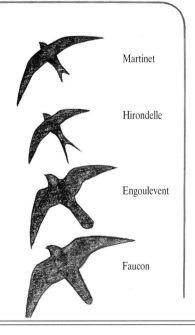

Martinet

Hirondelle

Engoulevent

Faucon

▼| **D**es pilotes d'avion ont vu des silhouettes de martinets noirs, se profilant contre la lune, à des altitudes élevées. Ces témoignages et d'autres observations attestent que les martinets noirs peuvent dormir en volant.

che des changements de nature hormonale, somatique et comportementale.

Au printemps, si les conditions climatiques deviennent défavorables (temps froid et très pluvieux), empêchant les adultes de trouver suffisamment de nourriture pour les jeunes, ceux-ci sont abandonnés durant quelques jours. Ils tombent alors en léthargie, utilisant leurs réserves de graisse pour vivre au ralenti. Leur température s'abaisse à 1-5 °C au-dessus de celle de l'air ambiant, et le rythme de leur respiration est ralenti. Cependant, si la température interne atteint 20 °C, la mort ne tarde pas. Les oiseaux qui se trouvent dans cet état de torpeur ne réagissent pas beaucoup si on les prend en main. Seuls ceux qui sont déjà bien emplumés peuvent se passer ainsi de nourriture pendant plusieurs jours (une semaine et parfois davantage). Quand le beau temps revient, les adultes reparaissent et les jeunes retrouvent une activité physiologique normale.

Les martinets ont un sens de l'orientation très développé : des expériences ont montré que, si on les ôte de leur nid et qu'on les emmène à une centaine de kilomètres, ils sont capables de retrouver leur chemin.

Le martinet géant (Hirundapus giganteus), qui a une envergure de 45 cm, vit en bandes de milliers d'oiseaux. Il niche fréquemment dans les rochers derrière les cascades. Le martinet ramoneur (Chaetura pelagica) est une petite espèce noire d'Amérique du Nord. Il migre en bandes de centaines de milliers d'individus, hivernant en Amérique du Sud, et s'abrite dès la tombée de la nuit dans des cavités naturelles.

Nettement plus grand que le martinet noir, le martinet alpin (Apus melba) a un plumage gris-brun, la gorge et l'abdomen blanchâtres et une bande sombre en travers de la poitrine. Il habite les zones montagneuses de l'Europe du Sud et la région méditerranéenne et migre jusqu'en Afrique du Sud. Ses colonies s'installent dans les villes ou sur les falaises ; il vole habituellement plus haut que le martinet noir. Certains auteurs soutiennent que cette espèce serait aussi capable de dormir en vol.

Le martinet pâle (Apus pallidus) ressemble au martinet noir et a la même taille — les deux espèces vivent d'ailleurs souvent ensemble. La seule différence entre leurs plumages, difficile à discerner en vol, réside dans la teinte générale plus pâle et la gorge blanchâtre du martinet pâle. Il niche dans les villes et sur les falaises.

Martinet du Pacifique
(Apus pacificus)

Martinet ramoneur
(Chaetura pelagica)

Martinet géant
(Hirundapus giganteus)

Sur cette page sont illustrées certaines des espèces de martinets les plus intéressantes, comme la salangane à croupion gris, qui produit les célèbres « nids d'hirondelle », tant appréciés des gourmets ; ces nids se composent de salive séchée. Le martinet huppé est le seul à ne pas vivre en colonies ; il se sert de ses pattes robustes pour s'agripper aux branches des arbres.

Martinet alpin
(Apus melba)

Martinet huppé
(Hemiprocne longipennis)

Martinet de San Geronimo
(Panyptila sanctihieronymi)

Martinet pâle
(Apus pallidus)

Martinet des palmes
(Cypsiurus parvus)

Salangane à croupion gris
(Collocalia inexpectata)

Le nid du martinet de San Geronimo *(Panyptila sanctihieronymi)*, placé sous un toit ou sur un rocher en saillie, est particulièrement original, puisqu'il consiste en un long tunnel vertical de 20 à 60 cm, fait de plumes collées avec de la salive. L'entrée est à la base et les œufs sont couvés dans une chambre tout en haut.

Le martinet des palmes *(Cypsiurus parvus)* est un oiseau des zones tropicales de l'Ancien Monde. Il niche dans une petite coupe collée avec de la salive sur la surface interne d'une feuille de palmier ; les œufs sont fixés en bas de la feuille formant le mur du nid.

La salangane à croupion gris *(Collocalia inexpectata)*, de la région indo-australienne, a des glandes salivaires qui sécrètent une grande quantité de liquide ; elle est d'ailleurs capable de construire un nid rien qu'avec sa salive. C'est cette espèce qui produit les célèbres « nids d'hirondelle », tant appréciés des gourmets. On collecte et on envoie ces nids comestibles sur les marchés d'Orient et, dans une moindre mesure, d'Occident. Chaque couple construit trois nids successivement : le premier est entièrement fait de salive séchée — de meilleure qualité, il atteint donc les prix les plus élevés ; les autres contiennent des matériaux qui les renforcent, car les oiseaux ne produisent plus assez de salive.

Grâce à ses pattes suffisamment robustes pour s'agripper aux branches, le martinet huppé *(Hemiprocne longipennis)* peut, à l'inverse des apodidés, se percher dans les arbres. On le reconnaît en vol à sa queue très fourchue. Les deux sexes ont une huppe, et le mâle a un plumage plus vif que la femelle. Cette espèce vit en bordure des forêts tropicales, en groupes de 2 ou 3 individus, et chasse dans les clairières. Contrairement aux autres martinets, elle niche en couples plutôt qu'en colonies.

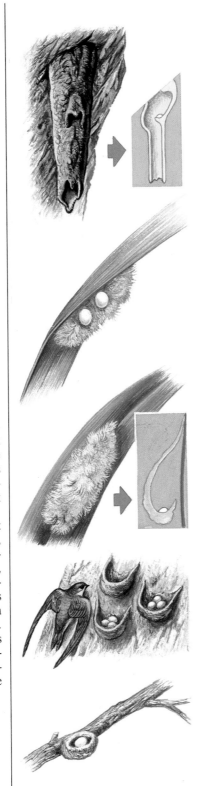

Les martinets ont un remarquable sens de l'orientation. Des expériences au cours desquelles les oiseaux avaient été retirés de leur nid la nuit et transportés à plus de 100 km ont prouvé leur aptitude à retrouver leur chemin.

▼ Les martinets sont répandus dans le monde entier, à l'exception de la majeure partie de l'Australie, de la Nouvelle-Zélande et des régions les plus froides. Ils peuvent s'adapter aux habitats les plus variés. 1) On rencontre le martinet noir *(Apus apus)*, l'été, à la campagne et dans les villes d'Europe. 2) Distribution de l'ordre des apodiformes.

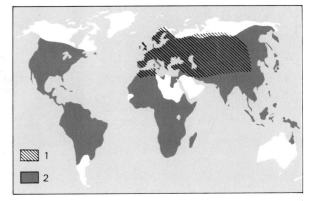

▲ Nids de certains martinets. De haut en bas : martinet de San Geronimo (tube vertical fait de plumes collées avec de la salive, avec une chambre supérieure pour l'incubation) ; martinet des palmes (coupe fixée sur la surface interne d'une feuille de palmier) ; martinet des palmes cubain (nid en forme de sac, collé à une feuille) ; salangane à croupion gris (morceaux d'écorce collés avec de la salive ; l'œuf unique est collé au fond).

COLIBRIS
Trochiliformes

La famille des trochilidés, dont font partie les colibris, ou oiseaux-mouches, comprend non seulement les plus petits oiseaux du monde, mais aussi le plus petit animal à sang chaud, le calypte d'Hélène *(Mellisuga [Florisuga] hele-nae)*, qui mesure à peine 5 cm, le bec et la queue comptant pour la moitié de cette longueur. A l'opposé, le colibri géant *(Patagona gigas)*, aussi grand qu'un étourneau, pèse environ 20 g, c'est-à-dire dix fois plus que le calypte d'Hélène.

Avec 315-320 espèces, divisées en 120 genres, les trochilidés sont, en nombre, la seconde famille d'oiseaux du Nouveau Monde. La majorité de ces espèces sont concentrées sur une étroite ceinture équatoriale, ne dépassant pas 10° de latitude d'extension ; en fait, plus de la moitié des colibris connus vivent là. Leur nombre baisse brusquement à mesure qu'on se dirige vers le nord, avec 51 espèces au Mexique, 13 aux Etats-Unis (au-dessous de 50° de latitude nord), 4 au Canada et 1 en Alaska. Au sud, la même situation prévaut, avec seulement 20 espèces au-dessous de 30° de latitude sud et 1, le colibri à dos vert *(Sephanoides sephanoides)*, qui traverse le détroit de Magellan pour aller nicher en Terre de Feu. Environ 19 espèces se trouvent dans les Antilles et 2 ont colonisé les lointaines îles Juan Fernandez, à 700 km au large de la côte chilienne.

Bien des raisons expliquent la multitude de formes et de tailles des colibris. La principale est la polygamie, les mâles attirant plusieurs femelles et engendrant de nombreux descendants, qui développent et transmettent les caractères paternels. Puis vient leur grande capacité à s'adapter — accrue par une léthargie nocturne —, permettant à beaucoup d'espèces de tirer le maximum de profit des fleurs qui poussent à des altitudes très élevées — proches des neiges éternelles —, là où d'autres oiseaux ne peuvent s'aventurer à cause des très basses températures. Enfin, l'isolement auquel ils ont été confrontés dans les profondes vallées de la cordillère des Andes a également facilité la formation de nombreuses espèces.

Certains colibris vivent exclusivement dans la strate inférieure de la forêt primaire, tandis que d'autres habitent la strate supérieure. Plusieurs se sont

Petit rubis de la Caroline
(Archilochus colubris)

L'avenir des colibris est plutôt sombre. La plupart d'entre eux vivent dans les forêts tropicales en voie de rapide disparition, ce qui menace directement la survie de nombreuses espèces. Mais ils ont un avantage sur d'autres oiseaux des mêmes régions. Leur témérité naturelle, leur intelligence relative et leur grande adaptabilité ont permis à diverses espèces de tirer le meilleur parti des parcs et des jardins des villes et des villages, qui remplacent progressivement les forêts primitives.

adaptés aux régions arides, à végétation principalement composée de cactus, d'autres visitent régulièrement les parcs et les plantations.

Alors que quelques espèces ont une distribution locale relativement restreinte, d'autres ont un mode de vie nomade et migrateur, et, en exploitant les ressources naturelles de diverses régions, ont donné naissance à de nouvelles espèces et sous-espèces. Ainsi, la jacobine à collier blanc *(Florisuga mellivora)* est sans arrêt en mouvement, selon la floraison de certaines plantes ; le pétasophore anaïs *(Colibri coruscans)* effectue des migrations verticales, nichant en altitude dans les Andes et redescendant au début de la saison des pluies. Le colibri d'Anna *(Calypte anna)* se déplace dans la direction opposée, nichant dans la plaine et partant pour les hauteurs à la fin de la saison humide.

Lorsqu'un colibri fait du vol sur place, ses ailes effectuent des mouvements, de haut en bas et d'avant en arrière, en forme de 8 horizontal. La vitesse de vol ne dépasse généralement pas 50 km/h, mais, dans certaines circonstances — par exemple les parades nuptiales ou la défense du territoire —, plusieurs espèces parviennent à atteindre 100 km/h, quoique brièvement. La majorité des colibris ne peuvent ni marcher ni sauter. Ils restent rarement à terre, et même lorsqu'ils se déplacent sur une branche de quelques centimètres de long ils sont forcés de voler.

En plus de leur taille minuscule et de leurs performances en vol, les colibris sont remarquables par l'éclat et les reflets irisés de leur plumage. Leur bec est fin et délicat ; sa couleur — noire, rouge ou jaune — et sa taille varient énormément. Ainsi, le bec du colibri à dos violet *(Ramphomicron microrhynchum)* est très court : pas plus de 1 cm, tandis que celui du docimaste porte-épée *(Ensifera ensifera)* mesure 10 cm, soit approximativement la même longueur que le corps et la queue réunis. En ce qui concerne la courbure, le bec peut remonter vers le haut à l'extrémité — comme chez le colibri à gorge rouge *(Opisthoprora euryptera)* et le colibri avocette *(Avocettula recurvirostris)* — ou descendre vers le bas — par exemple chez l'eutoxère aigle *(Eutoxeres aquila)*.

De même que les colibris ont évolué pour extraire le plus efficacement possible le nectar des fleurs, de même nombre de plantes se sont à leur tour modifiées pour attirer les oiseaux et favoriser la pollinisation. Les colibris préfèrent les fleurs munies d'une corolle étroite,

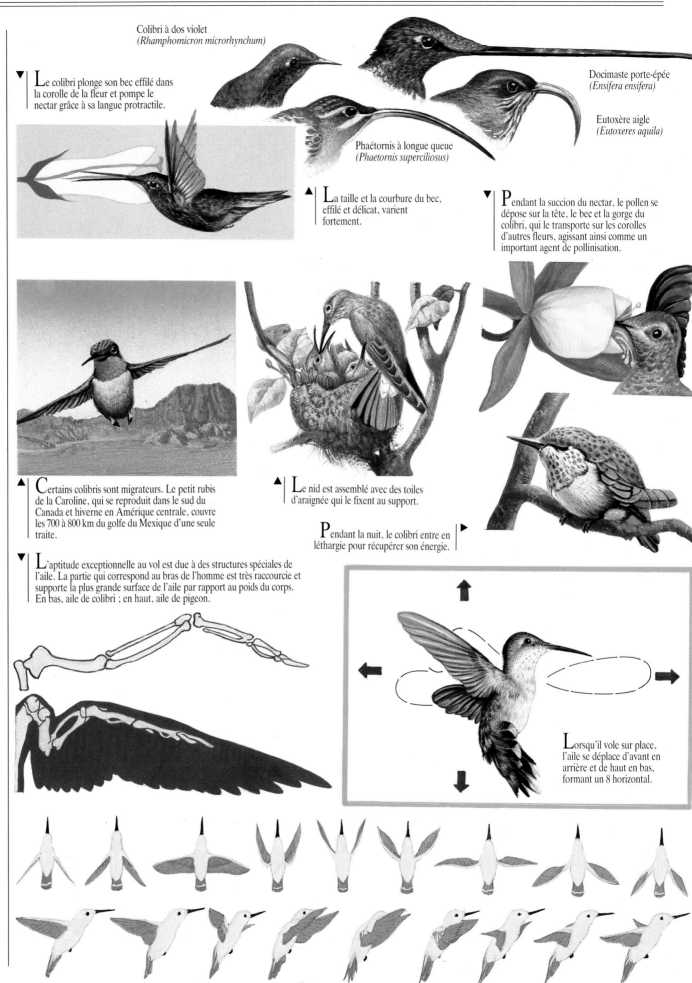

Colibri à dos violet
(Rhamphomicron microrhynchum)

▼ Le colibri plonge son bec effilé dans la corolle de la fleur et pompe le nectar grâce à sa langue protractile.

Docimaste porte-épée
(Ensifera ensifera)

Eutoxère aigle
(Eutoxeres aquila)

Phaétornis à longue queue
(Phaetornis superciliosus)

▲ La taille et la courbure du bec, effilé et délicat, varient fortement.

▼ Pendant la succion du nectar, le pollen se dépose sur la tête, le bec et la gorge du colibri, qui le transporte sur les corolles d'autres fleurs, agissant ainsi comme un important agent de pollinisation.

▲ Certains colibris sont migrateurs. Le petit rubis de la Caroline, qui se reproduit dans le sud du Canada et hiverne en Amérique centrale, couvre les 700 à 800 km du golfe du Mexique d'une seule traite.

▲ Le nid est assemblé avec des toiles d'araignée qui le fixent au support.

Pendant la nuit, le colibri entre en léthargie pour récupérer son énergie. ▶

▼ L'aptitude exceptionnelle au vol est due à des structures spéciales de l'aile. La partie qui correspond au bras de l'homme est très raccourcie et supporte la plus grande surface de l'aile par rapport au poids du corps. En bas, aile de colibri ; en haut, aile de pigeon.

Lorsqu'il vole sur place, l'aile se déplace d'avant en arrière et de haut en bas, formant un 8 horizontal.

fleurissant librement et abondamment, sans feuilles ni brindilles gênantes. Les anthères sont situées de telle manière qu'elles permettent au pollen d'être déposé sur la tête, la gorge ou le bec, et le stigmate est ainsi structuré qu'il est facilement en contact avec le pollen.

Par ailleurs, il existe un lien précis entre la forme du bec et la structure de certaines fleurs, de sorte que le nectar peut être extrait très simplement.

Par conséquent, différentes espèces de colibris peuvent vivre ensemble en parfaite harmonie dans la même aire, se nourrissant chacune sur des plantes distinctes. Certaines espèces à bec court, comme l'héliothrix de Barrot *(Heliothryx barroti)*, ont l'habitude de perforer la base de la corolle depuis l'extérieur et d'aspirer le nectar sans assurer la pollinisation.

Outre de nectar, les colibris se nourrissent aussi d'insectes, quoique en moindre proportion. Un certain nombre d'expériences ont démontré qu'ils digèrent les aliments très rapidement.

Le colibri parvient à préserver une partie de son énergie en tombant, la nuit, dans une sorte de léthargie. Comme chez d'autres oiseaux, mais contrairement aux mammifères, sa température passe de 39 à 42 ºC selon qu'il est au repos ou en activité. Pendant cet engourdissement, elle peut égaler la température ambiante, mais ne descend jamais au-dessous de 0 ºC. Le rythme cardiaque passe alors de 500-1 300 pulsations par minute en activité normale à 40 environ.

Les colibris ne forment pas de couples. Les relations entre les sexes se limitent généralement à la copulation, après quoi la femelle se charge de construire le nid et d'élever la couvée. Les mâles de certaines espèces chantent toute la journée, avec de brèves interruptions pour se nourrir, d'autres uniquement le matin ou le soir. La plupart émettent quelques notes aiguës, qu'ils répètent sans cesse, quoique les mâles du petit phaétornis *(Phaetornis longuemareus)*, du colibri à queue tronquée *(Campylopterus curvipennis)* et du colibri d'Elliot *(Atthis ellioti)* aient un chant varié et mélodieux.

La simplicité de la parade nuptiale des colibris des régions tropicales est due à l'absence d'un espace adéquat au milieu de la végétation dense. En général, le mâle effectue des mouvements saccadés et la femelle, immobile sur une branche, l'observe.

Dans les régions plus tempérées ou sur les hauteurs de la cordillère des

Colibri huppé
(Lophornis ornata)

Colibri minime
(Mellisuga mini...)

Colibri roux
(Selasphorus rufus)

Colibri sappho
(Sappho sparganu...)

Colibri à tête noire
(Trochilus polytmus)

Rubis topaze
(Chrysolampis mosquitus)

Colibri queue d'hirondelle
(Eupetomena macroura)

Colibri casqué
(Oxypogon guerinii)

Petit rubis de la Caroline
(Archilochus colubris)

Colibri géant
(Patagonia gigas)

Campyloptère de Delatre
(Campylopterus hemileucurus)

Madère
(Eulampis jugularis)

Loddigésie admirable
(Loddigesia mirabilis)

Phaétornis à longue queue
(Phaetornis superciliosus)

Colibri orvert
(Polytmus guainumbi)

Sylphe à longue queue
(Aglaiocercus kingi)

Colibri de Popelaire
(Popelairia popelairii)

Andes, les deux sexes se livrent à une série d'acrobaties aériennes en parfaite harmonie. Plus le mâle a un plumage vif, plus il accomplit de danses aériennes pendant la parade nuptiale ; s'il appartient à une espèce privée d'un tel ornement, il chante davantage.

Certains observateurs prétendent avoir vu des colibris s'accoupler dans les airs, mais il est possible qu'ils aient assisté simplement à un combat entre deux mâles pour une fleur. Pour autant qu'on le sache, la femelle se tient immobile sur une branche lors de la copulation ; c'est généralement la seule occasion où mâle et femelle se rencontrent. Sous les latitudes tempérées, la parade nuptiale se déroule le plus souvent au printemps et en été, tandis que, dans les régions tropicales, les saisons de reproduction, liées à la floraison des plantes qui constituent le régime des différentes espèces, sont plus irrégulières. La femelle construit le nid toute seule.

Presque toutes les espèces pondent 2 œufs, de couleur blanche et de forme allongée, à un intervalle de 2 jours. Les plus petits sont probablement ceux du colibri de Calliope *(Stellula calliope)*, qui mesurent environ 12 × 8 mm, et les plus gros ceux du colibri géant *(Patagona gigas)*, qui d'ailleurs n'en pond généralement qu'un seul, de 20 × 12 mm. Si l'on en trouve 4 dans le nid, cela signifie qu'ils appartiennent à deux femelles différentes. Dans ce cas, c'est la plus agressive qui reste pour couver et élever les petits.

Malgré leurs faibles dimensions, les œufs des colibris éclosent, selon l'espèce, au bout de 14 à 23 jours. Si le temps est mauvais, cette période peut se prolonger encore un jour ou deux.

Colibri topaze
(Topaza pella)

Jacobine à collier blanc
(Florisuga mellivora)

Colibri à dos vert
(Sephanoides sephanoides)

Hausse-col du Brésil
(Lophornis magnifica)

Colibri arc-en-ciel
(Chalcostigma herrani)

Colibri à longue queue
(Discosura longicauda)

Colibri à raquettes
(Spathura underwoodii)

Colibri des Andes
(Oreotrochilus estella)

Colibri à collier
(Coeligena torquata)

Eutoxère aigle
(Eutoxeres aquila)

Docimaste porte-épée
(Ensifera ensifera)

Voici le plus petit de tous les colibris, qui mesure à peine 5 cm, le bec et la queue comptant pour la moitié de cette longueur. Au-dessous, son nid et ses œufs blancs.

Calypte d'Hélène
(Mellisuga helenae)

Les colibris se nourrissent de nectar et, dans une moindre mesure, d'insectes, la proportion variant en fonction des espèces, de la saison et des disponibilités. Walter Scheithauer, qui a mené de remarquables expériences sur des colibris captifs, a conclu que le régime idéal est une solution composée de 400 cm³ d'eau, de 70 g de miel, de 3 g de protéines, de 2 g de graisse et de 6 g de minéraux et vitamines. Il a également montré que les colibris digèrent les aliments très rapidement : en 10 minutes, une drosophile est digérée et les résidus chitineux expulsés dans la fiente. Les colibris sont répandus dans tout le continent américain, où ils existent depuis des temps reculés. La famille comprend une grande variété de formes, réparties entre 315-320 espèces et 120 genres.
1) Distribution de la famille des trochilidés.

QUETZAL

Pharomachrus mocino

Ordre Trogoniformes
Famille Trogonidae
Taille Longueur totale : mâle, 1 à 1,20 m (jusqu'à 1 m pour la queue) ; femelle, 0,40 m
Poids 160 à 180 g
Saison de reproduction Avril à août
Incubation 17 ou 18 jours
Œufs 2, bleu ciel
Maturité sexuelle Probablement 3 ans
Longévité 22 ans

Le quetzal a un superbe plumage vert brillant sur le dos, rouge sur le ventre. Chez le mâle, les plumes sus-caudales atteignent jusqu'à 1 m de long.

Le quetzal ne se rencontre que du Mexique au Panama. Il vit dans les forêts sombres de montagnes, jusqu'à 3 000 m, mais redescend à 1 000 m pendant la saison des pluies.

L'adulte se nourrit principalement de fruits, qu'il saisit au vol. Il en consomme de grandes quantités, jusqu'à 100 g par jour, soit plus de la moitié de son propre poids. Il avale entiers des fruits aussi gros que des cerises : on a retrouvé des fruits de 4,5 cm de long dans des jabots de quetzals. Les jeunes sont principalement nourris d'insectes pendant leurs premiers jours ; puis on leur apporte des fruits et de petits animaux, grenouilles, lézards ou escargots. D'autres espèces mangent surtout des papillons et leurs larves.

Hors de la saison de reproduction, les quetzals vivent souvent en petits groupes. Seuls les vieux mâles sont solitaires en hiver. Les quetzals sont le plus fréquemment perchés à la cime des arbres des forêts tropicales, à 50 m ou plus du sol : malgré leur plumage voyant, on les distingue difficilement, d'autant plus qu'ils restent de longs moments immobiles. Ils trahissent parfois leur présence par leur cri, surtout pendant la saison de reproduction.

Le mâle effectue une parade nuptiale impressionnante. Il vole en cercles au-dessus de la cime des arbres de la forêt, émettant un cri de plusieurs notes. Après l'accouplement, les oiseaux creusent leur nid, qui ressemble à celui d'un pic, dans le bois tendre du haut de vieux troncs pourris. Mâle et femelle couvent à tour de rôle et élèvent ensemble leurs petits.

Les rois et chefs de tribu des civilisations précolombiennes d'Amérique centrale ornaient leurs coiffures des superbes plumes vert irisé du quetzal. Après l'invasion des Européens, une chasse indiscriminée décima cette espèce au point qu'elle est aujourd'hui très rare. En outre, le déboisement des forêts a détruit une grande partie de son habitat traditionnel.

Il avale chaque jour une énorme quantité de fruits, équivalant à environ la moitié de son poids. Il mange aussi de petits vertébrés et des escargots. Certains trogons se nourrissent surtout de papillons et de leurs larves.

Le quetzal creuse un nid dans le bois tendre de troncs pourris, loin du sol. Le mâle et la femelle (ci-contre) couvent et élèvent ensemble leurs petits.

Les trogonidés vivent dans les forêts primaires d'Amérique centrale et du Sud, d'Afrique et de l'est de l'Asie. 1) Le quetzal (*Pharomachrus mocino*) ne vit qu'en Amérique, dans le sud du Mexique et au Panama.

COLIOU
BARRÉ
Colius striatus

Ordre Coliiformes
Famille Coliidae
Taille Longueur totale 25 à 36 cm ; queue 16 à 25 cm
Poids 42 à 70 g
Saison de reproduction Presque toute l'année
Incubation 10 jours et demi à 14 jours
Œufs 1 à 6, en général 2 à 4
Maturité sexuelle 6 à 10 mois
Longévité 11 ans

Le nom anglais du coliou, *mousebird* (oiseau-souris), lui vient de son plumage gris-brun, qui ressemble à de la fourrure sur le ventre, et de sa longue queue, qui lui donne l'aspect d'une souris. Ses pattes robustes ont des doigts très mobiles aux griffes acérées, très bien adaptés pour grimper aux arbres.

On rencontre le coliou barré dans presque toute l'Afrique, au sud du Sahara. Il vit en bordure des forêts, dans les forêts-galeries, près des rivières, dans la savane, mais pas dans les forêts tropicales denses du bassin du Congo ni dans les régions sèches déboisées.

Le coliou, principalement végétarien, se nourrit de fruits, de jeunes pousses, de feuilles et de fleurs. C'est un oiseau sociable, vivant en groupes familiaux et en groupes plus importants hors de la saison de reproduction. Il se tient perché sur les branches d'arbres et les buissons très touffus. Il vole comme une flèche d'un buisson à l'autre, mais jamais bien loin. Il se pose rarement au sol, sauf pour se nettoyer les plumes dans la poussière ou manger de la terre.

Le mâle n'est pas un bon chanteur. A la saison des amours, il vole et sautille à plusieurs reprises, comme une boule de plumes, jusqu'à ce que la femelle accepte l'accouplement. Ils construisent alors dans les arbres et les buissons, avec des brindilles et des racines, un nid en forme de coupe qu'ils tapissent de duvet végétal et de feuilles. Tous deux couvent les 2 à 4 œufs dès la ponte du premier, de sorte que les petits éclosent l'un après l'autre. Ils sont aveugles et presque nus, mais leurs premières plumes poussent vite et leurs yeux s'ouvrent au bout de quelques jours.

Coliou huppé
(Colius macrourus)

Coliou à face rouge
(Colius indicus)

▲ Son nom anglais de *mousebird* (oiseau-souris) lui vient de la couleur gris-brun de son plumage. Végétarien, il se nourrit de grandes quantités de fruits, feuilles et fleurs, et dévaste souvent les vergers. Il capture parfois des insectes.

▼ Il vit en Afrique, du sud du Sahara à la province du Cap. Il est absent des forêts denses du bassin du Congo et des zones arides déboisées.
1) Répartition de l'ordre des coliiformes.

◄ Les colious passent la nuit agglutinés les uns aux autres sur les branches, la queue perpendiculaire au sol.

GUÊPIER D'EUROPE

Merops apiaster

Ordre Coraciiformes
Famille Meropidae
Taille Longueur 28 cm
Distribution Sud de l'Europe, Afrique du Nord, Asie de l'Ouest
Mode de vie Arboricole, terrestre quand il se reproduit, grégaire
Nidification Dans les terriers
Œufs 4 à 10, généralement 5 à 7
Petits Nidicoles

Le guêpier d'Europe *(Merops apiaster)* a les plumes de dessus marron-roux, celles du dessous bleu-vert. Sa gorge est jaune, son front blanc et son iris écarlate. Une bande noire sépare sa gorge de sa poitrine, une autre s'étend du bec à la nuque, en passant par les yeux. Les deux plumes centrales de la queue dépassent les autres rectrices.

Il se reproduit dans le nord-ouest et le sud de l'Afrique, en Asie occidentale jusqu'au Cachemire et au Baloutchistan, dans l'Est et dans la région méditerranéenne en Europe. Toutefois, on a observé des nidifications en Allemagne et en Scandinavie. Il vit dans des zones arides, sablonneuses, près des côtes et des lacs salés, niche dans des sablières ; il chasse dans la campagne cultivée, les vallées. Sa présence dépend de conditions climatiques chaudes et de l'existence de perchoirs naturels ou artificiels d'où il peut foncer sur ses proies.

Les guêpiers, oiseaux sociables par nature, vivent en bandes là où les insectes abondent. Ils ont deux techniques de chasse, en fonction de l'environnement : ou bien ils s'installent à un poste d'observation d'où ils peuvent surveiller leurs proies ; ou bien ils volent infatigablement au-dessus des champs cultivés, des prairies fleuries, du maquis méditerranéen et des mares riches en vie animale, accompagnant leurs manœuvres aériennes de chants caractéristiques, parfois criards et rauques, parfois doux et mélodieux.

Ils sont capables d'étonnantes prouesses lorsqu'ils poursuivent une proie. Ils avalent les petits insectes en l'air et consomment les gros perchés sur des branches, qui, avec les fils électriques, sont leurs observatoires habituels.

Guêpier d'Europe
(Merops apiaster)

Le plumage du guêpier d'Europe est multicolore. Pendant la saison de reproduction, il forme de petites colonies le long des berges sablonneuses, où il creuse des tunnels à l'aide de son bec et de ses pattes. S'il ne trouve pas de paroi verticale, il peut s'adapter à des terrains plats, de préférence en pente douce et sans trop d'herbe.

Représentants de l'ordre des coraciiformes.

Alcédinidés
Martin-chasseur
à coiffe noire
(Halcyon pileata)

Todidés
Todier de la Jamaïque
(Todus todus)

Bucérotidés
Calao rhinocéros
(Buceros rhinoceros)

Méropidés
Guêpier à fraise
(Nyctyornis amictus)

Upupidés
Huppe fasciée
(Upupa epops)

Dès qu'une victime se présente, ils se jettent sur elle, referment leur bec dans un claquement bruyant et retournent à leur point de départ pour la déguster. Si la proie est de taille importante, ils la frappent contre une branche jsuqu'à ce qu'elle soit inerte et que le dard, s'il s'agit d'une espèce venimeuse, ressorte de l'abdomen. Puis ils l'avalent ; ils semblent en partie immunisés contre le venin.

La parade nuptiale du mâle et de la femelle se déroule sur une branche ou près du site de nidification. Ils défendent ce territoire contre les autres couples en ébouriffant les plumes de leur dos et de leur nuque et en poussant des cris menaçants. Le mâle s'approche de sa compagne en faisant de petits bonds et de petits tours sur lui-même, puis lui offre un insecte tout en agitant la queue. Cette offrande est le prélude à la copulation, suivie par la construction d'un tunnel de 5-8 cm de large et de 70-250 cm de profondeur. Cela peut leur prendre entre 10 et 25 jours. Les deux oiseaux creusent avec leur bec et repoussent la terre avec leurs pattes. Le terrier est presque toujours situé dans une paroi verticale (comme la berge d'une rivière), mais, quand il n'y en a pas, ils choisissent un terrain plat, sans trop d'herbe et en pente douce. Dans une chambre à l'extrémité du tunnel, la femelle pond de 4 à 8 œufs, couvés par les deux oiseaux pendant 20 à 22 jours.

Le guêpier superbe *(M. nubicus)*, dont l'abdomen est rouge et la tête bleu-vert, niche en colonies de milliers de couples sur les berges abruptes des rivières d'Afrique centrale et occidentale. Il est attiré par les feux de brousse, qui font sortir des hordes de petites créatures. Le guêpier écarlate *(M. nubicoides)* habite le sud de l'Afrique.

Ces deux guêpiers sont migrateurs, mais, tandis que le premier se dirige vers le sud, le second remonte plus au nord. Le guêpier à gorge rouge *(Melittophagus bullocki)*, vert dessus et rouge dessous, vit en bandes. Il chasse les insectes volants à la cime des arbres et niche en Afrique centrale et occidentale, souvent avec le guêpier superbe.

Le guêpier d'Europe chasse les insectes en les poursuivant en l'air de manière acrobatique. Ou bien il se perche sur une haute branche et attend qu'une proie se présente pour se jeter sur elle.

Guêpiers poursuivant des insectes qui tentent d'échapper à un feu.

Afin de ne pas être piqué par une guêpe, le guêpier attrape l'insecte par le thorax, le frappe contre une branche et, avant de l'avaler, presse son corps pour dégager le dard de l'abdomen.

Guêpier superbe *(Merops nubicus)*

Petit guêpier vert *(Merops orientalis)*

Guêpier à gorge rouge *(Melittophagus bullocki)*

Parfois, l'oiseau plonge en partie dans l'eau pour capturer des animaux tombés.

Guêpes, frelons, abeilles, bourdons, papillons, coléoptères, mouches et libellules constituent les proies essentielles des guêpiers.

Les troisième et quatrième doigts sont partiellement soudés.

Les guêpiers habitent les zones tropicales, subtropicales et tempérées d'Afrique, d'Eurasie et d'Australie. 1) Le guêpier d'Europe *(Merops apiaster)* est un oiseau des régions arides. 2) Distribution générale de la famille des méropidés.

1

2

ROLLIER D'EUROPE

Coracias garrulus

Ordre Coraciiformes
Famille Coraciidae
Taille Longueur 30 cm
Distribution Europe centrale et méridionale, Afrique du Nord, Asie
Mode de vie Arboricole, solitaire
Nidification Dans les troncs d'arbres, les rochers et parfois les bâtiments
Œufs 3 à 5 en moyenne
Petits Nidicoles

Le rollier d'Europe *(Coracias garrulus)* a un corps robuste, une queue carrée, des pattes courtes et un bec puissant. Son dos est châtain foncé, sa tête et son abdomen bleus, ses rémiges et le centre de sa queue bleu-noir, le reste des ailes et de la queue bleu-vert.

Cette espèce était autrefois répandue dans une grande partie de l'Europe, mais, pour diverses raisons, elle s'est peu à peu éteinte et déplacée vers l'est. Aujourd'hui, le rollier vit dans le nord-ouest de l'Afrique, en Europe centrale, orientale et méridionale et en Asie occidentale, quoique sa distribution soit irrégulière. Il niche dans les forêts de conifères, de feuillus, dans les bosquets, les parcs, les allées d'arbres.

A la fin d'avril, le rollier retourne dans son aire de reproduction. Il passe la majeure partie de la journée perché sur une branche ou un fil télégraphique, d'où il surveille les environs. Une fois une proie en vue, il s'élance dans les airs, déploie ses ailes et, en un instant, se retrouve à terre, sa victime dans son puissant bec crochu. Puis il regagne son poste d'observation, frappe l'animal pour l'assommer et l'avale.

Il attrape souvent ses victimes en plein vol, même les cérambycidés et les cerfs-volants, gros insectes qui constituent la nourriture de nombre d'oiseaux de proie. Le régime du rollier est essentiellement composé de sauterelles, de mantes, de hannetons et autres coléoptères, d'invertébrés terrestres, de lézards, de minuscules mammifères et de petits oiseaux.

Les couples restent isolés et parcourent de vastes espaces, encore que, dans certaines régions où les conditions sont particulièrement favorables, ils puissent former de petites colonies.

La parade nuptiale consiste en plongeons et envols, ponctués de vols planés. Après cette cérémonie, le mâle et la femelle se perchent sur une branche, baissent la tête et poussent des cris rauques.

▲ Le rollier d'Europe a la taille d'un pigeon. Son plumage est bleu brillant et fauve, son bec suffisamment robuste pour attraper des coléoptères, des guêpes et des abeilles dédaignés par d'autres oiseaux. Il épie ses victimes depuis une branche ou un fil électrique ; une fois qu'il les a tuées, il retourne sur son perchoir pour les manger. A l'automne, il migre dans les savanes africaines, où il entre en concurrence, pour la nourriture et les perchoirs, avec les espèces locales de corneilles.

◄ Le rollier d'Europe et les autres membres de sa famille ont deux doigts soudés à la base. Si cela leur rend la vie plus facile dans les arbres, c'est un handicap à terre. Leur régime consiste en petits vertébrés et insectes, comme les coléoptères, les cigales, les libellules et les sauterelles.

La parade nuptiale du mâle est remarquable : tout en signalant l'occupation du territoire, il séduit la femelle. De son perchoir, il s'élance en battant violemment des ailes, à une hauteur de 70 m environ, puis descend en vol plané. Brusquement, il referme les ailes et tombe à pic ; en approchant du sol, il se redresse et repart, tourne en rond en planant et gagne suffisamment d'altitude pour plonger à nouveau. Finalement, il se perche sur une branche et attend sa partenaire, en croassant et en baissant la tête en vue de l'accouplement.

Le « nid » est situé dans un trou d'arbre, un trou de pic noir, dans un bâtiment, ou dans le sable ou l'argile de la berge d'une rivière, à des hauteurs variant entre quelques centimètres et 10-15 m au-dessus du niveau du sol. Aucun matériau particulier n'est employé. En Europe, le rollier pond 4 ou 5 œufs (parfois 7), blancs, à intervalles de deux jours, au début de mai. Selon certains ornithologues, l'incubation commence à la ponte du dernier œuf ; selon d'autres, à la ponte du premier. Les deux sexes se chargent de couver, pendant 18 ou 19 jours. Les parents s'occupent tour à tour des petits et s'éloignent du nid pour chasser dans un rayon de plusieurs kilomètres.

Le brachyptérolle (*Brachypteracias leptosomus*) a la tête rouge, la nuque bleue, le dos vert et le ventre blanc avec des marques rousses. Il vit dans les forêts primaires et se déplace par petits bonds parmi les buissons, prenant rarement son envol. On ne sait pas grand-chose de son comportement reproducteur, sauf que les œufs sont pondus dans un terrier creusé préalablement.

Le courol (*Leptosomus discolor*), qui mesure 45 cm de long, habite Madagascar et les Comores. Le dimorphisme sexuel est très net : le dos du mâle est gris foncé, avec des nuances vertes et pourpres, tandis que le reste du corps est gris cendré ; la femelle, elle, est brun-roux, avec l'abdomen fauve et strié de noir. L'espèce vit dans les forêts tropicales et passe beaucoup de temps à la cime des arbres, chassant de grands coléoptères et des chenilles velues.

Rollier à queue fourchue
(*Coracias caudata*)

Eurystome
(*Eurystomus orientalis*)

Courol
(*Leptosomus discolor*)

Brachyptérolle
(*Brachypteracias leptosomus*)

◄| Le vol de cet oiseau est soutenu et puissant.

◄| Il niche dans un trou d'arbre à 10-15 m au-dessus du sol. Quand il élève ses petits, le rollier devient agressif, attaquant tout animal, et même l'homme, qui s'approche trop près.

◄| Les rolliers sont largement répandus. 11 espèces se trouvent dans les régions chaudes et sèches d'Europe, d'Asie, d'Afrique et d'Australie. Leur habitat comprend les broussailles de la zone méditerranéenne, les prairies et les bois avec clairières. 1) Le rollier d'Europe *(Coracias garrulus)* niche en Afrique du Nord-Ouest, en Europe centrale, orientale et méridionale et en Asie occidentale ; pour diverses raisons, l'espèce s'est progressivement éteinte en Europe. 2) Le rolle africain, ou eurystome *(Eurystomus orientalis)*, vit en Asie orientale, en Australie et sur des îles reliant les deux continents. 3) Beaucoup d'autres espèces de la famille vivent en Afrique.

■ 1   ■ 2   □ 3

MARTIN-PÊCHEUR

Alcedo atthis

Ordre Coraciiformes
Famille Alcedinidae
Taille Longueur 16 cm
Distribution Afrique, Europe et Asie
Mode de vie Aquatique, solitaire
Nidification Dans des terriers, dans le sol
Œufs 4 à 10, habituellement 6 ou 7
Petits Nidicoles

Le martin-pêcheur *(Alcedo atthis)* a une silhouette massive, avec une queue courte et une grosse tête. Celle-ci paraît d'autant plus volumineuse que le bec, pointu, mesure 4 cm, c'est-à-dire un quart de la longueur totale du corps. Il a le dos, la queue et la tête bleus, avec des reflets métalliques, l'abdomen rouge-fauve, la gorge et les tempes blanches, les pattes rouges.

Il est répandu de l'Afrique du Nord à l'Europe (vers le nord, jusqu'à la Suède) et dans une grande partie de l'Asie centrale et méridionale, jusqu'au Japon, en Malaysia et dans beaucoup d'îles d'Océanie. Il en existe 9 sous-espèces. Comme il trouve l'essentiel de sa nourriture dans l'eau, il vit au bord des rivières, des lacs et des mares d'eau douce, parmi les roseaux, les fourrés et sur les berges sablonneuses. Il s'élève très rarement, mais on l'a observé à environ 1 800 m en U.R.S.S.

Le martin-pêcheur d'Europe vole vite et en ligne droite, en battant des ailes rapidement. Il rase généralement l'eau, annonçant sa présence par des cris aigus ; il ne gagne de la hauteur que lorsqu'il rencontre un obstacle inattendu. Perché sur un roseau ou une branche, attentif, bougeant imperceptiblement la tête, il scrute l'eau claire, calme et sans aucune végétation flottante. Dès qu'il repère une proie, le plus souvent un poisson, il plonge, pour remonter aussitôt, sa victime coincée dans son bec, et retourner à son poste d'observation. Si le poisson lui échappe ou disparaît, il remonte gracieusement en l'air, vole sur place une seconde ou deux, en attendant de localiser de nouveau sa proie, et replonge. Il saisit sa victime dans son bec et l'assomme en la frappant contre une branche ; le poisson peut

Martin-pêcheur d'Europe
(Alcedo atthis)

▲ Le martin-pêcheur se nourrit essentiellement de petits poissons et, dans une moindre mesure, d'insectes aquatiques et de leurs larves, de petites grenouilles et de crustacés. Ses trois doigts avant ayant fusionné à la base, il ne peut pas marcher, mais il s'en sert pour écarter la terre quand il creuse son nid.

◄ La famille des alcédinidés compte 86 espèces : l'illustration montre un petit martin-pêcheur d'Europe à côté d'un martin-pêcheur géant, au bec puissant, qui vit dans les bois.

être lancé en l'air avant d'être avalé la tête la première, de sorte que les nageoires ouvertes n'endommagent pas la gorge de l'oiseau. La plupart des poissons capturés mesurent 7-8 cm de long ou moins. En Europe, il s'agit de vairons, d'ablettes, de chabots, de truites et d'épinoches, et, dans une moindre mesure, d'insectes aquatiques et de leurs larves, de petites grenouilles, de crustacés et de mollusques.

Le martin-pêcheur d'Europe est un oiseau solitaire, strictement territorial. Chacun occupe sa propre étendue de berge (1 km environ), que ce soit à l'époque de la reproduction ou pendant l'hiver (les deux coïncidant parfois, dans la mesure où l'espèce est partiellement migratrice).

Les couples se forment dès janvier, plus tard dans les zones où les oiseaux sont migrateurs. Le mâle et la femelle, qui ne quittent pas le territoire de tout l'été, se poursuivent en lançant des cris aigus et en rasant la surface de l'eau. Pendant que la femelle l'observe depuis une branche, le mâle se lance dans un vol nuptial tout en chantant. Puis il se pose à côté de sa partenaire, pointe le bec en l'air, déploie ses ailes pour lui révéler le bleu brillant de son dos et lui offre un poisson. Le couple se tapote légèrement le bec et se prépare pour l'accouplement.

Le nid est creusé dans les berges abruptes des lacs et des rivières ou dans les sablières, à une hauteur variant entre 0,60 et 8 m au-dessus de l'eau. L'opération commence dès que les deux oiseaux ont choisi le mur de sable, d'argile ou de terre, le testant de leur bec et grattant la surface de leurs pattes, sans jamais se poser. Une fois la surface creusée, ils se mettent à excaver un véritable tunnel dans le flanc. Le terrier, qui mesure de 0,40 à 1 m de longueur, se termine par une chambre d'incubation, tapissée d'écailles et d'arêtes de poisson. La femelle pond généralement 7 œufs, couvés par les deux parents pendant 19 à 21 jours.

Comme il est impossible de répertorier ici les 86 espèces qui composent la famille des alcédinidés, nous ne mentionnerons que les plus intéressantes.

Avec ses 11 cm, le martin-pêcheur pygmée (Ispidina picta) est l'une des plus petites. On le trouve dans toute l'Afrique centrale et du Sud-Est. Oiseau typique des arbres et de la savane arborée, il capture des insectes à terre. Il se reproduit à différents mois de l'année, en fonction de la saison sèche et de la saison des pluies.

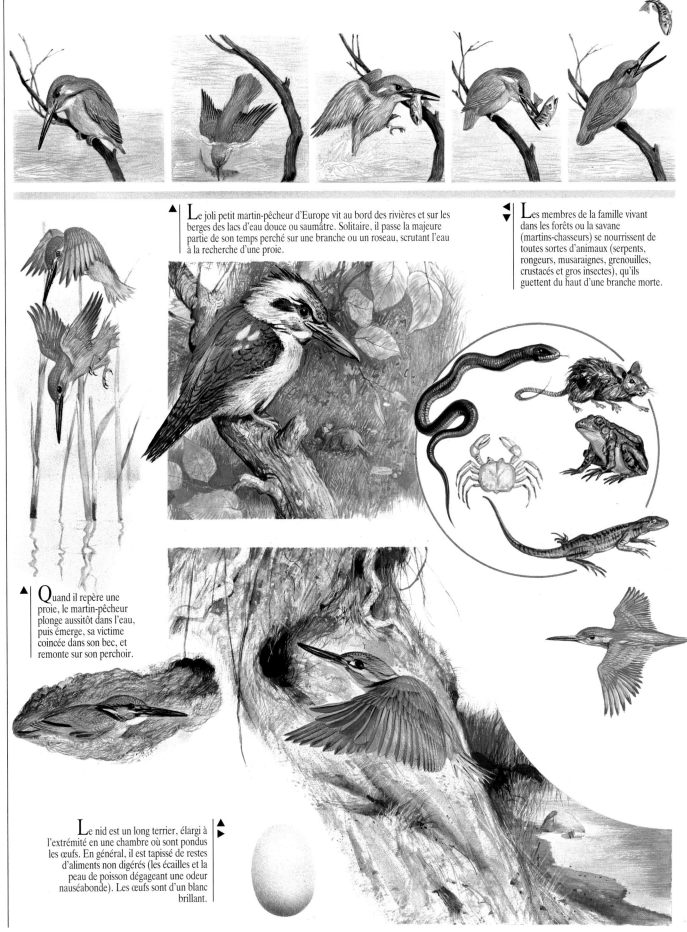

▲ Le joli petit martin-pêcheur d'Europe vit au bord des rivières et sur les berges des lacs d'eau douce ou saumâtre. Solitaire, il passe la majeure partie de son temps perché sur une branche ou un roseau, scrutant l'eau à la recherche d'une proie.

◄ Les membres de la famille vivant dans les forêts ou la savane (martins-chasseurs) se nourrissent de toutes sortes d'animaux (serpents, rongeurs, musaraignes, grenouilles, crustacés et gros insectes), qu'ils guettent du haut d'une branche morte.

▲ Quand il repère une proie, le martin-pêcheur plonge aussitôt dans l'eau, puis émerge, sa victime coincée dans son bec, et remonte sur son perchoir.

Le nid est un long terrier, élargi à l'extrémité en une chambre où sont pondus les œufs. En général, il est tapissé de restes d'aliments non digérés (les écailles et la peau de poisson dégageant une odeur nauséabonde). Les œufs sont d'un blanc brillant.

Le martin-pêcheur de Smyrne *(Halcyon smyrnensis)* est l'une des espèces les plus belles ; il a le dos bleu, l'abdomen et la tête bruns, le bec rouge et une grosse tache blanche sur la poitrine. Répandu de la Turquie au Vietnam et aux Philippines, ainsi qu'à travers toute l'Asie de l'Est, il vit dans la forêt vierge et se nourrit d'insectes et de petits vertébrés, qu'il attrape avec dextérité dans l'eau et à terre.

Le martin-chasseur à tête grise *(H. leucocephala)* vit dans des zones sèches, quoique on l'aperçoive parfois près de mares et de lacs. Son habitat favori est l'arbre ou la savane arborée, où il chasse toutes sortes d'animaux terrestres, tels des invertébrés et des reptiles.

Le martin-chasseur violet *(H. coromanda)* est une espèce asiatique qui fréquente les berges de rivières et les mangroves d'Asie du Sud-Est.

Le martin-pêcheur ceinturé *(Megaceryle alcyon)* vit dans le centre et le sud de l'Amérique du Nord ; chaque couple creuse un nid dans les berges abruptes des rivières, pondant de 5 à 8 œufs.

Le martin-pêcheur pie *(Ceryle rudis)* est répandu de l'Asie occidentale au sud de la Chine et à l'Afrique. Cette espèce habite les marécages, les fleuves, les canaux, où elle repère les poissons en vol avant de plonger pour les attraper. Après la saison de reproduction, elle se rassemble en petites bandes et se perche sur les branches des arbres surplombant l'eau.

Parmi les 4 membres du genre *Chloroceryle*, à longue queue, figure l'alcyon de l'Amazone *(C. amazona)*.

Le martin-chasseur géant *(Dacelo gigas)* vit en Australie, en Tasmanie et en Nouvelle-Guinée. Il se nourrit de serpents — y compris les espèces venimeuses —, de petits mammifères, d'insectes et de crabes, dont il brise la carapace avec son bec. Il pond de 2 à 4 œufs, blancs, que les deux sexes couvent pendant 25 jours. C'est un oiseau bruyant, dont les cris stridents rappellent le rire humain.

Martin-chasseur violet
(Halcyon coromanda)

Martin-pêcheur du paradis
(Tanysiptera galatea)

Martin-chasseur géant
(Dacelo gigas)

Martin-chasseur à bec en cuiller
(Clytoceyx rex)

Martin-pêcheur ceinturé
(Megaceryle alcyon)

Martin-pêcheur pygmée
(Ispidina picta)

Martin-pêcheur de Smyrne
(Halcyon smyrnensis)

Martin-chasseur à tête grise
(Halcyon leucocephala)

Martin-pêcheur pie
(Ceryle rudis)

Alcyon de l'Amazone
(Chloroceryle amazona)

▲ Les martins-pêcheurs de la famille des alcédinidés existent sous diverses formes et couleurs. Le régime alimentaire conditionne la structure du bec : long et pointu chez les espèces pêchant et chassant ; gros chez le martin-pêcheur géant, par exemple, qui écrase des animaux à peau dure ; en forme de cuiller chez *Clytoceyx rex*, qui se nourrit de vers extraits de la terre molle.

◄ 1) Les membres de la famille des alcédinidés vivent dans les zones tropicales, subtropicales et tempérées. 2) Distribution du martin-pêcheur d'Europe *(Alcedo atthis)*.

MOMOT

Momotus momota

Ordre Coraciiformes
Famille Momotidae
Taille Longueur 45 cm
Distribution Amérique centrale et du Sud
Œufs 3-4
Petits Nidicoles

Le momot *(Momotus momota)* est le plus grand membre de la famille des momotidés. Il vit de l'Amérique centrale jusqu'au nord du Brésil, et se nourrit de gros insectes, d'invertébrés et de fruits. Il passe une bonne partie de son temps perché sur une branche à surveiller ses proies. Il niche dans des tunnels creusés dans les berges des rivières, quoiqu'il profite parfois de trous déjà excavés par d'autres animaux. Les adultes se relaient pour la couvaison deux fois par jour et les petits éclosent en 3 semaines.

Les momots verts comprennent le momot à sourcils bleus *(Eumomota superciliosa)*, à la gorge noire bordée de bleu, qui mesure 30 cm de long, et le petit momot todier *(Hylomanes momotula)*, du Mexique et d'Amérique centrale, la seule espèce à queue courte et probablement le membre le plus primitif de la famille. Son plumage est vert, le dessus de la tête rougeâtre et il a deux taches bleues sur les ailes.

Les todiers, de la famille des todidés, originaires des Antilles, sont parents des martins-pêcheurs, des momots et des guêpiers. Le todier de Cuba *(Todus multicolor)* vit dans les bois ; il a le dos vert, les plumes autour des yeux jaunes, les joues bleues, les flancs et la gorge rouges. Le todier de Porto Rico *(T. mexicanus)* a la gorge rouge et les flancs jaunes, tandis que le todier de la Jamaïque *(T. todus)* a la poitrine verte et les flancs roses. Le todier à bec large *(T. subulatus)*, des montagnes d'Haïti, et le todier à bec étroit *(T. angustirostris)*, de la même île mais fréquentant des zones au-dessous de 1 500 m, sont presque identiques.

Ces 5 espèces sont plus ou moins semblables d'un point de vue écologique, mais les deux dernières sont distinctes car, vivant à des altitudes différentes, elles n'entrent pas en concurrence.

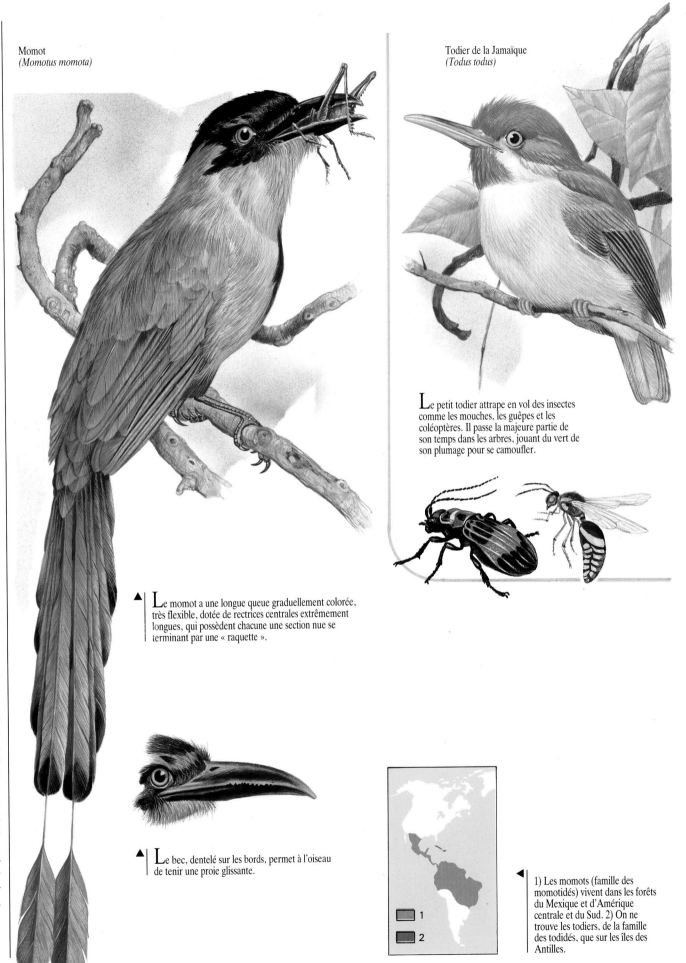

Momot
(Momotus momota)

Todier de la Jamaïque
(Todus todus)

Le petit todier attrape en vol des insectes comme les mouches, les guêpes et les coléoptères. Il passe la majeure partie de son temps dans les arbres, jouant du vert de son plumage pour se camoufler.

▲ Le momot a une longue queue graduellement colorée, très flexible, dotée de rectrices centrales extrêmement longues, qui possèdent chacune une section nue se terminant par une « raquette ».

▲ Le bec, dentelé sur les bords, permet à l'oiseau de tenir une proie glissante.

◄ 1) Les momots (famille des momotidés) vivent dans les forêts du Mexique et d'Amérique centrale et du Sud. 2) On ne trouve les todiers, de la famille des todidés, que sur les îles des Antilles.

1
2

CALAO RHINOCÉROS

Buceros rhinoceros

Ordre Bucérotiformes
Famille Bucerotidae
Taille Longueur totale 1,20 m
Poids Mâle : 2,5 à 3 kg ; femelle : 2 à 2,3 kg
Saison de reproduction Janvier à avril
Incubation 30 à 40 jours
Œufs 1 ou 2 (exceptionnellement 3), blancs
Longévité 33 ans

La livrée de ce calao est presque entièrement noire, seule la queue est blanche, rayée d'une bande noire. Il a un bec jaune à la base rouge, surmonté d'un casque proéminent, presque aussi long que le bec chez certaines sous-espèces. Ce casque est toujours creux — sauf celui du calao cornu *(Rhinoplax vigil)*, qui est compact —, de sorte que le bec est relativement léger en dépit de sa taille. Les os de leurs extrémités sont également très spongieux, si bien qu'ils ne sont jamais aussi lourds que leur taille le laisserait penser. Les deux sexes ont un plumage semblable, mais la femelle est un peu plus petite. Autre différence, l'iris de l'œil est rouge chez le mâle, blanc chez la femelle. Chez d'autres espèces, les deux sexes se distinguent par leur plumage ainsi que par la couleur des taches de peau nue autour des yeux et sur la gorge.

On trouve les calaos en Afrique, dans le sud de l'Asie et les archipels avoisinants, jusqu'en Nouvelle-Guinée. Cependant, le calao rhinocéros ne se rencontre que depuis la péninsule de Malacca jusqu'à l'ouest de Java, en passant par Sumatra et Bornéo. Il vit dans les grandes forêts primaires, mais pas au-delà de 1 200 m d'altitude. Le déboisement des forêts menace la survie de l'espèce, qui a besoin de vastes régions sauvages où croissent les grands arbres nécessaires à la réalisation du nid et donc à la reproduction. Seules les plus petites espèces vivent dans la savane africaine et dans un milieu semblable en Inde. D'autres habitent dans les forêts tropicales, sur les pentes des volcans africains, jusqu'à plus de 2 000 m.

Les calaos vivent en couples, ou en petites troupes en dehors de la saison de

Calao rhinocéros
(Buceros rhinocéros)

Le calao rhinocéros se caractérise par un énorme bec spectaculaire, surmonté d'un casque tout aussi remarquable. Celui-ci est un étui corné de tissu osseux spongieux, relativement léger en dépit de son apparence. La présence du casque distingue les calaos des toucans, dont les becs sont assez semblables.

Les calaos rhinocéros se nourrissent principalement de fruits, parfois aussi de petits animaux.

Toucan

Calao rhinocéros

reproduction. Ils préfèrent se tenir au sommet des arbres, à 50 ou 60 m du sol. Une grande quantité de nourriture leur est nécessaire, et ils recherchent donc les arbres chargés de fruits, sur de vastes étendues où on les voit arriver de partout. Leurs ailes arrondies rendent leur vol difficile et particulièrement bruyant pour un oiseau. Beaucoup d'espèces ne cessent de crier dans les airs. Les calaos rhinocéros, mâle et femelle, poussent alternativement un cri sonore semblable à celui de l'oie, l'un des cris d'oiseau les plus caractéristiques de la forêt de Bornéo. Les couples restent unis tout au long de l'année et les mâles nourrissent souvent leur compagne, même en dehors de la saison de reproduction.

Toutes les espèces nichent dans des trous d'arbres. Le calao rhinocéros utilise une grande cavité, pouvant atteindre 0,40 m de large et 1,20 m de profondeur. Il en mure l'entrée avec de la fiente et des déchets de nourriture, jusqu'à ne laisser qu'une fente étroite. La femelle reste emmurée pendant toute la période d'incubation et même après l'éclosion des jeunes. C'est le mâle qui la nourrit pendant tout ce temps. Il doit aussi pourvoir à la nourriture des petits lorsqu'ils ont éclos. Les calaos rhinocéros sont d'excellents parents.

La femelle pond généralement 2 œufs, qu'elle couve plus d'un mois. Il faut encore environ trois mois pour que les jeunes puissent prendre leur envol. La femelle quitte cependant le nid un peu plus tôt, après avoir mué les plumes des ailes et de la queue. Si un accident devait survenir au mâle pendant cette période, il est évident que la femelle et les petits mourraient. On a cependant observé que d'autres mâles non encore accouplés prenaient la relève pour nourrir la nichée. Après le départ de la femelle, les petits reconstruisent le mur. Ils continuent à être nourris par les deux parents et restent auprès d'eux jusqu'à la prochaine saison de reproduction. On les reconnaît longtemps à leur plus petit casque. Les espèces qui vivent dans les forêts tropicales et qui peuvent trouver suffisamment de nourriture tout au long de l'année n'ont pas de saison de reproduction fixe. Un trou peut servir à plusieurs reprises et même être utilisé alternativement par des couples différents.

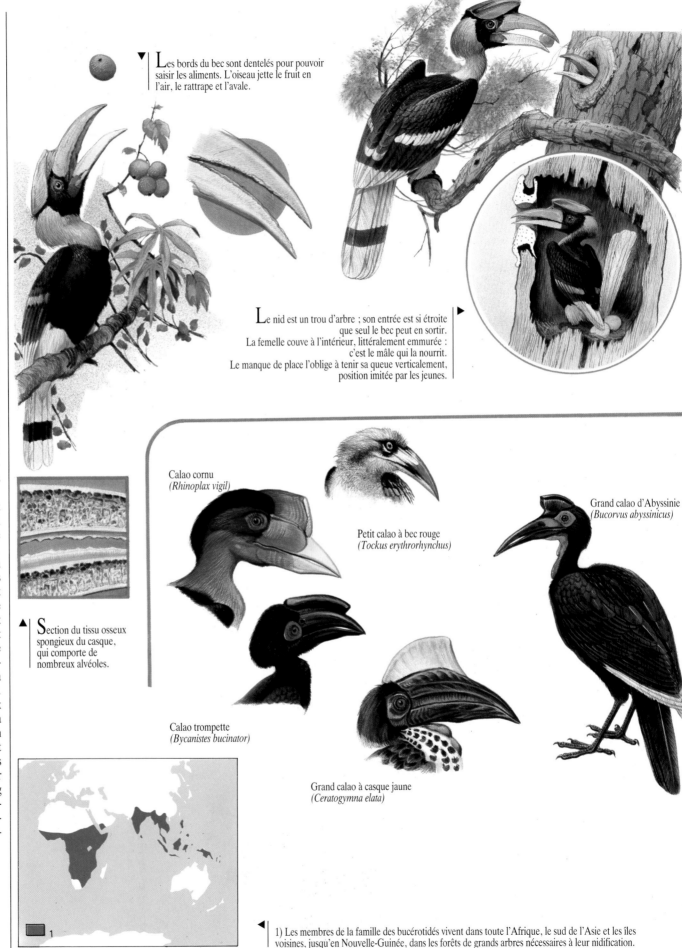

▼ Les bords du bec sont dentelés pour pouvoir saisir les aliments. L'oiseau jette le fruit en l'air, le rattrape et l'avale.

▶ Le nid est un trou d'arbre ; son entrée est si étroite que seul le bec peut en sortir. La femelle couve à l'intérieur, littéralement emmurée : c'est le mâle qui la nourrit. Le manque de place l'oblige à tenir sa queue verticalement, position imitée par les jeunes.

▲ Section du tissu osseux spongieux du casque, qui comporte de nombreux alvéoles.

Calao cornu (Rhinoplax vigil)

Petit calao à bec rouge (Tockus erythrorhynchus)

Grand calao d'Abyssinie (Bucorvus abyssinicus)

Calao trompette (Bycanistes bucinator)

Grand calao à casque jaune (Ceratogymna elata)

◀ 1) Les membres de la famille des bucérotidés vivent dans toute l'Afrique, le sud de l'Asie et les îles voisines, jusqu'en Nouvelle-Guinée, dans les forêts de grands arbres nécessaires à leur nidification.

HUPPE FASCIÉE

Upupa epops

Ordre Coraciiformes
Famille Upupidae
Taille Longueur 26 cm
Poids 50-80 g
Envergure Environ 45 cm
Distribution Europe, Asie et Afrique
Nidification Dans les cavités des arbres et des bâtiments
Œufs 5-7 (rarement jusqu'à 10 ou 12)
Petits Nidicoles

La huppe fasciée est répandue dans l'Ancien Monde, avec 9 sous-espèces en Europe centrale et méridionale, en Afrique (à l'exception du Centre) et en Asie, jusqu'à la Sibérie et à la Malaysia. Ses populations sont soumises à des fluctuations irrégulières, dont nous ne connaissons pas les raisons.

En vol, la huppe fasciée ressemble à un énorme papillon noir et blanc : elle évolue de manière capricieuse et ondulante, ses ailes se touchant à chaque battement majestueux, derrière le dos. Au repos, à terre ou dans un arbre, sa silhouette immobile se fond presque dans le paysage. C'est aux seuls mouvements de sa longue huppe, qu'elle déploie ou referme en signe d'alarme ou d'excitation, que l'on devine sa présence. L'espèce se caractérise par le fait que les couples vivent à distance les uns des autres et qu'ils sont relativement peu sociables. A la fin de la saison de reproduction, les oiseaux se rassemblent tout de même en petits groupes de 6 ou 7. Leur régime alimentaire consiste en insectes, principalement des coléoptères, des chenilles et des fourmis. Il peut être complété d'autres invertébrés (vers, escargots et mille-pattes).

La présence de la huppe fasciée dans son site de nidification (dès mars dans la région méditerranéenne) est annoncée par son chant monotone à trois syllabes, émis par le mâle. Pendant la parade nuptiale, les deux partenaires adoptent une série de postures où ils révèlent la magnificence de leurs ailes, tout en soulevant et en abaissant leur huppe. Le mâle, ailes et queue déployées, offre des aliments à la femelle, prélude à la copulation, qui se déroule près du site choisi pour la nidification.

La huppe fasciée cherche ses aliments à terre, en trottant sur ses courtes pattes et en hochant la tête. Une fois sa proie attrapée, elle la tue à l'aide de son long bec. Elle trouve sa nourriture à la lisière des bois et dans les prairies enrichies d'excréments d'animaux, donc grouillant d'insectes coprophages. Elle frappe ses plus grosses victimes sur le sol, de manière à se débarrasser de toute partie chitineuse non comestible, puis les lance en l'air, avant de les avaler. Tout ce qui n'est pas digéré est éliminé sous forme de minuscules boulettes.

La splendide huppe peut s'ouvrir et se refermer comme un éventail.

Le nid est habituellement situé dans un trou d'arbre, mais on en rencontre dans des cavités murales. Il sent extrêmement mauvais, à cause des excréments et des sécrétions malodorantes des oisillons, ce qui écarte les prédateurs. Pendant l'incubation, le mâle nourrit la femelle 2 ou 3 fois par heure. Parfois, le couple élève une seconde couvée.

MOQUEUR

Phoeniculus purpureus

Ordre Coraciiformes
Famille Phoeniculidae
Taille Longueur 34 cm
Distribution Centre et sud de l'Afrique
Mode de vie Arboricole, grégaire
Nidification Dans un trou d'arbre
Œufs 2 à 5 (généralement 2 ou 3)
Petits Nidicoles

Le moqueur est un oiseau fin, au plumage noir et vert, avec des reflets pourpres, et au bec rouge, crochu. En vol, les marques blanches sur ses ailes courtes et les bandes blanches sur sa queue sont nettement visibles.

C'est une espèce localisée, quoique très répandue de l'Afrique du Sud au Soudan, en passant par le lac Tanganyika. Elle habite la savane et les forêts d'acacias.

Le moqueur trahit sa présence sous les arbres par les cris aigus et métalliques qu'il émet, souvent en chœur avec plusieurs individus. C'est en fait un oiseau grégaire, qui explore la forêt en groupe et qui est continuellement en mouvement. Il grimpe le long des troncs d'arbres avec agilité, redescendant la tête la première et se pendant aux branches avant d'enfoncer son long bec dans les fentes de l'écorce pour y dénicher des petits animaux, surtout des insectes, des araignées et, dans une moindre mesure, des baies et des graines.

Quand la saison de reproduction approche, chaque couple cherche un site de nidification, généralement une fente dans un tronc d'arbre, à diverses hauteurs du sol. Il y entasse des copeaux de bois, où seront déposés les 2 ou 3 œufs, couvés par la femelle uniquement.

Le moqueur à tête claire (*Phoeniculus bollei*) est noir, avec des reflets métalliques ; son bec et ses pattes sont rouges, sa tête blanche, avec des ombres fauves. Il vit dans les forêts tropicales d'Afrique de l'Ouest. Le petit moqueur (*P. castaneiceps*) est un oiseau rare, à la tête couleur feuille-morte, qui habite les forêts de montagne autour du golfe de Guinée.

Moqueur
(*Phoeniculus purpureus*)

▲ On peut considérer que les moqueurs sont intermédiaires entre la huppe fasciée et les calaos, car ils ont des traits en commun avec ces deux familles. Ils vivent dans les arbres, grimpant le long des troncs pour extraire de l'écorce de minuscules animaux, comme des larves, des coléoptères, des termites et des fourmis. Ils se nourrissent aussi de petites quantités de baies et de graines.

▲ Le nid, qui sent ausssi mauvais que celui de la huppe, est situé dans un trou d'arbre naturel ou fait par un pic. Les œufs sont déposés sur des copeaux.

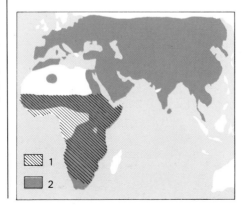

1

2

◄ 1) Les 6 espèces appartenant à la famille des phœniculidés vivent en Afrique, où on les trouve dans la savane arborée et les forêts tropicales. 2) La huppe fasciée (*Upupa epops*) est une espèce plus largement répandue, dont les populations présentent des fluctuations irrégulières, pour des raisons encore inconnues. Ainsi, en Europe occidentale, entre 1910 et 1940, selon l'ornithologue P. Géroudet, leur nombre a fortement baissé, pour remonter par la suite. Les huppes sont migratrices. En Asie, on a observé des individus dans l'Himalaya à environ 8 000 m d'altitude, en route pour l'Inde.

PICS

Piciformes

La famille des pics, oiseaux grimpeurs très agiles, compte 210 espèces, réparties, en fonction de leur habitat, entre trois types :

— les grimpeurs, les plus nombreux et les plus spécialisés (comme le pic épeiche et le pic tridactyle), qui passent leur vie sur les troncs et les branches d'arbres ;

— les terrestres (comme le pic vert), qui trouvent leur nourriture au sol ;

— et enfin, les grands pics (comme le pic noir), qui occupent une position intermédiaire.

Leur taille varie de 8 cm (picumnes) à 56 cm (pic impérial du Mexique).

On rencontre les pics presque partout dans le monde, sauf en Antarctique, en Arctique, à Madagascar, en Australie, en Nouvelle-Guinée, en Nouvelle-Zélande et en Océanie. L'est des îles Célèbes et Alor constitue la limite orientale de leur distribution. Dans l'hémisphère Nord, ils sont répandus jusqu'à l'extrême nord des forêts de conifères (taïga) ; dans l'hémisphère Sud, ils atteignent les forêts de nothofagus de Patagonie. La majorité des espèces vit en Asie du Sud-Est et dans les régions tropicales d'Amérique.

La couleur du plumage des pics va du noir, plus ou moins mêlé de blanc et de rouge, au vert et au brun tacheté de rouge ou de jaune. On parvient souvent à distinguer le mâle de la femelle à la présence ou à l'absence de petites marques de couleur, généralement situées sur la tête ; ainsi, les « moustaches » du pic vert mâle sont rouges bordées de noir, tandis que celles de la femelle sont noires.

Diverses particularités morphologiques attestent que ces oiseaux sont des grimpeurs ; certaines adaptations anatomiques s'expliquent par le fait que tous les pics, sauf le torcol fourmilier *(Jynx torquila)*, nichent dans des cavités qu'ils creusent dans le bois dur ou pourri. Citons, entre autres : un renforcement des muscles du cou ; la présence de mécanismes spéciaux amortissant les chocs dus au martèlement du bec contre le bois et permettant ainsi de ne pas endommager le cerveau ; l'allongement des cornes de l'os hyoïde, qui soutient la langue, celle-ci pouvant saillir hors du bec pour capturer les proies ; la modification de la structure des plumes cauda-

Pic épeiche mâle *(Dendrocopos major)*, reconnaissable à une tache rouge sur la nuque, en train de nourrir un de ses petits. Les oisillons restent au nid de 20 à 23 jours. Ci-dessous, certains des insectes dont se nourrit le pic épeiche : coléoptères, fourmis, et leurs larves.

les de sorte que la queue puisse servir d'appui quand l'oiseau interrompt son ascension.

Les pics vivent dans les bois et les forêts, quoique l'on en rencontre certains dans les parcs, les jardins, les bosquets, les taillis et les vergers en rase campagne. Cependant, trois espèces ont élu domicile dans un environnement dénué d'arbres.

Dans la mesure où ils ont de quoi se nourrir toute l'année (ils capturent des insectes sous l'écorce des arbres), les pics des régions froides et tempérées n'éprouvent pas le besoin de migrer. L'hiver, les pics épeiches du nord et du centre de l'Europe se nourrissent de graines de conifères, en particulier celles des pins et des épicéas ; la production de graines de ces arbres étant variable d'une année à l'autre, les pics doivent toutefois changer d'endroit afin de ne pas mourir de faim lorsqu'elles viennent à manquer.

Seul le torcol fourmilier hiverne, en Afrique, au sud du Sahara. Les autres pics migrateurs vivent en Amérique du Nord, comme le pic flamboyant *(Colaptes auratus),* le pic à tête rouge *(Melanerpes eythrocephalus)* et le pic maculé *(Sphyrapicus varius),* dont l'une des sous-espèces est migratrice.

Mis à part le torcol, la plupart des pics nichent dans des trous, qu'ils creusent dans le bois. Cette opération peut leur prendre plusieurs semaines, quelquefois même, dans le cas de grandes espèces, plus longtemps encore, en particulier lorsque le trou est entamé dans un arbre vivant.

Les oiseaux s'accrochent à l'écorce jusqu'à ce qu'une cavité suffisamment profonde soit formée, puis ils s'enfoncent à l'intérieur et continuent de creuser, en rejetant les copeaux à l'aide de leur bec ; ces copeaux s'entassent au pied de l'arbre.

Tous les nids sont conçus de la même manière : une ouverture horizontale conduisant à un puits vertical dont les parois sont plus ou moins parallèles. Une fine couche de copeaux et de poussière est laissée au fond. Les pics n'emploient pas d'autres matériaux pour tapisser le nid et les œufs sont déposés sur ce lit de bois.

Plus le trou est ancien, plus il est profond. En effet, les pics ne creusent pas obligatoirement un nid différent tous les ans, mais témoignent très nettement de leur besoin de forer le bois et d'améliorer leur ancien nid en l'approfondissant ou en en agrandissant l'entrée. Celle-ci, lorsque l'arbre est vivant, peut

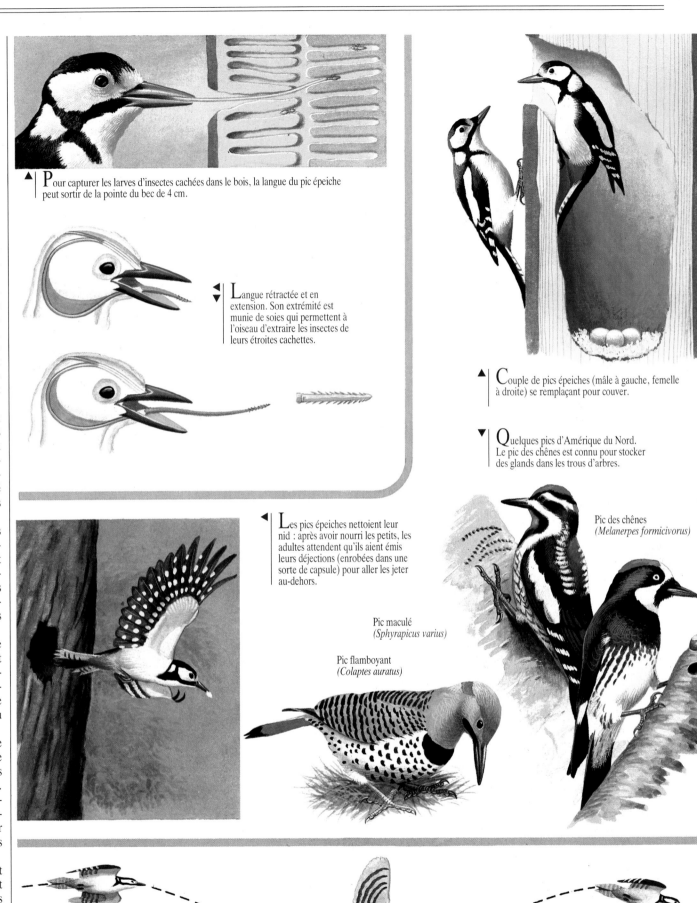

▲ **P**our capturer les larves d'insectes cachées dans le bois, la langue du pic épeiche peut sortir de la pointe du bec de 4 cm.

▼ **L**angue rétractée et en extension. Son extrémité est munie de soies qui permettent à l'oiseau d'extraire les insectes de leurs étroites cachettes.

▲ **C**ouple de pics épeiches (mâle à gauche, femelle à droite) se remplaçant pour couver.

▼ **Q**uelques pics d'Amérique du Nord. Le pic des chênes est connu pour stocker des glands dans les trous d'arbres.

◄ **L**es pics épeiches nettoient leur nid : après avoir nourri les petits, les adultes attendent qu'ils aient émis leurs déjections (enrobées dans une sorte de capsule) pour aller les jeter au-dehors.

Pic des chênes
(Melanerpes formicivorus)

Pic maculé
(Sphyrapicus varius)

Pic flamboyant
(Colaptes auratus)

Trajectoire d'un pic. Ses ailes ne battant que par intermittence, elle est ondulée.

être obstruée par les bourrelets cicatriciels qui se sont formés.

Les pics des régions tropicales pondent généralement 2 ou 3 œufs, ceux des régions tempérées, de 4 à 7. L'incubation dure normalement 12 ou 13 jours — chez les pics épeichette et noir —, parfois jusqu'à 16 ou 17 — chez le pic vert. Mâle et femelle s'en chargent, en se relayant régulièrement. Toutefois, chez les espèces européennes, seul le mâle couve la nuit. A l'éclosion, les petits sont nus et rosâtres ; ils mettent entre 3 et 4 semaines pour grandir, selon les espèces.

Presque toutes les espèces de pics sont solitaires ; le mâle et la femelle vivent séparément, sauf pendant la période de reproduction.

Ces oiseaux annoncent leur présence et communiquent entre eux en poussant des cris perçants et en tapant du bec à coups répétés contre le bois d'un arbre mort.

On peut considérer que ce tambourinage est l'équivalent du chant des passereaux, dans la mesure où il sert à défendre le territoire. Etant donné qu'il est variable en durée, en rythme et en fréquence en fonction des espèces, il permet également d'identifier les oiseaux. Par ailleurs, il contribue à synchroniser le comportement du mâle et de la femelle avant l'accouplement. En revanche, il ne paraît pas avoir de rapport avec la recherche des aliments : quand les pics cherchent à déloger un insecte dans un tronc d'arbre, leurs martèlements sont beaucoup plus irréguliers.

Le régime des pics est à base d'insectes, bien que beaucoup d'espèces mangent aussi des graines et des fruits. Fourmis et termites constituent des mets de choix, mais les insectes corticoles et xylophages sont très fréquemment capturés. Le pic épeiche (*Dendrocopos major*), dont la langue peut sortir de la pointe du bec de 4 cm, se nourrit d'insectes (coléoptères, fourmis, et leurs larves) et de graines.

En Amérique du Nord, le pic des chênes (*Melanerpes formicivorus*) est célèbre pour son habitude de stocker des glands dans des trous d'arbres. Etant donné que ces garde-manger servent plusieurs années de suite, les glands se comptent par centaines, voire par milliers (jusqu'à 50 000).

A la fin de l'hiver et au début du printemps, certains pics creusent des rangées de trous plus ou moins horizontaux dans l'écorce de jeunes arbres pour sucer la sève qui s'écoule. Ce comportement est typique, par exemple, du pic

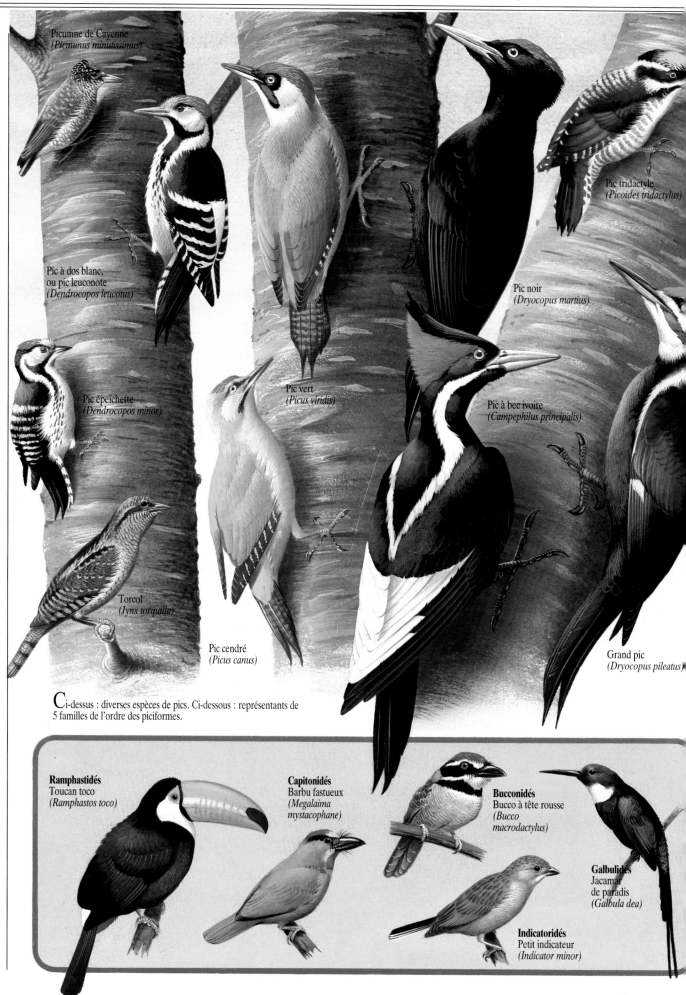

Picumne de Cayenne
(*Picumnus minutissimus*)

Pic à dos blanc,
ou pic leuconote
(*Dendrocopos leucotus*)

Pic tridactyle
(*Picoides tridactylus*)

Pic épeichette
(*Dendrocopos minor*)

Pic noir
(*Dryocopus martius*)

Pic vert
(*Picus viridis*)

Pic à bec ivoire
(*Campephilus principalis*)

Torcol
(*Jynx torquilla*)

Pic cendré
(*Picus canus*)

Grand pic
(*Dryocopus pileatus*)

Ci-dessus : diverses espèces de pics. Ci-dessous : représentants de 5 familles de l'ordre des piciformes.

Ramphastidés
Toucan toco
(*Ramphastos toco*)

Capitonidés
Barbu fastueux
(*Megalaima mystacophane*)

Bucconidés
Bucco à tête rousse
(*Bucco macrodactylus*)

Galbulidés
Jacamar de paradis
(*Galbula dea*)

Indicatoridés
Petit indicateur
(*Indicator minor*)

maculé *(Sphyrapicus varius)*, qui vit en Amérique du Nord.

En raison de leurs habitudes alimentaires et du fait que leurs nids peuvent servir d'abri à d'autres animaux (passereaux, petites chouettes, etc.), les pics jouent un rôle important dans les forêts. Ils chassent un grand nombre d'insectes (en Eurasie, le pic noir consomme au moins 115 espèces) et, comme beaucoup d'autres animaux (oiseaux, prédateurs, insectes, parasites et mammifères), ils contribuent à maintenir les populations de leurs proies dans des limites acceptables.

Leurs nids conviennent parfaitement aux mésanges, aux sittelles et aux gobe-mouches. En Europe, la présence de la chouette de Tengmalm dépend dans une large mesure de celle du pic noir, car elle niche dans les cavités qu'il abandonne. Il en va de même avec certains canards, comme le harle piette. Parmi les autres animaux qui profitent des nids des pics figurent les abeilles, les guêpes et les frelons, des chauves-souris et des rongeurs.

Enfin, les pics accélèrent la transformation du bois mort en humus, car, pour atteindre les insectes, ils désagrègent le bois, et les éclats, exposés aux éléments, sont attaqués plus rapidement par la moisissure que la partie du tronc restée intacte.

Les oiseaux qui forent des trous dans des arbres sains ne les endommagent guère, puisqu'ils ont tendance à occuper la même cavité plusieurs années de suite. Par conséquent, au lieu d'abattre ces arbres, mieux vaut les laisser à la disposition des pics, qui se contenteront de rénover et d'agrandir leurs nids, au lieu d'attaquer continuellement de nouveaux arbres.

Le jacamar de paradis *(Galbula dea)* a un plumage bleu-noir, sauf sur la gorge, qui est blanche ; il mesure 17 cm de long. Comme les autres jacamars, il vit dans des forêts denses, mais fréquente souvent des espaces ouverts, comme les berges des rivières, les clairières et les plantations qui grouillent d'insectes.

▲ Le jacamar se perche sur une branche, puis file tel l'éclair pour attraper sa proie, avant de regagner son perchoir. L'espèce se nourrit d'insectes de toute taille, avec une préférence pour les libellules et les papillons.

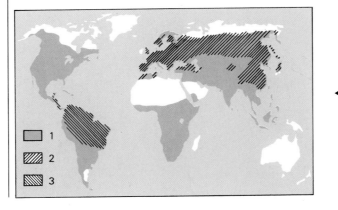

◀ 1) Les oiseaux appartenant à l'ordre des piciformes sont répandus dans le monde entier, à l'exception de l'Australie, de la Nouvelle-Zélande, des régions polaires et de presque toutes les îles d'Océanie. 2) Le pic épeiche *(Dendrocopos major)* vit dans les bois et les forêts d'Eurasie et de certaines régions de l'Afrique méditerranéenne. L'hiver, les individus du nord et du centre de l'Europe se nourrissent de graines de conifères, en particulier celles des pins et des épicéas ; la production de graines de ces arbres variant d'une année à l'autre, les pics doivent changer d'endroit pour ne pas mourir de faim quand elles viennent à manquer. 3) Les galbulidés sont des oiseaux répandus en Amérique centrale et du Sud, jusqu'au sud du Brésil.

GRAND INDICATEUR

Indicator indicator

Ordre Piciformes
Famille Indicatoridae
Taille Longueur 20 cm
Distribution Afrique
Nidification Parasite les nids d'autres oiseaux
Petits Nidicoles

La famille des indicatoridés compte 15 espèces d'oiseaux, de taille moyenne (de 12 à 20 cm), au plumage assez terne, réparties dans certaines régions tropicales de l'Ancien Monde. Généralement sédentaires, ils vivent dans les forêts ou dans les zones moins boisées.

Le grand indicateur parasite les nids des autres oiseaux pour y pondre ses œufs. Il choisit comme hôtes au moins 30 espèces d'oiseaux de familles très différentes.

On ne sait pas combien d'œufs il pond. L'incubation dure de 11 à 21 jours. A l'éclosion, l'oisillon est aveugle et a la peau rose et nue. Il est souvent le seul survivant du nid, car l'oiseau hôte jette fréquemment ses propres œufs, ou bien ses petits, privés de nourriture par le jeune indicateur affamé, meurent de faim ou sont éjectés. Il est même arrivé qu'un jeune indicateur détruise seul toute une couvée. Les soins parentaux durent de 35 à 40 jours, soit beaucoup plus longtemps que chez les espèces hôtes.

Egalement appelé mange-miel, le grand indicateur a la particularité de guider l'homme et le ratel (mammifère friand de miel) vers les nids d'abeilles. Il invite l'homme à le suivre en poussant son cri. Il attend que celui-ci s'approche, puis s'envole et reprend ce manège un peu plus loin, perché sur un arbre. Enfin, il s'arrête près d'une colonie d'abeilles. Il cesse alors de lancer son appel et attend sur un arbre, parfois pendant plus d'une heure, que vienne son tour pour manger la cire et, plus particulièrement, les abeilles elles-mêmes et leurs larves.

Grand indicateur
(Indicator indicator)

▲ Les indicateurs sont connus pour guider les hommes et les ratels *(Mellivora capensis)* vers les nids des abeilles sauvages. En fait, il n'a été véritablement possible d'observer ce comportement que chez deux espèces, dont le grand indicateur, ou mange-miel : il n'est pas sûr que les autres membres de la famille agissent de la sorte. Des études ont pu établir que cet oiseau n'indique pas directement le nid lui-même, mais son voisinage, ce qui signifie qu'il ne sait pas toujours où celui-ci est exactement situé. Malgré son appétit de cire, il ne s'en nourrit pas exclusivement : il mange aussi toutes sortes d'insectes, ainsi que du miel et du pollen.

▼ 1) On rencontre les oiseaux de la famille des indicatoridés dans les régions tropicales de l'Ancien Monde. Les espèces africaines vivent au sud du Sahara ; une espèce asiatique se trouve dans les régions himalayennes, une autre en Birmanie, en Thaïlande, en Malaysia, à Sumatra et à Bornéo. 2) Les toucans de la famille des ramphastidés vivent dans les régions tropicales d'Amérique, du sud du Mexique au sud du Brésil, et du Paraguay au nord de l'Argentine.

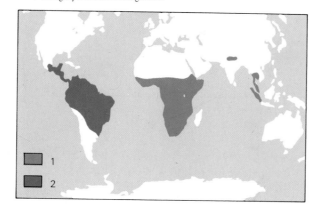

1
2

▲ Un ratel ouvre un nid d'abeilles, tandis qu'un grand indicateur, attend son tour pour le dévaliser.

▼ L'oiseau en train de consommer les larves et la cire abandonnées par le ratel.

218

TOUCAN TOCO

Ramphastos toco

Ordre Piciformes
Famille Ramphastidés
Taille Longueur 60 cm
Distribution Amérique du Sud
Nidification Trous d'arbres
Œufs 3 ou 4
Petits Nidicoles

Il existe près de 40 espèces de toucans, mesurant 30 à 60 cm de long, réparties de l'État mexicain de Veracruz jusqu'au Brésil, au Paraguay et au nord de l'Argentine, en passant par l'Amérique centrale.

Les toucans sont de mauvais voiliers et vivent essentiellement dans les arbres. La plupart des espèces sont très brillamment colorées, avec des parties jaunes, orangées, rouges, bleues ou blanches sur le ventre. Les deux sexes ne présentent pas de différences particulières. Tous deux ont un très long et très gros bec, pratiquement creux et donc léger en dépit de son énorme taille. L'intérieur est alvéolé, à parois minces, et cependant remarquablement robuste. On ne connaît pas la fonction exacte d'un si énorme bec.

La plupart des toucans sont des oiseaux forestiers, vivant dans les plaines ou les montagnes, jusqu'à 3 000 m d'altitude dans les Andes. On les rencontre non seulement dans les forêts humides, mais aussi dans la savane arborée, les bois clairsemés et au bord des rivières, à condition que s'y trouvent des arbres.

Ces oiseaux sont monogames et forment des couples permanents. Ils nichent dans les trous d'arbres naturels ou creusés par des pics ou de grands barbus. Généralement situé à 20 ou 30 m du sol, le nid peut aussi être assez bas. Le fond est nu ou tapissé de quelques copeaux. 3 ou 4 œufs bien ronds sont pondus. Le mâle et la femelle couvent à tour de rôle.

Les toucans se nourrissent surtout de fruits charnus et juteux (bananes, goyaves, etc.), et de baies sauvages ou de culture, mais ils mangent aussi des insectes et les œufs d'autres oiseaux.

▶ Toucan toco (*Ramphastos toco*). Comme tous les toucans, il est essentiellement arboricole et peu apte au vol. Son énorme bec, relativement léger parce que pratiquement creux, atteint 22 cm de long.

Toucan à bec caréné
(*Ramphastos sulfuratus*)

Toucan de Cuvier
(*Ramphastos cuvieri*)

Toucanet vert
(*Aulacorhynchus prasinus*)

▲ Le bec des toucans est vivement coloré et a des bords dentelés.

▶ Les toucans arrachent les fruits et les lancent parfois en l'air pour les faire retomber directement dans leur bec grand ouvert. Comme la plupart des oiseaux, ils boivent en levant la tête après chaque gorgée.

PASSEREAUX

Passériformes

Les passereaux, oiseaux percheurs, constituent l'ordre le plus important et le plus cosmopolite (5 110 espèces). De taille variable — ils mesurent entre 7 cm et 1 m —, ils ont tous plus ou moins la même structure et sont rarement gros. On les trouve dans le monde entier, à l'exclusion des régions polaires et des vastes étendues océaniques, même s'ils traversent les mers au cours de leurs migrations.

Ils passent leur vie dans des milieux variés, et certains groupes sont d'excellents voiliers. Beaucoup vivent près de l'eau, mais en évitant tout contact physique avec elle ; les cincles, de la famille des cinclidés, qui comprennent 4 espèces, avec une distribution essentiellement holarctique, font exception à la règle.

Les désaccords concernant la classification en familles et en sous-ordres persistent. Parmi les divers critères morphologiques retenus figurent la position des tendons des orteils et le nombre de muscles de la syrinx, organe vocal. Certains auteurs distinguent les 4 sous-ordres suivants : desmodactyles (tendons fléchisseurs du troisième doigt et du doigt arrière reliés, doigts antérieurs soudés à la base) ; tyranni (tendons fléchisseurs indépendants, 1 ou 2 paires de muscles dans la syrinx) ; suboscines (tendons des doigts indépendants, 2 ou 3 muscles dans la syrinx) ; oscines, ou *Passeres*, connus aussi sous le nom d'« oiseaux chanteurs » (tendons libres, de 4 à 9 paires de muscles insérés sur les deux extrémités des demi-anneaux trachéens).

Le chant caractéristique des oscines, que l'on entend de très loin, est produit par la syrinx, et sert essentiellement à délimiter le territoire. En général, c'est l'apanage du mâle.

Chez de nombreuses espèces, la capacité de chanter est innée, et des oiseaux comme les pouillots, les pipits et le rouge-queue à front blanc peuvent chanter parfaitement sans avoir jamais entendu une note émise par l'un des leurs. D'autres, tels le verdier, les fauvettes, les fringilles, etc., ne parviennent à chanter correctement qu'après avoir entendu des individus de leur espèce. D'autres encore sont capables d'imiter, avec plus ou moins de succès, le chant de certains oiseaux (étourneau, merle,

Le nid de certains passereaux (ordre des passériformes) est rond et fait de brins d'herbe, de racines et de feuilles. Situé à divers niveaux au-dessus du sol, en fonction de la famille, il est généralement très propre. Les petits, qui éclosent nus et aveugles, ouvrent immédiatement le bec, poussés par les vibrations du nid que les parents provoquent en se posant sur une branche voisine. L'intérieur de leur cavité buccale est de couleur vive et contrastée, ce qui stimule l'activité de nourrissage des parents.

Pouillot fitis
(Phylloscopus trochilus)

hypolaïs, etc.). Selon la distribution géographique, on distingue plusieurs « dialectes ». Ainsi, les diverses populations de pinsons des arbres et de fauvettes à tête noire émettent des chants différents en fonction de la situation géographique de leur région d'origine.

La majorité des passereaux ont un comportement territorial. On peut définir le territoire comme l'espace entourant le nid ou le site de reproduction. Chez certains oiseaux nichant dans des cavités, il se restreint aux environs immédiats du nid. Le territoire remplit un certain nombre de fonctions, dont la principale est d'éviter que trop d'individus ne se rassemblent sur le même espace à la saison de reproduction. Une autre est d'assurer aux « propriétaires » une quantité de nourriture suffisante pour élever leur nichée ; la possession d'un territoire limite les conflits avec les voisins une fois que ceux-ci sont également installés dans leur petit domaine. La surface du territoire varie selon la quantité de nourriture disponible. En général, il est défendu par le mâle, qui proclame son droit de propriété par son chant et qui attaque tout congénère essayant d'y pénétrer.

Beaucoup de passereaux construisent leur nid dans un arbre ; de forme ronde, il est fait de brins d'herbe, de petites racines et de feuilles entrecroisées. Les membres de la famille des hirundinidés (hirondelles) mélangent de la boue à leur salive et fixent le nid à des parois rocheuses ou à des murs d'immeubles. Des espèces comme les sittelles et les grimpereaux nichent dans des trous d'arbres naturels ou creusés par des pics. Leurs œufs, comme ceux des espèces aux nids fermés, tels les troglodytes et les cincles, sont blancs, avec de petites taches rousses. Le nid d'un passereau peut servir de refuge en dehors de la saison de reproduction, en particulier la nuit. Les plus connus de ces nids refuges sont ceux des troglodytes et des membres de la famille des tisserins.

▼ Les passereaux défendent un territoire autour du site de nidification. Certaines espèces, comme le rouge-gorge, le protègent farouchement, même en hiver.

▼ Bandes de couleur sur la tête de certains passereaux.

▲ Structure de l'organe vocal, ou syrinx, situé à l'endroit où les deux bronches fusionnent pour former la trachée.

trachée

bronche

poumon

sacs aériens   sac claviculaire

Desmodactyles
Eurylaime vert
(*Calyptomena viridis*)

Suboscines
Ménure superbe
(*Menura novaehollandiae*)

Tyranni
Moucherolle vermillon
(*Pyrocephalus rubinus*)

Oscines
Bouvreuil pivoine
(*Pyrrhula pyrrhula*)

▲ La classification de cet ordre important et très homogène pose encore des problèmes. Les 4 sous-ordres que l'on distingue généralement sont : les desmodactyles, les tyranni, les suboscines et les oscines, ou oiseaux chanteurs.

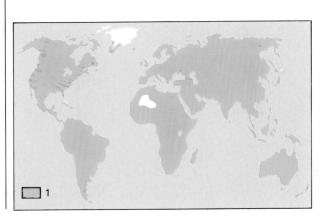

☐ 1

◀ Les passériformes constituent l'ordre le plus important et le plus cosmopolite de la classe des oiseaux. Ils sont répandus dans le monde entier, à l'exception des régions polaires et des océans, bien qu'ils traversent les mers pendant leurs migrations.
1) Distribution de l'ordre des passériformes.

EURYLAIMES

Eurylaimidae

DENDROCOLAPTES

Dendrocolaptidae

Les eurylaimes, de la famille des eurylaimidés, sont divisés en 8 genres et 14
espèces, qui vivent toutes dans les
régions tropicales de l'Ancien Monde. Il
est si difficile d'établir une classification
de ce groupe qu'il fut une époque où on
ne le considérait pas comme appartenant à l'ordre des passériformes ! Les
eurylaimidés comprennent des oiseaux
qui semblent assez proches des cotingidés et des tyrannidés, d'après les résul-
tats des recherches les plus récentes
(analyse des protéines du blanc d'œuf).

Leurs caractéristiques générales sont
les suivantes : longueur variant entre 14
et 28 cm ; très grosse tête et bec proportionné au reste du corps ; 15 vertèbres
cervicales (une de plus que chez les
autres passereaux) ; queue et ailes courtes et arrondies ; plumage vif (vert, rouge, rouge, bleu et noir). Leur régime alimentaire diffère selon les espèces et leurs
dimensions. En général, il consiste en
insectes, parfois en petits vertébrés (amphibiens, reptiles), et en fruits. Ces
oiseaux vivent dans les forêts tropicales
humides d'Afrique, du sud de l'Asie et,
de là, jusqu'aux Philippines et en Indonésie. Normalement, ils s'installent le
long des berges des rivières.

On ne sait pas grand-chose de leur
cycle reproducteur ni de leur comportement. Leur voix est très forte et très
caractéristique. Ainsi, l'eurylaime de
Delacour *(Smithornis capensis)* émet un
croassement assourdissant qu'il est difficile d'associer au chant d'un oiseau.
L'eurylaime caronculé *(Eurylaimus stee-
rii)* des Philippines, lui, pousse un cri
aigu, accompagné d'un sifflement perçant. Durant les parades nuptiales, certaines espèces montrent une partie de
leur dos ornée de plumes aux couleurs
vives.

Les eurylaimes bâtissent un nid en
forme de poire, suspendu à une branche, et qui peut mesurer 2 m de long.
Situé au-dessus du sol, dans un coin
ombragé, il est fait de brins d'herbe, de
feuilles, de racines et de lichen, et il
possède une ouverture sur le côté. Les
3 à 5 œufs sont blanc rosé, avec des
taches rouges ou pourpres.

Eurylaime vert
(Calyptomena viridis)

On ne sait pas grand-chose du cycle
reproducteur ni du comportement des
eurylaimes, de la famille des eurylaimidés,
hormis qu'ils vivent le long des berges des
rivières, dans les forêts tropicales ou les
broussailles. Si le régime varie en fonction
de l'espèce et des dimensions de l'oiseau, il
consiste surtout en insectes, en petits
vertébrés et en fruits.

Le nid des eurylaimes est en forme de poire. Suspendu à une
branche, à l'ombre, il est fait de brins d'herbe, de racines, de
fibres entrecroisées et de lichen, avec une ouverture sur le côté.

Eurylaime de Java
(Eurylaimus javanicus)

Eurylaime psittacin
(Psarisomus dalhousiae)

Autres membres de la
famille des eurylaimidés.

1) La famille des eurylaimidés (eurylaimes) vit dans les régions tropicales
de l'Ancien Monde et la sous-famille des eurylaiminés en Afrique centrale
et méridionale et en Asie, de l'Himalaya à Bornéo ; la sous-famille des
calptoménínés est typique de l'Asie de l'Est, de la Malaysia à Sumatra et
Bornéo.

La famille des dendrocolaptidés, d'Amérique centrale et du Sud, se compose d'oiseaux, les dendrocolaptes (15-37 cm de long), ressemblant aux grimpereaux et aux pics. Il en existe environ 47 espèces, aux caractères bien nets. Leur forme rappelle celle des oscines, mais il ne s'agit que d'un phénomène de convergence. Leur corps est fin et leur longue queue — similaire à celle des pics et aux mêmes fonctions — dotée de rectrices rigides. Ce sont des oiseaux difficiles à observer, non pas parce qu'ils ont peur de l'homme, mais parce que leur plumage, marron et vert olive, leur permet de se fondre avec le tronc d'arbre sur lequel ils sont accrochés.

Les dendrocolaptes sont très habiles pour attraper des insectes à la surface et dans les fentes des arbres. A l'inverse des pics, ils ne se servent pas de leur bec pour trouver des aliments sous l'écorce ou pour creuser un nid. Ils explorent méthodiquement les troncs d'arbres, en commençant par le bas et en remontant en spirale vers la cime. Ils chassent aussi à terre, en particulier sur des souches et des arbres morts. Leur régime consiste en insectes de toutes sortes.

Les dendrocolaptes vivent normalement seuls ou en couples durant toute l'année. Bien qu'ils soient sédentaires, il leur arrive de se déplacer quelque peu. Leur chant n'est pas spécialement mélodieux et leur répertoire n'est guère étendu ; mais ils sont plus ou moins bruyants, et, pendant la saison de reproduction, certains lancent des trilles ou des cris puissants.

Ils nichent dans des cavités naturelles ou dans les trous abandonnés par les pics, entre des feuilles d'épiphytes, etc. En général, ils choisissent une cavité avec une entrée très étroite, afin d'échapper à tout prédateur arboricole. Ils pondent 2 ou 3 œufs luisants, blancs, que la femelle couve pendant 2 semaines. Les petits éclosent nus, avec une touffe de duvet sur le dos. Ils restent dans le nid une vingtaine de jours et sont nourris par leurs deux parents.

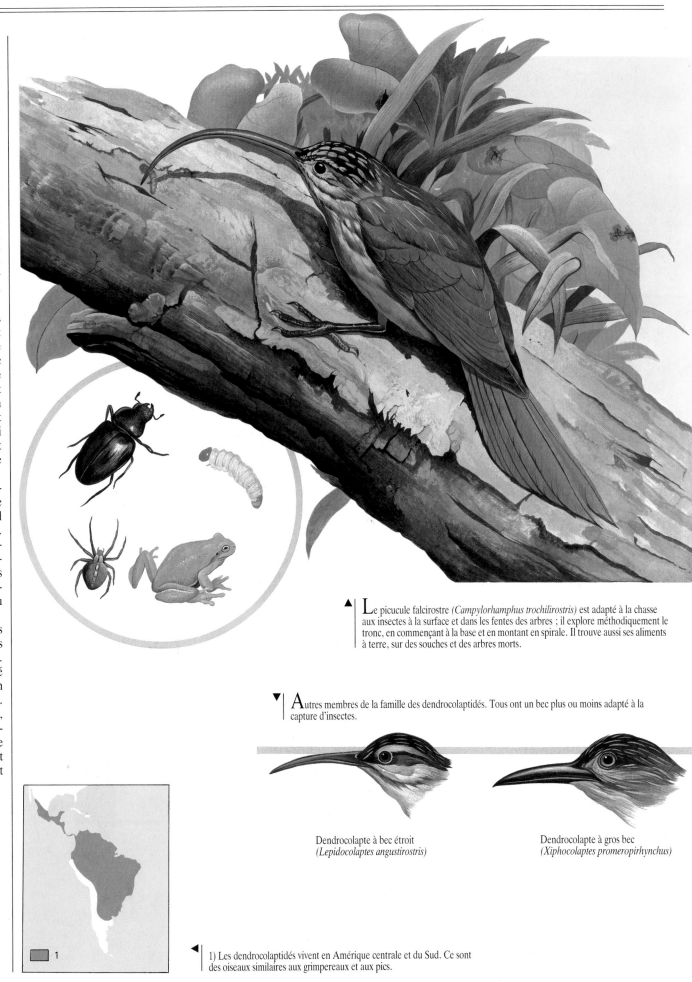

▲ Le picucule falcirostre (Campylorhamphus trochilirostris) est adapté à la chasse aux insectes à la surface et dans les fentes des arbres ; il explore méthodiquement le tronc, en commençant à la base et en montant en spirale. Il trouve aussi ses aliments à terre, sur des souches et des arbres morts.

▼ Autres membres de la famille des dendrocolaptidés. Tous ont un bec plus ou moins adapté à la capture d'insectes.

Dendrocolapte à bec étroit
(Lepidocolaptes angustirostris)

Dendrocolapte à gros bec
(Xiphocolaptes promeropirhynchus)

◄ 1) Les dendrocolaptidés vivent en Amérique centrale et du Sud. Ce sont des oiseaux similaires aux grimpereaux et aux pics.

FOURNIERS

Furnariidae

TAPACULOS

Rhinocryptidae

Les fourniers font partie du grand sous-ordre des tyranni, passereaux du Nouveau Monde. Ils sont assez petits — entre 12 et 28 cm de long — et leur plumage est généralement brun au-dessus et plus pâle, voire blanc, selon les espèces, au-dessous. Le brun, d'ailleurs, varie et peut même être teinté de roux vif, comme chez le fournier roux. Hormis la taille et la couleur, les membres de la famille ont peu de points communs.

En général, la majorité des furnariidés vivent dans des régions boisées très denses. Certains passent leur vie dans les plus hautes strates des forêts tropicales. D'autres, comme les sclérures, ne quittent pas les épais sous-bois, où ils trouvent toute la nourriture qui leur est nécessaire. Les vrais fourniers, eux, préfèrent les clairières, ou même la rase campagne, avec quelques arbres ici ou là.

Ces oiseaux sont répandus de manière presque continue du sud du Mexique à la Terre de Feu, avec des avant-postes — occupés par un très petit nombre d'espèces — dans les Malouines et sur les îles de Trinité et de Tobago.

En ce qui concerne leurs habitudes de reproduction, nous connaissons seulement celles de quelques espèces, essentiellement celles qui nichent dans des régions relativement ouvertes ou qui construisent leur nid dans des endroits visibles. Leur comportement est tellement variable que l'on ne peut choisir que les exemples les plus frappants. La seule caractéristique commune est la coloration blanche des œufs, qui, à quelques exceptions près, ne sont pas ornés de taches ni de marques. Leur nombre par couvée oscille entre 3 et 5, comme c'est la règle chez les oiseaux tropicaux.

Les espèces aux habitudes terrestres (manorines et fourniers terrestres) pondent leurs œufs dans des cavités naturelles du sol ou dans des trous qu'elles ont creusés. La chambre d'incubation est souvent située au bout d'un long tunnel. Certaines espèces, dont les sclérures, nichent dans les berges des rivières ; d'autres utilisent les trous naturels des

Fournier roux
(*Furnarius rufus*)

▲
▼ Le nid de boue du fournier roux, en coupe transversale, a la forme d'une coquille d'escargot. L'oiseau atteint la chambre d'incubation par le bord supérieur de l'entrée, qui n'est pas en contact avec le toit. Comme l'air circule peu à l'intérieur, le nid joue le rôle d'un four, et les oisillons sont obligés de sortir s'ils ne veulent pas mourir de chaleur ou être asphyxiés par l'odeur nauséabonde des excréments.

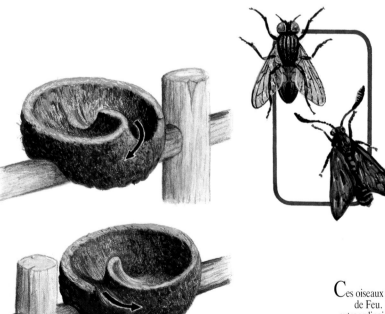

◄ Le régime des fourniers consiste en insectes et en araignées ; certains mangent de petits animaux aquatiques et des graines.

Ces oiseaux sont répandus du sud du Mexique à la Terre de Feu. Les régions néotropicales offrant un nombre extraordinaire de microhabitats et de niches écologiques, les fourniers, qui en outre appartiennent à une famille relativement ancienne, ont pu coloniser maints paysages.
1) Distribution de la famille des furnariidés. ►

arbres ou les nids abandonnés par différentes espèces de la famille. Les synallaxes construisent des nids disproportionnés pour leur taille, souvent bien au-dessus du sol, consistant en un empilement de brindilles. Le nid le plus curieux et le plus élaboré, particulièrement solide et sûr, est celui des vrais fourniers. Si toutes les espèces sont de bons bâtisseurs, la plus célèbre reste le fournier roux.

Les 28 espèces de tapaculos constituent la famille des rhinocryptidés, entièrement néotropicaux dans leur distribution et probablement dans leurs origines ; on les rencontre jusque dans les régions les plus méridionales d'Amérique du Sud. Ils appartiennent aussi au sous-ordre des tyranni, remarquable par un certain nombre de traits anatomiques primitifs, en particulier dans la syrinx.

La taille des tapaculos est très variable (de 11 à 26 cm) ; certaines espèces ne sont pas plus grosses qu'un moineau, d'autres aussi grandes que les grives. Leur nom scientifique, rhinocryptidés (« narines cachées » en grec), provient d'une caractéristique anatomique étrange : ils possèdent un opercule mobile qui recouvre les narines.

Bien qu'ils ne soient pas rares, les tapaculos ne sont pas faciles à observer, dans la mesure où ils passent une grande partie de leur temps au cœur d'une végétation dense ; quant aux espèces vivant dans les pampas, elles ont tendance à être plus claires et la coloration de leur plumage ne permet guère de les distinguer. Seul leur chant, monotone répétition de quelques notes graves, trahit donc leur présence.

Leur régime consiste en insectes, en araignées et autres invertébrés, en substances végétales pour certaines espèces. Ils nichent à terre, dans des terriers ou des trous d'arbres ; le tapaculo à flancs jaunes, lui, construit, sur un buisson près du sol, un nid sphérique, fait de brins d'herbe, de brindilles, de feuilles, etc., et doté d'une grande entrée. Normalement, de 2 à 4 œufs, relativement gros et blancs, sont pondus.

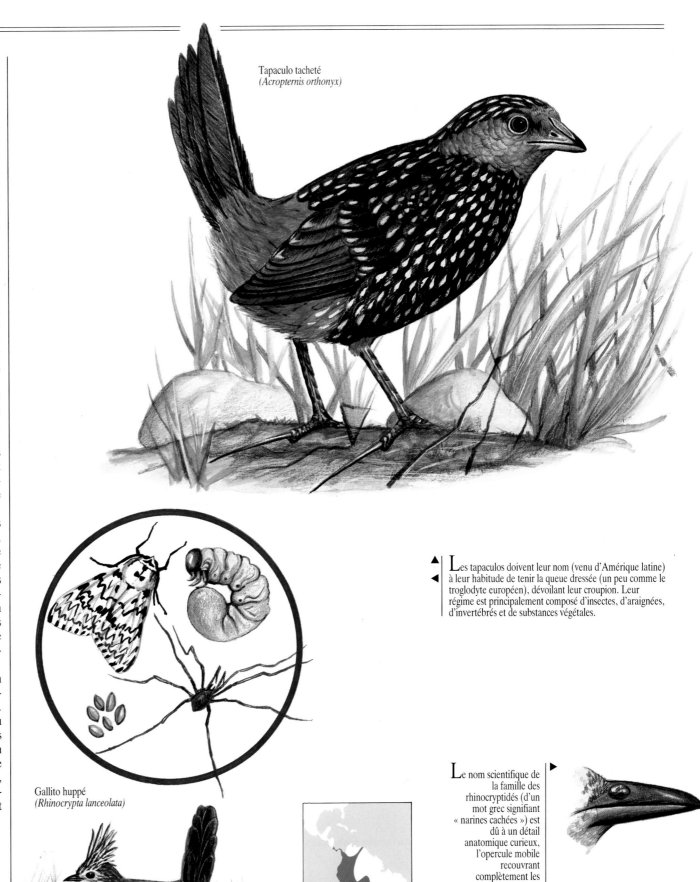

Tapaculo tacheté
(*Acropternis orthonyx*)

Gallito huppé
(*Rhinocrypta lanceolata*)

Les tapaculos doivent leur nom (venu d'Amérique latine) à leur habitude de tenir la queue dressée (un peu comme le troglodyte européen), dévoilant leur croupion. Leur régime est principalement composé d'insectes, d'araignées, d'invertébrés et de substances végétales.

Le nom scientifique de la famille des rhinocryptidés (d'un mot grec signifiant « narines cachées ») est dû à un détail anatomique curieux, l'opercule mobile recouvrant complètement les narines.

La distribution est sud-américaine et exclusivement néotropicale, même si l'on rencontre certaines espèces dans l'extrême sud du continent. 1) Distribution de la famille des rhinocryptidés.

BRÈVES
Pittidae

PHILÉPITTES
Philepittidae

Les 25 espèces de brèves qui composent la famille des pittidés sont des oiseaux de taille variable mesurant entre 15 et 30 cm et ressemblant à des grives. Les deux sexes peuvent ou non être semblables ; leur plumage est très coloré, quoique chez certaines espèces il soit plutôt terne.

L'habitat préféré des brèves est le sous-bois mouillé où abondent feuilles en décomposition, branches et brindilles cassées, typique des forêts tropicales d'Asie du Sud-Est et des zones chaudes de l'Afrique et de l'Australie. Elles vivent à terre, se perchent sur les branches basses des arbres ou des buissons et sautillent à la recherche de nourriture. Les brèves évitent dans la mesure du possible de voler. Pour autant qu'on le sache, leur régime consiste en petits animaux, pour la plupart des invertébrés.

La coloration très vive de beaucoup de brèves pourrait faire croire que ces oiseaux trapus sont facilement identifiables dans la pénombre des sous-bois tropicaux ; en réalité, les tons contrastés de leur plumage les rendent presque invisibles, parmi les lumières et les ombres de la forêt. C'est leur chant, très bruyant, qui trahit leur présence.

Pendant une grande partie de l'année, les brèves vivent séparément ou en couples, et les regroupements inhabituels de quelques individus sont certainement dus à la concentration dans une même zone d'oiseaux solitaires attirés par une abondance locale de nourriture. Il est moins probable que les brèves se rassemblent pour migrer, bien que certaines espèces quittent, tous les ans, leurs lieux de reproduction pour gagner des quartiers d'hiver, voyageant, pour des oiseaux peu enclins à voler, sur de longues distances.

Le nid des brèves est massif, plus ou moins globuleux, avec l'entrée de la chambre d'incubation en bas ou sur le côté ; fait de feuilles, de racines et autres substances végétales molles, tapissé à l'intérieur de radicelles, il est situé sur une plante non loin du sol, à la base d'une souche, au milieu des racines d'un

Brève à ailes bleues
(Pitta brachyura)

Les brèves ont été, jadis, également appelées « grives superbes » en raison de leurs vives couleurs et aussi parce que certains naturalistes les plaçaient à côté des merles ou des grives dans la classification.

Le nid, globuleux, est fait de feuilles, de racines et d'autres matières végétales. La chambre est soigneusement tapissée d'une couche de matériaux mélangés. Le nid est situé à même le sol, sur une plante, à la base d'une souche ou parmi les racines des grands arbres.

Les brèves vivent essentiellement au sol dans les sous-bois humides et denses où abondent les feuilles en décomposition et les branches cassées, tels qu'on les trouve dans les forêts tropicales d'Asie du Sud-Est et les zones chaudes d'Afrique et d'Australie. Elles évitent de voler, se contentant de sautiller et de fouiller dans la terre à la recherche de leur nourriture (petits vertébrés et surtout invertébrés).

gros arbre, ou, plus simplement, à même le sol. Les œufs ont une coquille très épaisse et donnent l'impression d'être vernis ; leur couleur varie de crème à chamois, avec des taches violettes ou couleur feuille-morte, souvent rehaussées par des marges grises. Dans la région indo-malaise, le nombre d'œufs est de 4 ou 5 ; en Australie, de 3 ou 4 ; en Afrique, de 2 ou 3.

Les brèves témoignent d'un fort instinct territorial, du moins durant la saison de reproduction. Il est probable qu'il se révèle aussi quand celle-ci est finie ; cependant, d'après les observations, il y a peu de démonstrations d'agressivité, pas plus que de rencontres hostiles entre les individus et des oiseaux se rassemblant en petits groupes.

Les philépittidés font partie du grand groupe des passereaux primitifs, la plupart ayant évolué et s'étant diversifiés dans le Nouveau Monde. Dans l'Ancien Monde, ils sont représentés par les brèves, par les deux genres de xéniques (connus aussi sous les noms de xénicidés et acanthisittidés), et par les philépittes et les faux soui-mangas.

Les philépittes mesurent 15 cm environ et ont un corps trapu, une queue courte, un bec mince, des ailes de taille moyenne et des pattes robustes qui leur permettent de s'agripper aux branches et de se déplacer à terre. La philépitte veloutée *(Philepitta castanea)* vit dans les forêts tropicales humides de l'est de Madagascar. Le plumage du mâle et de la femelle est vert olive dessus et vert clair, avec des motifs plus sombres en forme d'écaille, dessous. Solitaire par nature, elle émet de temps en temps un sifflement puissant quand elle cherche de petits animaux ou des baies. On ne sait pas grand-chose sur les deux faux soui-mangas. L'espèce caronculée a un plumage chatoyant sur le dessus du corps et un bec incurvé. Le néodrépanis caronculé de Salomonsen n'est connu que par quelques spécimens empaillés que l'on peut voir dans des musées, et provenant probablement de la région orientale de Madagascar.

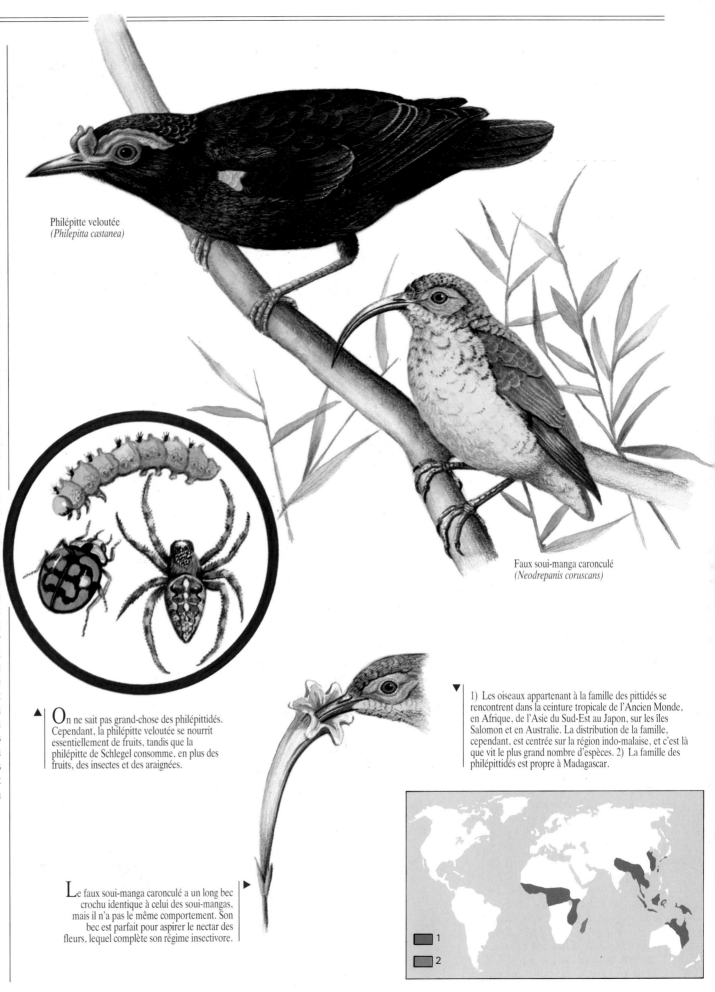

Philépitte veloutée
(Philepitta castanea)

Faux soui-manga caronculé
(Neodrepanis coruscans)

▲ On ne sait pas grand-chose des philépittidés. Cependant, la philépitte veloutée se nourrit essentiellement de fruits, tandis que la philépitte de Schlegel consomme, en plus des fruits, des insectes et des araignées.

Le faux soui-manga caronculé a un long bec crochu identique à celui des soui-mangas, mais il n'a pas le même comportement. Son bec est parfait pour aspirer le nectar des fleurs, lequel complète son régime insectivore. ▶

1) Les oiseaux appartenant à la famille des pittidés se rencontrent dans la ceinture tropicale de l'Ancien Monde, en Afrique, de l'Asie du Sud-Est au Japon, sur les îles Salomon et en Australie. La distribution de la famille, cependant, est centrée sur la région indo-malaise, et c'est là que vit le plus grand nombre d'espèces. 2) La famille des philépittidés est propre à Madagascar.

1
2

TYRANS

Tyrannidae

MANAKINS

Pipridae

Les tyrannidés, avec 362 à 384 espèces, sont la plus importante famille d'oiseaux américaine et l'une des plus importantes du monde.

La majorité des tyrans est concentrée dans les zones tropicales d'Amérique, dont les Antilles et d'autres îles de l'Atlantique et du Pacifique. Au moins 31 espèces voyagent au printemps au-delà de la limite nord du Mexique et 7 vont jusqu'en Alaska. Si les tyrannidés sont répandus dans tous les types d'environnement, la plupart vivent dans les forêts secondaires, en bordure des forêts primaires ou dans des terrains ouverts parsemés de broussailles, et rarement à haute altitude. Seules quelques espèces s'aventurent jusqu'au cœur de la jungle, mais la majorité s'en tient aux enchevêtrements de plantes le long des berges des rivières, des lacs ou des marécages.

Presque tous les membres de la famille vivent seuls ou en couples, quoique le tyran à queue fourchue *(Muscivora tyrannus)* se rassemble en troupes en fin d'après-midi avant de s'installer pour la nuit dans un endroit sûr de la forêt ou de la mangrove.

En raison de la structure simplifiée de leur syrinx, les tyrannidés ne sont pas de bons chanteurs. Certains, cependant, émettent vers le soir un chant relativement mélodieux, consistant en quelques notes répétées. D'autres poussent des cris forts et distincts, mais peu musicaux.

Lors des parades nuptiales, ils montrent les parties colorées de leur corps (tête et croupion), en ébouriffant leurs plumes et en abaissant leurs ailes.

Les espèces nichant dans des cavités pondent des œufs blancs, alors que ceux des autres espèces sont ornés de taches rouges, brunes ou lilas sur fond blanc, crème, gris pâle ou jaunâtre. Les oiseaux des régions tropicales pondent 2 œufs, parfois 3, rarement 4 ; ceux qui nichent à plus haute altitude, au nord ou au sud, en pondent entre 2 et 6, généralement 4.

La femelle se charge de l'incubation, dont la durée varie d'un genre à l'autre, quoique la latitude joue un rôle capital. Dans les régions tempérées, elle va de

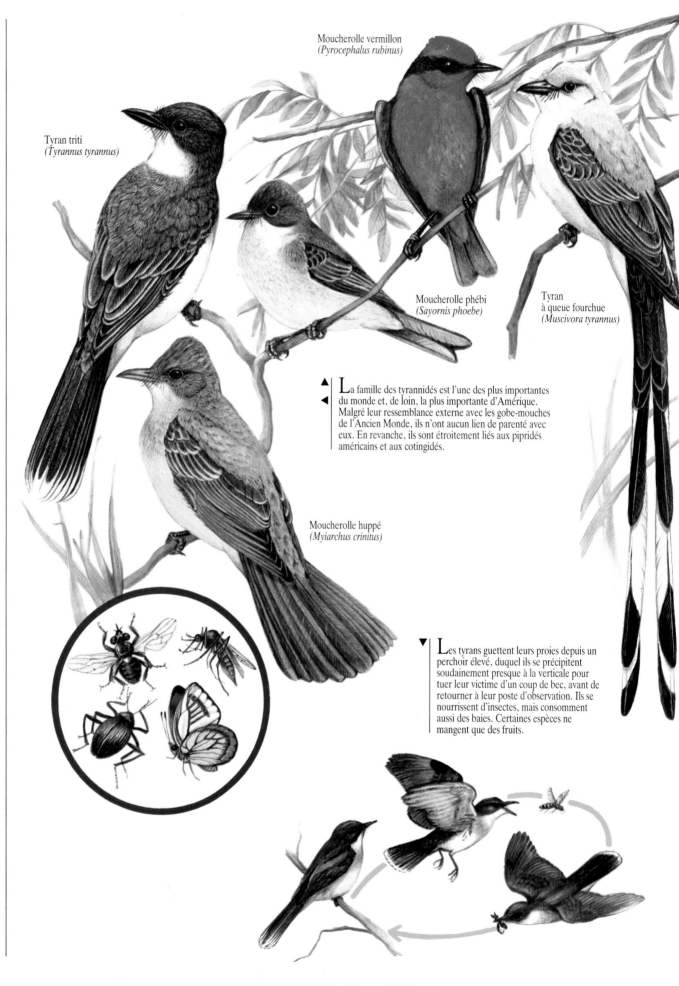

Moucherolle vermillon
(Pyrocephalus rubinus)

Tyran triti
(Tyrannus tyrannus)

Moucherolle phébi
(Sayornis phoebe)

Tyran à queue fourchue
(Muscivora tyrannus)

Moucherolle huppé
(Myiarchus crinitus)

La famille des tyrannidés est l'une des plus importantes du monde et, de loin, la plus importante d'Amérique. Malgré leur ressemblance externe avec les gobe-mouches de l'Ancien Monde, ils n'ont aucun lien de parenté avec eux. En revanche, ils sont étroitement liés aux pipridés américains et aux cotingidés.

Les tyrans guettent leurs proies depuis un perchoir élevé, duquel ils se précipitent soudainement presque à la verticale pour tuer leur victime d'un coup de bec, avant de retourner à leur poste d'observation. Ils se nourrissent d'insectes, mais consomment aussi des baies. Certaines espèces ne mangent que des fruits.

12 à 14 jours ; dans les régions tropicales, de 14 à 23 jours.

Les manakins, de la famille des pipridés, sont des oiseaux trapus, guère plus gros que des moineaux. Les mâles de la plupart des espèces ont un plumage brillant, à dominante noire, avec des zones, bien délimitées, rouges, blanches, bleues, jaunes et orange. Les femelles sont vert olive, avec l'abdomen vert pâle et jaunâtre.

Les 53-56 espèces de la famille sont irrégulièrement répandues dans les zones tropicales d'Amérique centrale et du Sud, dont les îles de Trinité et de Tobago, mais la plupart sont concentrées dans le bassin de l'Amazone et ses affluents. Les manakins vivent dans les sous-bois et les forêts, généralement guère au-dessus du niveau de la mer. Ils se nourrissent de baies et autres petits fruits, qu'ils arrachent brusquement avant de les avaler en entier. Les observations dans la nature étant insuffisantes, il est difficile de dire combien d'insectes sont inclus dans le régime des différentes espèces.

Les femelles vivent en solitaires, alors que la plupart des mâles témoignent d'un comportement sociable, car ils font des parades collectives combinant signaux visuels et acoustiques. Ces derniers comprennent des claquements et des bourdonnements, produits par de rapides vibrations des rémiges et des rectrices, ainsi que des claquements de bec ; en revanche, ils émettent seulement des pépiements simples et aigus. Seules les espèces ne présentant pas de dimorphisme sexuel produisent un vrai chant, assez plaisant à l'oreille quoique rudimentaire et faible.

Les femelles construisent un nid en forme de coupe, fait de mousse, de lichen, de feuilles et d'autres matières végétales. Situé sur une branche horizontale, à une hauteur de 1,50 m jusqu'à 22 m, il a les bords à peine relevés. Ne pondant que 2 œufs, ornés de taches marron sur fond gris-bleu ou brun clair, les femelles couvent de 17 à 19 jours.

Les pipridés (manakins) sont des oiseaux trapus, pas plus gros que des moineaux. Ils se nourrissent principalement de baies et autres petits fruits, qu'ils arrachent brusquement au vol avant de les avaler en entier. ▶

▼ Pendant la période de reproduction, les mâles du genre *Manacus* font des parades collectives à terre dans les clairières. A l'approche d'une femelle, ils se mettent à danser frénétiquement, en émettant un bourdonnement, jusqu'à ce que la femelle choisisse son partenaire.

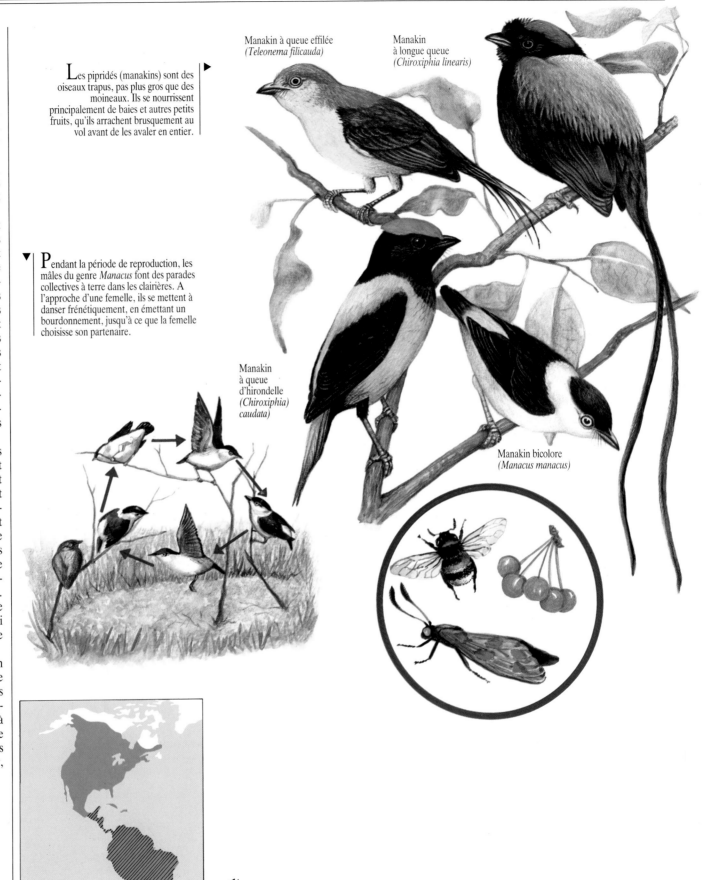

Manakin à queue effilée
(*Teleonema filicauda*)

Manakin à longue queue
(*Chiroxiphia linearis*)

Manakin à queue d'hirondelle
(*Chiroxiphia caudata*)

Manakin bicolore
(*Manacus manacus*)

◀ 1) Les membres de la famille des pipridés sont répandus dans les régions tropicales d'Amérique centrale et du Sud. Cependant, la plupart des espèces sont concentrées dans le bassin de l'Amazone et ses affluents. 2) Propres au continent américain, les tyrannidés se trouvent surtout dans les régions tropicales, dont les Antilles et d'autres îles proches de l'Amérique, les Galapagos étant la limite la plus occidentale. Les espèces nichant sous les tropiques ont tendance à être sédentaires, mais celles qui se reproduisent dans les Andes migrent vers les plaines, couvrant des dénivellations atteignant 4 000 m.

1
2

RARAS
Phytotomidae

OISEAUX-LYRES
Menuridae

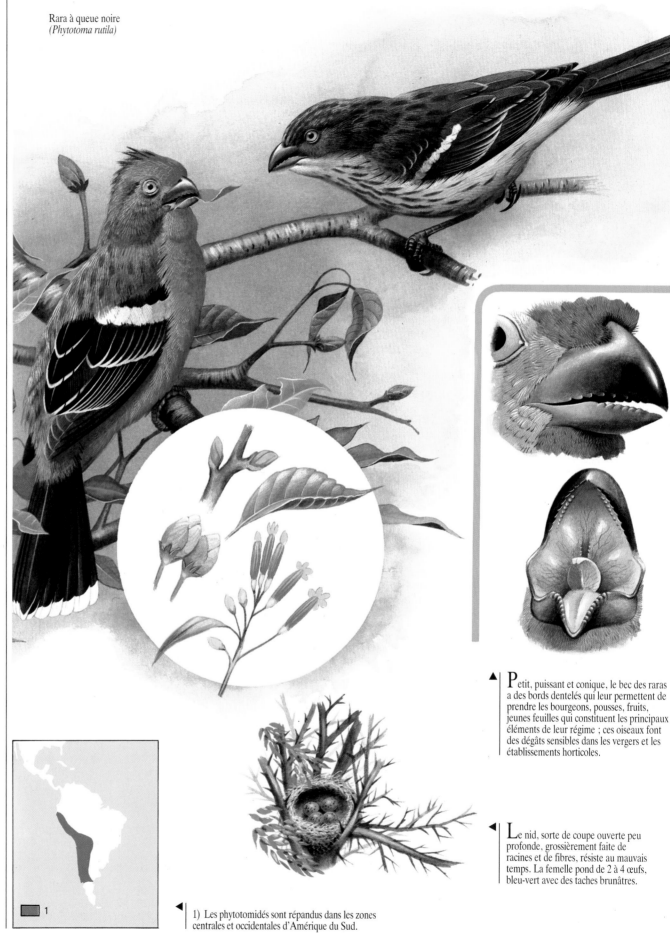

Rara à queue noire
(*Phytotoma rutila*)

Les 3 espèces de raras de la famille des phytotomidés sont de petits passereaux d'Amérique du Sud regroupés dans un seul genre *(Phytotoma)*. Grâce aux bords dentelés de leur bec, ils peuvent saisir facilement les bourgeons, les pousses, les jeunes feuilles et les fruits qui constituent leur régime alimentaire.

Le rara à queue rousse *(Phytotoma rara)* ne se rencontre que dans le centre et le sud du Chili, où il fréquente les vergers et les jardins. Au printemps, on peut voir des couples dans les vallées boisées au pied de la cordillère des Andes, à une altitude de 2 000 m.

Le mâle annonce sa présence dans son territoire vers la fin de l'hiver, en émettant une succession de croassements monotones, guère musicaux. La nidification commence en octobre et peut se prolonger jusqu'en décembre. Le nid du rara à queue rousse est une structure plate faite de brindilles et de racines entassées grossièrement pour former une coupe peu profonde. Comme une telle construction serait trop exposée en haut d'un arbre fruitier ou d'un arbuste, elle est généralement située à l'abri de la pluie et du vent. La femelle pond de 2 à 4 œufs, bleu-vert avec des taches brunâtres ou noirâtres.

En Argentine, en Uruguay, dans la région du Chaco au Paraguay et dans une partie de la Bolivie, il existe une espèce ressemblante, le rara à queue noire *(P. rutila)*. C'est un habitant familier des vastes prairies de Patagonie. Le troisième et dernier membre de la famille est le rara du Pérou *(P. raimondii)*, qui ne vit que sur les côtes du centre et du nord du Pérou.

L'un des oiseaux les plus connus d'Australie, du moins en apparence, est l'oiseau-lyre, ou ménure. Pourtant, on ne sait pas grand-chose de son mode de vie ni de ses origines. Il existe, en fait, 2 espèces d'oiseaux-lyres, le ménure superbe *(Menura novaehollandiae)* et le ménure du Prince Albert *(M. alberti)*, qui composent la famille des ménuridés ; ces oiseaux, avec les curieux atrichornis, australiens eux aussi, forment l'un des 4 sous-ordres des passériformes, les ménurés. Les 2 espèces de ménuridés

▲ Petit, puissant et conique, le bec des raras a des bords dentelés qui leur permettent de prendre les bourgeons, pousses, fruits, jeunes feuilles qui constituent les principaux éléments de leur régime ; ces oiseaux font des dégâts sensibles dans les vergers et les établissements horticoles.

◀ Le nid, sorte de coupe ouverte peu profonde, grossièrement faite de racines et de fibres, résiste au mauvais temps. La femelle pond de 2 à 4 œufs, bleu-vert avec des taches brunâtres.

◀ 1) Les phytotomidés sont répandus dans les zones centrales et occidentales d'Amérique du Sud.

1

sont confinées dans le sud-est de l'Australie ; à l'exception des atrichornis, avec lesquels il est possible qu'ils soient parents, ils n'ont pas de lien étroit avec les oiseaux d'aucun autre pays.

Le ménure superbe construit un très grand nid, en forme de dôme, à l'aide de brindilles et de branches entrelacées, situé à même le sol, sur une saillie de rocher, une souche d'arbre ou même dans une enfourchure. La femelle pond un œuf unique, gris-mauve avec des marques violettes et brunes. Pendant longtemps, on n'en a pas su davantage sur l'oiseau-lyre, hormis que le mâle accomplit une extraordinaire parade nuptiale, déployant sa queue tout en chantant mélodieusement au cœur de la forêt. Depuis qu'il est l'objet d'une protection officielle et que l'on a créé deux réserves naturelles, près de Melbourne et de Sydney, l'oiseau-lyre est devenu moins farouche. On a pu, de ce fait, l'observer en toutes saisons et obtenir des précisions sur son cycle reproducteur et son comportement général.

L'oiseau-lyre est loin d'être un bon voilier : ses déplacements se limitent à des vols planés au-dessus des collines ou à des sauts d'une branche ou d'un rocher à l'autre. Quoiqu'il trouve la plupart de ses aliments à terre, parmi les feuilles sèches des sous-bois, il se sent relativement chez lui dans les arbres et construit parfois son nid jusqu'à 20 m de hauteur. Son régime consiste en vers de terre, insectes, crustacés et mollusques. La reproduction a lieu en hiver, quand ces proies se trouvent en abondance. Les cérémonies nuptiales commencent à la mi-automne et l'édification du nid est terminée en mai ou juin. Œuvre de la femelle uniquement, il est isolé du froid par des plumes, possède un toit de rameaux et une grande chambre d'incubation — celle-ci durant quelque 50 jours — dans laquelle les petits restent environ 47 jours.

Depuis le début du XIXᵉ siècle, l'oiseau-lyre a été chassé sans pitié pour satisfaire les caprices de la mode féminine et décorer les murs des austères maisons victoriennes. Ce qui a fait craindre pour la survie de cette espèce, qui, comme le fit remarquer le grand naturaliste et peintre John Gould en 1840, devrait être considérée comme l'emblème national de l'Australie.

Ménure superbe
(*Menura novaehollandiae*)

▼ Il trouve ses aliments (vers de terre, insectes, crustacés et escargots) sur le sol, parmi les feuilles sèches des sous-bois.

◄ L'oiseau-lyre habite de nos jours dans une petite partie de l'Australie. Son habitat étant autrefois inaccessible, on ne pouvait guère l'observer à l'état sauvage. 1) Distribution de la famille des ménuridés.

1

ALOUETTE DES CHAMPS

Alauda arvensis

Ordre Passériformes
Famille Alaudidae
Taille Longueur 18 cm
Distribution Europe, Asie, Afrique du Nord
Nidification A même le sol
Œufs 3-4, occasionnellement 1-6
Petits Nidicoles

La famille des alouettes est composée de 70 espèces appartenant à 15 genres, répandus sur tout le globe, à l'exception de l'Amérique du Sud et des îles de l'Océanie. Ce sont des oiseaux de taille moyenne (de 12 à 25 cm), ayant une silhouette assez massive. Leurs pattes robustes font d'eux de bons coureurs. Leurs pieds sont munis de griffes, celle du doigt postérieur étant particulièrement longue.

Leur plumage, relativement sobre chez toutes les espèces, est à dominante brun clair avec des rayures plus sombres. Les sexes sont semblables, sauf chez l'alouette nègre *(Melanocorypha yeltoniensis)* et l'alouette hausse-col *(Eremophila alpestris)*. Presque toutes les alouettes vivent dans des régions plus ou moins arides (déserts, steppes, friches, toundras) ; elles supportent de longues périodes de sécheresse sans rien boire et se nourrissent surtout de graines de plantes sauvages ou cultivées ; elles apportent des insectes à leurs petits durant la saison de reproduction.

La plupart des alouettes sont sédentaires et défendent un territoire. Elles se déplacent généralement à l'intérieur de leur aire de répartition, en fonction de la saison. Néanmoins, certaines espèces, comme l'alouette calandrelle *(Calandrella cinerea)* et l'alouette calandre orientale *(Melanocorypha bimaculata)*, sont migratrices.

Les mâles défendent un territoire bien délimité et leur chant, lancé en vol ou à terre, varie en ton, mais est quelque peu répétitif. L'alouette des champs *(Alauda arvensis)* a été l'objet de nombreuses études détaillées, surtout pendant la saison de reproduction, études qui ont permis d'analyser son comportement.

Les alouettes mâles passent le début de la saison de reproduction à défendre

Silhouette d'une alouette des champs en vol.

Durant la saison de reproduction, on peut entendre chanter l'alouette des champs mâle *(Alauda arvensis)*, tandis qu'elle vole en cercles, souvent très haut, au-dessus de son territoire.

L'alouette des champs a de longues pattes et des griffes robustes, adaptées à la marche et à la course. Son régime consiste en graines et en insectes, ramassés dans les champs.

leur territoire. Une fois les couples formés, les oiseaux limitent leurs activités défensives aux frontières de leur domaine. Les couples d'alouettes retournent généralement aux sites occupés les années précédentes ; ce phénomène s'applique aussi aux jeunes, qui reviennent à leurs lieux d'origine. Elles émettent au moins 3 types de chant pendant la période de reproduction ; le premier lorsque les oiseaux survolent leur territoire, souvent à une hauteur considérable ; le second à terre, à divers moments de la parade nuptiale et de la défense territoriale ; le dernier, enfin, quand les oiseaux se poursuivent.

Les mâles chantent plus fréquemment et plus longtemps dans les airs quand ils courtisent les femelles et lorsque ces dernières couvent les œufs ; la fréquence et la durée ne varient guère en fonction du moment de la journée. Les femelles chantent, mais seulement pendant l'accouplement et quand elles construisent leur nid.

La parade nuptiale du mâle est simple. Lorsqu'il rencontre une femelle sur son territoire, il bondit sur place, la tête dressée et le bec relevé. Il peut aussi lui tourner le dos en battant des ailes. La réponse de la femelle est encore plus rudimentaire : elle se contente d'inviter le mâle à s'accoupler avec elle en se tournant vers lui.

Les deux membres du couple remplissent des tâches différentes. Après l'accouplement, la femelle construit le nid, activité qui l'occupe essentiellement le matin. Elle choisit un trou dans la terre, qu'elle façonne avec son corps avant de le tapisser de brins d'herbe. La ponte commence tôt le matin et continue à intervalles de 24 heures. En général, 3 ou 4 œufs sont pondus, gris-blanc striés de brun. La femelle de l'alouette des champs pond deux fois par saison et le nombre des œufs varie entre 3 et 5. Les petits éclosent après 11 à 14 jours d'incubation et les coquilles sont retirées par les deux parents.

▲ Les petites alouettes des champs ouvrent leur bec, vivement coloré à l'intérieur ; cela incite leurs parents à les nourrir.

▲ À la fin de l'été, les alouettes forment des troupes et s'envolent vers le sud ou l'ouest de l'Europe.

Alouette nègre
(Melanocorypha yeltoniensis)

Alouette calandrelle
(Calandrella cinerea)

Cochevis huppé
(Galerida cristata)

Alouette lulu
(Lullula arborea)

Alouette hausse-col
(Eremophila alpestris)

▲ Trajectoire du vol nuptial de l'alouette des champs.

1) Les oiseaux qui composent la famille des alaudidés sont répandus dans le monde entier, à l'exception de la majeure partie de l'Amérique du Sud et des îles d'Océanie. Presque tous sont sédentaires, mais ils font souvent de petits déplacements à l'intérieur de leur aire de répartition, en fonction de la saison. 2) L'alouette des champs (Alauda arvensis) est une espèce eurasienne ; à l'automne, elle vole vers le sud pour hiverner dans l'ouest de l'Europe et la région méditerranéenne. Elle a été introduite par l'homme au Canada et en Nouvelle-Zélande.

1
2

HIRONDELLES
Hirundinidae

La famille des hirundinidés comprend des espèces parfaitement adaptées à la vie dans les airs. Les hirondelles sont de gracieux oiseaux au brillant plumage noir, vert foncé, bleu foncé ou brun, aux longues ailes pointues, à la queue plus ou moins fourchue et au bec court et triangulaire. Elles passent la majeure partie de leur temps dans les airs à chasser des insectes. Au repos, à terre, elles se déplacent maladroitement à cause de leurs courtes pattes.

Les hirondelles sont répandues dans le monde entier, à l'exception de l'Arctique, de l'Antarctique et de nombreuses petites îles. La famille est divisée en 2 sous-familles distinctes : les pseudo-chélidoninés et les hirundininés. Le premier groupe est représenté par 2 espèces, l'hirondelle de rivière *(Pseudochelidon eurystomina)* et l'hirondelle à œil blanc *(P. sirintarae)*. L'autre sous-famille regroupe plusieurs genres très voisins.

Le genre *Hirundo* comprend le plus grand nombre d'espèces, dont le nid est ouvert et en forme de coupe. L'hirondelle de cheminée *(Hirundo rustica)*, du Nouveau et de l'Ancien Monde, est certainement l'une des plus connues. C'est un oiseau de la ville et de la campagne, et qui, en fait, a toujours vécu dans le sillage de l'homme. Son habitat favori est la campagne cultivée. Elle niche dans les bâtiments (étables, garages, granges), mais on l'a vue aussi dans des endroits plus fréquentés, comme les halls de gare, etc. Toutefois, en raison de la pollution et de l'absence d'insectes, elle évite de plus en plus les villes.

L'hirondelle de fenêtre *(Delichon urbica)* est aussi très connue en Europe et en Asie ; c'est l'une des espèces les plus fréquentes et les mieux adaptées à l'environnement urbain. On la reconnaît à sa courte queue, à son plumage noir sur le dos, à son abdomen et à sa poitrine blancs. Parmi les autres hirondelles visitant l'Europe à la saison de reproduction figurent l'hirondelle rousseline *(Hirundo daurica)*, l'hirondelle de rocher *(H. rupestris)* et l'hirondelle de rivage *(Riparia riparia)*.

Les hirondelles sont des migrateurs au long cours. Grâce au baguage, les ornithologues ont appris à connaître leurs itinéraires et ont observé les mou-

▲ L'hirondelle de cheminée *(Hirundo rustica)* s'est très bien adaptée à la présence humaine ; elle est d'ailleurs commensale de l'homme depuis fort longtemps. Elle niche dans les villages et aux abords des villes, quoiqu'elle semble, ces derniers temps, bouder celles-ci à cause de la pollution et du manque d'insectes.

Ses pattes, faibles, lui permettent toutefois de s'agripper. ▶

▲ Le bec est court et triangulaire, mais s'ouvre largement pour capturer le maximum d'insectes. ▶

▲ La silhouette de l'hirondelle de cheminée diffère de celle du martinet noir par la queue, dont les plumes latérales sont très longues.

vements de la plupart des espèces dans leurs quartiers d'hiver. Pour les hirondelles d'Europe et d'Asie, l'Afrique et l'Asie méridionale sont les destinations finales après la saison de reproduction.

Les hirondelles américaines ont également un comportement migratoire accusé. Cependant, sur les 8 espèces d'Amérique du Nord, 3 ne vont pas plus loin que le Mexique pour l'hiver. L'hirondelle bicolore *(Iridoprocne bicolor)* hiverne dans le sud des États-Unis, en Amérique centrale et aux Antilles. L'hirondelle à front blanc *(Petrochelidon pyrrhonota)*, répandue sur tout le continent nord-américain pendant la saison de reproduction, fréquente des régions bien limitées du Brésil et de l'Argentine pour passer l'hiver. L'hirondelle pourprée *(Progne subis)*, présente dans toute l'Amérique du Nord, hiverne au Brésil. Cependant, la plus longue migration est de loin celle de l'hirondelle de cheminée américaine *(Hirundo rustica erythrogaster)*, qui niche dans toutes les régions d'Amérique du Nord et s'envole l'hiver vers l'Amérique du Sud, de la Colombie au Venezuela et du Chili à l'Argentine, parfois jusqu'à la Terre de Feu.

Les hirondelles ont beaucoup d'ennemis (faucons, rats, serpents, etc.). Elles construisent leur nid à l'abri de parois rocheuses ou d'avant-toits, ou bien dans des cavités naturelles, ou encore, comme dans le cas de l'hirondelle de rivage, dans un terrier qu'elles creusent elles-mêmes (dans les berges sableuses des rivières, les sablières). En Amérique, l'hirondelle de rivage est chassée par des oiseaux de proie comme la crécerelle d'Amérique *(Falco sparverius)*, qui l'attrape en vol ou à terre. Ce rapace capture surtout les jeunes hirondelles âgées de 2 semaines, quand elles sortent du nid pour être nourries par leurs parents. Dès qu'une crécerelle s'approche d'une colonie, les hirondelles donnent l'alerte en criant et les petits se groupent avec les adultes, ce qui rend la capture d'un individu plus difficile.

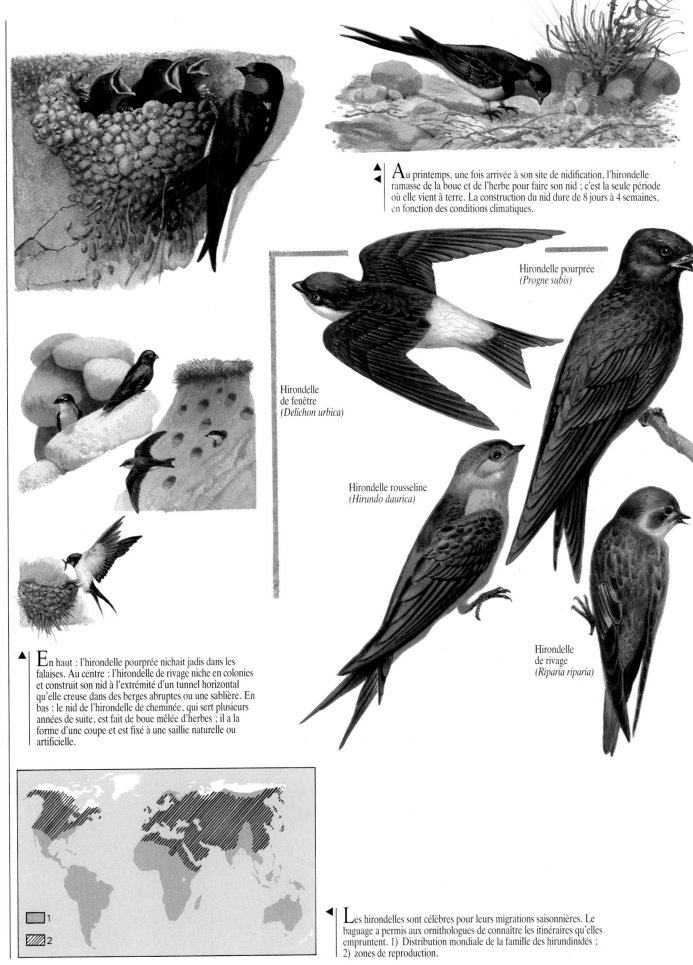

▲ Au printemps, une fois arrivée à son site de nidification, l'hirondelle ramasse de la boue et de l'herbe pour faire son nid ; c'est la seule période où elle vient à terre. La construction du nid dure de 8 jours à 4 semaines, en fonction des conditions climatiques.

Hirondelle pourprée
(Progne subis)

Hirondelle de fenêtre
(Delichon urbica)

Hirondelle rousseline
(Hirundo daurica)

Hirondelle de rivage
(Riparia riparia)

▲ En haut : l'hirondelle pourprée nichait jadis dans les falaises. Au centre : l'hirondelle de rivage niche en colonies et construit son nid à l'extrémité d'un tunnel horizontal qu'elle creuse dans des berges abruptes ou une sablière. En bas : le nid de l'hirondelle de cheminée, qui sert plusieurs années de suite, est fait de boue mêlée d'herbes ; il a la forme d'une coupe et est fixé à une saillie naturelle ou artificielle.

◄ Les hirondelles sont célèbres pour leurs migrations saisonnières. Le baguage a permis aux ornithologues de connaître les itinéraires qu'elles empruntent. 1) Distribution mondiale de la famille des hirundinidés ; 2) zones de reproduction.

MOTACILLIDAE, CAMPEPHAGIDAE

La famille des motacillidés, qui comprend les bergeronnettes et les pipits, contient quelque 50 espèces de 6 genres, distribuées dans le monde entier, à l'exception des îles du Pacifique et des régions circumpolaires. Ce sont des oiseaux gracieux et fins ; certains ont une longue queue, qu'ils agitent régulièrement de haut en bas.

Vivant près de l'eau, ils se déplacent rapidement à terre et courent parfois sur de longues distances.

Normalement, ils marchent mais ne sautent pas. Leur bec est long et fin et leurs pattes sont munies de griffes assez longues. Certaines rémiges secondaires sont aussi longues que les rémiges primaires.

En général, leur régime alimentaire consiste en insectes, bien qu'ils se nourrissent aussi de substances végétales (graines, pousses, etc.).

La nidification se fait à terre, dans des cavités naturelles. La femelle pond entre 3 à 8 œufs, bruns ou gris et mouchetés.

Anthus et *Motacilla* sont les deux genres les plus connus en Europe. Le premier compte des espèces comme le pipit rousseline *(A. campestris)*, le pipit des arbres *(A. trivialis)*, le pipit farlouse *(A. pratensis)*, le pipit spioncelle *(A. spinoletta)* et le pipit à gorge rousse *(A. cervinus)*. Tous ont un plumage terne. Ils vivent dans les prairies, les champs en friche et les zones subdésertiques, depuis le niveau de la mer jusqu'au sommet des hautes montagnes. Territoriaux durant la saison de reproduction, ils deviennent plus ou moins grégaires l'automne et l'hiver. Leur chant, variable selon l'espèce, ne s'entend que pendant la période de reproduction.

Certaines espèces sont migratrices. Ainsi, le pipit rousseline hiverne en Afrique de l'Ouest ou du Sud. L'hiver, il s'installe dans la savane, qui ressemble à ses lieux de reproduction. On le rencontre généralement dans des régions très sèches. Le pipit des arbres hiverne en Afrique tropicale, préférant les terrains boisés ouverts. Les pipits farlouse et spioncelle passent l'hiver en Afrique du Nord et dans la région méditerranéenne.

Les bergeronnettes, gracieux petits oiseaux très colorés, au dimorphisme

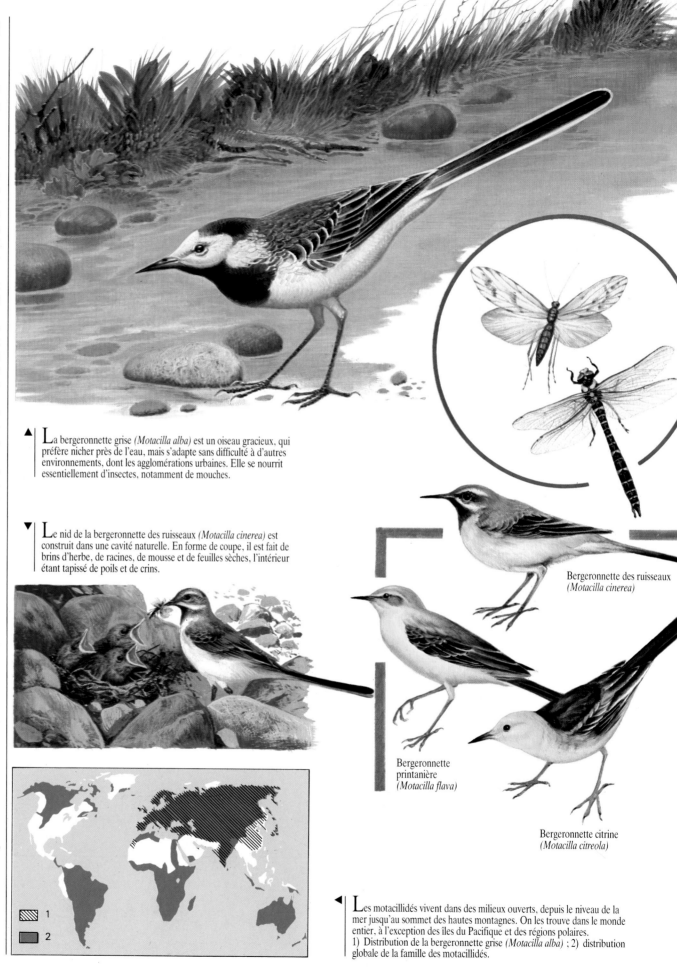

▲ La bergeronnette grise *(Motacilla alba)* est un oiseau gracieux, qui préfère nicher près de l'eau, mais s'adapte sans difficulté à d'autres environnements, dont les agglomérations urbaines. Elle se nourrit essentiellement d'insectes, notamment de mouches.

▼ Le nid de la bergeronnette des ruisseaux *(Motacilla cinerea)* est construit dans une cavité naturelle. En forme de coupe, il est fait de brins d'herbe, de racines, de mousse et de feuilles sèches, l'intérieur étant tapissé de poils et de crins.

Bergeronnette des ruisseaux
(Motacilla cinerea)

Bergeronnette printanière
(Motacilla flava)

Bergeronnette citrine
(Motacilla citreola)

◄ Les motacillidés vivent dans des milieux ouverts, depuis le niveau de la mer jusqu'au sommet des hautes montagnes. On les trouve dans le monde entier, à l'exception des îles du Pacifique et des régions polaires.
1) Distribution de la bergeronnette grise *(Motacilla alba)* ; 2) distribution globale de la famille des motacillidés.

sexuel nettement marqué, appartiennent au genre *Motacilla*. On les rencontre dans les zones humides et le long des rivières. Toutes sont migratrices, les espèces européennes et asiatiques voyageant sur de longues distances vers l'Afrique ou le sud de l'Asie. La bergeronnette des ruisseaux *(M. cinerea)*, par exemple, hiverne en Afrique au nord de l'équateur. Mais la plus grande voyageuse est sans aucun doute la bergeronnette printanière *(M. flava)*, représentée par 11 sous-espèces. Elle passe la saison de reproduction en Europe et en Asie, puis s'envole à l'automne pour l'Afrique, au sud du Sahara. L'hiver, des bandes importantes se rassemblent autour des lacs Tchad et Édouard. Cette espèce, si exigeante quant à son habitat durant la période de reproduction, s'adapte sans difficulté aux divers milieux africains.

La famille des campéphagidés, qui comprend les échenilleurs et les minivets, est composée de 70 espèces, divisées en 8 genres. Ce sont des oiseaux des régions tropicales d'Afrique, d'Asie du Sud, de Malaysia, d'Australie et des îles occidentales du Pacifique. Ils vivent dans les forêts primaires et secondaires. Arboricoles de nature, ils préfèrent les cimes des arbres, où ils se perchent pour chasser les insectes. L'échenilleur terrestre fait exception à la règle. C'est un oiseau australien qui vit dans les milieux ouverts, où il va et vient librement à terre ; cependant, il chasse les insectes en vol, à la manière des hirondelles et des martinets.

Sédentaires en règle générale, ces oiseaux effectuent de courtes migrations saisonnières. Toutefois, l'échenilleur cendré *(Pericrocotus divaricatus)*, espèce répandue de l'Asie du Nord-Est à Bornéo et aux Philippines, est un vrai migrateur.

Les membres de cette famille construisent un nid en forme de coupe, situé en hauteur dans les arbres et fait de lichen, de racines et de feuilles sèches. Ils pondent de 2 à 5 œufs, en fonction des espèces, habituellement blanchâtres ou verdâtres.

Les échenilleurs et les minivets vivent à la cime des arbres, d'où ils peuvent attraper en vol des insectes.

Le dimorphisme sexuel est très marqué : alors que les femelles sont gris-jaune, les mâles arborent des couleurs vives, rouge et noir, ou orange et noir.

Minivet migrateur
(Pericrocotus roseus)

Oiseau vermillon
(Pericrocotus flammeus)

1) Les membres de la famille des campéphagidés sont répandus dans les régions tropicales d'Afrique, d'Asie du Sud, de Malaysia, d'Australie et des îles occidentales du Pacifique. Sédentaires en général, certains font de courtes migrations saisonnières.

1

CINCLIDAE, TROGLODYTIDAE, MIMIDAE, PRUNELLIDAE

Les cincles, de la famille des cinclidés, sont les seuls passériformes aquatiques. Outre que leur plumage est imperméable, la membrane nictitante permet à l'œil de rester ouvert, un repli de la peau préserve l'oreille externe et des volets membraneux recouvrent les narines. Toutes ces caractéristiques, en plus de l'épaisseur du plumage, protègent et isolent ces oiseaux dans l'eau. Par ailleurs, le fait que leurs os ne soient guère pneumatisés — ce qui accroît leur poids spécifique — est un gros avantage sous l'eau.

La famille est représentée par 4 espèces, appartenant à un seul genre. Deux d'entre elles habitent la région paléarctique : le cincle plongeur *(Cinclus cinclus)*, répandu en Europe, en Afrique du Nord et en Asie, et le cincle brun *(C. pallasii)*, qu'on trouve dans le centre et l'est de l'Asie. Les deux autres espèces sont américaines : le cincle d'Amérique *(C. mexicanus)*, qui vit dans les régions occidentales de l'Amérique du Nord et de l'Amérique centrale, et le cincle des Andes *(C. leucocephalus)*, qui habite la cordillère des Andes, du Venezuela à la Bolivie. Tous se rencontrent au bord des eaux vives, se nourrissent d'insectes aquatiques et de larves, qu'ils capturent en plongeant sous l'eau. Leur nid, fait de mousse, est globuleux et situé près des cours d'eau. Même en dehors de la saison de reproduction, ces oiseaux défendent leur territoire.

Les troglodytes, de la famille des troglodytidés, sont répandus dans presque toute l'Amérique. Ces petits oiseaux ont un plumage marron avec des raies plus sombres. Leur forme évoque celle des cincles, même si les deux groupes diffèrent à maints égards.

Leur chant, très puissant, a une signification territoriale. Chez certaines espèces, comme le troglodyte barré *(Thryothorus nigricapillus)*, on peut même l'entendre dans le bruit des torrents.

Les troglodytes vivent dans divers habitats et sont réputés pour leurs facultés d'adaptation. Leur régime consiste

▶ Le cincle plongeur *(Cinclus cinclus)* vit près des rivières de montagne et de plaine et se nourrit d'insectes aquatiques et de larves, ainsi que d'amphipodes, qu'il attrape dans l'eau. Ses ailes, courtes et puissantes, lui permettent de nager très vite.

◀ Le chant puissant du troglodyte *(Troglodytes troglodytes)*, qui s'entend même dans le bruit des cascades, est étonnant pour un oiseau aussi petit. Il se nourrit d'arthropodes (insectes et araignées), qu'il capture à faible hauteur dans la végétation.

▲ Comme tous les autres représentants de la famille des mimidés, le mime polyglotte *(Mimus polyglottus)* imite à la perfection le chant d'autres espèces.

en arthropodes, qu'ils chassent à terre parmi les broussailles, le long des troncs d'arbres et dans les fissures des parois rocheuses. Certains se nourrissent aussi de substances végétales et d'œufs d'autres espèces. Les troglodytes ne sont pas migrateurs, mais ils se déplacent, en fonction de la saison, à l'intérieur de leur territoire.

Les mimes, de la famille des mimidés, ne se trouvent que dans le Nouveau Monde, du sud du Canada à la Terre de Feu et dans les îles Galapagos. Semblables aux grives par leur aspect et leur mode de vie, ils mesurent entre 20 et 30 cm. Leur corps est fin, leur queue longue et arrondie, leur bec assez long ; leur plumage, roussâtre dessus et blanchâtre dessous, n'est pas brillant. Mâle et femelle sont identiques.

Ces oiseaux vivent généralement dans des zones broussailleuses et, pour ce qui est des *Toxostoma*, dans des régions subdésertiques. Les espèces du Nord sont migratrices. Leur chant est facilement identifiable, et nombre d'entre eux, particulièrement ceux du genre *Mimus*, sont, comme leur nom l'indique, de parfaits imitateurs du chant d'autres espèces.

Les mimes sont territoriaux. Ils construisent, parfois en l'espace de quelques jours, un nid en forme de coupe ; la femelle couve les 2 ou 3 œufs, mais le mâle participe à l'incubation chez certaines espèces.

Douze espèces d'un seul genre composent la famille des prunellidés (accenteurs). Oiseaux de taille moyenne — de 15 à 17 cm —, ils vivent en Europe et dans les zones tempérées d'Asie. Leur bec est droit, plus fin que robuste. Leurs ailes sont courtes et arrondies ; ils volent souvent près du sol. Leur plumage, terne, va du marron foncé au gris.

Les accenteurs vivent dans les plaines et les montagnes, les régions boisées ou non. Leur nid, situé tout près du sol, est très soigné. En fonction de la population ou des zones d'habitat, ils sont sédentaires ou migrateurs. Ainsi, l'accenteur mouchet *(Prunella modularis)* reste en Europe, mais d'autres migrent l'hiver jusqu'en Asie du Sud-Est. Parmi les populations sédentaires, certains sujets se déplacent localement et descendent dans la plaine.

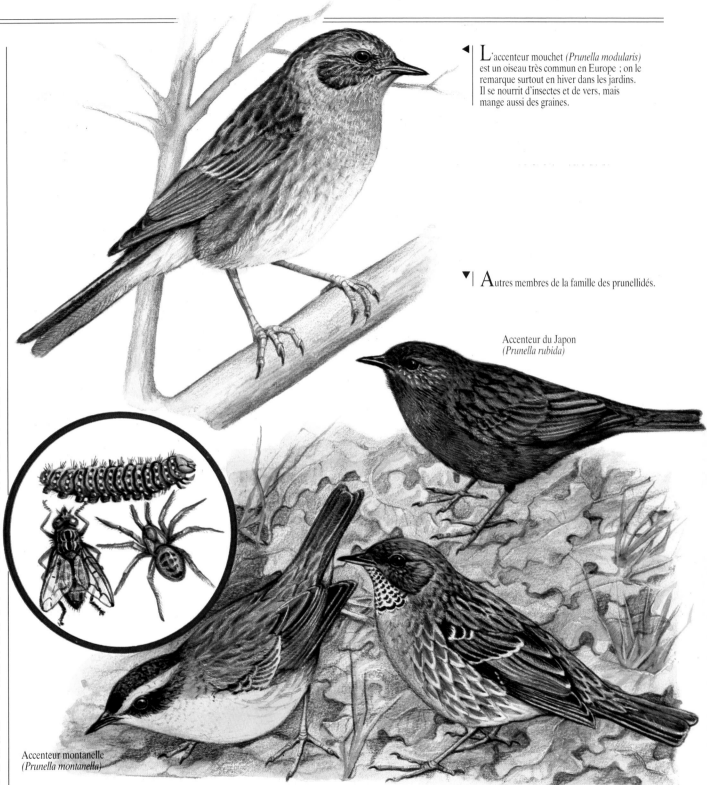

◀ L'accenteur mouchet *(Prunella modularis)* est un oiseau très commun en Europe ; on le remarque surtout en hiver dans les jardins. Il se nourrit d'insectes et de vers, mais mange aussi des graines.

▼ Autres membres de la famille des prunellidés.

Accenteur du Japon
(Prunella rubida)

Accenteur montanelle
(Prunella montanella)

Accenteur alpin
(Prunella collaris)

◀ 1) La famille des prunellidés est répandue en Europe et dans les zones tempérées d'Asie. 2) La famille des mimidés ne se trouve que sur le continent américain, du sud du Canada à la Terre de Feu et dans les îles Galapagos. 3) La famille des cinclidés est répandue en Europe, en Afrique du Nord, en Asie et en Amérique du Nord et du Sud. 4) La famille des troglodytidés est essentiellement américaine, avec un seul représentant en Europe et en Afrique du Nord.

PYCNONOTIDAE, LANIIDAE, VANGIDAE, PTILOGONATIDAE

Avec les échenilleurs et les minivets, de la famille des campéphagidés, les bulbuls, de la famille des pycnonotidés, figurent parmi les passereaux les plus primitifs. Ils sont répandus de l'Afrique au sud du Sahara jusqu'à Madagascar, en Asie occidentale, en Iran, dans l'Est jusqu'au Japon et sur certaines îles du Pacifique (Philippines, Moluques, Indonésie, etc.).

Leur corps est robuste, leur queue plutôt longue, leurs ailes courtes et arrondies, leurs pattes petites. Ils mesurent de 15 à 30 cm. Leur bec est fin et légèrement crochu. Leur plumage est souvent terne, à dominante verte, brune et jaune. Mâle et femelle sont identiques. Leur chant, peu varié, s'entend de très loin.

Leur régime alimentaire consiste essentiellement en fruits et en insectes ; grégaires de nature, lorsqu'ils envahissent les terres cultivées, ils y causent de gros dommages. Certaines espèces complètent ce régime avec des proies animales : le bulbul à tête jaune (*Pycnonotus zeylanicus*) avec des escargots d'eau douce, le bulbul à bec fin (*P. gracilirostris*) avec des arthropodes. Leur nid est édifié à diverses hauteurs, des buissons à la cime des arbres.

Les pies-grièches, de la famille des laniidés, sont des oiseaux robustes. Elles habitent l'Europe, l'Afrique et l'Asie. Il en existe 72 espèces, appartenant à 8 genres (*Lanius, Urolestes, Corvinella*, etc.). La plupart vivent dans des milieux ouverts, comme la savane africaine ou la campagne cultivée. Leur type d'habitat préféré est un terrain dégagé pourvu de divers postes d'observation, comme des haies et des buissons, où elles peuvent se percher et surveiller les alentours. Leur régime est composé d'insectes, de petits rongeurs, de reptiles et, quelquefois, d'oiseaux. Ces rapaces miniatures ont souvent des sortes de « garde-manger » où ils empalent leurs victimes sur des épines.

Bien que les pies-grièches qui nichent en Europe témoignent d'une nette préférence pour les terrains ouverts, chaque

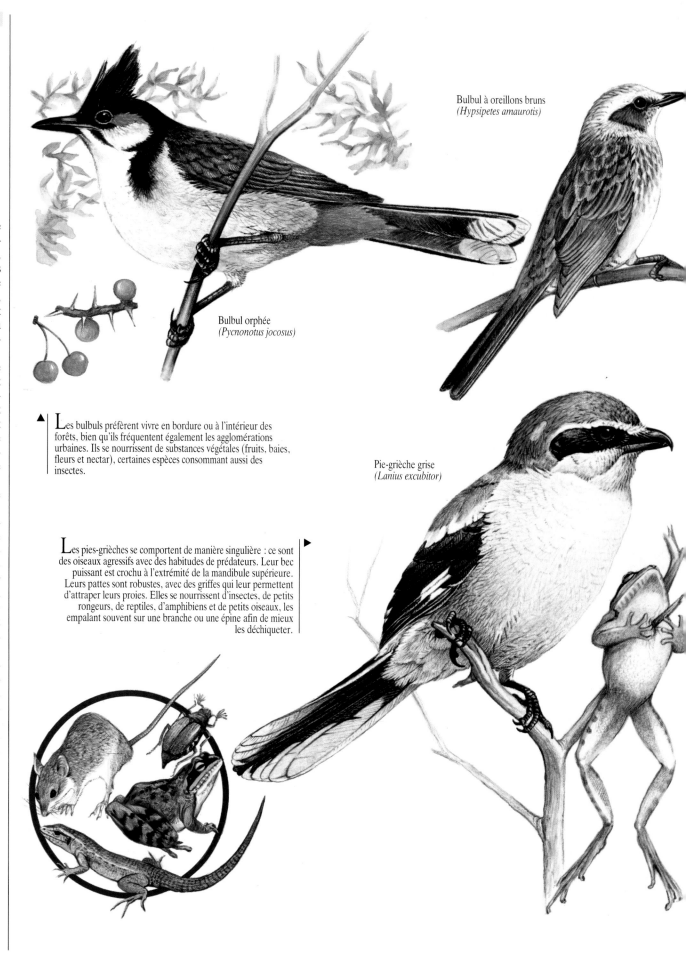

Bulbul à oreillons bruns
(*Hypsipetes amaurotis*)

Bulbul orphée
(*Pycnonotus jocosus*)

▲ Les bulbuls préfèrent vivre en bordure ou à l'intérieur des forêts, bien qu'ils fréquentent également les agglomérations urbaines. Ils se nourrissent de substances végétales (fruits, baies, fleurs et nectar), certaines espèces consommant aussi des insectes.

Pie-grièche grise
(*Lanius excubitor*)

Les pies-grièches se comportent de manière singulière : ce sont des oiseaux agressifs avec des habitudes de prédateurs. Leur bec puissant est crochu à l'extrémité de la mandibule supérieure. Leurs pattes sont robustes, avec des griffes qui leur permettent d'attraper leurs proies. Elles se nourrissent d'insectes, de petits rongeurs, de reptiles, d'amphibiens et de petits oiseaux, les empalant souvent sur une branche ou une épine afin de mieux les déchiqueter. ▶

espèce a une niche écologique qui lui permet de coexister avec ses cousines sans les concurrencer. La pie-grièche écorcheur *(Lanius collurio)*, par exemple, vit dans les bocages où abondent les buissons épineux et à la lisière des bois. On la rencontre aussi perchée sur les haies, le long des chemins. La pie-grièche grise *(L. excubitor)* préfère des terrains encore plus ouverts. La pie-grièche à tête rousse *(L. senator)* habite des régions sèches, fréquentant les olive-raies, les vergers et les terrains broussailleux de la région méditerranéenne. En Europe centrale et occidentale, on la voit souvent le long des routes bordées d'arbres ou dans les vergers.

La pie-grièche à poitrine rose *(L. minor)* préfère nicher dans des zones peu boisées mais où les arbres sont hauts, par opposition à la pie-grièche grise et à la pie-grièche à tête rousse. Elle a tendance à choisir des régions où la végétation est peu dense, se passant plus facilement que les autres pies-grièches de la présence de buissons épineux ; mais il lui faut un climat chaud.

La famille des vangas (vangidés), dont il existe 13 espèces, est originaire de Madagascar ; une seule d'entre elles se rencontre aussi aux Comores. La couleur du plumage varie considérablement au sein de la famille. Le vanga bleu *(Leptopterus viridis)* est bleu dessus et blanc dessous, l'eurycère de Prévost a le dos roux et l'extrémité des rémiges sombre. Les vangas vivent en groupes et construisent des nids en forme de coupe dans les arbres, à des hauteurs variables. La femelle pond 3 ou 4 œufs, blanchâtres ou verdâtres. On ne connaît pas encore très bien la biologie de ces oiseaux.

Les membres de la sous-famille des ptilogonatinés (gobe-mouches soyeux) ont une distribution américaine. Ils fréquentent les montagnes boisées de la partie occidentale de l'Amérique du Nord et l'Amérique centrale. Leur plumage est noir, gris ou brun ; leur taille varie de 18 à 24 cm. Ils se nourrissent essentiellement de fruits, bien qu'il leur arrive de compléter leur régime avec des insectes. Ceux-ci sont attrapés en vol, à la manière des vrais gobe-mouches. Le nid, peu profond, reçoit de 2 à 4 œufs grisâtres, que la femelle couve souvent seule.

Le jaseur boréal est un oiseau caractéristique de la taïga. Ses populations se déplacent de diverses manières : soit régulièrement et en nombre restreint (parfois jusqu'en Hongrie), soit par véritables « invasions », qui les emmènent en Europe occidentale, ces déplacements ayant lieu de façon irrégulière. Ces invasions sont généralement précédées d'un accroissement considérable du nombre d'individus arrivés à maturité sexuelle et d'une expansion des zones de reproduction.

Jaseur du Japon
(Bombycilla japonica)

Jaseur boréal
(Bombycilla garrulus)

Pie-grièche à tête rousse
(Lanius senator)

Phainopepla noir
(Phainopepla nitens)

Pie-grièche à poitrine rose
(Lanius minor)

Pie-grièche quadricolore
(Telophorus quadricolor)

On trouve les membres de la famille des vangidés à Madagascar, où ils vivent en groupes. Une seule espèce vit aux Comores.

Vanga bleu
(Leptopterus viridis)

◄ Autres espèces appartenant à la famille des laniidés.

Pie-grièche écorcheur
(Lanius collurio)

MUSCICAPIDAE, TURDINAE

Les taxinomistes classent aujourd'hui un millier d'espèces dans la famille des muscicapidés, alors que de précédentes classifications les rangeaient dans un certain nombre de familles séparées. Nous ne décrirons que les sous-familles les plus importantes.

La sous-famille des turdinés constitue le plus grand groupe, avec plus de 300 espèces, appartenant à divers genres, distribuées dans le monde entier, à l'exception de l'Antarctique. Elles vivent dans divers environnements, dont le désert et la toundra, auxquels elles s'adaptent sans difficulté. En général, ce sont des oiseaux terrestres, mais certains sont arboricoles. Leur régime consiste en vers de terre, en larves, en sauterelles et autres insectes et en escargots. L'automne et l'hiver, ils se nourrissent de baies et de fruits, qu'ils collectent souvent en groupes.

Quoiqu'ils témoignent d'une certaine sociabilité en hiver, une fois le printemps revenu, on note une franche hostilité entre individus de la même espèce, en particulier chez les mâles qui défendent leur territoire.

Les membres de cette sous-famille sont particulièrement doués du point de vue vocal, et peu de groupes peuvent se vanter de compter d'aussi bons chanteurs ; deux des plus célèbres sont le rossignol philomèle *(Luscinia megarhynchos)* et le merle shama *(Copsychus malabaricus)*. Ils communiquent entre eux par leur chant, qui sert à éloigner les mâles rivaux de leur territoire et à attirer une femelle à la recherche d'un partenaire.

Une fois le couple formé, la femelle prend l'initiative dans l'édification du nid. La diversité des endroits où il se situe prouve la remarquable faculté d'adaptation des merles et des grives : il peut se trouver à même le sol, entre les branches basses d'un buisson, dans un arbre, dans une fissure rocheuse ou dans une cavité naturelle ; les espèces les plus habituées à la présence humaine, comme le merle migrateur *(Turdus migratorius)* et le merle noir *(T. merula)*, l'installent parfois dans des endroits invraisemblables, et pas nécessairement au calme. Ce nid, fait de brins d'herbe, de mousse, de lichen et de boue, est toujours très solide.

Les grives sont des oiseaux robustes. Habitant originairement les régions boisées, elles ont appris à s'adapter à la présence de l'homme et se montrent souvent, de nos jours, dans les jardins et les vergers, qu'elles égaient de leurs chants mélodieux. Leur régime consiste essentiellement en vers de terre, en escargots et en insectes. L'automne, elles consomment de grandes quantités de baies et autres fruits sauvages.

Grive de Naumann
(Turdus naumanni)

Grive des bois
(Hylocichla mustelina)

Grive draine
(Turdus viscivorus)

Merle noir
(Turdus merula)

Grive musicienne
(Turdus philomelos)

Merle migrateur
(Turdus migratorius)

1) La sous-famille des turdinés est composée d'un grand nombre d'oiseaux que l'on trouve quasiment partout, à l'exception de l'Antarctique. 2) Distribution du rouge-gorge *(Erithacus rubecula)*. 3) Distribution du rossignol philomèle *(Luscinia megarhynchos)*

1
2
3

De 2 à 6 œufs clairs, souvent verts ou bleus, quelquefois mouchetés, sont pondus. Après deux semaines d'incubation, les petits éclosent et restent dans le nid pendant encore deux semaines, durant lesquelles ils sont nourris par les deux parents.

Étant donné le grand nombre d'espèces que compte cette sous-famille, elle a été récemment divisée en plusieurs petits groupes homogènes ; nous nous limiterons à la description de deux d'entre eux : celui des grives et celui, plus varié, des traquets, des rouges-gorges et des rossignols.

Les grives sont les plus grands représentants de la famille des muscicapidés, et les quelque 60 espèces sont plus ou moins uniformes en apparence. La majorité appartient au genre *Turdus*, le plus répandu de toute la sous-famille. Depuis des dizaines d'années, nombre de ces oiseaux font partie de notre quotidien. Si au départ ils vivaient dans les bois, on les voit à présent très souvent dans les pays les plus industrialisés.

Le second groupe important de la sous-famille des turdinés comporte des genres hautement diversifiés, dont des espèces nouvellement évoluées et des espèces primitives. Ces oiseaux émettent des chants très mélodieux, le plus remarquable étant assurément celui du rossignol philomèle, célébré par les poètes et les musiciens, et considéré en Occident comme le plus beau. Sans sa voix, cet oiseau passerait certainement inaperçu, car son plumage blanchâtre, brun et roussâtre et son comportement craintif le rendent difficile à observer. Ce n'est que d'avril à juin que son chant magnifique emplit l'air et trahit sa présence.

Le rouge-gorge, petit oiseau que son apparence gaie et son chant joyeux tandis qu'il sautille et volette dans les jardins ont rendu populaire, est encore plus connu. Nullement craintif, il vient souvent l'hiver chercher des aliments jusqu'au bord des fenêtres.

▼ Le rouge-gorge est l'un des oiseaux les plus populaires d'Europe. En Grande-Bretagne, il est presque devenu domestique, dans la mesure où il vit la majeure partie de l'année dans les villes et les jardins, tandis que dans d'autres pays d'Europe il se cache davantage, certainement parce qu'on le chasse encore, comme dans certains pays méditerranéens où il hiverne. Son régime consiste en petits arthropodes, qu'il attrape à même le sol, ainsi qu'en baies.

Rouge-gorge
(Erithacus rubecula)

◄ Le rouge-gorge est agressif envers les autres individus de son espèce. S'il doit défendre son territoire, il affronte son adversaire en chantant, la tête dressée, et en gonflant la poitrine pour mettre en valeur ses couleurs ; cette posture est un signal d'avertissement.

Rossignol philomèle
(Luscinia megarhynchos)

▲ Le rossignol philomèle est connu pour la beauté de son chant, pur et mélodieux, que le mâle émet même la nuit. Son répertoire consiste en phrases simples ou même en une seule note répétée, mais de plus en plus forte et ponctuée de brefs silences. Son chant est si puissant qu'on l'entend jusqu'à 800 mètres. C'est en chantant que le mâle revendique son territoire auprès de ses rivaux.

TIMALIES

Timaliinae

Avec quelque 280 espèces, les timalies constituent l'un des plus grands groupes de passériformes. Comme on peut s'y attendre avec une sous-famille si importante, il existe de grandes variations dans les caractères morphologiques. Certains oiseaux ont la taille du troglodyte, d'autres celle de la pie bavarde ; leur plumage est uniformément brun, ou coloré de roux, de vert et de jaune. La forme du bec varie elle aussi en fonction des espèces : très court et frêle, long et crochu, court et robuste, ou long et droit. Néanmoins, certaines caractéristiques physiques sont communes à presque tous ces oiseaux — du moins en nombre suffisant pour opérer une classification : les ailes courtes et arrondies tenues légèrement éloignées du corps ; la queue parfois très longue. Ce sont, par conséquent, de piètres voiliers, qui préfèrent sautiller à terre sur leurs robustes pattes.

Les timalies se trouvent essentiellement en Eurasie, bien qu'elles aient aussi colonisé l'Afrique, Madagascar, l'Indonésie, la Nouvelle-Guinée et l'Australie.

Leur régime consiste en insectes et, dans une certaine mesure, en fruits. Les denses sous-bois sont leur habitat préféré ; là, elles peuvent se déplacer rapidement, souvent près du sol, sautiller et s'abriter parmi les troncs d'arbres, les lianes et les feuilles mortes. Tout en allant et venant, elles émettent une série continue de petits cris.

A la saison de reproduction, elles édifient un nid en forme de coupe ou de dôme, dans les arbres ou les buissons, parfois à même le sol, dans les touffes d'herbe ou parmi les roseaux. Plus rarement, un nid de boue est fixé à une saillie rocheuse.

Les œufs, au nombre de 2 à 7, et d'apparence variable, peuvent être blancs, verts, bleus ou roses, souvent mouchetés. Les deux parents ou la femelle uniquement se chargent de l'incubation. L'élevage des petits revient au mâle et à la femelle.

Timalie à calotte rousse
(Timalia pileata)

L'apparence et la taille varient considérablement chez les diverses espèces de timalies. Ce sont des oiseaux grégaires qui vivent toute l'année en petits groupes, chantant bruyamment dans les buissons et les sous-bois. La timalie à calotte rousse fréquente les bambous et se nourrit d'insectes, de graines et de fruits.

Autres représentants de la sous-famille des timaliinés.

Pomatorrhin
à long bec
(Pomatorhinus hypoleucos)

Alcippe
du Népal
(Alcippe nipalensis)

Garrulax à huppe blanc
(Garrulax leucolophus)

Rossignol du Japon
(Leiothrix lutea)

Timalie striée
(Turdoides striatus)

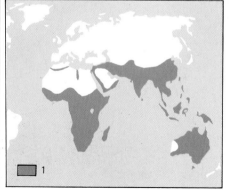

La plupart de ces oiseaux se rencontrent en Eurasie, bien qu'ils aient aussi colonisé l'Afrique, Madagascar, l'Indonésie, l'Australie et la Nouvelle-Guinée. Une espèce, la mésange à moustaches *(Panurus biarmicus)*, a traversé l'Europe et atteint les îles Britanniques, ayant élargi son habitat depuis l'époque où elle avait trouvé refuge sous des climats tropicaux, au pléistocène. Un autre cas encore plus étrange est celui de la chama brune *(Chamaea fasciata)* des côtes occidentales de l'Amérique du Nord : c'est le seul membre du groupe qu'on trouve dans le Nouveau Monde, où la niche écologique de la sous-famille est occupée par les fourmiliers (formicariidés), très différents en structure mais identiques en apparence et en mode de vie. C'est là un phénomène de convergence. 1) Distribution de la sous-famille des timaliinés.

MUSCICAPINAE
PACHYCEPHALINAE

Les oiseaux de la sous-famille des musci-capinés, plus communément appelés gobe-mouches, constituent un groupe de plus de 300 espèces vivant dans les trois continents de l'Ancien Monde. Habitant les latitudes tempérées et septentrionales où les insectes volants n'abondent que l'été, les gobe-mouches d'Europe sont tous migrateurs.

Le gobe-mouches noir *(Ficedula hypoleuca)*, commun dans le centre et le nord de l'Europe, est l'espèce dont le comportement reproducteur a été le plus étudié. De retour de ses quartiers d'hiver, le mâle cherche immédiatement un endroit où nicher. La femelle, qui arrive plus tard, est attirée par son chant et certaines de ses postures.

L'une des espèces les plus colorées est le gobe-mouches narcisse *(Ficedula narcissina)*, oiseau asiatique de Chine et du Japon qui hiverne aux Philippines et en Indonésie. Il vit dans toutes sortes de forêts et son chant est l'un des plus mélodieux de la sous-famille. Le gobe-mouches bleu du Japon *(Cyanoptila cyanomelaena)*, qui habite la dense végétation des vallées et des montagnes d'Asie de l'Est, et qui migre jusqu'à la péninsule indochinoise et en Indonésie, est célèbre aussi pour son chant.

Plus ou moins identiques aux gobe-mouches, les oiseaux de la sous-famille des pachycéphalinés ont un corps robuste, une tête ronde et un bec crochu, ressemblant à celui des pies-grièches. Ils sont connus sous le nom de pachycéphales et réputés pour leurs cris aigus. Leur plumage est jaune, vert et noir, et en général mâle et femelle sont semblables.

Les pachycéphales vivent dans les broussailles et les forêts d'Australie, de Nouvelle-Guinée, de Malaysia, des Philippines et des principales îles d'Océanie. Leur régime consiste en insectes, mais certaines espèces se nourrissent aussi de baies. Leur nid, imposant et grossièrement construit, est situé près du sol. Seule la femelle se charge de son édification et de l'incubation des 2 ou 3 œufs.

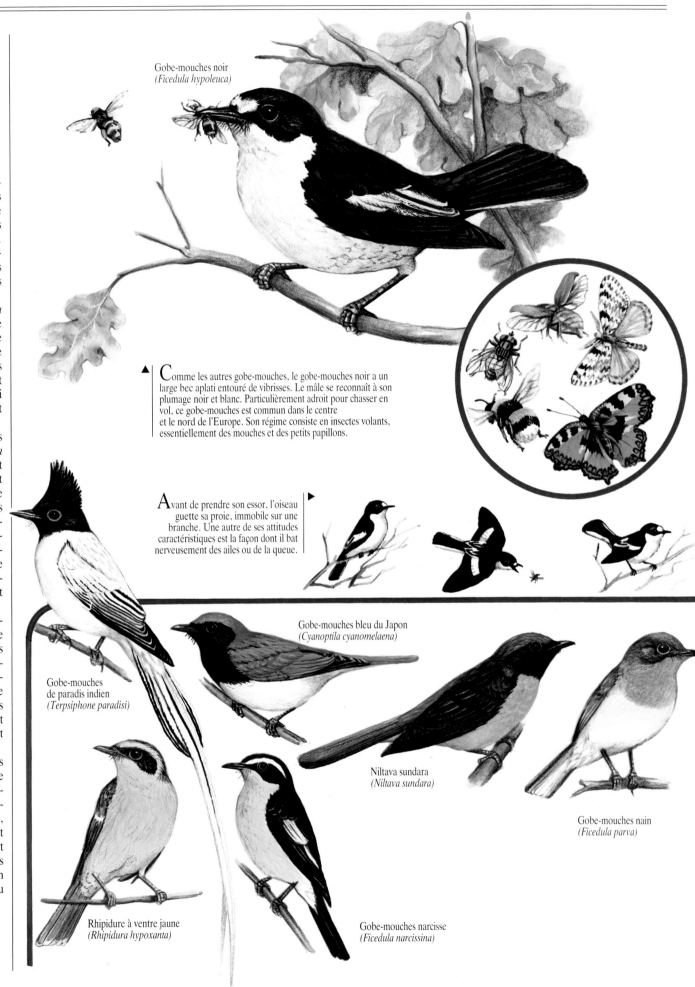

Gobe-mouches noir
(Ficedula hypoleuca)

Comme les autres gobe-mouches, le gobe-mouches noir a un large bec aplati entouré de vibrisses. Le mâle se reconnaît à son plumage noir et blanc. Particulièrement adroit pour chasser en vol, ce gobe-mouches est commun dans le centre et le nord de l'Europe. Son régime consiste en insectes volants, essentiellement des mouches et des petits papillons.

Avant de prendre son essor, l'oiseau guette sa proie, immobile sur une branche. Une autre de ses attitudes caractéristiques est la façon dont il bat nerveusement des ailes ou de la queue.

Gobe-mouches bleu du Japon
(Cyanoptila cyanomelaena)

Gobe-mouches de paradis indien
(Terpsiphone paradisi)

Niltava sundara
(Niltava sundara)

Gobe-mouches nain
(Ficedula parva)

Rhipidure à ventre jaune
(Rhipidura hypoxanta)

Gobe-mouches narcisse
(Ficedula narcissina)

FAUVETTES

Sylviinae

Avec ses quelque 340 espèces, c'est le groupe le plus important et apparemment le moins hétérogène de toute la famille des muscicapidés. Alors que la sous-famille des grives est représentée sur les cinq continents, ce qui prouve son ancienneté, les fauvettes de la sous-famille des sylviinés ne se trouvent pas en Amérique, à l'exception de trois espèces en Amérique du Nord et de deux membres du genre *Regulus*, souvent considérés d'ailleurs comme un groupe distinct.

L'énorme sous-famille des sylviinés se divise également en groupes comptant des genres aux caractères morphologiques et surtout aux besoins écologiques communs. Par exemple le groupe des fauvettes aquatiques, représenté notamment par les genres *Cettia* et *Acrocephalus*. Ces petits oiseaux, gris ou bruns dessus et crème dessous, quelquefois avec des raies plus sombres, se ressemblent beaucoup.

La bouscarle chanteuse *(Cettia diphone)*, réputée pour son chant mélodieux qui occupe une place de choix dans le folklore japonais, appartient au premier genre. La bouscarle de Cetti *(C. cetti)*, qui est une espèce voisine, se trouve en Europe ; la manière spectaculaire dont elle a accru son aire de répartition est particulièrement intéressante. Au cours des dernières décennies, elle s'est étendue de la Méditerranée à l'Europe centrale et a même atteint les îles Britanniques en 1972.

Les rousserolles du genre *Acrocephalus* figurent parmi les oiseaux chanteurs les plus remarquables des étangs et marécages de l'Ancien Monde. Elles vivent au milieu d'une végétation aquatique consistant principalement en roseaux. La rousserolle turdoïde *(Acrocephalus arundinaceus)* et la rousserolle effarvatte *(A. scirpaceus)* sont très répandues ; ce sont des oiseaux de marais qui accrochent leurs nids aux tiges des roseaux au-dessus de l'eau. Les petits sont ainsi protégés des prédateurs, mais pas du coucou, qui, parce que leur nid est facile à localiser, parasite souvent ces espèces. Les oiseaux du genre *Locustella*, qui comprend la locustelle tachetée *(L. naevia)*, constituent un groupe très particulier. Ils ressemblent aux rousserolles en apparence et certains partagent le même habitat.

Comme la majorité des autres sylviinés, la bouscarle chanteuse du Japon vit presque tout le temps au milieu d'une végétation basse, où elle s'abrite à la moindre alerte. Ses cris persistants et très caractéristiques trahissent cependant sa présence. Les fauvettes se nourrissent d'insectes et autres petits arthropodes, mais, à la fin de l'été, elles complètent ce régime avec des baies et des fruits. ▶

Bouscarle chanteuse
(Cettia diphone)

▼ Quelques espèces de fauvettes.

Bouscarle de Cetti
(Cettia cetti)

Locustelle tachetée
(Locustella naevia)

Cisticole des joncs
(Cisticola juncidis)

Le nid en forme de coupe profonde de la rousserolle turdoïde est solidement accroché aux tiges des roseaux. ▶

▼ Quand elle chante, la rousserolle effarvatte se perche bien en vue.

Rousserolle effarvatte
(Acrocephalus scirpaceus)

Rousserolle turdoïde
(Acrocephalus arundinaceus)

Un autre groupe très homogène est celui des cisticoles du genre *Cisticola*, avec quelque 70 espèces. Ce groupe a toujours présenté des problèmes pour les taxinomistes, surtout en ce qui concerne les différences et les similitudes existant entre les diverses espèces. Bien que très répandues dans les régions tropicales et subtropicales, les cisticoles sont certainement originaires d'Afrique, où résident les trois quarts des espèces connues aujourd'hui. L'une d'elles, la cisticole des joncs *(C. juncidis)*, a une vaste distribution, de l'Afrique du Nord à l'est de l'Asie et à l'Australie ; c'est aussi la seule espèce que l'on trouve en Europe.

Les bois, les haies et les broussailles sont les repaires incontestés des membres du genre *Sylvia*. Le type de végétation qu'ils préfèrent permet de diviser le groupe en espèces arboricoles, telles la fauvette à tête noire *(S. atricapilla)* et la fauvette des jardins *(S. borin)*, et en espèces qui vivent dans les buissons, telle la fauvette grisette *(S. communis)*. Leur plumage est toujours brun ou gris dessus et plus clair dessous. Le dimorphisme sexuel est peu marqué, sauf dans le cas de la fauvette à tête noire, où la tête du mâle est noire et celle de la femelle roussâtre.

Ces oiseaux craintifs sont réputés pour leur chant, souvent puissant et mélodieux, et parfois si complexe qu'on le classe parmi les chants d'oiseaux les plus élaborés. Témoin celui de la fauvette à tête noire ou de la fauvette des jardins. Le chant des pouillots *(Phylloscopus)* est beaucoup plus simple, ce qui facilite l'identification des différentes espèces. Ce sont des oiseaux très actifs, qui explorent infatigablement chaque centimètre carré de feuillage dans les buissons et les arbres.

Les fauvettes couturières du genre *Orthotomus* construisent un nid très élaboré. Des 10 espèces connues, toutes du Sud et du Sud-Est asiatique, quelques-unes fréquentent les jardins, la plus célèbre étant la fauvette couturière *O. sutorius*, qui vit et niche souvent près des maisons.

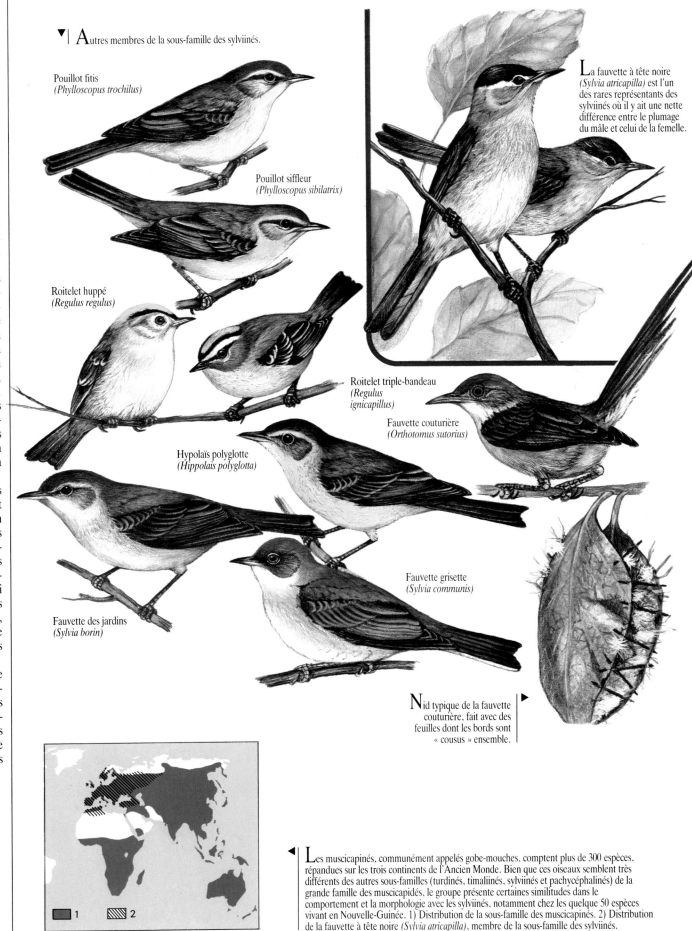

▼| Autres membres de la sous-famille des sylviinés.

Pouillot fitis
(Phylloscopus trochilus)

Pouillot siffleur
(Phylloscopus sibilatrix)

Roitelet huppé
(Regulus regulus)

Roitelet triple-bandeau
(Regulus ignicapillus)

Hypolaïs polyglotte
(Hippolais polyglotta)

Fauvette couturière
(Orthotomus sutorius)

Fauvette des jardins
(Sylvia borin)

Fauvette grisette
(Sylvia communis)

La fauvette à tête noire *(Sylvia atricapilla)* est l'un des rares représentants des sylviinés où il y ait une nette différence entre le plumage du mâle et celui de la femelle.

Nid typique de la fauvette couturière, fait avec des feuilles dont les bords sont « cousus » ensemble. ▶

◀ Les muscicapinés, communément appelés gobe-mouches, comptent plus de 300 espèces, répandues sur les trois continents de l'Ancien Monde. Bien que ces oiseaux semblent très différents des autres sous-familles (turdinés, timaliinés, sylviinés et pachycéphalinés) de la grande famille des muscicapidés, le groupe présente certaines similitudes dans le comportement et la morphologie avec les sylviinés, notamment chez les quelque 50 espèces vivant en Nouvelle-Guinée. 1) Distribution de la sous-famille des muscicapinés. 2) Distribution de la fauvette à tête noire *(Sylvia atricapilla)*, membre de la sous-famille des sylviinés.

1   2

PARIDAE, SITTIDAE, CERTHIIDAE, CLIMACTERIDAE

La famille des paridés est constituée de 65 espèces, communément appelées mésanges. Les vraies mésanges, de la sous-famille des parinés, nichent dans des cavités naturelles, où elles passent la nuit l'hiver. Leur nid proprement dit consiste en un amas de poils, de plumes et de mousse sur lequel la femelle dépose jusqu'à 15 œufs blancs, tachetés de marron dans les zones tempérées — rarement plus de 4 sous les tropiques. Si elle se charge seule de l'incubation, les deux parents prennent soin des petits. En toute saison les mésanges mangent des insectes, collectés en grandes quantités, surtout quand elles doivent pourvoir à la nourriture des oisillons. L'hiver, elles se contentent de fruits, de baies et de graines. Quelques espèces, notamment des régions septentrionales, ont l'habitude de stocker des aliments dans l'écorce des arbres ou dans la terre ; elles n'en retrouvent qu'une partie.

Les membres de la famille des sittidés sont connus sous le nom de sittelles. Elles se nourrissent d'insectes et aussi de glands et de noix, qu'elles coincent dans les fissures des arbres avant de les ouvrir à coups de bec. Elles sont réputées pour leurs qualités de grimpeurs ; leur nom est souvent associé, dans différentes langues, à l'utilisation qu'elles font de la boue pour construire leur nid.

Les sittelles sont robustes, avec une grosse tête et une courte queue ; elles se servent de leurs pattes pour grimper le long des troncs d'arbres, beaucoup plus agilement que les pics. Leur plumage bicolore est caractéristique : dessus gris, dessous blanc. Très souvent, une bande noire traverse les deux côtés de la tête au niveau des yeux. Bien que long et fin, le bec est assez puissant. Les 20 espèces du genre *Sitta* ont une distribution typiquement holarctique (Eurasie et Amérique du Nord) ; elles habitent les forêts mixtes, qu'elles quittent rarement l'hiver. La plupart sont sédentaires. Certaines vivent essentiellement dans les régions rocheuses.

Les sittelles émettent une série de cris variés, mais leur chant proprement dit

▲ La mésange charbonnière *(Parus major)* est le membre le plus connu et le plus étudié des paridés. C'est un oiseau très familier des jardins, qui s'adapte aisément à la présence humaine. Les mésanges, en général, se nourrissent de larves de papillons et d'autres arthropodes. L'automne et l'hiver, elles complètent ce régime avec des baies et des graines.

▼ Autres représentants de la famille des paridés.

Le pachycéphale à collier *(Pachycephala pectoralis)* est représentant de la petite sous-famille des pachycéphaliné (famille des muscicapidés). Il diffère des gobe-mouches sa tête plus grosse et son bec crochu.

Mésange bleue *(Parus caeruleus)*

Mésange huppée *(Parus cristatus)*

Mésange azurée *(Parus cyanus)*

Mésange à longue queue *(Aegithalos caudatus)*

Mésange noire *(Parus ater)*

Mésange lapone *(Parus cinctus)*

Mésange sultan *(Melanochlora sultanea)*

consiste en une suite de notes qu'elles répètent rapidement et qui forment alors un long trille ou même un sifflement.

Quelques espèces très spécialisées vivent dans les régions montagneuses, comme le tichodrome échelette *(Tichodroma muraria)*. C'est un oiseau aux couleurs magnifiques, avec de grandes ailes, un bec fin et recourbé et de longues pattes qui lui permettent de s'accrocher sur les parois rocheuses.

Les grimpereaux de la famille des certhiidés ressemblent plus aux pics qu'aux sittelles. De nos jours, 5 espèces sont connues, toutes très similaires et appartenant au genre *Certhia*. Leur distribution est limitée aux forêts de feuillus et de conifères de l'hémisphère Nord. Le grimpereau familier *(C. familiaris)*, l'espèce la plus répandue, fréquente les forêts d'Amérique du Nord et d'Eurasie. Ce sont des oiseaux sédentaires, faisant tout au plus de courts déplacements à basse altitude l'hiver ; à cette saison, ils ont tendance à renoncer à leurs habitudes solitaires et se rassemblent à l'intérieur d'une cavité pour passer la nuit, blottis les uns contre les autres pour se protéger si le froid est très vif.

La petite famille des climactéridés compte 6 espèces, connues aussi sous le nom de grimpereaux. On ne les trouve que dans les forêts d'eucalyptus et d'acacias d'Australie. Ces oiseaux illustrent une fois de plus le phénomène de convergence. En effet, les mêmes habitudes alimentaires ont conduit à des similitudes remarquables avec les grimpereaux de la famille des certhiidés, en ce qui concerne à la fois l'apparence et le comportement.

Chez certaines espèces, le plumage est brunâtre dessus et blanc dessous, ce qui constitue un camouflage idéal lorsqu'elles grimpent le long des arbres comme les vrais grimpereaux. Leur bec fin et courbé leur permet de dénicher des insectes dans l'écorce ; leurs pattes et surtout leurs griffes sont particulièrement développées.

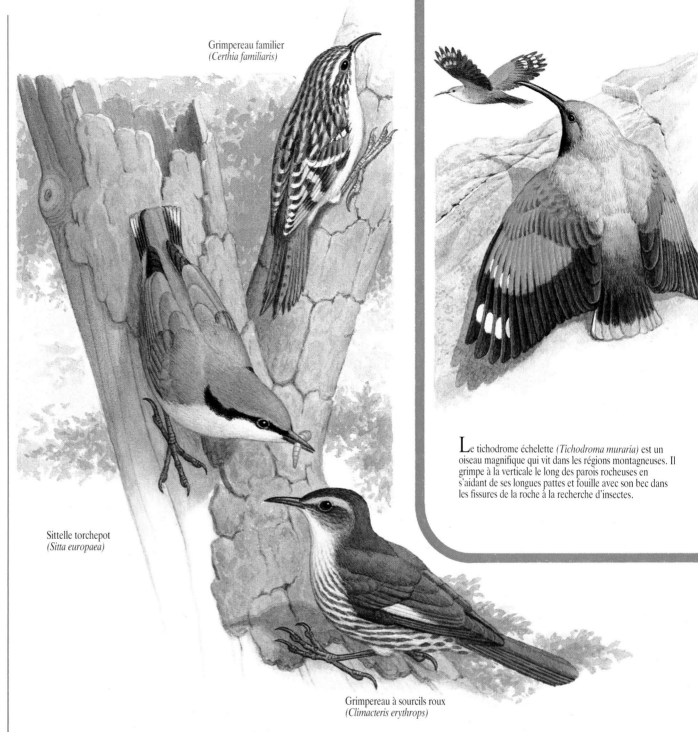

Grimpereau familier
(Certhia familiaris)

Sittelle torchepot
(Sitta europaea)

Le tichodrome échelette *(Tichodroma muraria)* est un oiseau magnifique qui vit dans les régions montagneuses. Il grimpe à la verticale le long des parois rocheuses en s'aidant de ses longues pattes et fouille avec son bec dans les fissures de la roche à la recherche d'insectes.

Grimpereau à sourcils roux
(Climacteris erythrops)

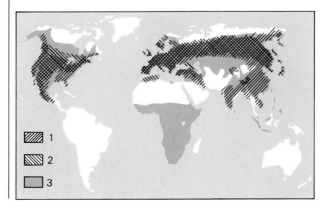

▲ Ces oiseaux, qui grimpent sans difficulté le long des arbres et se nourrissent d'insectes dissimulés sous l'écorce, appartiennent à 3 familles distinctes : le grimpereau familier aux certhiidés, la sittelle torchepot aux sittidés et le grimpereau à sourcils roux aux climactéridés.

◄ 1) Distribution des membres de la famille des sittidés, communément appelés sittelles. 2) Distribution des grimpereaux, dont 5 espèces composent la famille des certhiidés. 3) La famille des paridés, qui réunit les mésanges, est répandue dans le monde entier, à l'exception de l'Amérique du Sud, de Madagascar, de l'Australie et de la Polynésie.

DICAEIDAE, NECTARINIIDAE, ZOSTEROPIDAE, MELIPHAGIDAE

Les dicées, de la famille des dicaéidés, sont de petits oiseaux apparentés aux soui-mangas (nectariniidés) et aux méliphages (méliphagidés), répandus du sud de la Chine et de l'Inde à l'Australie, à la Tasmanie et aux îles Salomon, en passant par les Philippines et l'Indonésie. La plus grande diversité de formes se rencontre en Nouvelle-Guinée, où vivent plus d'un quart des 56 espèces connues et d'où la famille est très certainement originaire. Les membres les plus typiques de celle-ci (les 35 espèces du genre *Dicaeum* et les 6 du genre *Prionochilus*) mesurent environ 9 cm. Leur bec, court, fin, légèrement recourbé, a des bords tranchants finement dentelés. La langue tubulaire, avec ses soies hérissées, permet d'aspirer le nectar des fleurs. Chez la plupart des espèces, le plumage du mâle est noir, blanc et rouge, alors que celui de la femelle est d'un jaune-vert plus discret. Ces oiseaux, habitants de la strate moyenne et supérieure des forêts primaires et secondaires, se nourrissent essentiellement des baies des guis tropicaux (genre *Loranthus*).

Les soui-mangas, de la famille des nectariniidés, sont répandus dans toutes les zones chaudes de l'Ancien Monde. La plupart vivent en Afrique, au sud du Sahara (y compris Madagascar et d'autres îles de la partie occidentale de l'océan Indien). La famille s'étend aussi jusqu'en Égypte, en Arabie, au Moyen-Orient, en Inde, au Tibet, au sud de la Chine, à Ceylan, en Indochine, aux Philippines, à la Nouvelle-Guinée, aux îles Salomon et à la pointe nord-est de l'Australie. Leur régime consiste en nectar, en pulpe de fruits et en insectes. Les arachnothères sont célèbres pour attraper les araignées directement sur leur toile. De nombreuses espèces africaines (*Cinnyris*, *Nectarinia*) ont un bec particulièrement long et recourbé qui leur permet d'extraire le nectar, soit en se posant sur la fleur, soit en voletant au-dessus d'elle. Les espèces au bec court, comme celles du genre *Anthreptes*, se contentent de perforer la base de la corolle pour collecter le nectar. Si les

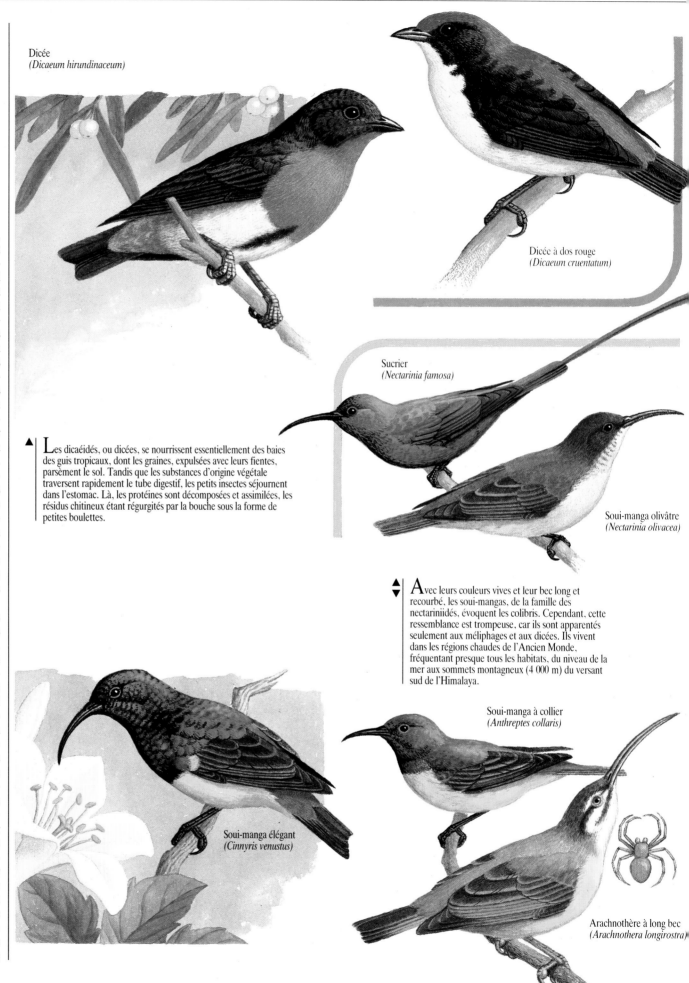

Dicée
(Dicaeum hirundinaceum)

Dicée à dos rouge
(Dicaeum cruentatum)

▲ Les dicaéidés, ou dicées, se nourrissent essentiellement des baies des guis tropicaux, dont les graines, expulsées avec leurs fientes, parsèment le sol. Tandis que les substances d'origine végétale traversent rapidement le tube digestif, les petits insectes séjournent dans l'estomac. Là, les protéines sont décomposées et assimilées, les résidus chitineux étant régurgités par la bouche sous la forme de petites boulettes.

Sucrier
(Nectarinia famosa)

Soui-manga olivâtre
(Nectarinia olivacea)

▲▼ Avec leurs couleurs vives et leur bec long et recourbé, les soui-mangas, de la famille des nectariniidés, évoquent les colibris. Cependant, cette ressemblance est trompeuse, car ils sont apparentés seulement aux méliphages et aux dicées. Ils vivent dans les régions chaudes de l'Ancien Monde, fréquentant presque tous les habitats, du niveau de la mer aux sommets montagneux (4 000 m) du versant sud de l'Himalaya.

Soui-manga à collier
(Anthreptes collaris)

Soui-manga élégant
(Cinnyris venustus)

Arachnothère à long bec
(Arachnothera longirostra)

soui-mangas ne sont pas grégaires, on les observe souvent en bandes là où abondent les fleurs.

Communément appelés oiseaux à lunettes à cause des plumes blanches autour de leurs yeux, les zostéropidés constituent un groupe homogène apparenté aux méliphagidés et aux nectariniidés, et largement répandu.

Les zostérops habitent les couches supérieures de la forêt primaire, mais fréquentent souvent aussi les forêts secondaires, les clairières, les plantations, les jardins et les mangroves le long du rivage. Ils ont l'habitude de se déplacer en petits groupes de mâles et de femelles de telle sorte que, si des vents forts les obligent à changer de direction, ils peuvent coloniser une nouvelle région. Leur capacité à s'adapter à différents environnements leur a permis de s'installer dans les îles les plus éloignées des océans Indien et Pacifique.

La famille des méliphagidés est essentiellement répandue en Australie et en Nouvelle-Guinée, bien que quelques espèces aient colonisé les Moluques et Bali, jusqu'à Hawaii et aux îles Bonin (Japon) au nord, aux Samoa à l'est et à la Nouvelle-Zélande au sud. Les méliphagidés occupent une grande variété d'habitats, dont les différentes strates de la forêt primaire et secondaire, les savanes boisées d'eucalyptus, les immenses étendues sableuses de l'Australie intérieure, les mangroves et les broussailles alpines jusqu'à 3 600 m.

Les populations qui habitent les versants montagneux de la Nouvelle-Guinée quittent souvent les sommets pour la plaine, tandis que celles qui vivent au niveau de la mer font des migrations saisonnières ou se contentent de se déplacer localement, se nourrissant de fleurs d'eucalyptus. Dans la mesure où ils enfoncent leur bec, voire toute la tête, dans les corolles des fleurs, les méliphages participent au transport du pollen. En plus du nectar, ils consomment des fruits mûrs, des baies et, parfois, de petits vertébrés.

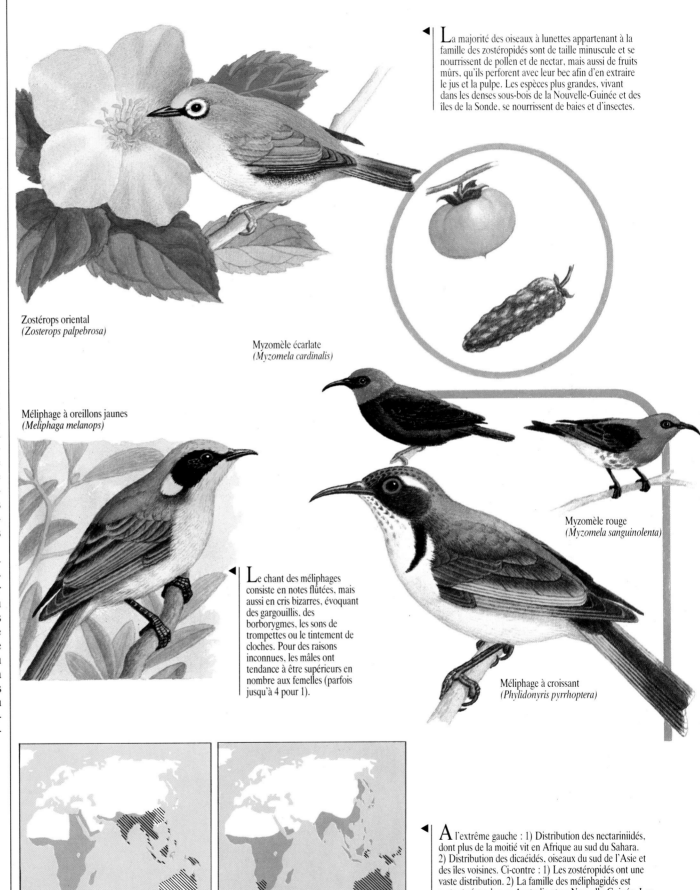

Zostérops oriental
(Zosterops palpebrosa)

Myzomèle écarlate
(Myzomela cardinalis)

Méliphage à oreillons jaunes
(Meliphaga melanops)

Myzomèle rouge
(Myzomela sanguinolenta)

▸ La majorité des oiseaux à lunettes appartenant à la famille des zostéropidés sont de taille minuscule et se nourrissent de pollen et de nectar, mais aussi de fruits mûrs, qu'ils perforent avec leur bec afin d'en extraire le jus et la pulpe. Les espèces plus grandes, vivant dans les denses sous-bois de la Nouvelle-Guinée et des îles de la Sonde, se nourrissent de baies et d'insectes.

▸ Le chant des méliphages consiste en notes flûtées, mais aussi en cris bizarres, évoquant des gargouillis, des borborygmes, les sons de trompettes ou le tintement de cloches. Pour des raisons inconnues, les mâles ont tendance à être supérieurs en nombre aux femelles (parfois jusqu'à 4 pour 1).

Méliphage à croissant
(Phylidonyris pyrrhoptera)

▸ À l'extrême gauche : 1) Distribution des nectariniidés, dont plus de la moitié vit en Afrique au sud du Sahara. 2) Distribution des dicaéidés, oiseaux du sud de l'Asie et des îles voisines. Ci-contre : 1) Les zostéropidés ont une vaste distribution. 2) La famille des méliphagidés est surtout répandue en Australie et en Nouvelle-Guinée. Les deux grandes espèces du sud de l'Afrique ont récemment été incluses dans la famille des nectariniidés, principalement pour des raisons géographiques.

1 2

1 2

EMBERIZIDAE

Selon les opinions les plus autorisées, cette famille compte plus de 500 espèces, aussi différentes en apparence que les bruants, les tangaras et les drépanis. Elles étaient autrefois classées dans des familles séparées, mais leurs similitudes sont si nombreuses qu'on n'a pu maintenir les premières distinctions et qu'on les a regroupées dans une seule et même vaste famille.

Les bruants du genre *Emberiza*, qui ont donné leur nom à cette sous-famille et à la famille entière, sont des oiseaux assez trapus et aux pattes robustes. Leur bec conique, souvent pourvu d'un tubercule à l'intérieur, indique que leur régime est à base de graines, quoiqu'il leur arrive de consommer d'autres substances végétales et des insectes.

Bien que les bruants vivent de préférence dans les plaines ou les régions aux arbres et broussailles épars et que les espèces tropicales habitent en bordure des forêts denses, on ne peut dire qu'ils soient arboricoles. En général, ils nichent dans un buisson ou un arbre, jamais très haut ; le nid, fait de brins d'herbe, de racines et de mousse, et tapissé de racines et de crins, est souvent placé directement sur le sol, dans une cavité naturelle ou entre des pierres. Seule la femelle se charge de son édification. Elle pond de 2 à 6 œufs, blancs et ornés de traits ou de taches sombres, qu'elle couve seule ; mais les deux parents élèvent les jeunes ensemble.

La sous-famille des cardinalinés, étroitement liée a celle des embérizinés, est constituée de quelque 40 espèces, communément appelées gros-becs américains et cardinaux.

Les cardinaux ont une distribution nettement tropicale et ne se trouvent que dans le Nouveau Monde ; les espèces qui se reproduisent au nord du Mexique sont souvent migratrices et hivernent dans le nord de l'Amérique du Sud. L'espèce la plus connue est le cardinal *(Cardinalis cardinalis)* des régions tempérées d'Amérique du Nord, qui niche jusqu'au sud de l'Amérique centrale. Autre membre de la sous-famille des cardinalinés, le dickcissel *(Spiza americana)* est un oiseau typique des prairies occidentales des États-Unis. Il a un comportement polygame.

La sous-famille des thraupinés représente le groupe le plus resplendissant d'Amérique du Sud. Ce sont des oiseaux

Bruant des prés
(Emberiza cioides)

Les bruants sont des oiseaux des espaces ouverts, notamment des prairies et des terres cultivées : ils nichent dans les haies. Ils sont granivores, mais les oisillons mangent des insectes et autres arthropodes. Le bruant des prés est un oiseau très familier des paysages japonais.

Bruant jaune
(Emberiza citrinella)

Bruant des roseaux
(Emberiza schoeniclus)

Bruant des neiges
(Plectrophenax nivalis)

Le représentant le plus typique de la sous-famille des cardinalinés est le cardinal *(Cardinalis cardinalis)*, qui vit en bordure des forêts et se nourrit de graines, d'insectes et de baies. Il visite souvent les jardins des villes et les mangeoires.

Pinson chanteur
(Melospiza melodia)

Bruant nonpareil
(Passerina ciris)

célèbres pour leur plumage bariolé. Par la variété des teintes et des motifs de leur livrée, les petites espèces des genres *Tangara* et *Euphonia* sont sans égales. Le mâle et la femelle ont le même plumage multicolore, qu'ils gardent d'une saison à l'autre. En revanche, les espèces du genre *Piranga*, des États-Unis et du Canada, ont une coloration qui varie considérablement selon le sexe et la saison.

Peu de tangaras vivent dans l'obscurité de la jungle, et la plupart volettent au niveau de la cime des arbres. Comme d'autres espèces qui ne fréquentent que le faîte des arbres, ils errent de-ci de-là à la recherche de nourriture et nichent dans les groupes d'arbres isolés des clairières et des plantations. Certaines espèces vivent dans les sous-bois, mais aucune n'est connue pour chercher ses aliments directement à terre. Les fruits constituent la base de leur régime, complété parfois par des insectes.

Une branche de cette sous-famille consiste en un petit groupe très spécialisé, les drépanis, que l'on considère parfois comme une sous-famille séparée (cœrébinés), voire comme une famille proprement dite. Ce sont de petits oiseaux au bec fin et recourbé ; les mâles arborent un magnifique plumage bleu, turquoise et vert. Leur principale caractéristique est certainement la langue, modifiée en fonction de leur régime alimentaire : recourbée et frangée sur les bords, subdivisée à l'extrémité et parfois formée de deux tubes.

Deux espèces inhabituelles d'Amérique du Sud sont aussi souvent rangées dans des sous-familles distinctes. Il s'agit du tangara à diadème *(Catamblyrhynchus diadema)*, rare habitant des hautes forêts des Andes, et du tangara hirondelle *(Tersina viridis)*.

Enfin, on classe dans la famille des embérizidés un autre groupe d'oiseaux très intéressants, celui qui comprend les pinsons de Darwin (sous-famille des géospizinés). Ses 14 espèces vivent exclusivement sur les îles Galapagos, à l'exception de l'une d'elles, qu'on trouve sur les îles Cocos, à 950 km au nord-ouest.

Tangara à diadème
(Catamblyrhynchus diadema)

Tangara septicolore
(Tangara chilensis)

Tangara hirondelle
(Tersina viridis)

Tangara à tête rouge
(Piranga ludoviciana)

▲ Les tangaras et les espèces apparentées appartiennent aussi à la famille des embérizidés. Le nom de tangara leur a été donné par une tribu d'Amazonie. Ces oiseaux ne sont pas de grands chanteurs et leur répertoire vocal est pauvre : cette déficience est liée à leur comportement territorial, peu évident et souvent totalement absent.

Le pinson-pic *(Cactospiza pallida)*, l'un des pinsons de Darwin, se sert d'une épine de cactus pour extraire les larves d'insectes de l'écorce. Ce groupe d'oiseaux a fourni à Charles Darwin l'une des pièces les plus convaincantes pour sa théorie de l'évolution, alors que le *H.M.S. Beagle* était ancré au large des îles Galapagos, en 1853. Les 14 espèces trouvées sur l'archipel représentaient un matériau extraordinaire pour l'étude de l'origine des espèces et de leur isolement écologique, ainsi que la preuve la plus manifeste du phénomène de radiation adaptative. Une fois les îles colonisées par une forme ancestrale inconnue, ces passereaux ont évolué et se sont diversifiés plus rapidement qu'à l'habitude, dans la mesure où il n'existait pas d'autre espèce pour les concurrencer.

◀ Le bec long et fin des drépanis est idéal pour extraire le nectar des fleurs.

Guit guit saï
(Cyanerpes cyaneus)

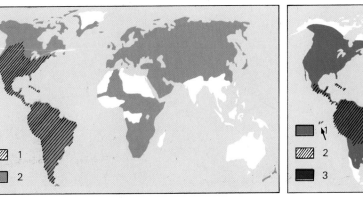

◀ À l'extrême gauche : 1) Les cardinaux (sous-famille des cardinalinés) sont des oiseaux tropicaux du Nouveau Monde. 2) Les bruants (sous-famille des embérizinés) ont une vaste distribution et ont donné leur nom scientifique à la famille entière ; bien que la majorité des espèces habitent la région paléarctique, ils constituent un groupe relativement récent, issu d'ancêtres originaires d'Amérique. Ci-contre : 1) Les tangaras (sous-famille des thraupinés) sont presque exclusivement des oiseaux d'Amérique du Sud. 2) Distribution des drépanis, que l'on place parfois dans une sous-famille spéciale (cœrébinés). 3) Les pinsons de Darwin (sous-famille des géospizinés) se trouvent sur les îles Galapagos.

PARULIDAE, DREPANIDIDAE, ICTERIDAE

La famille des parulidés regroupe 120 espèces de morphologie relativement homogène, vivant dans les régions néarctique et néotropicale, depuis le sud de la toundra canadienne jusqu'à la Patagonie, en passant par l'Amérique centrale et les Antilles. Elle comprend deux groupes, les fauvettes du Nouveau Monde, principalement insectivores, et les sucriers, qui se nourrissent surtout de nectar et de fruits.

Tous les parulidés sont de petits oiseaux à la livrée généralement vive mais non brillante où dominent les jaune, olive, marron, orange, rouge, gris, blanc et noir. Chez les espèces tropicales, qui vivent surtout dans les zones montagneuses, le mâle et la femelle ont une livrée presque identique pendant toute l'année. Cependant, chez les espèces migratrices, qui nichent dans les régions tempérées et hivernent sous les tropiques, les deux sexes sont très différents.

Ces oiseaux se nourrissent principalement d'insectes, capturés dans les strates intermédiaires et supérieures des forêts tropicales et décidues. Leur nid, presque toujours construit par la femelle seule, est situé en haut d'un arbre, dans un buisson, au sol, dans une petite cavité d'une rive ou d'une falaise rocheuse. Une couvée compte généralement de 2 à 6 œufs. Seule la femelle couve. L'incubation dure de 13 à 17 jours chez les espèces migratrices. Les jeunes, nourris par les deux parents, restent de 8 à 15 jours au nid.

Les drépanis de Hawaii sont des oiseaux de 10 à 20 cm que l'on ne rencontre que sur ces îles. Certains d'entre eux ont un bec extrêmement long (atteignant parfois jusqu'au tiers de la longueur totale), effilé et recourbé de façon à embrocher les insectes dans leurs trous ou à sucer le nectar au fond des corolles des fleurs. Espèce rare, l'akiapolaau (*Hemignathus wilsoni*) possède une mandibule inférieure deux fois plus longue que la mandibule supérieure, ce qui lui permet de décoller l'écorce, débusquant ainsi les larves d'insectes. D'autres espèces ont un bec droit comme celui des pics ; d'autres encore, qui se nourris-

Les parulidés sont de petits oiseaux à la livrée vivement colorée. Les jeunes des espèces tropicales ont dès l'éclosion la livrée des adultes, tandis que sous les climats tempérés ils ont plus ou moins le plumage de la femelle adulte. Les mâles conservent leur livrée jusqu'au printemps suivant l'éclosion.

Fauvette couronnée
(*Seiurus aurocapillus*)

Fauvette à tête cendrée
(*Dendroica magnolia*)

Fauvette protonotaire
(*Protonotaria citrea*)

Fauvette à capuchon
(*Wilsonia citrina*)

Rouge-queue
(*Setophaga picta*)

Iiwi
(*Vestiaria coccinea*)

Kauai akialoa
(*Hemignathus procerus*)

Pinson de Laysan
(*Psittirostra cantans*)

Les drépanididés actuels descendent d'une espèce arboricole, la première à atteindre Hawaii, alors que l'île était encore couverte d'épaisses forêts. Pour tirer le meilleur parti des ressources alimentaires et éviter une compétition au sein de l'espèce, ces oiseaux se sont progressivement diversifiés en une grande variété d'espèces.

sent principalement de graines, ont un bec plus court, plus lourd et recourbé.

Le nid, en forme de petite coupe compacte, est situé sur un arbre, dans un buisson ou de hautes herbes. Le mâle et la femelle le construisent ensemble, de même qu'ils couvent à tour de rôle, pendant 13 ou 14 jours, les 2 ou 3 œufs blancs tachetés de brun ou de roux. La plupart de ces oiseaux vivent dans les forêts denses, à environ 2 000 m d'altitude, où les précipitations annuelles atteignent 1,50 m.

Huit des 22 espèces répertoriées ont disparu récemment par suite de la chasse inconsidérée que leur font les indigènes. Celles qui survivent sont sérieusement menacées par les modifications de leur habitat naturel d'origine.

La famille des ictéridés, entièrement américaine, regroupe 90 espèces, réparties depuis le cercle arctique jusqu'à la Terre de Feu, en passant par les Antilles, les îles Falkland et l'île de Pâques. Leur taille varie de 13 à 14 cm pour le goglu *(Dolichonyx oryzivorus)* et de 50 à 52 cm pour le cassique olive *(Gymnostinops yuracares)*. Leur bec est conique, jamais plus long que la tête, droit ou à peine recourbé, sans entailles. La livrée va du simple noir (quoique souvent teinté de bleu, vert ou violet vif) aux plus brillantes combinaisons de jaune, orange, rouge, marron, blanc et noir.

Chez les espèces tropicales, il n'y a généralement pas de dimorphisme sexuel, alors que dans les régions tempérées le mâle et la femelle sont très différents. Les premières espèces sont sédentaires, tandis que celles des zones tempérées sont franchement migratrices. Les mœurs des ictéridés sont très variées et ils s'adaptent pratiquement à tous les types d'habitat, des forêts tropicales et décidues aux régions découvertes, humides ou semi-désertiques, depuis le niveau de la mer jusqu'à près de 4 000 m dans les Andes.

Ils se nourrissent principalement de fruits, baies, nectar, graines, insectes et petits vertébrés, souvent capturés de façon inhabituelle. Certaines espèces qui se nourrissent à même le sol, tels les genres *Psomocolax, Cassidix* et *Dives*, retournent les pierres pour débusquer les insectes ; le vacher géant *(Scaphidura oryzivora)* enlève les tiques et autres parasites de la peau du bétail.

Cassique vert
(Psarocolius viridis)

Grand mainate
(Cassidix mexicanus)

Oriole maculé
(Icterus pectoralis)

La forme, la composition et l'emplacement du nid des ictéridés varient considérablement. Le mâle participe rarement à sa confection. Aucune autre famille d'oiseaux américains, sauf les tyrans et les fourniers, ne fait des constructions aussi élaborées. Presque toutes les espèces tissent d'admirables nids suspendus aux branches. Certaines, cependant, fabriquent des coupes tapissées de boue et d'excréments.

Molothre à tête brune
(Molothrus ater)

Vacher géant
(Scaphidura oryzivora)

Sturnelle des prés
(Sturnella magna)

1) Les parulidés vivent dans les régions septentrionales et tropicales du continent américain, depuis la limite de la toundra canadienne jusqu'au rio de la Plata, en passant par l'Amérique centrale et les Antilles. 2) Les ictéridés, presque exclusivement américains, sont surtout tropicaux : on les rencontre sur tout le continent, y compris aux Antilles, aux îles Falkland et sur l'île de Pâques.

FRINGILLÉS

Fringillidae

Des 2 sous-familles qui composent le groupe, celle des fringillinés comprend seulement 3 espèces. Le pinson du Nord *(Fringilla montifringilla)* a une vaste distribution. Quant aux deux autres espèces, l'une se trouve uniquement sur les îles Canaries et le pinson des arbres *(F. coelebs)* ne dépasse pas la Sibérie occidentale à l'est. Le pinson du Nord habite une ceinture continue de la Scandinavie au Kamtchatka. On le situe entre les passériformes insectivores et les granivores plus évolués. Son régime, plus varié que celui de la plupart des autres fringillidés, s'explique par la longueur de son bec : l'été, il se nourrit essentiellement d'insectes ; il retire rarement les graines des plantes et cherche presque toujours ses aliments à terre, à rapides coups de bec ; il montre une prédilection particulière pour les graines de hêtre.

La seconde sous-famille, celle des carduélinés, témoigne d'une plus grande diversité dans ses habitudes alimentaires ; c'est pourquoi le bec de ces oiseaux a une structure variable. A l'une des extrémités figurent les représentants du genre *Carduelis*, notamment le chardonneret *(C. carduelis)* d'Europe et le chardonneret jaune *(C. tristis)* du centre et du nord de l'Amérique. Ces oiseaux multicolores ont un bec relativement fin et pointu, qu'ils utilisent comme des pinces pour extraire les graines de certains végétaux.

Les espèces au bec court et large, comme la linotte mélodieuse *(Acanthis cannabina)* et le sizerin flammé *(A. flammea)*, se nourrissent de plantes dont les graines sont directement attachées à la tige ou enfermées dans des capsules. Le sizerin, avec son bec particulièrement petit, ne se nourrit que des minuscules graines du bouleau.

Parmi les membres les moins caractéristiques de la famille, citons le bouvreuil pivoine *(Pyrrhula pyrrhula)*, seul représentant européen d'un petit genre des forêts asiatiques. Très répandu en Asie, c'est un habitant typique de la taïga et des forêts de conifères des régions les plus orientales du Japon, où vit une sous-espèce distincte *(P. p. griseiventris)*. Son bec est court et arrondi, avec des bords tranchants. Il se nourrit de graines, témoignant d'une nette préférence pour celles des fruits frais, comme

Pinson du Nord
(Fringilla montifringilla)

▲ Les fringillidés sont des oiseaux typiques des régions boisées qui se nourrissent de graines de divers arbres et autres plantes. On les reconnaît à leur bec court en forme de cône et aux bords tranchants. Très souvent, la distribution des espèces est fonction de celle des arbres qu'ils exploitent, comme dans le cas du pinson du Nord, dont la présence en hiver est liée à celle des forêts de hêtres. Le régime des fringilles varie selon la forme et la taille du bec. Les petites espèces se nourrissent de graines de plantes herbacées, les plus grandes de celles des arbres. Les jeunes ne consomment que des invertébrés.

Gros-bec casse-noyaux
(Coccothraustes coccothraustes)

Bouvreuil pivoine
(Pyrrhula pyrrhula)

Sizerin flammé
(Acanthis flammea)

Linotte mélodieuse
(Acanthis cannabina)

Chardonneret
(Carduelis carduelis)

Verdier
(Carduelis chloris)

Serin cini
(Serinus serinus)

▲| Autres représentants de la famille des fringillidés.

les sorbes ; il mange également des bourgeons.

Un autre exemple extrême d'adaptation alimentaire est donné par le grosbec casse-noyaux (*Coccothraustes coccothraustes*), répandu depuis les îles Britanniques jusqu'au Japon. Oiseau robuste à la queue courte, il a un cou puissant, une tête et un bec exceptionnellement gros. Il est connu pour son aptitude à briser les noyaux des fruits (cerises et olives). A cet égard, la structure interne de son bec est encore plus spécialisée que celle des autres fringilles. Son régime consiste normalement en graines d'aubépine, d'orme, de charme, d'érable et de hêtre ; cependant, au début de l'été, il se nourrit aussi de chenilles et de hannetons.

L'adaptation la plus étrange est celle des 3 espèces de becs-croisés (genre *Loxia*), qu'on trouve dans le nord de l'Eurasie et en Amérique. Ces oiseaux se sont parfaitement bien adaptés à un régime à base de graines de conifères ; leurs pattes, particulièrement robustes, leur servent à agripper les cônes et leurs mandibules croisées à les ouvrir. En fait, la mandibule supérieure est recourbée vers le bas et la mandibule inférieure vers le haut, de telle sorte qu'elles se croisent. Ils sont aussi connus pour leurs déplacements massifs — ils apparaissent en un même endroit à intervalles irréguliers — et, dans le cas d'au moins deux espèces, pour leur habitude de se reproduire à n'importe quel mois de l'année.

En ce qui concerne le comportement reproducteur, il existe une nette différence entre les deux sous-familles. Le pinson du Nord et le pinson des arbres nourrissent leurs oisillons avec des insectes et défendent un territoire relativement important, tandis que les carduélinés ne donnent que des graines à leurs oisillons et nichent en petits groupes, qui s'installent parfois en colonies, défendant un petit territoire immédiatement adjacent au nid.

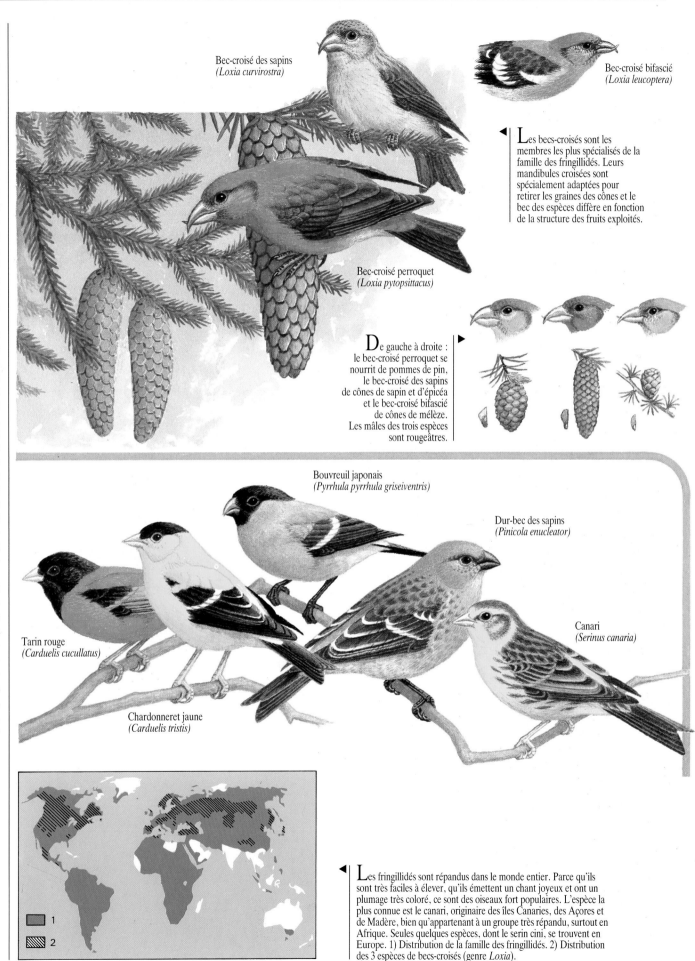

Bec-croisé des sapins
(*Loxia curvirostra*)

Bec-croisé bifascié
(*Loxia leucoptera*)

Bec-croisé perroquet
(*Loxia pytopsittacus*)

Les becs-croisés sont les membres les plus spécialisés de la famille des fringillidés. Leurs mandibules croisées sont spécialement adaptées pour retirer les graines des cônes et le bec des espèces diffère en fonction de la structure des fruits exploités.

De gauche à droite : le bec-croisé perroquet se nourrit de pommes de pin, le bec-croisé des sapins de cônes de sapin et d'épicéa et le bec-croisé bifascié de cônes de mélèze. Les mâles des trois espèces sont rougeâtres.

Bouvreuil japonais
(*Pyrrhula pyrrhula griseiventris*)

Dur-bec des sapins
(*Pinicola enucleator*)

Tarin rouge
(*Carduelis cucullatus*)

Canari
(*Serinus canaria*)

Chardonneret jaune
(*Carduelis tristis*)

1
2

Les fringillidés sont répandus dans le monde entier. Parce qu'ils sont très faciles à élever, qu'ils émettent un chant joyeux et ont un plumage très coloré, ce sont des oiseaux fort populaires. L'espèce la plus connue est le canari, originaire des îles Canaries, des Açores et de Madère, bien qu'appartenant à un groupe très répandu, surtout en Afrique. Seules quelques espèces, dont le serin cini, se trouvent en Europe. 1) Distribution de la famille des fringillidés. 2) Distribution des 3 espèces de becs-croisés (genre *Loxia*).

ESTRILDIDAE, PLOCEIDAE

Les estrildidés, passereaux granivores, comptent des oiseaux connus sous le nom de sénégalis, cordons-bleus, bengalis, manakins, etc., espèces exotiques qui figurent souvent parmi les oiseaux de cage. Petits, ne mesurant en général pas plus de 10 cm, ils ont habituellement un plumage très coloré. La plupart ont un régime granivore.

Tous les estrildidés construisent un nid épais en forme de dôme, de globe ou de bouteille, qui est peu solide et ne résiste guère au mauvais temps. L'incubation des 4 à 6 œufs dure une vingtaine de jours. Les postures et les attitudes de la parade nuptiale sont très variées. Il est à noter qu'aucune de ces espèces, à l'inverse des passereaux, ne bat des ailes : les femelles se contentent d'agiter la queue pour inviter le mâle à la copulation.

La famille, avec un peu plus de 100 espèces, a une distribution limitée à l'Ancien Monde, y compris les régions tropicales d'Afrique, d'Asie et d'Australie. Les prairies, les lisières de forêts, les roseaux, les savanes, les terres arables où les oiseaux de diverses espèces peuvent se rassembler figurent parmi les habitats favoris.

La grande famille des plocéidés de l'Ancien Monde, très largement répandue en Afrique, comprend des oiseaux communément appelés tisserins. En général, ils sont robustes, de taille variable — du moineau à la grive —, avec un bec court et épais. Aucun n'est réputé pour son chant, qui consiste en pépiements, cris aigus, etc.

La plupart des espèces sont rangées dans deux sous-familles. Celle des plocéinés compte environ un peu moins de 100 espèces de tisserins, célèbres pour leurs nids très élaborés faits de fibres entrelacées. La plupart vivent en Afrique, au sud du Sahara, et seulement 6 espèces existent dans le Sud et le Sud-Est asiatique. Ils nichent souvent en colonies, se rassemblant sur des arbres isolés de la savane africaine, où leurs nids massifs se remarquent immédiatement dans le paysage. Tel celui du républicain *(Philetairus socius)*, qui de tous les oiseaux construit le nid probablement le plus gros (5 m de diamètre). Jusqu'à 30 couples collaborent à son

▲ Les tisserins sont particulièrement réputés pour leur adresse à édifier leur nid. Les espèces des savanes, comme le tisserin du Cap *(Ploceus capensis)*, nichent en colonies.

Le diamant de Gould *(Chloebia gouldiae)* est l'un des estrildidés les plus colorés et l'un des oiseaux de cage les plus remarquables.

▼ La construction du nid nécessite une série de mouvements complexes et bien coordonnés. Le mâle commence le tressage à l'extrémité d'une branche. Des nœuds sont faits de diverses manières, mais tous sont parfaitement adaptés à la situation. Le nid des espèces qui nichent dans les forêts tropicales, comme le malimbe huppé, a une entrée en forme de tube. La taille de celui du républicain est considérable et contient des dizaines de nids individuels.

Républicain
(Philetairus socius)

Malimbe huppé
(Malimbus malimbus)

édification : ils commencent par le toit, pour lequel ils utilisent des branches, des brindilles et les tiges de plantes, jusqu'à ce qu'ils obtiennent un abri suffisant contre la pluie et le vent ; ensuite, chaque couple construit son nid, accolé aux voisins, avec l'entrée située vers le bas.

Les trois genres composant la sous-famille des passérinés sont *Passer*, *Petronia* et *Montifringilla*. On les trouve dans les régions éthiopienne, paléarctique et orientale. Deux espèces de *Passer* ont été introduites dans le Nouveau Monde et en Australie. Relativement petits (de 10 à 20 cm), ces oiseaux ont un bec robuste et conique et un plumage où dominent le gris, le brun et le noir, parfois, mais très rarement, avec des couleurs vives, comme le jaune ou le blanc. Ils sont granivores et se nourrissent principalement à terre. Ce sont de piètres voiliers, voyageant sur de courtes distances et à basse altitude.

Le dimorphisme sexuel est très marqué chez les 15 espèces du genre *Passer* : le mâle a une sorte de bavette noire descendant le long de sa poitrine et une ligne noire qui part du bec et va jusqu'aux yeux ; le moineau friquet (*P. montanus*) fait exception à la règle, les deux sexes ayant la même coloration.

Les espèces du genre *Montifringilla* vivent dans les montagnes, souvent à des altitudes de 4 000 m. Elles se tiennent le plus souvent à terre et ne témoignent d'habitudes grégaires que l'hiver, des groupes de plusieurs dizaines d'oiseaux abandonnant alors les montagnes inhospitalières.

Les 5 espèces du genre *Petronia* sont reconnaissables à la marque jaune de leur gorge, qui tranche sur leur plumage gris ou brun. Leur habitat, variable en fonction de la région, va des bois clairs aux broussailles et aux terrains rocheux à basse altitude ou en montagne. Les espèces qui nichent dans les arbres et les buissons mangent essentiellement des insectes ; celles des montagnes se nourrissent à terre.

Moineau domestique
(*Passer domesticus*)

Niverolle
(*Montifringilla nivalis*)

Moineau soulcie
(*Petronia petronia*)

Moineau du Cap
(*Passer melanurus*)

Moineau de la mer Morte
(*Passer moabiticus*)

Moineau espagnol
(*Passer hispaniolensis*)

Les plocéidés comptent des espèces, notamment le moineau, qui vivent très souvent en commensales de l'homme. Ce sont des oiseaux robustes, au bec puissant, se nourrissant essentiellement de graines ramassées à terre.

Moineau doré
(*Passer luteus*)

Moineau friquet
(*Passer montanus*)

Moineau blanc
(*Passer simplex*)

▼ Les passérinés sont largement répandus dans les régions éthiopienne, paléarctique et orientale. Avec l'introduction de deux espèces dans le Nouveau Monde et en Australie, la sous-famille est pratiquement devenue cosmopolite. 1) Zones d'introduction récente. 2) Aire originelle de la sous-famille des passérinés.

◀ 1) Les estrildidés habitent les régions tropicales d'Afrique, d'Asie et d'Australie. 2) Les plocéidés, particulièrement nombreux en Afrique, sont des oiseaux typiques de l'Ancien Monde.

SÉNÉGALIS, MANAKINS, CANARIS ET AUTRES FRINGILLÉS EXOTIQUES

Sénégali à queue de vinaigre (*Estrilda caerulescens*). *Famille* : Ploceidae. *Distribution, habitat, mode de vie, régime* : Afrique de l'Ouest, du Sénégal à la République centrafricaine ; broussailles, lisières des forêts et jardins ; grégaire ; granivore. *Dimorphisme, taille* : sexes identiques ; longueur 11 à 12 cm. *Reproduction* : 4 à 6 œufs blancs, dans un nid en forme de dôme, couvés par les parents à tour de rôle pendant 12-13 jours.

Bec-de-corail cendré (*Estrilda troglodytes*). *Famille* : Ploceidae. *Distribution, habitat, mode de vie, régime* : Afrique, entre le Sahara et l'équateur, de l'ouest de l'Éthiopie à l'Atlantique ; régions ouvertes, arides et semi-arides ; grégaire ; granivore. *Dimorphisme, taille* : la femelle a des zones roses moins vives sur le ventre, ainsi que des taches rouges autour des yeux. *Reproduction* : nid en forme de poire tapissé de brins d'herbe, souvent divisé en deux, avec une partie réservée à l'incubation par la femelle, l'autre réservée au mâle ; 4 à 8 œufs blancs.

Diamant à gouttelettes (*Poephila guttata*). *Famille* : Ploceidae. *Distribution, habitat, mode de vie, régime* : Australie et îles de la Sonde ; vit dans tous les environnements, à l'exception des forêts vierges ombrophiles ; grégaire, avec des couples permanents ; nomade ; cris qui ressemblent aux sons de trompettes enfantines ou à des miaulements ; granivore. *Taille* : 11 cm. *Reproduction* : en colonies ; pendant la parade nuptiale, le mâle chante et danse en soulevant les plumes de sa nuque et de son cou ; nid en forme de boule, avec un trou sur le côté, tapissé d'herbe et situé dans un trou d'arbre ou dans une cavité murale ; 4 à 8 œufs blancs, incubés par les deux parents pendant 13 à 15 jours.

Diamant de Gould (*Chloebia gouldiae*). *Famille* : Ploceidae. *Distribution, habi-*

Sénégali
(*Estrilda astrild*)

Amaranthe enflammé
(*Hypargos niveoguttatus*)

Veuve dominicaine
(*Vidua macroura*)

Bruant nonpareil
(*Passerina ciris*)

Capucin de l'Inde
(*Lonchura malacca malacca*)

Capucin à tête noire
(*Lonchura malacca atricapilla*)

Calfat
(*Padda oryzivora*)

Bengali de l'Inde
(*Amandava amandava*)

Diamant phaéton
(*Neochmia phaeton*)

tat, mode de vie, régime : Australie septentrionale ; zones ouvertes loin des
régions peuplées, lisières des mangroves ; grégaire et partiellement nomade ;
essentiellement actif vers le milieu de la
journée ; se nourrit de graines, de substances végétales et d'insectes. *Traits distinctifs, dimorphisme, taille* : espèce
polymorphe, avec la tête noire, rouge
ou jaune ; plumage de la femelle plus
terne, notamment pour le violet de la
poitrine ; longueur 13-14 cm. *Reproduction* : parade nuptiale très ritualisée,
consistant en de rapides saluts et balan-
cements, les plumes de la nuque et de la
poitrine ébouriffées et celles de la queue
relevées ; nid sommaire situé dans une
cavité d'arbre ou une termitière, très
rarement dans les buissons ; 4 à 8 œufs ;
plusieurs femelles occupent parfois le
même nid ; incubation par les deux
parents à tour de rôle, pendant 13 à
16 jours ; les premiers jours, les petits
ont des plaques brillantes à l'intérieur
de la bouche qui permettent aux parents
de les nourrir dans la semi-obscurité.

Capucin à tête blanche *(Lonchura
maja)*. *Famille* : Ploceidae. *Distribution,
habitat, mode de vie, régime* : presqu'île
de Malacca, Sumatra, Java, Bali et d'autres petites îles ; plaines ouvertes, rizières et jardins ; grégaire ; nomadisme
associé avec la nourriture locale ; granivore. *Dimorphisme, taille* : sexes identiques, bien que les mâles chantent et
dansent avant les femelles ; longueur
12 cm. *Reproduction* : nid en dôme,
avec une entrée sur le côté, situé dans la
végétation basse ; 4 à 6 œufs blancs.

Sénégali *(Estrilda astrild)*. *Famille* : Ploceidae. *Distribution, habitat, mode de
vie, régime* : Afrique au sud du 10e
parallèle nord ; savanes, dont celles à
proximité des zones peuplées ; grégaire ; granivore, partiellement insectivore
pendant la saison de reproduction.
Traits distinctifs, dimorphisme, taille :
ressemble au bec-de-corail cendré, mais
avec une queue noire ; dimorphisme ;
longueur 11 cm. *Reproduction* : identique à celle du bec-de-corail cendré.

Amaranthe enflammé *(Hypargos niveoguttatus)*. *Famille* : Ploceidae. *Distribution, habitat, mode de vie, régime* : Afrique de l'Est ; broussailles et lisières de
la forêt vierge ; en paires ou par petits
groupes ; granivore. *Dimorphisme, taille* : la femelle a des zones rouges plus
atténuées, les côtés de la tête bruns et le
milieu de l'abdomen grisâtre ; longueur
13 cm. *Reproduction* : nid en dôme posé
à terre ou dans les buissons ; 3 à 6 œufs
blancs, couvés par les deux parents à
tour de rôle pendant 12-13 jours.

Veuve de paradis
(Steganura paradisaea)

Ignicolore
(Euplectes orix franciscana)

Bec-de-corail cendré
(Estrilda troglodytes)

Diamant mandarin
(Taenopygia castanotis var. alba)

Capucin à croupion blanc
(Munia striata var. domestica)

Padda
(Padda oryzivora var. alba)

Veuve dominicaine *(Vidua macroura).*
Famille : Ploceidae. *Distribution, habitat, mode de vie, régime* : Afrique au sud du Sahara ; régions ouvertes, cultivées, bois clairs ; grégaire ; granivore. *Traits distinctifs, dimorphisme, taille* : le mâle en livrée nuptiale mesure 35 cm grâce à ses 4 rectrices centrales ; à la fin de la saison de reproduction, elles sont remplacées par des plumes de taille normale et le plumage entier mue pour laisser la place à une livrée marron, plus ou moins identique à celle de la femelle. *Reproduction* : polygame ; parasite ; chaque mâle s'accouple avec 5 ou 6 femelles ; œufs blancs ou crème pondus dans le nid d'une autre espèce, notamment le sénégali et l'astrild vert *(Coccopygia melanotis)* ou des membres du genre *Cisticola* (cisticoles) ; un œuf de l'espèce parasitée est jeté avant la ponte des œufs ; les parents d'adoption élèvent les petits de la veuve dominicaine avec les leurs.

Capucin à tête noire *(Lonchura malacca atricapilla).* *Famille* : Ploceidae. *Distribution, habitat, mode de vie, régime* : sud de l'Inde et Sri Lanka ; plaines ouvertes et zones humides ; grégaire et partiellement migrateur ; granivore. *Dimorphisme, taille* : sexes identiques ; longueur 12 cm. *Reproduction* : nid en forme de boule parmi les roseaux et les broussailles des marécages ; 5-6 œufs blancs ; les deux sexes participent aux activités de la reproduction.

Bengali de l'Inde *(Amandava amandava).* *Famille* : Ploceidae. *Distribution, habitat, mode de vie, régime* : sud de la Chine et de l'Inde, péninsule indochinoise et Malaysia, est de l'Indonésie (îles de la Sonde) ; introduit dans divers pays, dont l'Égypte, les Philippines et Hawaii ; zones ouvertes, de préférence humides, jusqu'à 2 000 m au-dessus du niveau de la mer ; grégaire ; granivore. *Traits distinctifs, taille* : selon qu'il appartient à la sous-espèce occidentale ou orientale, le mâle a les parties rouges de son plumage tachetées ou non ; l'hiver, sa livrée est identique à celle de la femelle, mais sa gorge et sa poitrine sont plus grises ; longueur 10 cm. *Reproduction* : nid en forme de boule parmi les roseaux et les joncs, non loin de l'eau ; 6 à 10 œufs blancs.

Calfat *(Padda oryzivora).* *Famille* : Ploceidae. *Distribution, habitat, mode de vie, régime* : Java et Bali ; introduit dans d'autres îles indonésiennes, l'est de l'Inde, Malacca, l'Indochine, le sud de la Chine, les Philippines, l'Afrique de l'Est, les Seychelles, Sainte-Hélène et Hawaii ; rizières, mangroves, roseaux,

Diamant de Gould
(Chloebia gouldiae)

Diamant quadricolore
(Erythrura prasina)

Capucin à tête blanche
(Lonchura maja)

Diamant de Gould
(Chloebia gouldiae)

Diamant mandarin
(Taenopygia castanotis)

Sénégali à queue de vinaigre
(Estrilda caerulescens)

Diamant à queue rousse
(Bathilda ruficauda)

broussailles et parcs ; grégaire ; granivore. *Dimorphisme, taille* : sexes identiques, quoique le bec du mâle soit légèrement plus gros ; longueur 14 cm. *Reproduction* : en colonies ; nid en dôme avec entrée sur le côté, fixé à un arbre ou sous un toit de tuiles ; 4 à 8 œufs.

Diamant phaéton (*Neochmia phaeton*). *Famille* : Ploceidae. *Distribution, habitat, mode de vie, régime* : nord de l'Australie ; régions ouvertes loin de l'eau, mais près des zones peuplées ; modérément grégaire ; graines, insectes et végétaux. *Dimorphisme, taille* : poitrine et abdomen de la femelle gris-brun ; taille 12 à 13 cm. *Reproduction* : un brin d'herbe coincé dans le bec, le mâle exécute une parade nuptiale élaborée ; nid, en forme de bouteille, édifié à la base d'une feuille de palmier ou sous les tuiles d'un toit ; 5 à 8 œufs blancs, incubés par les deux parents.

Capucin à croupion blanc (*Munia striata* var. *domestica*). *Famille* : Ploceidae. *Distribution, habitat, mode de vie, régime* : sujets sauvages, au plumage marron, en Inde, au sud de la Chine, à Taiwan, en Indochine, à Malacca et à Sumatra ; régions ouvertes, broussailles et forêts secondaires à 1 800 m d'altitude ; grégaire et localement migrateur ; granivore. *Traits distinctifs, dimorphisme, taille* : au Japon, plusieurs variétés ont été obtenues à partir d'individus sauvages ; la plus connue est chocolat, fauve, vert-jaune, tacheté et blanc, avec ou sans touffe ; pas de différence entre les sexes, sauf lorsque le mâle chante pour la femelle — voix très faible et mouvements saccadés du corps ; taille 12 cm. *Reproduction* : nid en forme de boule muni d'une entrée tubulaire sur le côté et proche du sol ; 3 à 8 œufs ; les deux sexes partagent les activités de la reproduction et souvent deux ou trois femelles utilisent le même nid.

Canari (*Serinus canaria*). *Famille* : Fringillidae. *Distribution, habitat, mode de vie, régime* : îles Canaries occidentales, Madère, Açores ; bois et parcs ; sédentaire, en petits groupes en dehors de la saison de reproduction ; granivore. *Dimorphisme, taille* : sujets sauvages gris-vert avec des raies sombres dessus, gorge et poitrine jaunes, abdomen blanc ; femelle nuancée de brun dessus avec le ventre moins jaune ; longueur 12,5 cm. *Reproduction* : au printemps, le mâle marque son territoire d'une voix forte et mélodieuse ; nid en forme de coupe, de préférence dans un conifère, à des hauteurs variables ; 3 à 5 œufs, bleu pâle ou blancs, avec des stries rousses.

Cou-coupé
(*Amadina fasciata*)

Canari
(*Serinus canaria*)

Pape de Nouméa
(*Erythura psittacea*)

Canari orange

Canari rouge

Canari japonais

Canari japonais-écossais.

Les illustrations de ces pages et des pages précédentes montrent une vingtaine d'espèces parmi les plus connues de la famille des plocéidés et de celle des fringillidés. Certaines vivent très bien dans des cages, d'autres non. En ce qui concerne ces dernières, cela ne signifie pas que l'on ne puisse pas les garder en captivité, mais elles ont alors besoin de beaucoup d'espace et de cages mieux adaptées à leurs besoins que les modèles traditionnels que l'on trouve dans le commerce. Les cages les plus simples et les plus pratiques sont rectangulaires, plus longues que hautes et ouvertes sur le devant. Nous déconseillons d'autres modèles.

STURNIDAE, DICRURIDAE, ORIOLIDAE

La famille des étourneaux (sturnidés) est composée de 111 espèces, réparties entre 32 genres, et inclut des oiseaux de petite et de moyenne taille, robustes et au bec droit. Leur plumage a une coloration variable, noir chez l'étourneau unicolore *(Sturnus unicolor)*, rose chez le martin roselin *(Pastor roseus)*, bleu, vert et pourpre avec des teintes métalliques chez les merles métalliques.

Les étourneaux sont des oiseaux typiques d'Europe, d'Afrique et d'Asie du Sud. Généralement sédentaires, ils peuvent voyager à la recherche de nourriture, comme dans le cas du martin roselin, qui niche du sud-est de l'Europe aux monts Altaï. Ce sont, en général, des oiseaux très sociables. L'importance de leurs groupes varie en fonction de l'environnement. Ils nichent dans un trou d'arbre ou de rocher et certains ont adopté les bâtiments. Ils fréquentent les régions boisées, les savanes, les steppes et les prairies. Leur régime est extrêmement varié (arthropodes, petits vertébrés, substances végétales, fruits cultivés ou non).

La plupart des espèces sont de remarquables imitateurs. L'étourneau sansonnet *(Sturnus vulgaris)* est capable d'imiter le cri de nombreuses espèces. Les martins — un groupe de 12 espèces appartenant à 6 genres différents — sont certainement les plus doués. Le mainate religieux *(Gracula religiosa)* est particulièrement connu ; il habite les forêts secondaires d'Asie, de l'Inde aux îles de la Sonde, et est régulièrement importé en Europe comme oiseau de cage. A cause de ses étonnants talents d'imitateur, on le préfère fréquemment aux perroquets.

Les pique-bœufs sont des oiseaux de taille moyenne (de 20 à 23 cm) qui vivent en Afrique. Leur large bec est idéal pour capturer des ectoparasites (notamment des tiques) dans la peau des ongulés sauvages ou domestiques. Leurs griffes leur permettent de se déplacer prestement sur le corps de ces animaux et d'adopter les positions les plus variées. Il n'en existe que 2 espèces, le pique-bœuf à bec jaune *(Buphagus africanus)* et le pique-bœuf à bec rouge *(B. eythrorhynchus)*.

Étourneau sansonnet
(Sturnus vulgaris)

▲ Les étourneaux sont des oiseaux très sociables ; la plupart vivent et se reproduisent en groupes, dont l'importance varie en fonction des conditions locales. En dehors de la saison de reproduction, ils se rassemblent en bandes, parfois très grandes, quand ils se nourrissent et pour dormir. Leur régime, varié, consiste en insectes et en substances végétales (graines, fruits).

Étourneau à collier noir
(Gracupica nigricollis)

Martin roselin
(Pastor roseus)

Étourneau chauve
(Sarcops calvus)

Étourneau de Daourie
(Sturnia sturnina)

Étourneau gris
(Spodiopsar cineraceus)

Spréo à longue queue
(Cosmopsarus regius)

Mainate religi
(Gracula religi

La famille des drongos (dicruridés) est composée d'un genre (*Dicrurus*), avec 19 espèces, vivant dans les régions tropicales d'Afrique au sud du Sahara, de Madagascar, d'Asie du Sud, des îles de la Sonde et d'Australie. La famille est particulièrement répandue dans le sud de l'Asie, où l'on trouve 10 espèces. Ces oiseaux, qui mesurent entre 20 et 38 cm, ont un plumage noir et ne présentent pas de dimorphisme sexuel. Ils vivent dans les forêts et les savanes, se nourrissant d'insectes, qu'ils chassent de la même manière que les gobe-mouches et les pies-grièches.

Les loriots de l'Ancien Monde (oriolidés) constituent une petite famille de 22 espèces répandue en Europe, en Asie occidentale et méridionale, en Afrique au sud du Sahara, en Indonésie et en Australie. De taille moyenne (de 20 à 30 cm), ils sont robustes et ont un bec légèrement incurvé. Le dimorphisme sexuel est net. Leurs ailes sont pointues, leur queue assez courte, leur vol rapide et ondulant. En général, le nid des loriots est suspendu à des branches horizontales, un peu comme un hamac. Les œufs sont blancs ou roses et tachetés. Le chant des loriots est bref et flûté. Leur régime consiste aussi bien en arthropodes qu'en fruits.

La famille compte des espèces migratrices, comme le loriot d'Europe (*Oriolus oriolus*) et le loriot doré d'Afrique (*O. auratus*). Le premier niche en Europe et en Asie occidentale, et hiverne en Afrique centrale. Le loriot doré, en revanche, fait des voyages saisonniers, mais reste toujours sous les tropiques. Il en existe deux sous-espèces distinctes, une qui niche au nord et une autre au sud de l'équateur. La sous-espèce du Sud (*O. a. notatus*) voyage vers le nord, quittant la Zambie et le Zimbabwe pour l'Ouganda et le Zaïre, où elle niche d'avril à août. Celle du Nord (*O. a. auratus*), qui vit dans la savane, vole vers le sud et le sud-ouest de l'Afrique entre novembre et avril, puis retourne de juin à février au Zaïre et en Ouganda.

Pique-bœuf à bec jaune
(*Buphagus africanus*)

Comme l'espèce à bec rouge, le pique-bœuf à bec jaune passe son temps perché sur le dos de gros ongulés et se nourrit des ectoparasites qui s'incrustent sous leur peau. Son activité est donc favorable au maintien de la condition physique de ses hôtes.

Les dicruridés vivent dans les forêts et la savane. Ils se nourrissent d'insectes. Leurs techniques de chasse sont identiques à celles des gobe-mouches et des pies-grièches.

Drongo royal
(*Dicrurus macrocercus*)

Loriot de Chine
(*Oriolus chinensis*)

Loriot d'Europe
(*Oriolus oriolus*)

Le loriot d'Europe est une espèce migratrice qui hiverne dans le centre et le sud de l'Afrique, du Zaïre à l'Afrique du Sud. Au printemps, il revient en Europe pour se reproduire.

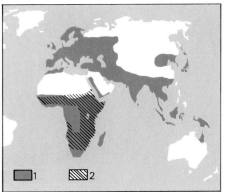

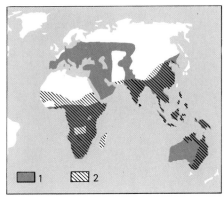

À l'extrême gauche : 1) Les étourneaux (famille des sturnidés) sont des oiseaux typiques d'Europe, d'Afrique et d'Asie du Sud. 2) Les pique-bœufs (genre *Buphagus*) ne vivent que dans la savane africaine. Ci-contre : 1) La petite famille des loriots (oriolidés) habite l'Europe, l'ouest et le sud de l'Asie, l'Afrique au sud du Sahara, l'Indonésie et l'Australie. 2) Les membres de la famille des dicruridés vivent essentiellement en Asie du Sud, bien qu'on les trouve aussi en Afrique au sud du Sahara et à Madagascar.

CALLAEIDAE, GRALLINIDAE, CRACTICIDAE, ARTAMIDAE

Les corneilles caronculées de la famille des callaéidés habitent les forêts les plus inaccessibles de l'intérieur de la Nouvelle-Zélande, où elles vivent en couples. Elles cherchent souvent leurs aliments à terre et volettent plus qu'elles ne volent de branche en branche. La philestourne caronculée se nourrit essentiellement d'insectes, tandis que le kokako mange des feuilles et des fruits. Le nid, ouvert, en forme de coupe et fait de racines, de brindilles, de feuilles et de fougères, est souvent caché derrière un rocher ou dans une cavité d'arbre, au-dessus du sol. Les 2 ou 3 œufs de chaque couvée sont gris ou bruns, avec des marques plus sombres. Ils sont couvés par les deux sexes pendant 20 jours environ et les oisillons sont élevés par les deux parents.

Les grallines, de la famille des grallinidés, vivent en Australie et en Nouvelle-Guinée. Bien qu'il n'en existe que 4 espèces, les différences entre elles obligent à classer les 2 espèces du genre *Grallina* dans une sous-famille séparée (grallininés) et les 2 genres monotypiques *Struthidea* et *Corcorax* dans une autre (corcoracinés).

La gralline-pie *(Grallina cyanoleuca)*, noir et blanc, est l'une des espèces les plus connues d'Australie. Elle a la taille d'un merle noir. Sa tête, son dos, ses ailes, sa queue, sa gorge et sa poitrine sont noir brillant, tandis que ses sourcils, la tache sous et derrière ses yeux, la base de sa queue, ses épaules, le bas de sa poitrine et son abdomen sont blancs. La gorge de la femelle est également blanche et elle n'a pas de sourcils blancs. La gralline-pie s'est bien adaptée à l'environnement urbain. Elle occupe la même niche écologique que le corbeau freux en Europe. Elle se nourrit d'insectes, de vers de terre et d'escargots.

La famille des cracticidés, qui compte 11 espèces, appelées cassicans, currawongs, etc., vit en Australie (dont la Tasmanie), en Nouvelle-Guinée et dans les îles adjacentes, et, depuis peu, en Nouvelle-Zélande (avec 2 espèces introduites).

Kokako
(Callaeus cinerea)

Les callaéidés sont des passereaux de taille moyenne. Leur caractère le plus frappant consiste en deux caroncules, prolongement de la peau nue qui se trouve sur les commissures du bec de nombre de passereaux. Chez les callaéidés, elles ont tendance à être de plus en plus visibles avec l'âge. Le kokako se nourrit de feuilles et de fruits. Le huia, que l'on n'a trouvé que dans l'île du Nord, en Nouvelle-Zélande, est une espèce qui s'est éteinte en 1808 à la suite de la chasse intensive des colons blancs. C'était un oiseau au dimorphisme sexuel très net : le bec du mâle était court et droit, celui de la femelle long et recourbé. Tous deux avaient donc un régime alimentaire différent.

Callaéidés
Huia
(Heteralocha acutirostris)

La gralline-pie s'éloigne rarement de l'eau, non seulement à cause de ses habitudes alimentaires, mais aussi parce que son nid, en forme de coupe, fixé sur une branche horizontale près d'une rivière, est essentiellement fait de boue : les années de sécheresse empêchent la reproduction.

Grallinidés
Gralline-pie
(Gallina cyanoleuca)

La taille de ces oiseaux varie de 26 à 60 cm ; en apparence, ils ressemblent à des corbeaux, au corbeau freux et même aux pies-grièches. Ils ont une grosse tête et un puissant bec très crochu. En général, leur plumage est noir, blanc et noir ou gris, mais certaines espèces ont une phase brune. Leurs longues pattes très robustes évoquent celles des corvidés.

Ils vivent dans les forêts, de la côte aux montagnes, et se nourrissent d'insectes, de fruits, d'œufs, de petits reptiles et de mammifères. L'hiver, ils se rassemblent en bandes et se séparent au début du printemps, chaque couple partant défendre son site de nidification. Le nid, situé à l'enfourchure de deux branches, est peu profond ; fait de brindilles entrelacées, il est tapissé de fibres d'écorce. Les 2 à 5 œufs sont brun clair ou fauves, avec des taches plus sombres.

En plus des familles que nous venons de mentionner, les artamidés, connus sous le nom de langrayens, occupent aussi une place incertaine dans la systématique, quoiqu'ils soient très probablement originaires d'Australie. Ils ne sont apparentés ni aux hirondelles (hirundinidés) ni aux pies-grièches (laniidés). Leur corps est trapu et ils mesurent de 14 à 20 cm. Leur plumage est noir, gris ou blanc chez 9 espèces, partiellement marron chez les autres.

Le cœur de la distribution de cette famille est l'Australie et les îles du sud-ouest du Pacifique. Une espèce, le langrayen à dos blanc (*Artamus monachus*), est répandue vers l'ouest jusqu'à la Malaysia, mais n'atteint pas le continent asiatique ; une autre, le langrayen (*A. fuscus*), a une vaste distribution dans le Sud-Est asiatique, de l'Inde et Sri Lanka à l'ouest de la Chine, en passant par la Birmanie et la Thaïlande. Dans le sud et l'ouest de l'Australie, certaines espèces migrent à l'intérieur du continent. Les 10 espèces sont groupées dans le genre *Artamus*. Leur nid est généralement placé sur une branche bien en vue, parfois dans une cavité ou, comme chez les espèces indiennes, à la base d'une feuille de palmier, à environ 10 m au-dessus du sol.

Langrayen à sourcils blancs
(*Artamus superciliosus*)

Relativement paisibles de nature, les langrayens se perchent bien en vue sur une branche, attendant que des insectes passent à proximité pour les capturer en vol. Ces oiseaux forment la nuit de petits groupes de plusieurs douzaines d'individus, probablement parce que leur plumage délicat leur fournit une piètre isolation.

Les cracticidés ont une grosse tête et un bec puissant et très crochu. En général, leur plumage est noir, noir et blanc ou gris, mais certaines espèces ont une phase brune. Les cassicans du genre *Cracticus* sont des carnivores particulièrement agressifs. Ils font des réserves de nourriture, comme les pies-grièches, en empalant leurs victimes (gros insectes, reptiles, amphibiens, petits mammifères et oisillons) sur des épines ou des branches pointues.

Cassican à collier
(*Cracticus torquatus*)

1) Les grallinidés sont répandus en Australie et en Nouvelle-Guinée. 2) Les artamidés vivent sur les îles du sud-ouest du Pacifique, ainsi qu'en Australie. 3) Les callaéidés ne vivent qu'en Nouvelle-Zélande. 4) Les cracticidés sont répandus en Australie, en Tasmanie et en Nouvelle-Guinée.

OISEAUX JARDINIERS

Ptilonorhynchidae

La taille des oiseaux jardiniers varie de celle d'une grive à celle d'un corbeau, soit de 18 à 30 cm. En règle générale, les mâles ont de vives couleurs et toutes sortes d'attributs décoratifs. Chez certaines espèces, le plumage prend des tons changeants étonnants en fonction de la lumière. Il est rare que les deux sexes aient un aspect semblable, la femelle présentant des teintes beaucoup plus modestes et plus atténuées.

Les oiseaux jardiniers fréquentent les forêts, passant la majorité de leur temps dans le feuillage, sauf lorsqu'ils viennent parader au sol. Bien qu'ils se nourrissent surtout de fruits, il leur arrive de consommer aussi des insectes et des escargots. Le nid, en forme de coupe, fait de brindilles sommairement entrelacées, est perché dans un arbre. La femelle y pond de 1 à 3 œufs blancs, décorés de sortes d'hiéroglyphes typiques. Elle couve et élève seule sa nichée.

On ne rencontre ces oiseaux qu'en Nouvelle-Guinée et en Australie. Leur nom provient de l'activité particulière du mâle, qui fabrique d'extraordinaires tonnelles, berceaux ou enclos, où il cherche à attirer la femelle pour les cérémonies complexes de la parade nuptiale. Seules certaines espèces construisent de véritables tonnelles ou berceaux ; ils sont presque toujours à même le sol et souvent entourés d'un terrain de parade. Ils n'ont aucun rapport avec le nid, qui, comme on l'a dit, est perché sur un arbre. Certaines espèces amassent des objets aux vives couleurs à l'intérieur de leur berceau ; celles des genres *Ptilonorhynchus*, *Chlamydera* et *Sericulus* réalisent d'incroyables prouesses : elles peignent les parois du berceau avec du jus coloré de certaines baies, du charbon de bois, des herbes, le tout dilué de salive, en utilisant des feuilles ou un morceau d'écorce en guise de pinceau.

La structure d'un berceau est constituée d'un toit circulaire, soutenu par un pilier central. Les tonnelles ont une plateforme protégée de murs et d'un toit ou d'une voûte de brindilles et de branches entrelacées. Berceaux, tonnelles et leur voisinage immédiat sont souvent décorés de fruits, de fleurs, de scarabées et de toutes sortes d'objets colorés.

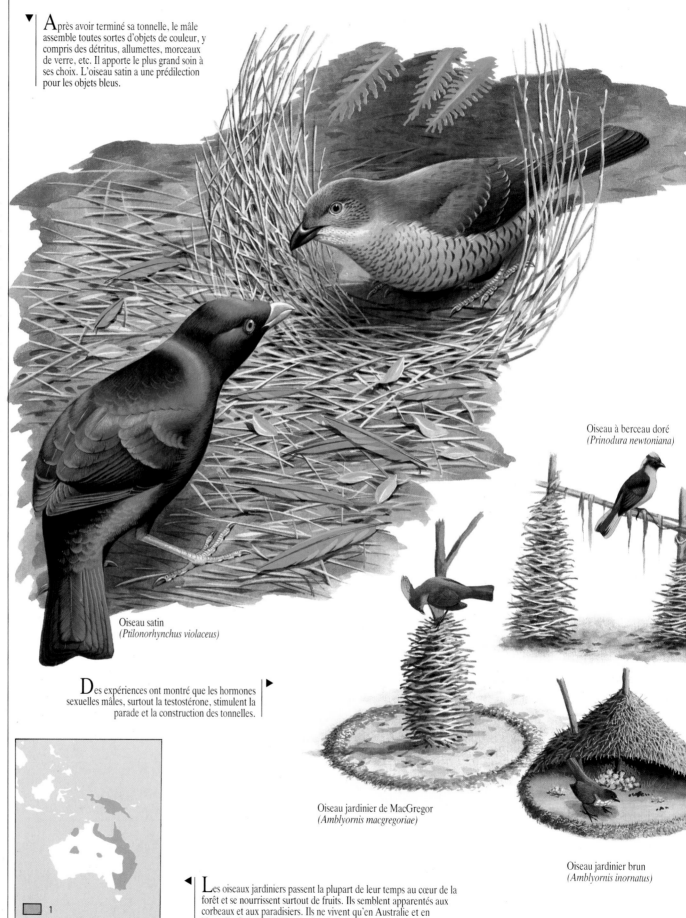

▼ Après avoir terminé sa tonnelle, le mâle assemble toutes sortes d'objets de couleur, y compris des détritus, allumettes, morceaux de verre, etc. Il apporte le plus grand soin à ses choix. L'oiseau satin a une prédilection pour les objets bleus.

Oiseau à berceau doré
(*Prinodura newtoniana*)

Oiseau satin
(*Ptilonorhynchus violaceus*)

▶ Des expériences ont montré que les hormones sexuelles mâles, surtout la testostérone, stimulent la parade et la construction des tonnelles.

Oiseau jardinier de MacGregor
(*Amblyornis macgregoriae*)

Oiseau jardinier brun
(*Amblyornis inornatus*)

◀ Les oiseaux jardiniers passent la plupart de leur temps au cœur de la forêt et se nourrissent surtout de fruits. Ils semblent apparentés aux corbeaux et aux paradisiers. Ils ne vivent qu'en Australie et en Nouvelle-Guinée. 1) Distribution de la famille des ptilonorhynchidés.

1

PARADISIERS

Paradiseidae

Les paradisiers, qui forment la famille des paradiséidés, sont universellement célèbres pour les superbes couleurs décoratives de leur plumage et leurs extraordinaires parades nuptiales, tant individuelles que collectives. Cependant, on ne sait pas toujours que ces oiseaux étonnants sont très proches des corbeaux (corvidés), surtout connus pour leur coloration foncée. Leur aire de distribution est limitée à la Nouvelle-Guinée et à quelques îles voisines, bien que de rares espèces se rencontrent dans l'extrême nord de l'Australie et aux îles Moluques.

Toutes les espèces de paradisiers sont arboricoles, vivant dans les zones montagneuses les plus inaccessibles, souvent à très haute altitude. Elle se nourrissent d'insectes, de petits vertébrés et d'autres animaux ; quelques-unes consomment aussi des fruits. En règle générale, ces oiseaux ne sont pas grégaires et on ne les observe en petits groupes que là où la nourriture est abondante ou, dans certains cas, sur les lieux de parade. Plusieurs espèces ont une livrée noire avec pour seul ornement les reflets métalliques des plumes et parfois une caroncule : mâles et femelles se distinguent à peine. A l'opposé, il existe des espèces dont les femelles ont une livrée plutôt terne, tandis que celle des mâles est soit noire, ornée de plumes aux formes étranges, soit vivement colorée d'un mélange de teintes superbes et rehaussée par une grande diversité de plumes ornementales étonnantes.

Le comportement parental dépend du type et de l'importance du dimorphisme sexuel. Lorsque les deux sexes sont peu ou pas différents, le couple est monogame. En cas de dimorphisme très marqué, il ne se forme pas de couple. Les mâles se rassemblent en groupes plus ou moins importants ou paradent individuellement sur un site approprié. Afin de pouvoir effectuer leur parade, certains paradisiers débarrassent le sol de la forêt de toute végétation encombrante. D'autres exécutent leur parade perchés sur une haute branche, d'autres encore paradent en communauté.

Les Européens ont longtemps cru que les paradisiers avaient une origine divine, car ils les imaginaient sans pattes et donc venus du ciel. Ils ont en fait des pattes très robustes, mais les dépouilles envoyées en Europe avaient les pattes coupées pour éviter qu'elles n'endommagent le plumage fragile.

Paradisier apode
(Paradisaea apoda)

Astrapie noire
(Astrapia nigra)

Paradisier
de l'Empereur Guillaume
(Paradisaea guilielmi)

Diphyllode magnifique
(Diphyllodes magnificus)

Paradisier du Prince Albert
(Pteridophora alberti)

Paradisier gorge d'acier
(Ptiloris magnificus)

Les mœurs polygames de la plupart des paradisiers ont entraîné l'apparition à l'état sauvage de nombreuses formes hybrides, souvent décrites comme des espèces distinctes. La Nouvelle-Guinée et les îles voisines constituent leur aire de distribution principale ; certaines espèces vivent aussi dans le nord de l'Australie et aux Moluques. 1) Distribution de la famille des paradiséidés.

CORVIDAE

Les corvidés appartiennent à l'ordre des passériformes et, en raison de la structure complexe de leur syrinx, au sous-ordre des oscines (oiseaux chanteurs). Robustes, ils ont un bec puissant, de longueur variable, quoique jamais très court, droit ou recourbé. Leurs narines sont recouvertes de petites plumes. Dépourvus de caractères particuliers, ils ont une grande faculté d'adaptation. Maintes espèces témoignent d'un haut niveau de sociabilité.

La famille est répandue quasiment dans le monde entier, à l'exception de l'Antarctique, de la Nouvelle-Zélande et de certaines îles de la Polynésie. Elle est divisée en 2 sous-familles, les corvinés, qui comptent les corbeaux, les corbeaux freux, les choucas, le grand corbeau et les casse-noix, et les garrulinés, qui comprennent les geais, les pies, les crave et chocard.

Corbeaux, corbeaux freux, choucas et grand corbeau. Ils sont tous groupés en un seul genre, *Corvus.* Parmi eux figurent le corbeau freux *(C. frugilegus)*, la corneille noire *(C. corone)*, la corneille d'Amérique *(C. brachyrhynchos)*, le grand corbeau *(C. corax)*, la corneille de rivage *(C. ossifragus)*, la corneille à gros bec *(C. macrorhynchos)* et le choucas des tours *(C. monedula)*.

Le grand corbeau mesure de 51 à 62 cm ; son plumage est noir avec des reflets métalliques. Il a une très vaste distribution, avec diverses sous-espèces, à travers l'hémisphère Nord : en Amérique du Nord, de l'Alaska et du Groenland à l'Amérique centrale, et, dans l'Ancien Monde, de l'Islande aux côtes du Pacifique et au tropique du Cancer. Il habite les régions montagneuses et rocheuses, les falaises. Sédentaire, il construit son nid sur les saillies rocheuses ou dans un arbre et la femelle y pond 4 ou 5 œufs, parfois de 3 à 6, de février à mars. Il se nourrit de substances animales, vole en ligne droite et plane souvent à des hauteurs très élevées. Il vit en couples, mais se rassemble aussi en bandes.

La corneille noire mesure 46 cm ; ses pattes et son plumage sont noirs, avec des reflets métalliques. La corneille mantelée *(C. corone cornix)*, une sous-espèce, est grise, avec la tête, la gorge, les ailes et la queue noires. Elle est répandue en Eurasie et en basse Égypte. Alors que la corneille noire habite les

Corneille noire
(Corvus corone)

▲ Les corneilles noires, et notamment la corneille de rivage des côtes d'Amérique du Nord, se rassemblent souvent sur les plages, où elles se nourrissent de poissons échoués et d'autres animaux marins.

◀ Corbeaux, corbeaux freux, choucas des tours, grand corbeau et casse-noix ont un régime très varié, qui comprend des animaux, des plantes, des charognes et des détritus.

▼ Le corbeau freux, comme les corneilles, trouve sa nourriture à terre. Les aliments protégés d'une épaisse coquille, comme les escargots et les noix, sont fracassés contre les pierres. Le corbeau freux niche en colonies bruyantes dans les grands arbres, jusqu'au centre des villes.

régions occidentales et orientales, la corneille mantelée fréquente le centre. Les corneilles vivent seules ou en couples et migrent sur de courtes distances ou sont sédentaires. Leur nid, situé dans les arbres, les rochers, plus rarement les murs en ruine ou les pylônes, reçoit 4 ou 5 œufs, parfois de 2 ou 3 à 6. Elles sont omnivores, comme presque tous les membres du genre *Corvus*.

Dans certaines régions, des corneilles fréquentent les rivages, se nourrissant principalement d'animaux marins trouvés sur la plage. Témoin la corneille de rivage, qui vit le long des côtes atlantiques d'Amérique du Nord.

La corneille à gros bec, avec une douzaine de sous-espèces, est répandue dans tout le sud et l'est de l'Asie.

Le choucas des tours est l'un des plus petits membres de la famille, avec 32 cm. Son plumage est noir avec des reflets métalliques, sa nuque et les côtés du cou sont gris. Il est répandu dans toute l'Europe, en Asie occidentale et dans le nord-ouest de l'Afrique. Les populations du Sud sont sédentaires, celles du Nord migrent vers le sud. Il niche en colonies dans des fissures de rocher et dans des arbres, parfois dans des cheminées. On le voit souvent sur les vieux monuments des villes (châteaux, cathédrales).

Casse-noix. Ce groupe est composé d'un genre, *Nucifraga*, avec deux espèces, le casse-noix (*N. caryocatactes*), d'Europe et d'Asie, et le casse-noix de Clark (*N. columbiana*), d'Amérique du Nord. Ils vivent essentiellement dans les forêts de conifères, construisant leur nid dans les arbres ; ils pondent 3 ou 4 œufs, parfois de 2 à 5. Leur régime consiste en graines de pins et en noisettes, qu'ils stockent souvent dans la terre afin d'avoir des provisions pour l'hiver. Ils jouent donc un rôle important dans la propagation des pins et du noisetier.

Crave et chocard. Ce groupe est aussi composé de deux espèces, appartenant à un genre, *Pyrrhocorax*, toutes deux de l'Ancien Monde : le chocard à bec jaune (*P. graculus*) et le crave à bec rouge (*P. pyrrhocorax*). Ils ont plus ou moins la même taille et leur plumage est totalement noir, avec des reflets métalliques, mais le crave à bec rouge a un bec plus long et plus incurvé.

Crave à bec rouge
(*Pyrrhocorax pyrrhocorax*)

Corneille à gros bec
(*Corvus macrorhynchos*)

Casse-noix
(*Nucifraga caryocatactes*)

Chocard à bec jaune

Corbeau freux

Choucas des tours
(*Corvus monedula*)

Corneille mantelée
(*Corvus corone cornix*)

Grand corbeau
(*Corvus corax*)

▲ Pour extraire les graines, le casse-noix tient la pomme de pin entre ses pattes et retire les pignes avec son bec.

▲ Les deux illustrations du haut montrent des membres de la famille des corvidés collectant et stockant des objets brillants, comportement pour lequel les corneilles sont très réputées. En fait, cette habitude ne semble se manifester que chez les oiseaux domestiqués ou vivant près de l'homme. Les corbeaux freux sont connus pour fondre sur les balles de golf et repartir aussitôt, la balle coincée dans leur bec.

◄ 1) La famille des corvidés est répandue pratiquement dans le monde entier. Elle a été introduite en Nouvelle-Zélande et est absente de l'Antarctique.

■ 1

PIE BAVARDE

Pica pica

Ordre Passériformes
Famille Corvidae
Taille Longueur 45 cm, dont 20 à 26 cm pour la queue ; envergure 48 à 53 cm
Poids 155 à 240 g
Distribution Europe et régions tempérées d'Asie, Amérique du Nord
Nidification En hauteur dans les arbres, parfois plus bas dans les buissons ; une couvée par an
Œufs 5 à 8, parfois 4 à 9, exceptionnellement plus, variant du bleu-vert au brunâtre, avec des taches brunes
Taille des œufs 34 × 24 mm
Incubation 17-18 jours
Petits Dépendants des parents (ils restent dans le nid 22 à 27 jours).

La pie bavarde, qui n'est pas un oiseau très gros, se reconnaît à son plumage blanc et noir et à sa longue queue. La majeure partie de son corps (tête, gorge, dos, ailes et queue) est d'un noir velouté à reflets, tandis que le reste (flancs, abdomen, tectrices) est blanc. Les ailes sont plutôt courtes et arrondies.

Les milieux ouverts abondant en nourriture et possédant suffisamment d'arbres pour nicher et se percher sont ses habitats typiques (lisière des forêts, campagne cultivée, bocage). En général, la pie bavarde fréquente les plaines et les collines, les montagnes — comme les Alpes, où elle niche jusqu'à 1 700 m — ainsi que les côtes.

Elle vit en couples toute l'année et les petits restent avec leurs parents longtemps après avoir éclos, au moins jusqu'en automne. La reproduction commence au début d'avril, quand les deux sexes construisent leur nid, en haut d'un arbre ou dans un buisson. Grand, rond et compact, il est fait de brindilles et de branches sèches et renforcé à l'intérieur de terre et de boue ; normalement, il est surmonté d'un « toit » et possède deux entrées. L'intérieur est tapissé de racines. La femelle se charge de l'incubation, pendant laquelle le mâle la nourrit.

Le régime de la pie bavarde, comme celui de la plupart des corvidés, est omnivore.

La pie bavarde appartient à la même famille que les corneilles, le corbeau freux et le grand corbeau. Elle leur ressemble par la structure générale de son corps et par la forme de son bec, ainsi que par certains traits biologiques et écologiques. On la reconnaît à la couleur de son plumage et à la longueur de sa queue.

La pie bavarde est omnivore et son régime dépend des conditions locales.

Geai des chênes
(Garrulus glandarius)

Pie bleue
(Cyanopica cyanus)

En vol, les ailes arrondies de la pie bavarde et sa queue sont très visibles.

Geai bleu
(Cyanocitta cristata)

1
2

La pie bavarde, très répandue dans la région paléarctique, vit en Europe, en Asie centrale jusqu'à l'océan Pacifique, la péninsule indochinoise, l'Arabie et l'Afrique du Nord. Elle a également colonisé des régions d'Amérique du Nord. La pie bleue, elle, est limitée à deux aires de l'Ancien Monde, la péninsule Ibérique et le centre et l'est de l'Asie. 1) Distribution de la pie bleue *(Cyanopica cyanus)*. 2) Distribution de la pie bavarde *(Pica pica)*.

INDEX

Note : les chiffres en romain gras **(220)** renvoient aux articles principaux et à leurs illustrations. Les chiffres en romain maigre (220) renvoient à un nom cité dans le texte, et les chiffres en italique *(220)* aux autres illustrations et aux légendes.

SOURCE DES ILLUSTRATIONS

Oliviero Berni, Milan : 46, 96-97, 100-101, 136-137, 138-139, 146, 147, 196-197, 198-199, 234-235, 236-237.

Fausto Borrani, Brescia : 114-155, 122-123, 188-189, 190-191.

Trevor Boyer/Linden Artists Ltd., Londres : 38-39, 40-41, 42-43, 44-45, 48-49, 50-51, 52-53, 72-73, 74-75, 76, 77, 78-79, 80-81, 82, 83, 84-85, 86-87, 88-89, 90-91, 92-93, 126-127, 128-129, 214-215, 216-217, 220-221, 230-231, 258-259, 262-263, 264-265, 268, 269, 272.

Martin Camm, The Tudor Art Agency Ltd., Londres : 47, 60, 61, 623-63, 64, 65, 66-67, 68-69, 70-71.

Umberto Catalano, Bologne : 132-133, 134, 135, 204-205, 224-225, 226-227, 228-229, 232-233, 238-239, 240-241, 242-243, 244, 245, 246-247, 264-265, 270-271.

Piero Cozzaglio, Brescia : 26, 27.

Ezio Giglioli, Milan : 14, 156-157, 158-159, 160, 161, 176-177, 178-179, 192-193, 194-195.

Michel Guy, Noisy-le-Grand (France) : 144-145, 152-153, 154, 155, 212, 213.

Francesca Jacona, Rome : 180, 181, 200,201.

Jan Maget/Art Centrum, Prague : 104-105, 148, 149.

Pavel Major/Art Centrum, Prague : 108-109.

Gabriele Pozzi, Milan : 110-111, 112, 113, 116, 117, 118, 119, 120-121, 124, 182-183, 184-185, 186, 187.

John Rignall/Linden Artists Ltd., Londres : 30-31, 32-33, 34, 35, 36, 37, 54-55, 56-57, 218, 219, 248-249, 250-251, 252-253, 254-255, 256-257.

Aldo Ripamonti, Milan : 29, 125, 150-151, 162-163, 164-165, 166, 167, 168-169, 170-171, 172-173, 174-175, 266-267.

Sergio, Milan : 10, 15, 58-59, 94-95, 98-99, 102-103, 106-107, 130-131, 140-141, 142-143, 202-203, 206-207, 208, 209, 210-211.

David Wright/The Tudor Art Agency Ltd., Londres : 136-137.

ENCYCLOPÉDIE DES OISEAUX DU MONDE
publié par Sélection du Reader's Digest

Photocomposition : EMPREINTES, Antony
Impression et reliure : MONDADORI, Tolède

PREMIÈRE ÉDITION
Achevé d'imprimer : août 1991
Dépôt légal en France : septembre 1991
Dépôt légal en Belgique : D.1989.0621.73

IMPRIMÉ EN ESPAGNE
Printed in Spain
D.L.TO:1364-1991